KOL 첫번째 이야기
살아나는 교회 살리는 교회

KOL 첫번째 이야기

살아나는 교회 살리는 교회

2024년 9월 9일 초판 1쇄 발행

지은이	김하연 문장환 안진출 신원하 황대우 유해신 감기탁 박신웅 손승호 손재익 이기룡 최정복 김보성 이정규 성희찬
편집인	김하연 황대우 감기탁
발행인	최정기
기획책임	박진필
디자인	문지연
인쇄	금강인쇄
펴낸곳	고신언론사
주소	서울시 서초구 고무래로 10-5(반포동) 고신총회 고신언론사
전화	02-592-0981, 02-592-0985(FAX)
ISBN	979-11-984522-6-9, 979-11-984522-5-2(세트)

이 책의 판권은 지은이와 고신언론사에 있습니다.
양측의 서면 동의 없는 무단 전재 및 복제를 금합니다.
※ 본문 및 제목에서 김정철 서체를 사용했습니다.

KOL의 읽기 발음은 히브리어 단어
'콜(소리)'과 동일하며, 이는 본 기획팀이 추구하는 바
이사야서 40장 3절의 '콜(KOL) 코레 바 미드바르'
(광야에 외치는 소리)'의 역할을 표방한다.

인사말

교회 회복을 위한 몸부림

김하연 목사(고신언론사 주필, KOL 기획위원장, 대구삼승교회)

2023년 1월부터 고신언론사에서 KOL을 특별기획하여 2024년 6월까지 연재하게 됐습니다. KOL은 Kosin Opinion Laboratory의 이니셜이기도 하지만 동시에 히브리어로 '콜'(KOL, 소리)을 음역해 놓은 의미를 부여한 것이기도 합니다. 이사야 40장 3절의 '콜(KOL) 코레 바 미드바르'(광야에 외치는 소리)를 생각하면서 절박한 한국교회 현실을 마주하며 '광야의 소리'를 외쳐보고 싶은 강력한 충동에 의해 기획된 것이었습니다.

코로나(COVID-19)로 인해 2020-2022년까지 출석교인 20-30%가 증발하고 교회에 젊은 층이 점점 사라져 주일학교가 문을 닫아야 하는 교회가 많아졌습니다. 교회의 사회적 신뢰도 역시 밑바닥까지 추락하고 미래에 대한 전망도 결코 밝지 않은 어려운 때 어떻게라도 해법을 찾고자 하는 몸부림으로 콜(KOL)을 시작했습니다. 아무 소리도 내지 않으면 아무 일도 일어나지 않기에 호수에 돌을 던져 파장이라도 만들고 작은 보트로 수면에 잔잔한 물결이라도 일으키고 싶은 간절한 마음이 있었습니다.

    고신언론사 사장이신 최정기 목사님의 한국교회를 향한 시대적 사명감과 적극적 지원 그리고 간사로 섬기신 이호욱 편집국장(대행)의 수고에 감사합니다. 특히 헌신 된 각 분야의 전문기획위원들께 감사합니다. 이 두 권의 책은 저를 포함하여 모두 목사인 신원하(고려신학대학원 교수), 안진출(안디옥교회 담임), 유해신(관악교회 담임), 문장환(진주삼일교회 담임), 황대우(고신대학교 교수), 감기탁(달성교회 담임), 박신웅(소망교회 담임), 김하연(대구삼승교회 담임) 등 총 여덟 명으로 구성된 특별기획위원들이 한국교회를 위한 뜨거운 사랑과 열정으로 고민하고 토론하고 연구하면서 흘린 땀방울들의 값진 결실입니다.

기고된 많은 글은 그냥 한번 읽고 넘기기에는 너무 아깝고 소중한 내용들이라 곱씹을 요량으로 그중 일부를 발췌하여 두 권의 책으로 묶었습니다. 혹자는 한국교회가 다시 부흥의 역사를 맞이하기에 이미 때늦은 감이 있다고 생각할 수도 있겠지만 우리는 하나님의 섭리와 그분의 나라에 늦은 법이란 없음을 알고 고백합니다. 모세가 약속의 땅을 밟지 못하고 죽음을 앞두고 있을 때에도 우리 하나님께서는 그에게 이스라엘 백성의 미래 비전을 보여주신 분이십니다(신 34장). 요단 건너편 북쪽에서 남쪽까지 이스라엘이 들어가 정복할 땅을 보여주신 것입니다. 약속을 이루실 하나님의 계획은 아직 끝나지 않았기 때문입니다. 그래서 비전이 계속되는 것입니다. 모든 사람은 각자 자기 시대에 자기 역할을 충분히 감당하고 결국은 하나님의 때에 하나님의 역사가 완성되는 것을 보게 될 것입니다.

한국교회도 지금 여전히 비전 가운데 나아가야 합니다. 이 두 권의 책을 통해 한국교회를 향한 하나님의 사랑을 확인하고 그분의 비전을 깨달을 뿐만 아니라 또한 그 비전이 이루어지는 역사가 일어나길 두 손 모아 간절히 기도합니다. 물론 미루기만 하는 것이 아니라 지금 할 수 있는 일들은 하나씩 이루어가면서 그리고 결국 완성해나가실 하나님의 나라를 향한 그분의 섭리를 바라보면서 오늘 묵묵히 책임 있게 달려가기를 원합니다. 더욱 많은 광야의 외치는 소리들이 울려 퍼지기를 소망하면서 이 책이 나오게 됨을 하나님께 영광 돌리고 감사를 드립니다.

추천사

세상을 바라보는 우리의 시선

김홍석 목사(고신총회장, 안양일심교회)

우리 총회 기관지 '기독교보'에 1년 반 동안 연재되어 많은 사람으로부터 사랑을 받은 주옥같은 글들을 모아 단행본으로 출간하게 된 것을 축하드립니다. 주간 신문의 전면을 할애하여 기획하는 일은 결코 쉽지 않은 일입니다. 그럼에도 오랫동안 귀한 지면을 통해서 우리 총회 소속 성도와 교회들에게 신선한 독서 자료를 제공하고 선한 영향력을 미친 것에 대해 우선 깊은 감사를 드립니다.

기독교보에 연재된 KOL은 '고신의 소리'(Kosin Opinion Laboratory)를 줄여 사용한 것이기도 하지만 동시에 히브리어의 '콜'(קוֹל, 소리)을 의미하기도 합니다. 그런 의미에 걸맞게 KOL은 이사야 40장 3절의 '광야의 소리'처럼 한국교회의 현안들과 그 대안들을 추구하며 광야에 외치는 자의 소리를 질러 왔습니다. 고신의 목회자와 학자들을 중심으로 여덟 분이 집필팀을 이루고 일 년 반 동안 열심히 소리를 질러온(?) 내용을 모은 것이어서 더욱더 기대가 됩니다.

 이번에 출간하는 KOL 첫 번째 이야기 '살아나는 교회, 살리는 교회'와 KOL 두 번째 이야기 '세대를 품은 교회, 세상을 향한 교회'는 목회자들은 물론 많은 교우에게도 큰 도움이 될 것이므로 기쁜 마음으로 추천하고자 합니다. 물론 한 사람의 전작(全作)이 아니어서 약간의 견해차가 있을 수도 있으나 이는 우리의 다양성이라는 측면에서 이해될 수 있을 것입니다. 무엇보다도 오늘 우리 시대에 꼭 필요한 주제들을 엮은 것이 큰 장점이라고 할 수 있습니다. 아마도 이미 알고 인식하고 있는 내용도 있을 것입니다. 그러나 우리가 알고 있는 내용일지라도 이를 잘 정리하여 준 것에 대해서 고마운 마음을 전합니다. 새로운 내용에는 더욱 찬사를 보냅니다.

 고신언론사에서 탁월한 기획 의도를 갖고 연재되었던 내용을 모아 단행본으로 출간하게 된 것을 다시 한번 감사드리면서 우리 고신총회와 한국교회에 큰 도움이 될 것으로 믿고, 적극 추천합니다. 이 책은 단순히 딱딱한 지식이나 정보 제공에서 끝나지 않고 그리스도인의 삶에 반성적 사고(反省的 思考, reflective thinking)를 촉진할 것입니다. 우리의 걸어온 길을 되돌아보고, 미래를 열어갈 좋은 담론(談論)이 가득 담긴 책이므로 성도와 젊은 목회자의 일독을 권합니다.

추천사

시대의 어둠을 밝히는 교회와 성도

이정기 박사(고신대학교 총장)

흔히 '어벤저스'라는 말을 합니다. '슈퍼히어로'를 뜻하는 의미로 사용합니다. 우리 교단에서 가장 탁월한 식견과 필력을 가지신 8분의 전문기획위원과 각 분야의 전문가들이 어벤져스팀으로 뭉쳤습니다. 그리고 2023년 1월부터 장장 1년 6개월 동안 혼신의 힘을 다해 쏟아 놓으셨던 소중한 결과물을 책으로 출판하게 됐습니다. 너무 고맙고 감사한 일입니다. 어느 교단이 눈물의 기도와 깊은 연구를 통해 교회와 사회를 섬기는 일에 앞장서고 있을까요? 우리 교단에 주신 하나님의 은혜요 축복이며 사명이라고 생각합니다. 이번에 출판되는 '살아나는 교회, 살리는 교회'와 '세대를 품은 교회, 세상을 향한 교회'는 주님께서 고신교회에 주신 사명을 다하기 위한 몸부림이며 세상을 주님의 사랑으로 품고자 하는 거룩한 도전이라고 믿습니다.

지금 한국교회와 사회는 몸살을 앓고 있습니다. 이 몸살이 성장통이 될지, 수명을 갉아먹는 중병이 될지는 아무도 알 수 없지만 이렇게 한국교회와 사회를 진단하고 고민하는 분들이 계시기에 우리 교단의 앞날과 조국의 미래는 결코 어둡지 않을 것이라 확신합니다. 간헐적으로 지면에서 만나던 'KOL'의 목소리를 한곳에서 함께 읽고 묵상할 수 있게 되어 너무 기대가 됩니다. 전문기획위원뿐 아니라 보이지 않는 곳에서 음으로 양으로 헌신과 섬기신 많은 손길이 있기에 오늘의 기쁨을 함께 누릴 수 있다고 생각합니다.

우리에게 남은 과제는 집필진들이 먼저 고민하시고 제안하신 일들을 어떻게 삶의 현장에서 담아내고 구현해 내기 위해 노력하는 것이라 믿습니다. 우리 교단에 속한 모든 교회가 이 책을 함께 읽고 기도하며 미래를 대비하면 좋겠습니다. 이 책을 통해 성경에 기초한 기독교 세계관과 더불어 시대를 분별할 수 있는 영적인 민감함을 배우고 갖추어 나간다면 고신교단이, 고신에 속한 모든 교회가, 고신교회에 속한 모든 성도가 시대의 어둠을 밝히는 빛의 역할을 감당하게 될 것으로 확신합니다. 이 책을 읽는 모든 분이 세상을 향한 하나님의 마음을 품고 시대를 분별하는 예리한 영적 분별력으로 세상을 살리는 교회를 세우고, 세대 갈등을 넘어 세상을 향해 나아가는 믿음의 동역자가 되기를 기대하고 소망합니다.

추천사

민감한 문제들에 대한 진솔한 답변

최승락 박사(고려신학대학원 원장)

지금 우리는 다각적인 측면에서 변화의 시대를 맞고 있습니다. 교회 안팎의 상황이 급격히 변화되고 있고 어떻게 여기에 대처해야 할지 혜안과 방안을 찾기가 쉽지 않습니다. 그동안 기독교보에 연재되었던 '고신의 소리: 콜'은 이런 난국을 헤쳐가기 위한 좋은 기획이었습니다. 그 열매가 금번에 책으로 나오게 된 것은 참 축하하고 환영할 만한 일입니다.

한 저자가 잘 지적하는 것처럼 이 시대의 많은 교회는 부흥을 외치면서도 하나님의 영광의 임재보다 숫자 놀음에 더 집착하고 있습니다. 말씀의 선포보다 '선동'에 가까운 설교가 난무하고 있습니다. 이런 상황 속에서 우리가 어떻게 본질을 잃지 않으면서 현안의 문제들을 지혜롭게 풀어갈 수 있을지 시의적절한 방향 제시가 꼭 필요한데 이 책은 이런 필요에 잘 부응하는 책입니다. 이 책은 교회 안에서 흔히 접하는 민감한 문제들에 대한 진솔한 답변을 담고 있습니다. 또한 유년부터 노년에 이르기까지, 특히 MZ세대와 3040세대의 구체적 필요와 대처 방안들을 심도 있게 제시하고 있습니다. 이런 면은 현장 목회자들과 신학생들에게 큰 도움이 되리라고 봅니다.

나아가서 이 책의 저자들은 오늘 우리가 살아가는 이 시대의 사회적 현황과 그 요구에 답하고자 하는 진지한 노력을 기울이고 있습니다. 목회와 사회 활동의 다양한 경험과 지식을 보유한 저자들의 믿을 만한 방향 제시가 매우 큰 호소력을 가집니다. 이런 주제에 관심이 많은 다양한 분야의 평신도 전문가들이 이 '콜'에 호응을 해서 다음에는 이런 전문가들의 '콜'이 책으로 나왔으면 좋겠다는 바람을 가져봅니다.

이 책에 실린 글들이 처음 기독교보에 연재되었을 때 눈에 띄는 몇몇 글들을 찬찬히 읽으면서 깊은 공감과 자부심을 느꼈던 적이 많습니다. 쉽지 않은 전문 주제들을 균형 있게 잘 다룰 수 있는 분들을 친구로, 동료로 가진 것에 대한 자부심이 컸습니다. 나아가 하나님께서 고신교회에 주신 인재들에 대한 자부심과 감사가 컸습니다. 이런 귀한 분들이 모처럼 한 책에 자신의 경험과 고민과 생각과 비전을 함께 담아 놓게 된 것이 참 자랑스럽습니다. 한 저자가 다양한 주제를 얇게 다루는 것보다 이 책이 시도하고 있는 집단 지성의 가치가 더욱 돋보입니다. 여러 전문가가 함께, 한 목표를 위해 협업함으로써 그 효과가 배가되고 있습니다. 귀한 수고에 감사를 드립니다.

글 마감 시간이 다가올 때마다 거의 뜬눈으로 밤을 태우곤 하던 동료 교수의 수고를 곁에서 지켜본 만큼 여러 필진의 수고가 얼마나 컸을지 쉽게 짐작이 갑니다. 그 귀한 수고가 주님의 교회를 더욱 빛나게 하고, 성도들의 섬김을 더 값지게 할 것이라 믿기에 마음 깊이 글로 또 편집으로 수고해주신 모든 분들께 감사와 찬사를 보냅니다.

추천사

교회 회복을 위한 몸부림

이상규 박사(백석대학교 신학대학원 석좌교수)

    이번 고신언론사에서 '살아나는 교회, 살리는 교회'와 '세대를 품은 교회, 세상을 향한 교회'는 라는 책을 출판하게 된 것을 환영하고 축하합니다. 이 책은 2023년 1월부터 2024년 6월까지 1년 6개월간 '기독교보'에 연재했던 기획 특집 '고신의 소리' 혹은 '고신논단'(Kosin Opinion Laboratory) 원고를 주제별로 재편집하여 발간한 것으로 알고 있습니다. 코로나 펜데믹 이후 한국교회 특히 고신교회가 처한 상황에서 교회, 예배, 교육, 선교, 신학, 신앙과 생활, 다음세대, 신앙의 계승, 기독교 세계관과 교회 생활 등 다양한 주제에 대해 여러 목회자와 신학자들의 사려 깊은 연구를 모은 것으로 오늘의 교회와 교회 지도자들 그리고 성도들에게 큰 유익을 줄 것으로 확신합니다. 우선 이런 뜻깊은 연재를 기획하시고 적절한 필자를 발굴하여 우리 시대 교회가 안고 있는 현실적인 문제에 대하여 혜안을 제시하고자 했던 기독교보사 최정기 사장님과 이호욱 편집국장대행 그리고 이 책을 기획하신 대구 삼승교회 김하연 목사님 등 관계자들에게 감사를 드립니다. 이전에는 이런 시도들이 거의 없었기 때문입니다.

저는 이 책 원고를 살펴보면서 몇 가지 점에서 이 책은 오늘의 교회가 걸어가야 할 길을 안내하는 지로가 될 수 있다고 생각합니다. 첫째, 이 책의 내용이나 주제는 다양하지만 그럼에도 불구하고 이 책에 수록된 글들은 일차적으로 성경적 원리를 제시하려는 노력을 보여주고 있습니다. 성경적 근거 혹은 성경적 원리는 우리의 모든 논의의 근거 혹은 출발점이 되어야 하는데 모든 필자가 이 점에 유의했습니다. 둘째, 개혁교회 전통에 충실하려는 필자들의 의지를 읽을 수 있습니다. 이 점 또한 우리의 주장이나 이론, 사상 혹은 학리사상의 중요한 지침이라고 할 수 있는데 개혁교회 전통에서 논구한 흔적이 보입니다. 셋째, 이 책에서 제시하는 여러 주제는 오늘 우리 교회가 처한 현실의 문제에 대한 지침 혹은 해답을 제시하고 있다는 점입니다. 각종 교회적 관행, 예배와 예전, 교육과 권징, 다음세대 육성, 정치 현실에 대한 교회의 태도 등에 대한 가르침은 오늘을 사는 교회와 성도들에게 좋은 안내가 될 것으로 확신합니다.

이 책에 수록된 여러 사안에 대해 약간의 견해차나 이견이 있을 수 있다고 생각합니다. 그럼에도 불구하고 이 책에 수록된 주장, 의견, 제안을 보면 하나님의 교회의 건실한 발전을 위한 충정을 읽을 수 있습니다. 이 책을 통해 다음 시대 우리 교회를 건실하게 세워가는 진지한 노력이 계속되기를 기도하며 이 책이 널리 보급되기를 기대합니다.

책을 엮으면서

작은 불꽃이 큰 횃불 되길

최정기 목사(고신언론사 사장)

홍수가 나면 마실 물이 부족하다고 합니다. 모두가 교회의 위기라고 말들은 많았지만 막상 바른길을 제시하고 그에 따라 함께 갈 수 있는 방향은 모호하기만 했습니다. 3년가량의 코로나 전염병(COVID 19)으로 더 깊어진 어둠 속에서 작은 불꽃이라도 보았으면 하는 절박감으로 인해 그냥 그대로 있을 수는 없었습니다.

2023년 새해부터 기독교보에 콜(KOL)을 연재했습니다. 주필 김하연 목사님을 중심으로 고신의 각 분야에서 대표성을 인정받는 전문가로 테스크포스팀인 특별기획위원회가 구성됐습니다. 특별기획위원님들은 감당하기 힘든 열정과 열심으로 헌신해 주셨습니다. 그 바쁘신 와중에도 온라인 오프라인 기획 회의에 한 마음으로 참석해 주셨습니다. 문경에서의 1박 2일 회의 때는 밤길을 마다치 않고 그 먼길을 달려와 주신 위원님도 계십니다. 23년 한 해 동안만 연재하려던 애초의 계획은 그렇게 반년을 더 지속해 24년 6월까지 이어졌습니다. 큰 아쉬움을 뒤로 하고 대단원의 막을 내리면서 그냥 끝낼 수가 없었습니다. 1년 6개월간의 보석들을 책으로 엮기로 했습니다. 한 권으로는 모자라 두 권짜리 세트가 됐습니다. 그럼에도 이 책에 다 담아내지 못한 또 다른 보석들에 대해서는 못내 아쉬움과 섭섭한 마음뿐입니다.

하나의 책으로 묶으면서 출판팀을 별도로 꾸렸습니다. 주필 김하연 목사님을 비롯해 황대우 교수님과 감기탁 목사님 그리고 박진필 부국장님께서 수고를 많이 해 주셨습니다. 밤잠을 잊고 책의 구성과 편집과 교정에 최선을 다해 주셨습니다. 디자인으로 수고해 주신 문지연 과장님께도 감사드립니다. 그 엄청난 수고와 헌신을 결코 잊을 수 없을 것입니다. 우리가 들어 올린 작은 이 불꽃이 널리 퍼져 이 땅의 교회와 세상을 밝히는 횃불이 되기를 빕니다.

감사합니다.

목차

인사말 · 4
추천사 · 8
책을 엮으면서 · 18

1부 / 살아나는 교회

교회다운 교회 / 김하연 목사 · 24
목사와 장로의 성경적 관계 / 신원하 목사 · 44
담임목사의 리더십 / 김하연 목사 · 56
부교역자의 리더십 / 안진출 목사 · 70
장로다운 장로 / 황대우 목사 · 83
작은 교회의 현실과 대안 / 유해신 목사 · 96
교회 회의와 결정 / 유해신 목사 · 110
주일성수와 영원한 언약 / 유해신 목사 · 121
십일조의 의미와 실제 / 문장환 목사 · 133
교회를 세우는 권징 / 김하연 목사 · 147
교회 갈등과 분쟁의 해결책 / 손재익 목사 · 161
교회의 불편한 진실 / 성희찬 목사 · 174

2부 / 살리는 교회

교회의 공공성 / 문장환 목사 · 186

교회의 개방성 / 황대우 목사 · 199

장로교회의 정치원리 / 문장환 목사 · 211

그리스도인의 정치참여 / 유해신 목사 · 224

21세기 목회의 나침반 / 안진출 목사 · 235

목회의 뉴노멀 전략 / 안진출 목사 · 248

재난 시대의 교회 사명 / 감기탁 목사 · 262

선교의 패러다임 / 손승호 목사 · 275

질병에 대한 성경적 이해 / 유해신 목사 · 287

바람직한 기독교 결혼식 / 황대우 목사 · 299

바람직한 기독교 장례식 / 박신웅 목사 · 314

이단들의 특징과 대처법 / 황대우 목사 · 326

KOL 기획위원 및 외부필진 · 338

사실상 골든타임을 다 놓쳐버린 형국이 됐다. 초조하게 교단별로 소위 '온라인 예배'에 대한 안내와 기술적 도움들을 열심히 제공하기는 했지만 그것 역시 제한적일 수밖에 없었다. 합동측 교단은 코로나 3년 기간 동안 교인 9만 명 감소, 통합측은 3만 명 감소했다. 또 백약이 무효하여 무려 지난 3년 어간에 교회가 15,000개가 없어졌다는 소문마저 돌고 있다. 외형적인 무너짐 외에 더 심각한 것은 내면적인 문제이다. 온라인 예배에 재미(?)가 든 많은 교인은 코로나가 끝나도 굳이 교회 출석은 하지 않겠다고 하는 사람들이 많고, 대인관계가 멀어지고, 탈종교화, 탈교회화의 현상마저 뚜렷해지는 모습을 본다. 이제 무엇을 어떻게 해야 회복할 수 있겠는가? 회복이 가능하기는 한가?

사실 이런 당황함과 고민은 교회의 정체성이 흔들린 것이 큰 이유라고 생각한다. '교회가 무조건 많이 모여야 하고, 재정이 든든해야 하고, 일을 많이 해야 하고 그래서 외적으로도 성장해야 하는 것이 건강한 교회다'라는 인식을 가지고 달려오다 보니 이런 특별한 상황을 맞이하면서 당황하게 되는 것이다. 일각에서는 시대적 대응을 위해서 새로운 예배, 새로운 목회, 새로운 교회의 정체성을 세워나가서 장차 새로운 교회론을 세워야 한다는 사람들까지도 왕왕 볼 수 있다. 과연 그럴까? 허겁지겁 상황을 맞이할 때마다 교회론을 바꾸고, 교회는 카멜레온처럼 시대에 맞는 옷만을 급급하게 바꿔 입어야 하는가? 오히려 그렇게 하느라고 분주한 가운데 근본을 잃어버리고 안개 속을 헤매며 갈 길을 잃어버린 것은 아닌가? 정체성을 잃어버리고 정신없이 달려오던 교회가 새로운 상황에서 어디로 가야 할지 모르는 것은 너무나 당연한 일이 아닌가?

코로나 펜데믹은 결국 무너진 교회 정체성의 펜데믹이었다. 그러므로 이것을 가장 먼저 다시 점검해야 한다. 장미가 화병에 있던지, 강대상에 있던지, 어두운 동네 구석에 있던지 장미는 장미다. 소금은 소금이고, 빛은 빛이어야 한다. 그리고 교회는 교회여야 한다. 교회는 교회다워야 하는 것이다. 교회는 언제나 바뀔 수 없는 예수 그리스도 위에 세워졌고, 사도들의 증거하는 진리의 기둥 가운데 서 있지 않은가? 그런 교회의 본질과 정체성이 바뀌어 질수 있다고 생각하는가?

교회는 무엇인가? 교회의 정체성을 시사해주는 몇 가지 명칭들을 먼저 살펴보자. 교회는 일반적으로 '그리스도를 주님으로 고백하는 구원받은 성도들의 모임'이라고 정의된다. 또한 헬라어 '에클레시아'(ἐκκλησία) 즉 '바깥으로 불러내다'라는 의미로 이 세상에 속하지 않은 성도들을 말한다. 또한 교회는 신약성경의 자주 언급되는 대로 '하나님의 나라'(ἡ βασιλεία τοῦ θεου)이다. 이러한 교회에 대한 이름들은 다 옳다고 하겠다. 이제 이것을 하나씩 살펴보고 그 의미를 되새겨 보자. 예단하건대 이중 어떤 것도 코로나 등의 현재 상황으로 인해서 그 의미 즉 교회의 정체성이 손상되거나 변질될 수 있는 것들이 없다.

1. 구원받은 성도들의 모임 : 예배 공동체-언약공동체

출애굽을 통하여 구원받은 하나님의 백성들을 '이스라엘 총회'(출 12:3, 6, 19; 16:1, 2, 9, 10, 22; 레 16:17; 신 31:30), '여호와의 회중/총회'(민 16:3; 신 23:2, 3, 4, 8), 또는 '온 회중'(출 16:3; 레 16:33) 등으로 표현되고 있다. 이것은 주로 히브리어로 '카할' 또는 '에다'를 한글로 번역한 내용이다. 이 낱말들이 헬라어 번역(칠십인역)에는 '쉰아고게'(συναγωγή)로 번역되는데 쉰아고게는 '함께 모인다'라는 뜻이다(여기서 영어의 synagogue[회당, 모임장소]가 유래됐다).

1) 교회는 예배공동체이다

하나님의 백성들이 하나님 앞에 함께 모여서 예배한다는 것이다. 이것은 '회중 또는 지정된 모임'을 말한다. 이들은 하나님의 성막 또는 회막에 모여서 하나님 앞에 부름받은 예배 공동체(assembly, congregation, community)였다. 그들이 하나님을 만나는 성막은 다른 말로 '오헬 모에드'로써 이는 '하나님과의 지정된 만남의 장소'

를 의미한다. 희생제물을 가지고 하나님께 나아가 예배하는 공동체인 것이다. '예배란 바로 하나님과의 만남'이다. 교회는 유월절 어린 양 예수 그리스도로 말미암아 하나님께 나아가 그분과 만나는 예배공동체이다.

2) 또한 이 회중은 언약공동체이다

출애굽시 광야의 교회공동체는 하나님 앞에 이루 말할 수 없는 귀한 언약공동체였다. 하나님은 이 백성들의 총회를 '하나님의 소유'라고 한다(출 19:5-6). 즉 언약공동체는 하나님의 소유가 된다는 것이다. 여기에 소유라는 말은 히브리어로는 '암 스굴라'(보배로운 백성)이다. 하나님의 백성, 하나님의 보배로운 백성, 제사장 나라가 되고 거룩한 백성이 되는 것이다. 세상에 이런 복된 민족, 백성들이 어디에 있는가? 이들은 심지어 하나님의 기업이 되어서 하나님이 영원토록 그들과 함께하실 보장을 가지고 있는 그런 백성들인 것이다(엡 1:14). 이렇게 든든할 수가 없다. 이 하나님의 예배공동체 언약공동체를 하나님은 의인의 회중이라 하시고 그들과 함께하시겠다고 한다(시 1:5-6).

3) 교회는 거룩한 공동체이다

하나님 앞에 나오는 예배공동체 곧 언약공동체인 교회는 그 신분

자체가 얼마나 복된지 모른다. 하나님께서는 바울서신을 통해서 교회의 예배자들을 이미 성도라고 말하고 있다(고전 1:2). 예수 안에서 (이미)거룩하여지고, 성도(거룩한 자)라 부름을 받는 자라는 말은 그냥 단순히 '교인'의 의미가 아니다. '거룩하여진 자'에 대한 성화의 확정성에 관한 언급이다. 예배하는 교회를 이렇게 그 신분상으로 완전하게 만들어주신 하나님이시다. 이것이 교회이다.

4) 교회는 하나님의 영원한 안식에 들어갈 공동체이다

성경은 이 교회가 바로 '하나님의 영원한 안식에 들어갈 자들'이라고 한다(히 4:1). 성경은 이 하나님의 영원한 안식에 들어갈 것과 거기에 들어가지 못할 자들에 대한 경고가 여러 번 나온다(시 95:11; 히 3:11, 18; 히4 :1; 5:1, 10, 11). 하나님께서 천지를 창조하실 때에 안식일을 정하시고 그날을 복되게 하셨다(창 2:2). 하나님께서 안식일을 만드시고(안식일을 하나님이 창조하셨다) 그날을 구별하심을 하나님이 쉬셨다고 말씀하시고 있는 것이다. 쉬셨다는 말은 히브리어로 '솨바트'(끝냈다, 안식했다)의 의미인데 우리가 오해하지 말 것은 하나님의 쉼이 우리 인간의 쉼과 같은 의미로 이해되어서는 안 된다. 하나님은 쉬실 필요가 없으신 분이시고 쉬지 않으신다(시 121:3-4; 사 40:28; 요 5:17). 하나님은 엿새 동안의 천지를 창조하시고 이레째 안식일을 창조하셔서 그가 만드신 모든 창조의 영광스러운 환경 가운데서 인간과 피조물이 살도록 하신 것이다. 하나님의 안식일은 바로 이 창조가 끝난 가운데 그 창조 안에서 살아가는 복된 자들에 대한 삶에 관한 것이다. 그러므로 하나님의 안식이라는 것은 영광된 삶을 누리는 새로운 시작이다. 모든 창조된 것이 하나도 부족함이 없는 가운데 그곳에서 안식을 누리게 되고, 인간은 하나님의 예비한 안식에 들어가 살게 되는 것을 말한다. 그곳에서 영원토록 하나님과 동행하는 것이다. 하나님이 그 안식의 날(들)을 축복하셨고, 아담과 하와가 처음 누렸던 삶은 바로 '하나님의 안식' 가운데 사는 삶이었다. 그런데 아담과 하와가 범죄함으로 이것을 다 잃어버렸고, 에덴의 동쪽으로 쫓겨났으며, 우리는 지금 예수 그리스도를 믿는 길 외에는 누구도 이 하나님의 영원한 안식에 들어갈 수 없다. 끝까지 믿음으로 나아가는 참된 교회의 누릴 영광은 '하나님의 안식에 들어가는 것'이다. 복락원의 삶이고 영광을 누리는 삶이다. 이것이 교회이다. 할렐루야!

2. 에클레시아 : 세상에 속하지 않은 공동체

1) 교회는 이 세상에 속한 공동체가 아니다

히브리어 '카할'과 '에다'를 칠십인역은 빈번하게 '에클레시아'로 번역했다(신 9;10; 18:16; 23:2, 3, 4, 9; 31:30). 그리고 이 용어가 신약성경에서도 교회로 차용된 것은 우리에게 교회의 정의를 내리는 데 큰 도움을 준다. 에클레시아는 에크(바깥으로)+칼레오(부르다)의 합성어인데 말 그대로 '바깥으로 불러내다'라는 의미로 교회는 더 이상 세상에 속하지 않은 성도들을 말하는 것이다. 교회를 구별할 때 웨스트민스터 신앙고백을 비롯하여 '가시적 교회'와 '불가시적 교회'로 구분한다. 이 세상에 살고 있는 사람의 관점에서 보면 분명 맞는 말이다. 지금 우리 지상에 보이는 가시적 교회와 이미 하나님 나라에 나아간 백성들 곧 눈에 보이지 않는 '불가시적 교회'는 지극히 타당한 구분으로 보인다. 한편 가시적 교회에는 아직 구원받지 못한 이들이 있을 수 있음을 생각할 때에 일면 안전장치같이 보이기도 한다. 그러나 엄격한 의미에서 볼 때 '교회'라고 한다면 '구원받지 못한 자'가 있을 수 없다. 교회는 교회의 머리되신 그리스도의 몸이다(엡 1:23). 교회가 그리스도의 몸이면 그리스도의 몸인 교회 안에는 불신자가 있을 수 없다. 그리스도가 교회의 머리이시면 그리스도 예수는 먼저 간 성도, 지금 지상의 성도, 앞으로 출생할 미래의 성도까지 다 그의 몸이다. 몸이 여러 개로 나누어질 수 없는 이치로 본다면 굳이 교회를 여러 종류로 나눌 필요가 있을까 싶다. 그냥 교회는 하나이다. 오래전 니케아 공회에서부터 고백되어진 교회의 특성 가운데 '교회의 통일성' 즉 교회의 '단일성'(una, unity)을 되새길 필요가 있다. 교회는 이 세상에 속하지 않은 하나의 공동체인 것이다.

2) 교회는 하늘에 속한 공동체이다

이 세상에 속하지 않은 교회의 현재적 상태는 신비롭기까지 하다. 에베소서 2장 5-6절은 이것을 보여준다. "허물로 죽은 우리를 그리스도와 함께 살리셨고 (너희는 은혜로 구원을 받은 것이라) 또 함께 일으키사 그리스도 예수 안에서 함께 하늘에 앉히시니"라고 묘사한다. 이 절에 사용된 모든 동사 즉 '살리셨고', '일으키사', '그리스도 예수 안에서 함께 하늘에 앉히시니'는 헬라어 본문에는 '단순과거' 시제로 기록됐다. 헬라어의 단순과거 시제는 '어떤 행동이 완결된 상태'를 말한다. 즉 교회의 성도는 지금의 상태가 어떤가 하면 이미 죽은 자 가운데서 살아난 것이다. 그들은 그리스도 예수 안에서 이미 죽었고, 이미 살아난 생명 가운데 있는 것이다. 즉 이미 부활 생명을 그 속에 가지고 있는 사람들인 것이다. 바울은 한 단계 더 나아가 "… 함께 일으키사 그리스도 예수 안에서 함께 하늘에 앉히시니"라고 한다. 이미 부활에 이르렀을 뿐 아니라 심지어 우리를 하늘에 앉히셨다고 하셨다고 한다. 예수께서 부활하셨고, 예수께서 하나님의 보좌 우편에 앉히셨으니 예수 안에 있는 우리도 이미 그렇다는 것이다. 두 동사가 다 단순과거로 쓰였으니 '이루어진 명백한 사실'을 의미한다. 돌이킬 수 있는 일이 아니다. '하늘에 앉히시니'라는 말은 저 공중의 어디나, 처소적으로 하나님의 보좌 우편을 생각할 필요는 없다. 하나님의 보좌 우편이라는 것이 눈에 보인 것은 아니다. 로이드 존스 목사는 그의 에베소서 강해에서 이것을 세 가지로 멋지게 설명하고 있다. 첫째, 그리스도인은 더 이상 이 세상에 속해 있지 않다는 것이다. 사고방식, 가치관, 신분, 이 모든 것이 이제 하늘에 속했다는 것이고 세상으로부터의 어떤 압박도 별 의미가 없는 자들이 된다. 둘째, 우리가 그리스도와 함께 하늘에 있으므로 더 이상 사탄의 지배에 있지 않고 그 나라에 속하지 않는다. 셋째, 우리가 하늘에 있으므로 우리는 더 이상 하나님의 진노 아래 있지 않다는 것이다. 우리의 시민권은 하늘에 있기 때문이다. 예수 안에서 하늘에 속하였으므로 그리스도 예수께서 하나님 아버지와 항상 같이 계심같이 예수 안에 있는 우리는 역시 하나님을 늘 가까이 만날 수 있다. 기도시간, 예배시간, 우리의 묵상과 순종과 봉사의 시간에 하나님은 우리와 언제나 함께하시지 않는가? 이 세상에 속한 것이 아니라 교회 곧 하늘에 속한 자들의 특권이다. '교회는 얼마나 영광스러운 존재'인가?

3. 하나님의 나라(ἡ βασιλεία τοῦ θεου, 헤 바실레이아 투 떼우)

지상의 교회는 지상에 있는 하나님의 나라이다. '하나님의 나라'

라는 용어는 신약성경에서 가장 많이 언급되는 표현이다. 심지어, '십자가'나 '부활'보다도 더 많이 사용된다. 하나님의 나라는 그리스도 예수께서 성육신하심과 동시에 이 땅에 왕으로 오심으로 그 완성을 향해 시작됐다. 예수님은 이미 도래한 하나님의 나라에 대해서 말씀하시면서 "… 또 여기 있다 저기 있다고도 못하리니 하나님의 나라는 너희 안에(ἐντὸς 엔토스, among, 가운데)있느니라"(눅 17:21)고 하셨다. 이미 오셔서 우리 가운데 계신 하나님의 나라를 말씀하신다. 교회는 하나님 나라 백성이요, 동시에 주님의 몸이다. 주님이 교회의 머리이시고 교회는 곧 그의 몸이며 교회는 하나님 나라의 머리 되신 예수 그리스도께 충성하고 그를 섬기는 것이다.

1) 예수 그리스도는 교회의 머리이시다

이 말은 곧 '교회의 왕은 예수 그리스도이다'라는 말이다. 이것은 주님이 왕으로 다스리심으로 교회는 그의 지배를 받는 그리스도의 몸이다. 교회를 의미하는 영어의 church나 독일어의 Kirche(키르케)는 그리스어 큐리아코스(kyriakos, '주님의'라는 뜻, 고전 11:20)에서 왔다. 즉 주님의 것이고 주님의 다스림을 받는 공동체를 의미하는 것이다. 하나님의 나라이니 그분이 왕이시고 그가 다스리신다. 예수님은 지상교회, 천상교회, 현재교회, 미래교회의 머리이시자 왕이시다. 사실 교회뿐 아니라 모든 피조세계에서 예수 그리스도는 진정하고 영원한 왕이시다. 일찍이 아브라함 카이퍼가 말하기를 "우리 인간 실존의 모든 영역에서 만유의 주권자인 그리스도가 '내 것이다!'라고 외치지 않는 곳은 한치도 없다"(일반은혜, A. Kuyper)라고 하지 않았는가? 하물며 그분이 피로 값 주고 사신 교회가 그의 것임에 대해서 더 이상 무슨 말을 하겠는가? 천상의 교회와 지상의 교회 그리고 현재의 교회와 미래의 교회 사이에 거리가 있어 보여도 그분 안에서는 모든 것이 통일되고(엡 1:10) 모든 것이 그의 통치 아래에 있다. 이 땅에 계시는 동안 예수님은 진정한 만왕의 왕이심을 기꺼이 보여주셨다. 그분은 물 위를 걸으시고, 오병이어의 기적을 일으키시고, 병든 자를 일으키시고, 죽은 자를 살리시는 일들을 통하여서 자신이 모든 만물을 다스리시는 왕이심을 충분히 입증해 주셨다. 그분이 다스리지 못하는 것은 아무것도 없다.

2) 교회의 머리이시오 왕이신 그분은 지금도 우리와 함께 하신다

교회의 왕이신 예수님이 영원토록 변함이 없으신 분이시므로 교회도 역시 변함이 없이 그분을 따르는 확고부동한 모습이 있어야 한다. 그의 다스리심은 이미 시작되었고 지금도 계속되며 영원히 계속된다. 그러나 그분은 분명 부활하시고 승천하셨지만 그분은 여전히 우리 가운데 계신다. 주님은 "볼지어다 내가 세상 끝날까지 너희와 항상 함께 있으리라"(마 28:20)라고 분명히 약속하시지 않으셨는가? 주님의 부활과 승천 이후에 더 이상 눈으로 그분을 볼 수는 없다. 바울이 말한 것처럼 그분은 "… 가까이 가지 못할 빛에 거하시고 어떤 사람도 보지 못하였고 또 볼 수 없는 …"(딤전 6:16) 분이시다. 이 땅에서 육안으로 더 이상 그를 볼 수 없다고 해서 그가 우리와 함께 계시지 않고 멀리 계신다는 말은 전혀 아니다. 사실 성령님도 별명이 '주 예수의 성령'(빌 1:19)이시지 않는가? 주님은 지금 여기 우리와 함께 신비한 임재 가운데 함께 하신다. 그분은 영원하신 임마누엘(하나님이 우리와 함께 하신다는 뜻, 사 7:14 그리고 마 1:23)이시므로 그의 백성과 항상 함께하신다. 하나님 나라의 왕이신 그분은 지금 천상의 그의 백성들과도 함께 계시고, 이 땅 위에 있는 그의 백성들 곧 성도들과도 함께 계신다. 그러므로 교회는 그를 섬기고 그에게만 예배하고 그에게만 영광 돌려야 한다. 이것은 절대불변의 우선된 일이요 교회 존재의 최고의 핵심가치이다.

코로나 등으로 인해서 여러 가지 변질 내지는 변칙적인 예배를 시도하는 모습들을 본다. 소파에서 리모컨 돌리는 비대면 예배는 용납될 수 없다. 성도는 성회로 모여야 한다. 구약에서부터 하나님의 백성은 '미크라 코데쉬'(거룩한 모임)으로 예배를 시작한다. 모여서 함께 그분의 임재를 기다리며 그에게 무릎을 꿇고 영광 돌리는 것이다.

3) 교회는 그분의 말씀이 바로 선포되어야 한다

이것은 종교개혁자들이 외치는 교회의 표지 중의 하나이다. 오늘날 많은 교회에서 하나님의 말씀이 사라지고 있다. 말씀의 선포보다는 자칫 축복을 위한 '선동'이 사람들의 마음을 더 유혹한다. 코미디가 사람들의 귀를 즐겁게 한다. 그리고 마음이 더 끌리고 귀가 더 즐거운대로 사람들은 몰린다. 그리고 그것을 교회의 부흥이라고 한다. 그러나 진정한 부흥은 '사람들이 많이 모임'이 아니다. 하박국 선지자가 "… 여호와여 주는 주의 일을 이 수년 내에 부흥하게 하옵소서…"라고 하며 '부흥'을 처음 언급하였는데(합 3:2) 그것은 하나님의 예언 말씀, 언약의 말씀이 실제로 성취되게 하소서라는 것을 의미한다. 히브리어로 부흥은 '트키야'란 말이다. 이 말은 '생명이 있게 하소서'라는 말이다. 즉 하나님의 말씀이 생명력을 얻어서 실제로 일어나고 성취되게 하소서 하는 것이다. 그래서 "그분의 영광이 물이 바다를 덮음같이 온 땅에 가득하소서"(합 2:14)라고 외치는 것이 교회의 사명인 것이다. 말씀대로 주님의 다스리심과 주님의 왕권이 이 땅에 이루어지기를 바라는 간절한 소망이신 것이다.

오늘날 일반적으로 사용하는 '부흥'의 개념과는 상당히 다르다. 자칫 '부흥, 부흥' 노래를 부르면서 하나님 말씀의 성취를 소망하지 않고 외적인 사람의 '큰 회집'을 생각한다면 교회를 자칫 장사꾼들의 놀이터로 여기는 것과 진배없다.

4) 교회는 그리스도 예수의 몸이다

교회의 본질(표지 혹은 속성)는 일찍이 사도들의 시대부터 시작되었고 유지됐다. 381년 콘스탄티노폴리스 공의회에서 콘스탄티노폴리스 신경에 "하나이고 거룩하고 보편되며 사도로부터 이어오는 교회를 믿나이다"라고 했다. 이 표현들은 후대에 교회의 '하나됨'(unity), '거룩성'(holiness), '보편성'(catholicity), '사도성'(apostolicity)이라는 용어로 정착되었으며 교회시대 전체를 통하여 변할 수 없는 기치가 됐다. 교회는 그 본질을 간직하고 있어야 한다. 교회의 '하나됨'(unity)은 교회가 그리스도의 몸으로써 하나임을 말하고 있다. 한 성령으로 부르심을 받고, 주도 한 분, 믿음도 하나, 세례도 하나요 하나님도 한 분이심을 고백하는 진정한 교회 공동체(엡 4:4-6)을 말한다. '다른 교회'는 있을 수 없다. 이것은 교회가 내부적으로 반드시 지키고 나아가야 할 속성이다.

교회는 그리스도의 몸이므로 온 세상에 흩어져 있는 참된 교회에 다른 신앙고백이 있을 수 없다. 비록 민족, 지역, 문화와 언어에 따른 다양성은 인정되나 가장 기본적인 예배와 신앙고백에 있어서 차이가 있을 수 없는 것이다. '다른 복음'을 가진 이단자들이 용납되어서는 안 되고 '분리주의자'들이 교회에 침입해서도 안 된다. 교회는 복음을 수호할 책임 있는 것이다. 그러므로 교회가 교회다우려면 바른 교리적 고백과 교육이 교회에서 진행되고 있는지를 살펴야 한다.

시대 풍조를 쫓아가느라 변질된 예배와 혼합주의적인 예배는 용납될 수 없다. 코로나를 지내면서 우리는 수많은 그리스도인이 세상을 두려워하여 진리를 포기하거나 소홀히 하는 이들을 익히 많이 보았다. 무엇이 그렇게 두려웠던가?

5) 교회는 거룩한 공동체라야 한다

거듭 말하지만 성경에서 '교회'라고 이야기할 때, 불완전한 교회, 가라지가 섞인 교회를 의미하는 것이 아니다. 교회는 '거룩한 교회'이다. 교회는 이미 하나님의 거룩한 성도라고 부름을 받은 사람들을 말한다. 그들은 이미 그리스도의 이름을 부르는 자로 그의 보혈로 거룩함을 입은 자들이다. 그들이 비록 아직 완성되어야 할 성화가 남아있다 할지라도 그들은 이미 하나님 앞에 거룩한 자요, 성도로 구별되고 부름을 입은 자들이다. 교회는 이미 확정된 성화 가운데 있다. 이런 면에서 한때 한국교회를 혼란하게 했던 '유보된 칭의론'을 주장하던 자들은 지탄받아 마땅하다. 아직 성화가 남아있다고 해서 그리스도 예수의 보혈의 사유하시는 능력이 그때까지 기다려져야 하는 것은 아니다. 칭의는 성화와 전혀 관계없다. 천국에는 의인이 들어가는 곳이다. 그러나 그 의인은 성화로 인해서 성숙한 인격자가 되는 그런 의인을 말하는 것이 아니다. '오직 믿음으로'(Sola Fide) 의롭다 함을 입는 자들이 들어가는 것이다.

한때 구원의 서정을 8단계로 나누었다('예지, 예정, 소명[부르심], 회개, 믿음, 칭의[의롭다 하심], 성화, 영화' 단계). 그러나 사도 바울이 로마서 8장 29-30에서 우리에게 알려주시는 구원의 서정(단계)는 단 5개 뿐이다(예지, 예정, 소명, 칭의, 영화). 이 다섯 단계는 모두 전적으로 하나님의 역사로 말미암아 이루어지는 것들이다. '성화'는 구원받은 성도, 의롭다 함을 받은 성도가 마땅히 하나님의 형상을 닮아가야 할 의무를 말하고 있는 것이지 구원을 위한 필수조건은 아니다. 구원은 하나님의 실패할 수 없는 유효한 부르심(즉 소명) 가운데 부름받아 예수 믿게 된 성도들에게 주어진 것이다. 성화로 우리의 죄가 용서되는 것은 아니다. 하나님의 교회는 이미 확정된 성화 가운데 있다. 그러나 동시에 그에 걸맞게 점진적 성화를 이루어 가야 한다. 하나님께서 친히 구원하신 백성은 반드시 거룩한 삶을 살기를 원하시기 때문이다. "나는 너희의 하나님이 되려고 너희를 애굽 땅에서 인도하여 낸 여호와라 내가 거룩하니 너희도 거룩할지어다"(레 11:45)라고 하시지 않는가? 구원을 위한 조건으로써의 성화나 거룩이 아니라 이미 구원하셨고 이미 거룩하다 하셨으므로 하나님의 백성들은 걸맞은 삶을 살기를 최선을 다해야 한다는 것이다. 하나님의 자녀가 된 성도들은 하나님의 형상을 닮아, '의와 거룩과 지식'에까지 새롭게 되어서(엡 4:24) 주님을 닮아가는 사람들이 되어야 한다. 그러므로 교회는 이 거룩을 유지하기 위해서 최선을 다해야 한다. 교회는 그리스도의 몸이므로 반드시 그리스도를 닮아서 거룩한 공동체가 되어야 한다. 교회가 거룩을 잘 유지하기 위해선 심지어 엄격한 '권징'을 적용해야 한다. 종교개혁자들은 '올바른 권징의 시행'을 교회의 중요한 표지로 보았다. 교회의 교회다워야 하기 때문이요, 곧 거룩한 공동체가 되어야 하기 때문이다. 교회의 거룩성은 아주 중요하다.

코로나 시대에 교인 수의 감소, 재정의 감소, 위축된 교회 활동 등에 대한 염려가 많다. 그러나 먼저 다시 살펴야 할 것들이 있다. 교회가 여전히 거룩한 공동체인가 하는 것이다. 눈에 보이는 현상들을 두려워하면서 내면적으로는 여전히 교회의 본질, 거룩성을 잃어버린 상태라면 교회가 교회 되지 못한다.

6) 교회는 영광을 위해 부름을 받았다

교회가 영광을 위해 부름을 받은 사실은 일찍이 예수님이 베드로를 부르실 때부터 공공연히 선포되고 약속된 말씀이었다. 예수님은 "말씀하시되 나를 따라오라 내가 너희를 사람을 낚는 어부가(직역: 사람의 어부가) 되게 하리라 하시니"라고 하신다. '사람의 어부'라는 말은 마치 '토라의 어부'라는 유대 표현과 같이 위대한 선생나 랍비로 아주 존귀한 자로 만들어 주겠다고 약속하신 것이다. 일용직 어부인 베드로에게는 더 이상 영광스러운 약속이 아닐 수 없다. 주님의 제자의 길로 나아갈 때 약속된 영광인 것이다. 주님은 십자가에 달리시기 전에 요한복음 17장에서 제자들을 위한 위대한 위탁의 기도를 드린다. 주님의 위탁은 제자들에게 '영생을 얻는 것'(10절), '성부와 성자 안에서 하나가 되는 것'(11절), '예수님의 기쁨, 영광을 저들에게 주는 것'(13, 22, 24절), '진리로 거룩하게 되는 것'(17-18절) 등을 위탁한다. 인생 가운데 사람으로 말미암아 얻을 수 없는 영광이다. 이미 천상의 교회는 이것을 완전하게 누리고 있고 지금 지상의 교회도 누리기 시작한 놀라운 약속이다. 교회는 영광을 위하여 부름을 받았다. 교회는 이제 사명을 감당할 일이 있다. 하나님 나라, 하나님의 뜻, 하나님 아버지의 이름이 존귀함이 이미 천상에서 충만하다. 땅에서 우리에겐 같은 결과가 이 땅에서 더욱 드러나기를 감당해야 할 사명이 조금 남아있을 뿐이다. 그러나 영광이 전제되었고 확정된 가운데의 사명임을 잊지 말아야 한다. 주님의 천명하심을 보라. "내가 이미 영광스럽게 하였고 또다시 영광스럽게 하리라"고 하시지 않는가? 오직 하나님께 영광 돌리라. 그리고 세상 사람들이 교회로 말미암아 하나님께 영광 돌리게 하라(마 5:16).

* *

위기의 시대에 교회의 정체성에 관하여 '교회는 교회다워야 한다'라는 주제로 간단하게 정리해 보았다. 지면의 제약으로 약술된 부분이 많다. 그러나 적어도 하나님의 교회는 이 땅에서 얼마나 당당하고 자부심이 넘치는 정체성 가운데 살아야 하는가를 되새기기에는 충분한 것 같다. 교회는 지금 교회가 처하고 있는 환경, 즉 숫자, 재정, 건물, 세상으로부터의 신뢰도 등으로 인하여 주눅 들지 말고 오히려 교회의 정체성을 확고히 하면서 더욱 오직 예수 그리스도를 생각하며 '교회다워야 한다!' 이미 사명을 다하고 저 위에 계신 성도들은 영광중에 있다. 그리고 주님의 강림 때가 되면 교회의 머리 되신 예수님으로 인하여 지상의 교회도 영광중에 나아가게 된다. 아니 이미 지금 함께 계시는 예수님으로 인하여 지상의 교회마저 영광중에 있다. 교회의 정체성을 회복하라. '그의 영광을 위하여!'

목사와 장로의 성경적 관계

신원하 목사

1. 치리회 내의 협력과 갈등

가끔 목사와 장로 사이의 갈등으로 어려움을 겪고 있는 교회의 소식을 듣곤 한다. 교회 안에서 이들의 갈등이 지속하면 교회가 성장하는 것은 기대하기 어렵다. 당회원들 관계가 좋았던 교회라고 하더라도 어떤 사건으로 목사와 장로들이 갈등을 일으키고 그 일이 지속되면 교회는 이내 어려움에 빠지게 된다. 교회를 개척하여 강력한 리더십으로 교회를 성장시켰던 전임 목사가 은퇴하고 난 뒤, 비교적 젊은 목사가 후임으로 부임하여 사역을 시작할 때 때때로 갈등이 발생하곤 한다. 비교적 젊은 후임 목사가 리더십이 형성되지 않은 상태에서 참신한 목회 계획을 교회에 제시하고 이를 관철하려고 하는 경우, 그에 동의하지 않는 연륜이 오랜 장로님이 목사에 협력하지 않으면 갈등이 생길 수밖에 없다.

2. 장로교 정치의 본질 : 공회에 의한 치리

장로교회의 교회정치에서 '협력'은 목사와 장로의 관계를 나타내는 가장 중요한 개념이다. 교회정치 제41조에 목사의 직무를 크게 9가지로 명시했는데 그중의 하나가 바로 '장로와 협력하여 치리권을 행사하는 일'이다. 그런데 헌법안에 있는 교회정치편에는 이 협력이라는 직무를 장로의 직무에도 그대로 적용한다. 교회정치 66조는 장로의 첫 직무를 "목사와 협력하여 행정과 권징을 관리하는 일"을 명시한다. 장로교회에 속한 목사와 장로라고 하면 자신들의 직무가 무엇인지 정확하게 아는 것이 요구된다. 장로교회정치는 장로들 즉 목사와 장로로 구성된 당회가 치리하는 것이라고 할 수 있다.

이처럼 "(장로들의) 회에 의한 치리"는 장로교 정치의 본질이다. 개체교회는 당회, 지역교회는 노회, 전국교회는 총회에 의해서 치리가 시행된다. 사실 용어 자체가 정확한 개념을 전달하지 못하는 한계가 있는데, 당회는 목사와 장로들로 구성된 개체교회의 치리회를 의미한다. 노회나 총회 역시 지역의 범위를 제외하면 모임의 본질은 치리회는 점에서 동일하다. 그런데 "회에 의한 치리"는 로마 가톨릭 교회나 성공회의 감독 정치를 거부한다. 만약 어떤 목사가 자기 마음대로 교회를 운영하기를 원한다면 그것은 장로교 정치를 따르는 목사라고 할 수 없다.

장로교회의 모든 목사는 임직할 때에 '회에 의한 치리'가 성경에 가장 부합하다는 것을 받아들이고 따르겠다고 서약한 자들이다. 이것은 장로들도 마찬가지이다. 따라서 장로교회의 목사와 장로들은 '회에 의한 치리'라는 것이 단지 교회가 자신의 필요에 따라 규정한 것이 아니라 성경에서 가르치는 교훈이라는 사실에 확신을 가져야 한다. 만약 그렇지 않으면 목사와 장로들이 치리를 행하는 데 있어서 올바로 협력할 수가 없게 된다. 그러므로 목사와 장로는 아무리 힘들더라도 '회에 의한 치리'가 이루어지도록 부단히 노력해야 한다.

3. 협력적 자질을 지닌 목사와 장로의 선임

비록 회에 의한 치리가 성경적이라고 하더라도 그것을 시행하는 것은 다른 문제이다. 이웃을 사랑하라는 것이 예수님이 명령하신 대계명이지만 그것을 제대로 실천하는 것은 정말 어려운 것임과 비슷하다. 따라서 회에 의한 치리가 성경의 가르침이라는 것을 확신하면서 교회는 그것을 어떻게 실천할 것인가를 늘 숙고해야 한다.

원리를 실천하기 위해서 기본적인 원리와 실천 지침이 없다면 회에 의한 치리를 효과적으로 시행하기가 어렵다. 그런데 교회헌법은 원리만 제시할 뿐, 어떤 세세한 시행 세칙이나 지침을 제공하지 않는다. 예를 들면 한국 대다수의 장로교회 총회의 헌법에 수록되어 있는 '교회정치'는 목사의 직무는 장로와 협력하여 교회를 치리하는 것으로 말하지만 구체적으로 목사가 어떻게 협력해서 치리해야 하는가에 관해서는 설명하지 않는다. 교회정치가 그것을 특정화하지 않는 이유가 무엇일까? 그것은 각 개체 교회마다 개체교회에 따라 적합하게 시행해야 할 문제로 판단하기 때문이다.

그렇다면 개체교회에서 목사와 장로의 협력이 잘 이루어지기 위해서는 당회와 교회는 어떻게 해야 하고 또 가장 중요한 일이 무엇일까? 가장 중요한 것은 목사와 장로를 제대로 선출하는 것이다. 교회가 목사를 청빙할 때, 특히 당회원인 장로들은 목사가 장로들과 잘 협력할 수 있는지를 잘 살펴야 한다. 그러나 실제로는 청빙을 하는 과정에 있어서 이 점을 깊이 검토하는 작업은 종종 경시되곤 한다.

그것보다는 목사 청빙에 있어서 훨씬 중요하게 고려되는 것은 '목사가 교회를 얼마나 부흥시킬 수 있는가?' 하는 점이다. 하지만 고신총회 헌법의 교회정치는 교회부흥을 목사의 본질적 직무에 속한 것으로 명시하지 않는다. 그 이유는 교회부흥이란 사람이 하는 것이 아니고 하나님께서 하시는 일로 인식하기 때문이다. 부흥이라는 관점에서만 본다면 오히려 협력보다는 독재가 나을 수도 있다. 실제로 소위 급성장한 적잖은 대형교회의 목사들은 일반적으로 강력한 카리스마를 지닌 사람들이다. 이들 중 더러는 장로와의 협력을 중요하게 생각하기보다는 자신의 능력과 경륜을 더 중요시하게 생각하고 장로를 교회 발전을 가로막는 자로 생각하기도 한다. 그래서 장로를 잘 세우려고 하지 않는 목사도 있다. 이런 목회자는 목회는 처음과는 달리 결말이 안 좋게 나는 경우가 다반사이다.

4. 장로의 최우선적 직무 : 목사와의 협력

장로들의 목사와의 협력 사역은 목사가 장로와 협력하여 사역하는 것보다 더 비중 있고 중요한 직무이다. 고신총회 헌법의 교회정치 41조는 목사의 직무 중의 8번째 직무로 장로와의 협력을 명시해 두고 있지만 66조에서 장로의 직무와 관련해서는 목사와의 협력사역이 장로의 8가지 직무 중에서 첫째 직무로 명시하고 있다. 그만큼 장로에게 있어서는 목사와의 협력 사역이 중요한 비중을 차지한다는 것이다. 장로교회에서 목사가 아무리 유능하다고 하더라도 장로가 잘 협력하지 않으면 교회를 목회하기가 쉽지 않은 정치구조로 되어 있기 때문이다.

장로들은 기본적으로 양무리를 잘 감독하고 돌보기 위해 세워진

자이다. 그렇기 때문에 말씀으로 성도들을 먹이고 돌보는 목사와 함께 교회를 치리해 가야 하고 그 일을 위해서 최우선적으로 목사와 협력해야 한다. 이처럼 장로가 해야 할 직무 중의 가장 중요한 직무는 목사와의 협력이다. 따라서 장로를 선출할 때는 그 사람이 정말 목사와 잘 협력할 수 있는 신앙 인격과 덕목을 지니고 있는지를 심사숙고하지 않으면 안 된다.

장로교회에서는 장로들도 교인들의 선거를 통해서 선출되는데 교인들이 장로를 세울 때 그 사람이 지닌 협력의 자질을 얼마나 중요하게 고려할까? 아마 대부분이 그 사람의 성품이 좋다든지, 신실하고 충성스럽게 봉사해 왔다든지, 헌금을 힘껏 하는 이들을 선출하는 경우가 많다. 그러나 그것보다 더 우선적으로 고려되어야 할 덕목은 목사와 협력할 수 있는 자질과 신앙인격이다.

교회 직분론의 핵심은 직무론이다. 교회를 돌보고 감독하는 장로의 직무가 무엇인지를 정확하게 이해하고, 그 직무를 잘 수행할 수 있는 장로를 세우는 것이 건강한 장로교회를 세우는 관건이고 근본적인 길이다. 그러므로 교회는 성도들에게 목사와 장로가 해야 할 직무가 무엇인지를 기회가 있을 때마다 가르쳐야 한다. 그렇게 하여 성도들이 그런 인물을 교회의 직분자로 선발해야 하겠다는 의식을 지속적으로 갖게 해야 한다. 이를 잘 보여주는 성경적 예는 사도행전에 나오는 초대 예루살렘교회의 직분자 선출 사례이다. 당시 열두

제자와 사도들은 예루살렘교회가 흥왕하며 성도들을 돌아보는 일들이 늘어나자 사도는 말씀과 기도에 전념하고 성령과 지혜가 충만한 집사들을 뽑아 그 일을 맡아 하도록 결정했다. 그런데 그 집사들을 선출하는 일을 열두제자들이 직접 하지 않았다. "형제들"이 선출하는 일을 하도록 즉 예루살렘교회의 성도들이 직접 선출하도록 열두제자들은 명령했다(행 6:3). 그러므로 성도의 중요한 일은 말씀과 기도에 전무할 말씀 사역자들과 함께 성도들과 교회의 여러 일과 업무를 잘 돌보는 협력 사역자들을 선출하는 일이다. 오늘 한국교회는 장로교회로서 이 점을 중요하게 인식하며 교인들이 즉 성도들이 목사와 장로들을 잘 선택할 수 있도록 해야 한다.

5. 치리의 본질 : 천국의 열쇠

목사와 장로가 협력하는 가장 중요한 일은 치리이다. 협력을 제대로 이해하기 위해서는 치리가 무엇을 의미하는지 파악할 필요가 있다. 교인들이 치리에 대해서 제대로 배우지 못하다 보니 치리에 대해서 부정적인 생각을 갖는 경우가 많다. 실제로 현재의 교회들은 치리를 강조하지 않으니 교인들이 치리에 대해서 아예 무관심하기까지 하다. 장로교회에서 치리란 천국의 열쇠와 깊은 관련이 있다. 따라서 천국의 열쇠가 가리키는 것이 무엇인지를 알 필요가 있다.

"천국의 열쇠"라는 표현은 마태복음 16장에서 예수님이 직접 말씀하신 것이다. 열쇠는 집과 문을 여는 도구이다. 천국의 열쇠는 천국 문을 열게 하는 도구이다. 이 도구를 지닌 존재는 엄청나면서도 중요한 권세를 소유한 것과 다르지 않다. 그렇다면 이 놀라운 권세가 누구에게 주어졌는가?

교회 역사를 통해 살펴보면 교회들은 이 질문에 대해서 각기 다른 답을 제시했다. 성경에는 이 열쇠는 베드로에게 주어진 것처럼 기록되어있다. 그렇다면 '베드로'를 어떻게 이해할 것인가? 로마 가톨릭교회(천주교)에 따르면 베드로는 예수님의 제자로서 이 열쇠를 예수님으로부터 직접 받았으며 자신이 교회의 첫 교황으로 사역했고 그리고 이후 자신의 후계자인 교황에게 이 열쇠를 전달했다. 그런데 그리스 정교회나 성공회는 이 내용을 다르게 이해한다. '천국의 열쇠'(the keys of the kingdom of the heaven)는 헬라어로 '열쇠들'(keys)이라는 복수형으로 쓰였다는 표현에 주목하여 해석한다. 그래서 수제자 베드로만이 아니라 다른 제자와 사도들도 천국의 열쇠를 나누어 가졌다고 이해한다. 그렇지만 개신교회들은 이 구절을 다르게 해석한다. 예수님은 천국의 열쇠를 베드로와 같은 신앙고백을 하는 성도 모두에게 준 것으로 해석하고 이해한다. 그래서 예수님께서 모든 성도에게 이 천국의 열쇠를 나누어 주었다고 이해하고 가르쳐 왔다.

그런데 이에 관하여 웨스트민스터 신앙고백서 30장 2항에서는 천국의 열쇠는 교회의 사역자/직원들(officers)에게 주어졌다고 가르친다. 교회의 사역자/직원(officers)은 넓게 보면 성도들이지만 좁게는 바로 교회의 사역자 즉 직무를 수행하는 직원(officers)인 목사와 장로들이다. 그래서 목사와 장로들이 천국의 열쇠를 소유하여 지상의 하나님 나라인 교회를 다스린다는 것이다. 그런데 목사뿐만 아니라 장로들도 천국의 열쇠를 소유한 교회의 직분자라는 인식은 장로교 교회정치를 이해하는데 있어서 매우 중요하다. 천국의 열쇠에 대한 가르침을 이와 같이 이해하지 못한다면 교인들은 장로는 천국의 열쇠를 행사하는 그리스도의 종이 아니라 교회를 관리하는 관리직원으로 생각할 수밖에 없다.

6. 회원권의 중요성

그런데 천국의 열쇠가 가리키는 본질은 땅에 있는 하나님 나라에 해당하는 교회의 열쇠이고 그 교회의 회원권과 관련하여 이해해야 한다. 교회 치리회는 이 열쇠를 통해 신자를 교회의 회원으로 받아들이기도 하고 교회 밖으로 쫓아내기도 한다는 것이다. 이 땅의 하나님 나라인 가시적 교회의 회원이 되는 유일한 방법은 세례이다. 세례는 삼위일체 하나님의 이름으로 시행되기 때문에 삼위 하나님에 대한 고백이 매우 중요하다. 그렇다면 교회의 회원이 될 세례받을 자의 신앙고백이 진실함의 여부를 누가 판단할 것인가? 그것은 천국의 열쇠를 지닌 치리회 즉 장로로 구성된 당회이다. 세례를 시행하는 것은 목사가 해야 할 직무이지만 세례받을 자의 믿음을 판단하여 교회의 명부에 올릴 것인지 아닌지는 당회가 수행해야 할 직무이다. 이 일에 있어서 목사와 장로들이 함께 협력해야 한다는 것이다. 통상 교회에서 세례 교육은 목사가 주로 하지만 세례 전에 당회가 모여 즉 장로들과 목사가 다 함께 동재하여 세례받을 자들에게 문답하는 이유가 바로 여기에 있다.

교회의 회원권을 가볍게 여기면 세례도 가볍게 여길 것이고, 세례 교육도 대충하게 될 것이고, 세례 문답도 형식적으로 하게 될 것이다. 그렇게 되면 교회의 회원 수는 쉽게 늘어나겠지만 목사와 장로의 협력은 퍼석해지고 느슨해질 수밖에 없다. 실제로 적잖은 교회들에서 세례와 관련한 사역은 목사가 다 알아서 하고 장로는 그냥 들러리로 참석하는 경우가 적지 않다. 큰 교회의 경우에는 교역자들이 장로가 해야 하는 직무를 대신해서 하는 경우도 있다. 이것은 장로의 주요한 직무인 천국의 열쇠를 서랍 안에 묵혀두는 일과 다르지 않다. 그렇기 때문에 교회는 장로들이 이 일을 목사와 함께 감당해 가도록 해야만 한다.

유아세례 및 입교도 교회의 회원권과 관련이 있다. 유아세례는 부모의 신앙을 확인하는 것이고, 학습은 유아세례를 받은 청소년들의 신앙을 확인하는 것이다. 이 일도 앞에서 언급한 대로 목사와 장로가 함께 협력하여 수행해야 한다. 장로들은 유아세례 및 입교의 일을 종종 목사에게 일임하는 경우가 많다. 그러나 장로들은 이 일도 천국의 열쇠 즉 회원권에 관련된 것이기에 자신의 직무의 중요한 부분으로 인식하고 수행해야만 한다.

마지막으로 교인들을 제대로 치리하기 위해서 치리회는 교인들을 직접 살펴야 하고 그 일을 위해서는 어떤 형태로든지 성도들을 만나거나 접촉해야 한다. 교회가 클수록 이 직무는 목사 혼자서 할 수가 없다. 목사와 장로는 함께 필요할 때마다 동사하면서 교인들을 돌보고 심방해야 한다. 장로님들도 전화면담, 병원 방문, 개인 식사와 같은 심방의 결과를 당회에서 보고하고 나누고 그것에 기초해서 성도들을 위해 기도하고 때로는 권면하고 경책해야 한다.

7. 가장 통상적인 협력 사역 : 성찬

앞에서 말했듯이 장로와 목사의 협력이 잘 이루어질 수 있는 근본적인 방법은 협력의 직무를 잘 수행할 수 있는 사람을 목사와 장로로 세우는 것이다. 이 일에 실패하면 어떤 방법도 협력에 큰 효과가 나지 않는다. 목사와 장로가 잘 협력하지 못하는 상황에 처해 있다면 가장 쉽게 잘 실천할 수 있는 것부터 시작하면 좋다. 예배 가운데서 목사와 장로의 협력을 통해서만 가능한 것은 성찬이다. 성찬 속에서 목사는 말씀으로 영적인 음식과 음료를 준비하고, 장로들은 그것들을 성도들에게 나누어 준다. 이 협력 사역을 잘 수행하기 위해서 목사와 장로는 신앙고백서와 대교리문답을 통하여 이 의미를 잘 배우고 인식하고 그대로 실천해야 한다. 협력이 보다 잘 이루어지게 하기 위한 길은 성찬을 지금보다 조금 더 자주 시행하는 것이다. 성찬을 통하여 목사와 장로들은 예배 속에서 협력하는 자라는 것을 몸소 체험하며 또 증명하게 된다.

* *

목사와 장로가 협력 관계를 잘 유지하면서 주의 몸된 교회를 잘 세워가는 일은 그 어떤 일보다 가치 있는 일이다. 교회를 세우기 위해 위임받은 자들인 목사와 장로는 이 일을 위해 서로 협력하면서 즐겁게 신실하게 직무를 감당해 가야 할 것이다.

담임목사의 리더십

김하연 목사

　오늘날 교회들로부터 그 어느 때보다 갈등과 분쟁의 소리가 많이 들려온다. 목사와 성도들과의 갈등 그리고 성도와 성도의 갈등의 소리가 들려오고, 이 일은 각 노회에 진정서 제출이나 고소·고발로 이어지고, 더 이상 목사와 성도의 관계가 아니라 '원고'와 '피고'로 소송의 당사자가 되어서 서로 비방한다. 설사 노회의 개입으로 여차여차히 해결을 얻는다 해도 한번 깨어진 관계는 좀처럼 회복되기 힘들다. 지상에서 하나님의 나라에 가장 가까운 모습을 가져야 하는 것이 교회인데 이 지경이 되면 아무리 명설교를 해도 백약이 무효요, 그냥 공허한 메아리처럼 들릴 수밖에 없다. 이런 일들이 지상교회에서 없을 수는 없겠다. 지금의 세대는 이미 전통 권위를 부정하는 포스트모더니즘의 사상에 많은 영향을 받고 있다. 앞으로 오는 세대에 교회의 혼란스러운 문제들은 더했으면 더했지 줄어들지는 않을 것 같다.

그런데 실상 많은 경우는 사전에 방비할 수 있었던 점들이었음을 간과해서는 안 된다. 진정한 말씀의 선포를 통해서 은혜 공동체로 변화되는 것과 서로의 역할을 인정하고 합법적인 절차를 따라서 행정 함을 통해서라면 주님이 피로 값 주고 사신 교회는 언제든지 그 본질로 돌아갈 수 있다. 이 모든 것에 가장 큰 역할을 하는 것이 바로 담임목사의 리더십 문제이다. 목사가 갖추어야 할 덕목 중에 리더십은 지금 그 어느 때보다도 절실하다.

1. 질서를 따라 서로 세워주는 리더십

교회는 저절로 평강과 은혜가 넘치는 교회가 되지 않는다. 가만 두면 얼마든지 변질될 수 있다. 지상의 교회는 성도 간에도 얼마든지 다양한 사람들이 있고, 개중 교회의 질서를 알지도 못한 가운데 세상에서의 사회원리를 생각하고 교회에서 주장하거나 심지어 세상의 가치관을 가지고 나이, 부, 세상에서의 직업의 귀천 등의 요소로 교회에서 소위 '행세'하는 경우들을 보게 된다. 세상의 민주주의 원칙이 곧 교회의 원칙으로 오해하기도 한다. 그래서 다수결이면 절대적 권한을 갖는 것으로 생각한다. 보편적인 다수의 의견을 결집하여 결정하는 것은 그리 나쁜 방법이 아니다. 그나마 제일 타당한 방법이 될 것이다. 그러나 반드시 그럴 수는 없다. 성경이 최고의 권위인데 우습게도 가톨릭은 교회의 회의로 외경도 성경이라고 인정하는 결과를 내고 말았다. 성경의 권위를 넘어서는 신앙고백이나, 각 교단의 헌법이나, 종교회의나 어떤 국가의 권위가 있을 수 없다. 국가 권력이 만일 반성경적인 것을 성도에게 요구한다면 교회는 결코 굴복할 수 없다. 목숨을 내놓으라고 해도 말이다. 성경 중심이라는 대원칙은 양보할 수 없는 것이다.

성경은 지상교회를 효과적으로 운용하기 위한 질서에 관해서도 이야기한다. 구약시대에서부터 오십부장, 백부장, 천부장이 있어서 사건을 판단하게 했다. 일종의 조직과 통치체계이다. 물론 재판관이 모든 권세가 있는 것이 아니요, 하나님께 나아가기 위한 희생제사에 관해서는 철저히 제사장들이 중심이었다. 이 일에는 왕이라도 그 경계를 넘어설 수 없었다. 사울 왕은 제사장 사무엘의 역할을 함부로 시행하다가 하나님 앞에 영원히 버림을 받게 됐다. 이와 같이 서기관은 서기관의 역할이 따로 있었고, 선지자는 또한 그의 고유한 역할이 있었다. 신약에 와서도 교회에서의 분명한 역할의 구별은 있었다. 바울은 에베소서 4장 11-12절에 "그가 어떤 사람은 사도로 어떤 사람은 선지자로 어떤 사람은 복음 전하는 자로, 어떤 사람은 목사와 교사로 삼으셨으니 이는 성도를 온전하게 하여 봉사의 일을 하게 하며 그리스도의 몸을 세우려 하심이라"고 함으로 각 사람이 자기의 직분에 분명한 역할이 구별되어 있음을 명백하게 하고 있다. 지상에서의 구약의 교회와 신약의 교회를 위해서 하나님은 직분을 주셨고, 사람들은 그 직분의 리더십을 인정하고 세워주어야 했다. 그래야 제 일을 할 수 있었다.

이런 관점에서 목사의 리더십은 세워주는 리더십이다. 목사는 강도권(진리를 강론하는 설교권, 목양권)과 치리권(행정권)을 가지는 장로이다. 그리고 목사 외의 장로는 치리권만 가진다. 목사는 정통 신학을 전공으로 한 자라야 한다. 그는 다른 장로들과 마찬가지로 "책망할 것이 없고"(딤전 3:1), "잘 다스리는 장로"(딤전 5:17)가 되어야 한다. 그는 하나님의 말씀을 효과적으로 선포하고 이단들과 거짓 위선자들의 가르침에 성도들이 속지 않고 예수님만 잘 따라가도록 복음을 잘 수호하는 일을 감당하여야 한다. 그의 직무는 예수님께서 베드로에게 "내 양을 치라"(요 21:9)하신 명령처럼, 양 떼를 잘 돌보고 이끌어가는 일이다. 그러므로 교회는 목사가 목사의 일을 잘 감당하도록 도와야 한다. 장로는 담임목사를 잘 도와서 목사가 자기의 직분에 충분히 몰두할 수 있도록 해야 한다. 말씀은 목사가 전하지만 장로는 먼저 말씀에 순종하는 본을 보이고, 목양하는 일과 행정으로 교회를 치리해 나가는 일들에 적극적인 협력자가 되어야 한다. 성도들 역시 담임목사의 증거하는 말씀과 지도에 순종함으로 그의 영적 권위를 세워드림으로 목사가 지속적으로 은혜로운 설교를 선포하고 새로운 지식을 깨달아 성도들에게 진리의 말씀을 선포할 수 있도록 기도로 도와야 한다. 바울은 데살로니가 교인들에게 "형제들아 우리를 위하여 기도하라"(살전 5:25)고 했다. 또한 가르침을 받는 성도들은 필요한 것으로 가르치는 자에게 공급하여야 한다(갈 6:6). 그리하여 말씀을 증거하는 목사가 가능한 어려움이 없이 말씀 증거와 목양에 집중할 수 있도록 해야 한다. 그래야 교회가 생동감이 넘친다.

비록 민주적 방법으로 성도들이 공동의회에서 투표하고 담임목사를 청빙하기는 하지만 그렇다고 성도가 교회와 목사의 주인이 되어서 마음대로 할 수 있다는 것은 아니다. 성도는 교회의 주인이 아니다. 교회의 주인은 예수 그리스도이시다. 그러므로 성도는 주님께서 그 목사를 보내셨음을 인정하고 그를 위해 기도와 순종과 공급으로 그의 리더십을 세워주고 목회의 일을 잘 감당하도록 해 주어야 한다. 목사는 완벽한 사람이 아니다. 마음이 약할 수도 있고, 그의 가정에도 건강이나 자녀 문제 등, 얼마든지 그에게 고민과 어려움이 있을 수도 있다. 그러므로 완벽한 목사를 요구하면 안 된다. 그런 사람은 예수님 외에는 지상에 한 명도 없다. 그런데 자기 소견에 옳은 대로 자기 기준으로 큰소리만 질러 대고 요구만 한다면 교회는 은혜와 질서의 공동체가 아니라 그냥 여의도 일번지와도 비슷한 인간들의 모임일 뿐이 되고 말 것이다. 목사의 리더십을 세워주라. 그래야 주님의 교회가 세워질 수 있다.

2. 섬김과 나눔으로 세워가는 리더십

한편 목회자는 그의 리더십을 나눔과 섬김의 모습으로 잘 활용해야 한다. 때로 목사가 독단적으로 대부분의 일을 진행한다는 이야기를 들을 때에 마음이 슬프다. 그는 도대체 왜, 무엇을 위해서 그렇게 하는가? 교회는 주님의 교회가 아니며 양 떼는 주님의 자녀들이 아닌가? 목사는 철저하게도 청지기의 역할을 감당하는 것이지 결코 교회의 주인이 아니지 않은가? 목사가 모든 일에 주도권을 가지고 나가려고 하면 문제가 생긴다. 목사가 너무 많은 일에 관여하게 될 때 교회는 오히려 소음이 난다. 초대교회에 많은 헌금이 몰리게 되자 사도들은 구제하는 일에 너무 매달렸고 이로 인해서 '말씀과 기도'의 일에 전무하기 힘들었고 결과는 교회 안에서 서로 불평하고 원망하는 일이 많이 발생했다(행 6장). 그래서 교회에서는 성령과 지혜가 충만한 집사들(원문은 '봉사자')을 세워서 구제의 일을 감당하게 했다.

어떤 목사들은 심지어 착각하고 사는 사람도 있다. 교회의 사이즈가 은근히 큰 것을 자랑하고, 자기의 목회 잘함을 자랑하고, 자신의 영광을 은근히 자랑하는 모습을 보면 역겨울 지경이다. 교회는 주님이 피로 값 주고 사신 것이 아닌가? 성도는 주님의 성도요 주님의 백성이요 주님의 영광을 위해서 존재한다. 그래서 성경은 주님이 자기 피로 사신 교회이므로 교회의 장로들에게(목사) 양떼를 위해서 삼가고 교회를 보살피고 목양하라고 하신 것이 아닌가?(행 20:28).

목회자의 리더십을 발휘함에 있어서 잊지 말아야 할 점은 비록 그 직분을 주님이 세우셨다고 해도 그의 직무는 섬김으로써 수행해야 한다는 것이다. 큰 목자장 되시는 예수 그리스도께서 친히 본을 보이신 것은 '섬기러 오신' 것임을 분명히 하고 있지 않은가!(막 10:45). 목사는 목자장 되시는 예수님으로부터 양 떼를 보살피라고 위임을 받은 자들이다. 그런데 목사가 섬김을 받으려고 하고 교만한 모습이라면 그는 삯꾼일 뿐이요, 그가 주님께 위임받은 사명자라 보기 힘들다. 목사가 섬기는 자세로 직무를 감당하라고 해서 자신의 어떤 역할이나 주장도 무조건 다 내려놓으라는 것을 말하는 것은 아니다. 하나님께서 진리 가운데 그에게 주신 소명과 성경의 원칙이 지켜져야 하는 일에 대해서 목숨을 걸지언정 꺾여서는 안 된다. 그러나 회의로 결정할 수 있는 부분에 있어서 공연한 권위를 부릴 필요는 없다. 들어줄 줄 알고, 다른 사람을 세워줄 줄 알고, 존중해 줄 줄 아는 사람이라야 한다.

목사는 예수님께서 그의 제자들이 예수님의 행하심같이 행하게 하려고 친히 본을 보이셨다고 하심 같이(요 13:15) 성도들에게 본이 되어야 한다. 거짓 선생들은 오로지 자기의 이득을 얻으려고(벧후 2:2) 양 떼에게서 취하려고만 한다. 성도들이 듣는 것보다 보는 것으로 더 주님을 닮아갈 수 있다는 것은 자명한 사실이다. 때로 목회자들이 은퇴 후에 교회가 어떻게 대우해 줄 것인가? 어떻게 하면 교회에 더 많이 얻어낼 것인가에 대해서 과민할 정도로 많이 이야기하는 것을 듣게 된다. 심지어 그 일 때문에 교회와 갈등 관계로 나가게 된 사람들의 이야기도 듣게 된다. 무척 안타깝다. 주님의 종이라고 평생에 외치면서 또 그리스도인의 삶을 평생 가르쳤을 것인데 평생의 설교를 한 방에 무색하게 만들고 마는 결과이다. 은퇴 후 노년이 길어지니 필요한 준비는 되어야 하겠지만 그럼에도 목사는 교회와 서로 존중하는 관계에서 끝까지 은혜롭게 사랑 가운데 마무리할 수 있어야 한다. 사명으로 시작하고 부끄러움으로 마무리하겠는가? 그러기에 목사의 리더십은 섬김의 리더십이 되어야 한다.

또한 목회자의 리더십은 '나눔의 리더십이 되어야 한다. 하나님께서는 하나님의 나라를 한 사람에게 다 위임하신 것이 아니다. 그러므로 한 사람에게 영적인 권위가 쏠려야 될 이유도 없다. 로마 가톨릭이 '교황이 그리스도의 대리자'(가톨릭교회 교리서 882조)라고 하고 이것을 뒷받침하기 위해서 마태복음 16장 19절에 나온 '천국열쇠'를 인용한 것은 성경에 대하여 크게 오해한 소치이다. 마태복음의 해당 구절은 이 천국열쇠를 가진 사람이 "땅에서 무엇이든 매면 하늘에서 매이고, 땅에서 무엇이든 풀면 하늘에서 풀리는" 그런 권세를 가진 것을 말한다. 이것은 그리스도를 믿는 성도들이 하늘에 속한 권세를 땅에서 쓸 수 있는 기도의 능력에 대해서 이야기하는 것이요 용서에 관해서 말씀하신 것이다. 그래서 마태복음 18장 18-20절에서 같은 권세에 관해서 이야기하면서 기도에 대해서 다시 이야기하고 있다. 그리고 그 권세는 주님의 이름으로 모이는 두세 사람에게라도 아니 모든 성도에게 주시는 특권이라고 하겠다.

사실 예수님은 그의 교회를 다스리는 권세를 교황이나 슈퍼맨 흉내를 내는 어떤 목사에게나 그 누구에게라도 양도하신 적이 없다. 주님은 교회의 머리이시며(골 1:18), 주님이 하나님의 집을 다스리시는 대제사장이시며(히 10:19), 나아가 그분은 그의 능력의 말씀으로 만물을 붙드신다(히 1:3). 한마디로 주님의 교회이다. 그래서 초대교회에서도 '수장'이라고 따로 없었다. 예루살렘교회는 예수님의 젖동생인 야고보가 수장같이 보이나 그렇다고 그가 독단적인 어떤 결정을 내린 적이 없다. 예루살렘공의회가 모였을 때, 그는 이방인들에게도 구원이 임한 증거들에 대하여 바울과 바나바가 보고할 때 들었다. 이에 관해 베드로가 뒷받침하는 주장을 할 때 들었다. 야고보는 시므온(베드로)의 말과 선지자들의 기록하신 말씀에 근거하여 '이방인 중에 하나님께 돌아오는 자들을 괴롭게 하지 말라'고 선포했다(행 15:14-15). 그의 역할은 오히려 사회자의 역할에 가까웠다.

주님의 교회는 주님이 다스리게 해야 한다. 그러므로 교회에서 목사는 그의 리더십을 발휘함에 있어서 '주장하는 자세로 하지 아니하고 본을 보이는 자'로서의 역할을 해야 한다. 베드로전서 5장 3절의 "맡은 자들에게는 주장하는 자세를 하지 말며"라는 말은 헬라말로 '메데 호스 카타큐리에온테스'인데 이 말은 직역하면 '결코 전적 통치를 시행하는 자와 같이 하지 말라'고 하는 것이다. 이 말은 자기 주장을 위해서 어떤 희생을 불사하고라도 밀어붙이는 그런 행동을 해서는 결코 안 된다는 말이다. 사실, 개역개정에 "맡은 자들"로 번역된 '클레로온'은 '부분'(적인 것을 맡음)을 의미한다. 즉 그들은 한 부분이라는 것이지 결코 전체가 아니라는 의미를 함축한다. 이 낱말은 칠십인역에서 '하나님의 기업'을 의미하는 '나할라'(히, 기업)를 번역하는 대표적 단어이다. 즉 하나님의 기업인 교회에 전권을 가진 어떤 사람이 있을 수 없다. 예수님이 교회의 머리요, 목사를 포함한 모든 성도는 한 부분일 뿐이다.

그러므로 교회의 의사결정을 함에 있어서 목사가 단독으로 리더십을 발휘하거나 나아가 당회가 단독으로 리더십을 발휘해도 안 된다. 요즈음 3040세대의 교회에서의 역할에 대한 주제들이 부쩍 부상하면서 새롭게 교회의 '거버넌스'(governance, 의사결정 구조)에 대해서 많이 논의되고, 당회 중심의 의사결정 구조만으로는 옳지 않고 3040세대를 어떤 모양으로든지 '거버넌스' 그룹에 동참시키고 그 의사들이 반영될 수 있도록 해야 한다는 것에 목소리를 높이고 있는 추세이다. 그러나 이것은 원래부터 그렇게 해야 했던 것이다. 코로나(COVID-19) 때부터 수많은 3040세대가 교회를 떠나고 있으니 이제 와서 그들을 마치 달래려는 듯이 의사결정 권한에 참여할 수 있도록 해야 한다는 것은 아무래도 모양새가 어색하다. 교회에서 그렇게도 '직분은 은사를 중심으로 교회를 세우기 위한 것이지 결코 계급이 아니다'라고 목이 쉬도록 외쳐도 그래도 사라지지 않는 '사다리식 직분 인식'은 없어질 줄 모른다. 이것은 로마 가톨릭식의 사고방식이고, 비성경적인 직분 인식이다. 그러므로 이 일을 목회자가 먼저 깨닫고 교회의 리더십을 '나눔의 리더십'으로 전향해야 한다. 교회의 치리회로써 당회가 존재하고, 목사가 당회장을 맡는다고 해도 얼마든지 창구를 열어놓고 온 교인들이 그 의사를 표현하고 대화할 수 있는 장이 만들어져야 한다. 나눔의 리더십은 중요하다. 목사의 리더십 또한 나눔의 리더십이어야 한다.

3. 생명의 말씀 선포와 올바른 행정으로 세워가는 리더십

1) 생명의 말씀 선포가 필요하다

위에서 언급한바, 가르침을 받는 자는 가르치는 자와 모든 좋은 것을 함께 함으로 리더십을 세워주는 일들을 논했다. 그런데 여기게 목사의 책임은 적지 않다. 세상에서 찌들고 힘든 가운데 주님의 은혜를 바라보고 교회에 나와서 예배하기 원하고 위로받기 원하는 성도들에게 목사는 마땅히 생명력이 넘치는 신선한 말씀, 성령께서 새롭게 깨닫게 해 주시는 말씀을 성도들에게 공급해야 한다. 그러므로 그는 말씀을 많이 연구해야 하고, 먼저 새로운 감동으로 자신에게 적용해야 하며, 성령의 은혜로 증거해야 한다. 말씀을 연구하지 않고 설교하는 목사는 성도들에게 매일 냉동실에 얼린 밥 녹여 먹이고 있는 것과 같다고 하겠다. 머지않아서 모두 식상하고 말 것이다. 설교는 단순한 성경공부가 아니다. 목사는 매일 변화하는 세상 가운데 사는 성도들에게 매일 새로운 말씀으로 갈증을 채울 수 있도록 해야 한다. 그러므로 설교는 개별적이고 인격적일 수밖에 없다. 그러려면 다른 방법이 없다. 끊임없이 기도하고 말씀 연구하고 묵상하고 책을 읽는 가운데 새로운 설교를 준비해야 한다. 특히 교리의 부분은 깊이 있게 정돈해야 한다. 많은 목사에게서 교리가 너무 빈약하여서 자기도 무슨 소리인지 모르고 떠드는 것 같은 설교를 들을 때에 가슴이 철렁 내려앉는다. 3대 칼빈주의 학자라고 일컬어지는 A. 카이퍼, B. 워필드, H. 바빙크의 책들은 항상 읽어야 한다. 지금은 한 권으로 잘 제본되어 나온 R. 벌코프의 조직신학도 무척 유익할 것이다. 하나님의 오묘하신 섭리를 깊이 깨달은 신앙의 대가들로부터 목사는 끊임없이 배워야 한다.

2) 교회 행정을 올바르게 하라

목회자 리더십에 있어서 실제적인 부분들 가운데 중요한 것을 하나 꼽으라면 '올바른 교회 행정'이라고 하겠다. 교회 행정은 '다 은혜로 하지요'라는 말과 상반된다. 적어도 행정에 관하여서는 '은혜파'의 방식은 유사어로 '주먹구구식'이라고 하겠다. 신약성경은 교회에서 일꾼을 세울 때의 분명한 운영 원칙들을 제시한다. 예를 들면 가룟 유다 대신 12사도에 들어올 사람을 세울 때(행 1:22-4), 교회에 신실한 봉사자(집사)를 세울 때(행 6:3), 목사와 장로, 집사를 세울 때(딤전 3:1-13) 등의 경우, 원칙을 세우고 그 원칙에 합당한 사람들 가운데 세웠다. 그래야 교회가 어지럽지 않고 주님의 몸 된 교회를 바로 세울 수가 있다. 물론 '교회헌법'을 보면 '예배, 정치, 권징'을 통해서 훨씬 자세하고 규정화된 행정의 원칙들이 나열되어 있다. 교회를 질서 있게 다스리기 위하여 성경에 입각하여 세운 규정들이다. 때때로 목사의 행정 무지와 절차 위반, 회의법 위반 등으로 교회가 많이 혼란스러워지는 것을 보게 된다. 목사는 원칙과 규정에 입각한 행정을 잘 감당해야 한다. 그런 행정이라야만 온 교회가 납득하고 동의하며 협력하게 될 것이다. 말도 안 되는 주장과 절차로 억지를 부릴 때에는 반드시 불협화음이 난다. 그러기에 목사는 교회헌법과 행정에 대해서 많이 공부하고 그대로 진행해야 한다.

* *

　교회 안에 올바른 리더십을 발휘하여 함께 주님이 온교회가 주님을 따라가는 가운데 풍성하고 은혜가 넘치는 교회들이 되기를 소망한다.

부교역자의 리더십

안진출 목사

'세컨드 펭귄'이라는 책을 쓴 임승현은 소제목에서 '불확실한 1인자보다 확실하게 살아남는 2인자의 성장 공식'이라는 재미난 제목을 붙였다. 이 책에서 "스타트업은 곧 창업자와 동의어인 것 같다"라고 말한다. 그러면서 "스타트업 세계의 99%는 창업자가 아닌 스타트업 멤버들로 구성되어 있다. 그럼에도 이들은 주목받지 않는다. 그러나 스타트업 멤버 중 어떤 이들은 대다수 창업자보다 더 성공한다"라고 말하고 있다.

그는 이것이 '세컨드 펭귄 전략' 덕분이라고 한다. 그는 "남극에 사는 펭귄의 먹이는 차가운 바닷속에 있다. 하지만 바닷속에는 펭귄의 무서운 천적인 바다표범이 있다. 모두가 머뭇거리는 가운데 용감하게 첫 번째 펭귄이 뛰어들면 그제야 다른 펭귄도 하나둘씩 뛰어든다. 모두가 퍼스트 펭귄에게 환호를 보내지만 정작 박수를 받을 펭권은 굶주린 바다표범의 '첫 번째 식사'가 되어 사라지고 없다. 이것이 퍼스트 펭귄의 저주다"라고 한다.

그러면서 "스타트업에는 더 많은 퍼스트 펭귄이 필요하다. 그러나 모두가 퍼스트 펭귄이어야 하는 것은 아니다. 영리한 세컨드 펭귄이 되어 위험을 낮추면서도 보상을 최대화할 수 있다. 이들은 평범한 펭귄과는 다르다. 첫 번째가 뛰어들 때까지 기다릴 줄 아는 인내심과 때가 오면 과감하게 뛰어드는 리스크 감수 능력을 동시에 지녔다. 많은 사람이 스타트업에서 일하지만 세컨드 펭귄이 되는 이는 소수다"라고 한다. 어쩌면 목회 현장에서 일어나는 리더십을 말할 때 비슷한 일이라고 생각해 볼 수 있다.

한국교회 트렌드 2024에서는 부교역자의 사역 기피 현상에 대해 다루었다. 이 현상을 하나의 트랜드로 보고 '어시스턴트 포비아'라고 했다. '어시스턴트 포비아'란 '부교역자 사역에 대한 두려움을 의미하는 말이다'라고 한다. 물론 부교역자의 리더십에 대한 직접적인 이야기는 아니다. 하지만 부교역자의 사역 기피 현상과 리더십과의 상관관계는 밀접하게 연결되어 있다고 할 수 있다. 한국사회가 갈수록 불안정성과 불확실성이 밀려오기 때문이다.

그래서 한국사회의 실존형 생존 키워드로 '각자도생'(各自圖生)이라는 키워드가 생겼다. 각자도생은 각자 살기를 스스로 도모한다는 의미다. 싫든 좋든 살아내자면 누군가를 의존하기보다는 자립할 수

밖에 없는 시대 변화를 뒷받침한다. 교회 현실에서도 각자도생의 모습이 나타나기도 한다. 부교역자들에게도 각자도생의 길을 생각할 수도 있겠다는 생각이 든다. 하지만 리더십을 갖추는 일, 성장하기 위한 역량을 키우는 일이 더 필요하지 않을까? 준비되지 않으면 현실에서 나타나는 이런 트렌드의 흐름에 떠내려가지 않을까? 하는 염려가 되기도 한다.

1. 글로벌 시대의 세상

'미래예보'라는 책에서 정호준은 대한민국의 현재 위상에 관한 이야기를 이렇게 말하고 있다. "펜실베니아대학 와튼스쿨이 전 세계 1만 7천 명을 대상으로 실행한 '2020년 글로벌 국력 순위' 인식 조사에서 우리나라는 미국, 중국, 러시아, 독일, 영국에 이어 6위에 올라 일본, 프랑스, 캐나다, 이탈리아 등 G7 회원국을 뒷줄에 세웠다"라고 했다. 글로벌 국력 순위 인식 조사에서 우리나라가 가장 높은 평가를 받은 분야는 '혁신 역량'이다. 특히 세계 2위로 평가된 GDP 대비 연구개발비 비중은 4.9%로 G7 평균(2.6%)의 2배에 달했다고 한다.

지금 세상은 반도체 전쟁이 시작되었다고 한다. 국지전이 아니라 세계대전이고 단기전이 아니라 장기전이 된다고 한다. 현재 전 세계는 반도체 산업에 보조금을 지급해 자국 내 생산 기지를 만드는 전쟁을 하고 있다. 미래는 지능사회다. 지능사회를 구성하는 단 하나의 핵심 요소는 반도체다. 반도체 없이 지능사회 곧 선진국으로 나아간다는 말은 헛된 희망이라고까지 말한다. 그래서 반도체 전쟁, '칩워'(Chip War)라고 한다. 하지만 칩워의 영향은 반도체에만 머물지 않고 점점 가속화되고 있다고 한다.

경제계도 전쟁 중이라고 할 수 있다. 신생 기업과 거대 기업, 스타트업과 빅테크들, 로컬 기업과 글로벌 기업, 이들은 마치 다윗과 골리앗의 싸움처럼 지금도 싸우고 있다. 이런 전쟁에서 승리하기 위한 단순한 차별화 전략으로는 승리자가 될 수 없다고 한다. 그래서 각 기업은 마케팅에 사활을 걸고 있다. 마케팅은 '시장 Market + 움직임 ing'의 조합이다. 바로 '시장의 움직임'으로 해석한다. 세상 경제의 흐름은 제품 중심의 마켓 1.0에서 소비자 중심의 마켓 2.0으로 변했다. 여기서 인간중심의 마켓 3.0을 마켓팅의 최종적 단계로 간주해 왔다.

하지만 세상은 전통적 마케팅에서 디지털 마켓팅으로 전환되는 마켓 4.0시대가 되었고 지금은 인간과 기술의 융합을 이루는 마켓 5.0시대가 되었다고 한다. 마켓 5.0은 '고객 여정 내내 가치를 창출, 전달, 제공, 강화하기 위해 인간을 모방한 기술을 적용하는 것'이라고 정의한다. 그래서 마켓 5.0의 중요한 주제 중 하나는 인간 마케터의 능력을 모방하는 것을 목표로 하는 차세대 기술이다. AI, NLP, 센스, 로봇 공학, 증강현실, 가상현실, 블록체인 등이 모두 차세대 기술에 해당한다. 글로벌 시대의 세상은 너무나 빠르게 달라지고 있다.

2. 글로벌 시대의 인재 조건

'새로운 미래가 온다'라는 책에서 다니엘 핑크는 "우리는 농부의 사회에서 공장 근로자의 사회로 또 지식근로자의 사회로 발전해 왔다. 그리고 이제 창작자와 타인에게서 감정적 공감대를 이끌어 낼 수 있는 사람들의 사회로 발전하고 있다"라고 한다. 세상은 점차로 우뇌형 능력이 좌뇌의 그것보다 우선되고 있으며, 우뇌형 재능을 지닌 이들이 전문가로서의 고유의 사회적 성취와 개인적 만족을 얻는 일이 많아졌다고 한다.

그러면서 "좌뇌적 사고는 여전히 필요불가결하다. 하지만 더 이상 그것만으로는 부족하다. 하이컨셉, 하이터치 시대에 우리에게 필요한 것은 새로운 사고라고 할 수 있다"라고 말한다. 하이컨셉은 예술적, 감성적 아름다움을 창조하는 능력이다. 이는 트랜드와 기회를 감지하는 능력, 훌륭한 스토리를 만들어내는 능력, 언뜻 관계가 없어 보이는 아이디어를 결합해 뛰어난 발명품으로 만들어내는 능력이다.

하이터치는 간단하게 말하자면 공감을 끌어내는 능력이다. 인간관계의 미묘한 감정을 이해하는 능력, 한 사람의 개성에서 다른 사람을 즐겁게 해주는 요소를 도출해내는 능력, 평범한 일상에서 목표와 의미를 끌어내는 능력이다. 다가오는 미래, 글로벌 시대는 좀 더 특별한 능력을 갖춘 인재를 필요로 한다. 다니엘 핑크는 새로운 시대, 글로벌 시대에 맞는 인재의 필요한 재능을 6가지로 설명하면서 '미래 인재의 6가지 조건'이라고 이름을 붙였다. 6가지 조건이란 디자인(design), 스토리(story), 조화(symphony), 공감(empathy), 유희(play), 의미(meaning)를 말한다.

'세계는 지금 이런 인재를 원한다'라는 책을 쓴 조세미는 글로벌 기업은 인재를 뽑을 때 그들의 사고 능력을 철두철미하게 심사하는 것은 물론 앞서가는 글로벌 기업일수록 신입사원에게 지식근로자의 핵심 자질인 '생각하는 능력'을 키워주기 위해 거의 세뇌에 가까울 만큼 강도 높은 두뇌 훈련을 반복해서 시킨다고 한다. 그러면서 성공하는 기업의 인재 양성 방향은 두 가지로 나타난다고 한다. "첫째 최고의 위치에 선 글로벌 기업은 그 구성원에게 직급이 높아질수록 '지적 리더십'(Thought Leadership)을 요구한다. 둘째로 세계 최고의 기업들이 더욱더 중시하고 있는 '지식 경영'(Knowledge Management)이다"라고 말한다.

우리가 살아가는 21세기는 다양성이 가치로 인정받는 사회다. 다이내믹하고 창조적인 사고로 각 방면에 열린 기회를 만들어가는 인재들이 주목받는 사회. 한 사람의 커리어를 스펙트럼으로 본다면 이렇게 나눌 수가 있을 것이다. 잠재력을 시험하는 시기, 실력을 쌓는 시기, 지금까지의 경험과 지식을 보아 목표를 향해 질주하는 시기 그리고 수확의 시기, 사람마다 각 단계가 다를 수는 있다. 하지만 단계마다 인재로서 꼭 필요한 스킬과 지식을 놓치지 않고 제대로 쌓아가야 한다고 말한다.

3. 부교역자 리더십

지구촌교회를 담임했던 진재혁 목사가 쓴 '부교역자 리더십'에서 "교회에서 누구 못지않게 살신성인(殺身成仁)하는 사람은 부교역자다"라고 했다. '과연 부교역자는 누구인가?'라고 질문하면서 이렇게 정의한다. 먼저 '부교역자도 사람이다'라고 한다. 당연한 얘기다. 그들은 강철로 만들어진 존재가 아니다. 그들도 피곤하고 아프다. 시키는 대로 하는 사람이 아니다, 그들도 생각이 있다고 한다. 두 번째는 '부교역자도 목회자다'라고 한다. 부교역자도 하나님께서 부르신 주의 종이다. '눈에 보이지 않지만 하나님께서 부어 주시는 은혜가 너무 커서, 자신을 불러 주신 하나님의 사랑에 감사해서 묵묵히 그

길을 걷는 사람이다'라고 말한다. 세 번째는 '부교역자도 동역자다'라고 말한다. 부교역자는 소모품이 아니라 동역자다. 동역자만큼 함께하는 자들을 잘 아는 사람도 없다. 동역자가 가장 정확한 판단과 평가를 할 수 있다고 말한다. 네 번째는 '부교역자도 리더다'라고 말한다. 담임목사가 아니라서 자신은 리더가 아니라고 생각하면 안 된다. 리더십을 발휘해 따르는 사람을 이끌어 갈 책임이 부교역자에게도 있다. 부교역자는 담임목사를 돕는 역할을 하면서도 다른 사람에게 영향력을 미침으로 교회 전반에 가치를 부가하는 사람이다.

부교역자의 리더십이 독특성을 띠는 이유는 그것이 지위에 따른 리더십의 힘과 권위에 근거를 두고 있지 않기 때문이다. 다른 사람에게 영향을 끼침으로써 성과를 거둘 수 있는 사람은 명령을 내려 순종하게 하는 사람보다 더 유능한 지도자다. 부교역자가 리더가 되기 위해 반드시 조직에서 직급상 2인자가 되어야 하는 것은 아니다. 선두에서 이끄는 리더가 아닌 사람은 누구든지 부교역자라고 할 수 있다. 한마디로 리더십은 영향력을 끼치는 과정이다.

일반 기업의 인재 개발 프로그램에서 리더십 계발을 위해 무엇을 하는지 살펴보면 첫 번째 단계는 자기 자신에 대한 진솔하고 세밀한 분석인 '임용평가'로 시작한다. 이 임용평가의 첫 단계로 누구든지 '자기 평가서'를 작성한다는 점이다. 자기 평가서에는 반드시 스스로 생각하는 장점과 약점 그리고 발전 가능 분야 그리고 그 발전 약속에 대한 자세한 실제 행동 방침 등을 기록하게 되어 있다. 부교역자의 리더십은 저절로 만들어지지 않는다. 영향력을 발휘할 수 있는 자기 계발이 되어 있어야 한다.

스스로 부교역자의 리더십을 키우길 원한다면 지금 자신이 처해 있는 상황이 어떤지를 명확하게 알아야 한다. 그런 다음 내가 바라는 목표가 어디인지 다시 되새겨 봐야 한다. 내 현재 상황과 목표 상황, 두 지점의 간격을 줄이기 위해 노력하는 일이 바로 리더십 계발이다. 일반 조직 컨설팅에서 가장 중요하게 생각하는 일이 바로 이러한 좌표 찾기다. 조직이 바라보는 모습(to be)은 무엇인지, 조직이 현재 처해 있는 모습(as is)은 어떤 것인지 확실히 파악하고 긍정적으로 받아들이는 것에서부터 조직의 변화도 시작될 수 있다.

마이크 보넴과 로저 패터슨이 쓴 '부목회자의 비전과 리더십'에서 부교역자의 세 가지 역설을 말한다. 첫 번째는 부하-리더의 역설이다. 이 역설은 다른 사람의 권위 아래 있으면서도 영향력 있는 리더가 될 수 있는가? 이다. 두 번째는 깊이-넓이의 역설이다. 부교역자의 특정한 역할은 담임의 역할에 비해 그 범위가 더 좁고 깊다. 그러나 부교역자는 그 조직을 망라하는 광범위한 시각을 지녀야 한다. 세 번째는 만족-꿈의 역설이다. 부교역자가 되는 것은 개인이나 공동체의 꿈을 포기하는 것을 의미하지 않는다. 그러나 그 꿈이 근시안적인 야망이 되어서는 안 되며, 담임의 계획과 경쟁하는 위치에 있어서도 안 된다.

부교역자는 충실한 부하의 위치이자 큰 영향력을 미치는 리더이다. 그들은 넓은 안목을 가지고 전체 조직을 위해 최선을 추구하는 동시에 자기들이 맡은 특정한 직무를 탁월하게 이루어 내어야 한다. 이런 세 가지 역설을 실제로 이루어 간 대표적 인물이 있다. 바로 요셉이다. 창세기 41장 40절에 "너는 내 집을 다스리라 내 백성이 다 네 명령에 복종하리니 내가 너보다 높은 것은 내 왕좌뿐이니라." 이 말씀은 애굽의 바로가 요셉에게 한 말이다.

젊고 오만한 꿈쟁이 요셉은 그의 형들에 의해 우물 바닥에 던져졌다가 노예로 팔려 갔다. 그런데 죄수였으며 외국인인 그가 역사상 어떤 히브리인도 누리지 못했던 리더의 지위를 얻게 됐다. 요셉에게 일어났던 일을 우리가 다 알 수는 없다. 그의 인생 어느 시점에서 부교역자 리더십의 의미를 깨달았던 시기가 있었을 것이다. 그때 그는 권위 있는 아무런 지위도 없었다. 그는 이 혹독한 환경에서 살아남기 위해서는 자신을 차별화할 방법을 찾아야만 했다. 그러므로 요셉에게는 성장하는 것 말고는 다른 선택의 여지가 없었다.

오랫동안 요셉은 부하-리더의 위치에서 새로운 권위에 충성을 다했고 하나님께 은혜를 입었다. 하나님을 공경하고 자기의 직무를 탁월하게 하고자 하는 요셉의 선택은 그의 커다란 영향력을 행사할 수 있는 자리로 이끌었다. 비록 자기에게 불리하게 돌아가는 것처럼 보였지만 요셉은 탁월한 섬김을 위해 하나님이 자기에게 주신 재능과 끈기를 사용하려고 노력했다. 바로의 꿈을 해석하라는 요청을 받았을 때 요셉은 깊이와 넓이를 갖춘 태도의 모범을 보여 주었다. 그 꿈들에 대한 요셉의 정확한 해석은 하나님께서 주신 계시였다. 그러나 그 꿈들이 지닌 원대한 의미와 그가 생각해낸 실제적인 해법들에 대한 그의 통찰력은 고전적인 부교역자 리더십의 반응이었다.

요셉은 기근 구제라는 문제의 깊이와 넓이를 알고 있었기에 그 난제의 범위에 맞추어 계획을 세우고 팀을 구축했다. 요셉이 가진 리더십에서 그 넓이는 온 땅에 미칠 기근이 함축하고 있는 바를 보게 했다. 그의 깊이는 그 기근을 바로를 위해 굉장히 좋은 기회로 바꿀 수 있게 해주었다. 그렇게 그의 리더인 바로가 번영을 누리게 되자 요셉 또한 개인적으로 최대의 성공과 복을 누렸다. 만일 부교역자의 위치에서 리더십의 깊이와 넓이를 겸비한다면 부교역자도 요셉처럼 하나님의 복을 누릴 수 있다. 부교역자의 리더십에서 깊이와 넓이를 동시에 갖추는 일은 유능한 부교역자 리더십을 정의하는 특성이라고 할 수 있다.

요셉이 감옥에서 석방되는 순간은 부교역자 리더십 역설 중 만족-꿈은 어떻게 이루어졌는지를 말하고 있다. 옥에서 풀려난 요셉은 그의 상관인 바로를 통해 자기의 꿈이 실현되고 있다는 사실을 깨달았다. 애굽 땅의 통치자인 바로의 꿈을 정확하게 해석했기 때문에 요셉은 애굽 전체의 2인자가 됐다. 요셉이 바로의 꿈을 이해하고 실행하며 성취하도록 돕자 그의 꿈도 실현됐다. 이 역설의 꿈은 부교역자에게 있는 꿈을 과소평가하지 않는다. 하지만 그 꿈은 수석 리더인 바로의 꿈에서부터 시작해야 한다. 요셉은 상황이 어떠하든지 간에 언제나 탁월했다. 이는 자기의 시간과 에너지를 최대한 선용하기를 택했기 때문이었다.

* *

글로벌 시대의 인재가 되기 위한 핵심 전략은 무엇일까? 글로벌 기업들은 '사람'을 가장 큰 자산으로 삼는다고 한다. 글로벌 기업들은 조직 내의 모든 부서, 모든 기능에 적합한 인재 집단을 구성하기 위해서 어떤 사람을 고용해서 계발하고 육성할 것인지를 매우 섬세하게 다룬다고 한다. 즉 인재를 발굴하고 그 발굴한 인재를 계발시켜 일하게 한다는 말이다. 그렇게 하려면 탁월한 상사와 동료들과 협력해야 한다. 자신이 글로벌 시대의 인재가 되려는 노력을 끊임없이 해야 한다. 언제나 자신의 궁극적인 목표가 무엇인지 떠올리고 자신을 다른 사람과 차별화할 수 있는 강점이 무엇인지를 분명하게 인식해야 한다.

어느 기업인이 이런 이야기를 했다. "진정한 성공은 당신 주변의 사람들을 성공적으로 만듦으로써 성취할 수 있습니다." 진정한 리더로 인정받으려면 담대하게 앞으로 나서야 한다. 익숙한 곳에 편안하게 안주하려고 하면 안 된다. 담임목사는 흔히 비전을 제시하지만 부교역자는 세부적인 일들을 실행해야 한다. 이런 관계의 장점은 그 두 기능이 서로를 보완해서 교회가 성장하도록 돕는다는 데 있다. 뛰어난 리더 아래서 뛰어난 인재가 나오고 또 이러한 뛰어난 인재가 자라서 뛰어난 리더가 되는 사이클, 긍정적이고 발전적인 성공의 사이클이 이루어지는 시스템이 오늘 우리에게 절실하다.

장로다운 장로

황대우 목사

요즘 한국교회는 다양한 문제로 시름하고 있다. 목회자들이 가장 심각하게 생각하는 문제는 국가적인 인구감소에 따른 교인감소일 것이다. 이와 관련하여 젊은 세대 교인뿐만 아니라 어린아이와 청소년들의 급감 문제, 기존교인의 참여도 결여 문제, 노령인구의 증가 문제 등등 다양한 문제들이 산적하다.

더불어 직분 간의 갈등, 세대 간의 갈등, 부서 간의 갈등과 같은 교회의 내적 갈등 문제도 심각하다. 이런 갈등은 서로 부딪히기 때문에 발생하는 것이지만 어쩌면 가장 심각한 문제는 교제를 꺼리는 개인주의일지 모른다. 개인주의는 기독교 신앙을 개인의 종교심으로 축소하고 결국 가나안교인을 양산한다. 교회생활의 실망과 실증도 가나안 현상의 주요 원인이다.

교회 안에서 발생하는 실망과 실증의 가장 일반적이고 심각한 원인은 아마도 성도 간의 다툼일 것이다. 안타깝게도 교회 직분자들이 그 다툼의 중심에 있는 경우도 적지 않다. 하지만 교회의 항존직인 목사와 장로와 집사는 성도 간의 다툼을 중재하고 해결해야 할 사람들이다. 그들은 문제의 해결책을 하나님의 말씀인 성경에서 찾아야 한다. 그래서 교회 직분자들은 무엇보다도 성경을 아는 지식이 남다른 이유 때문에 존경받을 수 있어야 한다. 뛰어난 성경 지식은 목사를 청빙하거나 장로를 선출할 때 가장 중요한 조건이다. 왜냐하면 그들은 누구보다 먼저 하나님의 말씀에 살고 죽는 본을 보여야 할 모범적인 종들이기 때문이다. 신자로서 그들의 인격과 삶도 성경의 가르침에 따라 분별되어야 마땅하다.

1. 성경이 말하는 장로란 무엇인가

장로는 구약에서 유래한 직분이다. 아브라함과 이삭과 야곱의 족장시대에는 장로가 없었던 것으로 보인다. '장로'라는 용어가 성경에 가장 먼저 나타나는 곳은 출애굽기 3장 16절이다. 애굽에서 종살이하던 이스라엘 백성에게는 장로가 존재했다. 당시 장로들은 이스라엘 백성을 대표하는 지도자들이었다.

모세는 하나님의 뜻과 명령을 이스라엘 백성에게 전달하기 위해 장로들을 불러 모았다. 구약의 장로들은 나이가 든 노인으로서 백성을 다스리고 판결하는 일에 종사했다. 모세가 혼자서는 이스라엘 백성을 도무지 감당할 수 없다고 불평하자 하나님께서 그에게 "이스라엘 노인 중 백성의 장로…칠십 인"을 모아서 하나님의 회막 앞에 모세와 함께 서도록 명령하셨다. 그리고 그들이 모세와 함께 "백성의 짐을 담당하고" 모세 홀로 이스라엘의 다스리지 않을 것이라고 약속하셨다(민 11:16-17). 그러므로 장로들의 주요 임무는 모세와 함께 하나님의 백성을 다스리는 일 즉 통치자와 재판장의 역할이었다. 신약시대 로마제국에서는 장로와 같은 임무를 맡은 자를 감독이라 불렀다. 감독은 일정 지역의 통치자를 의미한다.

신약시대 교회에서는 장로와 감독은 동의어였다. 바울은 에베소의 교회 장로들을 밀레도로 불러 이렇게 권면하면서 그들을 감독이라 불렀기 때문이다. "여러분은 자기를 위하여 또는 온 양 떼를 위하여 삼가라. 성령이 그들 가운데 여러분을 감독자로 삼고 하나님이 자기 피로 사실 교회를 보살피게 하셨느니라"(행 20:28).

디모데는 감독의 자격조건 가운데 '신앙의 연륜'을 중시한다(딤전 3:1-7). 아마도 그것은 신약교회의 감독을 구약 이스라엘의 장로와 동일한 직분으로 간주했기 때문일 것이다. 차이점이라면 구약에서 장로는 용어에서 짐작할 수 있는 것처럼 인생의 연륜 즉 나이를 중시했던 반면에 신약에서 감독 즉 장로는 나이가 아닌 신앙의 연륜을 중시했다.

신약교회의 장로 즉 감독은 주요 업무에 따라 두 종류 즉 '잘 다스리는 장로'와 '말씀과 가르침에 수고하는' 장로로 나누어져 업무분담이 이루어졌다(딤전 5:17). 다스리는 장로는 가르치는 일을 하지 않는가? 아니다. 주요 업무가 다를 뿐 장로는 다스리는 일과 가르치는 일을 병행하는 직분이다. 그런 장로들을 온 교회가 존경해야 마땅하다고 바울은 권면한다.

교회에서 다스리는 자도 가르치는 자도 모두 장로지만 다스림과 가르침의 세부 업무는 구분된다. 오늘날 다스리는 일은 장로가 담당하고 가르치는 일은 목사가 담당한다. 목사는 가르치는 장로이면서 동시에 다스리는 장로다. 하지만 장로는 목사와 달리 자동으로 가르치는 장로 즉 목사 역할을 하긴 어렵다. 왜냐하면 장로는 목사와 같은 훈련 기간을 갖지 않기 때문이다.

통상적으로 가르치는 목사가 되기 위해서는 통상적으로 최소 3-5년 혹은 7-9년 동안 전문적인 훈련을 받아야 한다. 예수님의 제자들도 사도로 활동하기까지 예수님과 동고동락하면서 3년간 훈련을 받았다. 바울도 역시 갑작스러운 회심 후 본격적인 사도로 활동하기 전에 아라비아와 고향 다소에서 약 3년의 수련 기간을 가진 것으로 보인다(갈 1:17-18; 행 9:30).

베드로와 바울은 신약교회의 대표적인 말씀 봉사자로서 가르치는 장로다. 베드로는 유대인을 위한 사도로, 바울은 이방인을 위한 사도로 활동했다. 오늘날 목사와 달리 그들이 하나의 지역교회에 정착한 목회자는 아니었다. 베드로와 바울의 주된 임무는 가르치고 다스리는 일이었다. 그러나 그들이 그 일을 홀로 감당한 것이 아니다. 그들에게는 여러 조력자가 있었다.

바나바의 사촌인 마가와 같은 조력자는 바나바의 선교 여행에 필수 조력자였을 뿐만 아니라 베드로와 바울에게도 매우 유익하고 필요한 조력자였다(참조. 벧전 5:13; 딤후 4:11). 마가나 디모데는 단순히 베드로나 바울에게 개인 비서 정도의 조력자가 아니라 그들과 같은 말씀 사역의 동역자로 보아야 한다. 그들은 다년간의 조력과 훈련을 통해 동역자가 됐다.

베드로는 장로들에게 권면한다. "너희 중 장로들에게 권하노니 나는 함께 장로 된 자요, 그리스도의 고난의 증인이요, 나타날 영광에 참여할 자니라. 너희 중에 있는 하나님의 양 무리를 치되 억지로 하지 말고 하나님의 뜻을 따라 자원함으로 하며 더러운 이득을 위하여 하지 말고 기꺼이 하며 맡은 자들에게 주장하는 자세를 하지 말고 양 무리의 본이 되라"(벧전 5:1-3).

여기서 베드로는 자신을 장로로 소개한다. 베드로에 의하면 장로는 자신처럼 현재 '그리스도의 고난의 증인'으로 살고 장차 '타날 영광에 참여할 자'로 살아야 한다. 장로는 '양 무리를' 다스리되 억지가 아닌 '하나님의 뜻을 따라 자원함으로' 목양해야 하고 나아가 '양

무리의 본'이 되어야 한다고 당부한다. 이렇게 하려면 가장 먼저 배워야 하고 알아야 한다.

베드로가 권면한 장로들은 사실상 가르치는 일과 다스리는 일을 병행했다. 그들은 오늘날 목사와 장로의 역할을 구분하지 않고 동시에 감당했다고 볼 수 있다. 사도시대에는 이미 가르치는 일에 전념하는 장로와 다스리는 일에 전념하는 장로로 구분하기 시작했지만 오늘날과 달리 가르치는 사역 전담자인 목사와 다스리는 사역 전담자인 장로로 명확하게 분리하지는 않았다. 주요 직무가 가르치는 일 혹은 다스리는 일 둘 중 하나에 더 집중하는 정도의 차이였다. 그러므로 성경적으로 장로의 필수 직무는 가르치는 일과 다스리는 일에만 전념하는 것이다. 이 두 직무의 비중이 너무 크기 때문에 역사적으로 목사의 가르치는 직무와 장로의 다스리는 직무는 서로 구분되고 분리됐다. 그럼에도 불구하고 다스리는 장로에게 가르치는 직무가 직접적으로 요구되지 않는다고 해도 다스리는 장로라면 자신의 교회에서 목사 다음으로 교인들에게 성경을 가르칠 능력을 갖춘 사람이어야 한다는 사실 정도는 적시할 필요가 있다.

2. 잘 다스리기 원한다면 먼저 잘 배워야 한다

모든 교회 직분자의 기본이자 공통적인 자격조건은 하나님의 말씀을 잘 배워 아는 것이다. 예루살렘교회에서 예수님의 제자들이 구제업무를 전담할 사람 일곱을 뽑았는데 그들은 '성령과 지혜' 즉 '믿음과 성령이 충만한 사람들'이었다. 그들 가운데 스데반과 빌립은 사도들 못지않게 설교하고 전도하는 일을 잘 감당했다. 왜냐하면 그들은 성령과 지혜와 믿음이 충만한 사람 즉 말씀에 능통한 사람이었기 때문이다.

구제업무를 전담하기 위해 선출된 집사도 성령과 지혜와 믿음이 충만하여 누구에게든 하나님의 말씀을 자신 있게 가르친다면 교회를 다스리는 장로가 그래야 한다는 것은 두말할 필요가 없다. 성경을 가르칠 능력이 없는 사람이 교회를 다스리는 것은 그 자체로 모순이다. 왜냐하면 하나님의 말씀 위에 세워진 교회를 바르게 다스리는 원리는 성경 말씀이기 때문이다. 이런 점에서 장로는 말씀을 가르치는 목사 다음으로 성경 전문가가 되어야 한다.

성경의 가르침에 관한 관심과 열정이 없는 장로가 교회를 말씀대로 잘 다스릴 가능성은 없다. 하나님의 말씀인 성경을 잘 알아야 하나님의 교회를 잘 다스릴 수 있기 때문이다. 학교든 국가든 일반적인 사회 집단을 경영하는 원리는 그 역사와 현장 그리고 지도자들의 지식과 경험 등에서 찾을 수 있겠지만 교회를 잘 경영하는 원리는 오직 성경의 가르침에서만 찾아야 한다. 교회는 말씀 위에만 세워질 수 있고 말씀으로만 다스릴 수 있는 집단이기 때문이다.

서글픈 예화가 아닐 수 없다. 성경을 가르치는 목사나 교회를 다스리는 장로가 하나님의 말씀에 무지한 것보다 더 큰 교회 불행은 없다. 목사 청빙뿐만 아니라 장로 선출에서도 가장 중요한 자격조건은 하나님의 말씀인 성경을 아는 신앙지식이다. 이것은 모든 교회 직분의 필수 자격조건이다. 이것을 자격조건으로 제시하지 않거나 그 자격조건에 한참 미달하는 사람을 직분자로 세우는 교회는 사탄의 유혹과 함정에 빠지기에 십상이다.

장로는 누구보다 성경지식과 신앙지식이 풍부해야 한다. 성경을 머리로 배울 뿐만 아니라 가슴으로도 배워야 한다. 가슴으로 배운다는 것은 성경 말씀에 감동하고 자신의 삶을 진리인 성경에 맡기는 훈련을 의미한다. 장로는 그 훈련을 가장 잘 받은 탁월한 신자여야 한다. 다스리는 장로보다 가르치는 목사는 배나 탁월해야 한다. 이런 장로들을 통해 교회는 든든히 서가게 된다. 교회를 말씀의 반석 위에 세우는 시금석은 성경을 삶으로 체득한 지식, 산 신앙이다.

장로의 주요 임무는 교회를 다스리는 것이다. 교회를 잘 다스리기 위해서는 다스리는 원리를 알아야 하고 그 원리를 성경 밖에서 찾아서는 안 된다. 성경 66권의 내용은 통일성도 있고 다양성도 있다. 성경의 통일성과 다양성은 실과 구슬이다. 통일성이라는 실로 다양성이라는 구슬을 꿰어야 한다. 성경의 통일성을 소개하는 길라잡이는 우리의 신앙고백이다. 따라서 장로는 성경뿐만 아니라 신앙고백도 잘 알아야 한다.

장로가 교회를 잘 다스리기 위해서는 성경의 가르침에 민감해야 한다. 또한 성경지식으로 이단적인 가르침을 분별해낼 수 있는 식견은 반드시 갖추어야 한다. 강단의 설교가 신앙고백에서 벗어나는지 분별하는 일도 중요하다. 무엇보다도 장로는 교인들이 선포된 설교와 성경대로 신앙생활을 하고 있는지 세심하게 살펴야 한다. 그래서 심방이 필요하다. 심방은 장로가 교회를 다스리는 가장 중요한 수단이다. 따라서 장로가 심방하지 않는다면 그것은 직무유기다.

심방을 통해 장로는 각 가정을 말씀으로 권면할 수 있다. 그리고 심방 결과를 반드시 목사와 당회에 보고하고 보고 받은 당회원들은 혹 심방한 가정의 어려움이 있으면 그것을 놓고 함께 기도할 필요가 있다. 당회원들은 그 가정의 어려움이 외부에 알려지지 않도록 특별히 주의해야 한다. 이 모든 심방의 원리도 성경과 신앙고백으로부터 배워야 하므로 열심히 공부해야 한다. 심방을 해야 신앙적 권면도 가능하고 교회의 치리도 가능한 것이다.

3. 말씀에 죽고 사는 사람을 장로로 세워야 한다

성경 말씀을 잘 배우고 숙지하여 가르칠 역량과 적용할 지혜를 갖춘 장로, 말씀에 순종하는 믿음의 본을 보여주는 장로를 세운 교회는 그리스도의 몸으로써 바르고 건강하게 성장해나갈 것이다. 따라서 무엇보다도 먼저 말씀에 충성하는 신자를 장로로 세워야 교회가 산다. 예전에는 장로를 뽑을 때 성경지식은 기본이요, 교회를 사랑하고 누구보다 교회 일에 앞장서는 헌신적이고 모범적인 사람을 장로로 뽑았다. 거기다가 인성까지도 중요하게 고려했다. 한마디로 까다로웠다.

그런데 지금은 어떤가? 담임목사의 말을 잘 듣는 사람, 혹은 돈이 많거나 많이 배웠거나 사회적인 지위가 괜찮은 사람을 장로로 세우는 경향이 강하다. 이것은 성경의 가르침에 충실하기보다는 사회적인 체면에 충실해지려는 인본주의적인 현상이다. 이런 현상은 교회를 세우기는커녕 오히려 교회를 망치고 무너뜨리는 결과로 이어질 것이 뻔하다. 하나님의 교회는 반드시 하나님의 말씀 위에 세워져야 하고 또한 그 말씀 위에 든든히 서가야 한다. 그러기 위해서는 무엇보다도 먼저 하나님께 충성하고 말씀에 충실한 성도를 직분자로 세워야 한다.

교회마다 수(首)장로 또는 선임장로가 있다. 수장로라는 용어 자체가 비성경적이지만 만일 그 용어를 바르게 활용하려면 성경지식을 근거로 뽑으면 되지 않을까? 성경을 가장 잘 알고, 교회를 말씀 위에 든든히 세울 성경원리를 가장 많이 알고 적용할 수 있는 사람이 수장로가 된다면 좋지 않을까? 시무장로 가운데 장립을 가장 먼저 받은 사람이 수장로가 되는 현실은 반드시 재고되어야 한다. 그런 '수장로' 개념은 성경 어디에서도 발견되지 않기 때문이다. 만일 우리가 수장로라는 개념을 그대로 사용하고 싶다면 그는 장로 가운데 성경지식이 가장 탁월하고 그것으로 교회를 세우는 일에 누구보다 지혜로운 사람이어야 할 것이다. 장로를 세울 때 가장 중요한 조건이 바로 성경에 대한 지식이다. 성경을 아는 지식은 단순히 정보 차원의 지식이 아니다. 성경이 의미하는 '지식'은 신자에게 이론이 아닌 경험을 의미한다. 삶으로 경험되지 않고 체득되지 않은 지식은 온전한 신앙지식이 아니다.

우리나라의 유교문화 전통 때문에 자연스럽게 정착한 수장로 개념은 성경뿐만 아니라 개혁교회 전통과 정신에도 어긋난다. 서열을 중시하는 유교문화는 모든 인간관계를 자연스럽게 서열화한다. 심지어 친구관계조차도 무의식적인 서열이 정해져야 서로 편할 정도다. 유교문화가 수용하기 가장 힘든 개념이 평등이다. 유교문화는 서로를 존중하는 문화가 아니기 때문이다. 서열 중심의 유교문화에서 평등이란 갈등과 하극상을 전제하지 않고는 불가능하다.

유교처럼 기독교도 질서를 존중한다. 성경이 하나님을 질서의 하나님이라 가르치기 때문이다. 따라서 모든 사회와 집단은 질서를 존중해야만 한다. 하지만 기독교적인 질서는 서열화가 아니다. 그것은 상호존중으로 승화된 진정한 평등이다. 교회에서 장로는 성도를 사랑으로 섬겨야 하고 성도는 장로를 사랑으로 존경해야 한다. 또한 모든 장로는 서로를 존중해야 한다. 목사와 목사, 장로와 장로, 집사와 집사 사이에 질서는 있지만 서열은 없다.

"어떤 교회도 다른 교회를, 목사들 가운데 어떤 목사도, 장로들 가운데 어떤 장로도, 집사들 가운데 어떤 집사도 수위권이나 지배권을 갖지 말아야 할 것이다. 오히려 (누구든지) 모든 의심과 유혹에 대해서는 경계해야 할 것이다." 이것은 1571년 독일의 엠덴에서 개최한 최초의 네덜란드 개혁교회 총회가 결정한 첫 조항인데 이후 모든 총회 결정에 빠짐없이 포함된 내용이다. 상호존중에 근거한 평등사상은 성경이 가르치는 핵심 덕목이자 기독교문화다.

머리이신 그리스도 안에서 상호 간의 존중과 협력만이 교회가 살 길이다. 갈등과 분쟁은 교회를 무너뜨리는 사탄의 술수다. 모든 교회 직분자들 특히 장로는 교회의 파수꾼이므로 항상 깨어 있어야 한다. 말씀을 잘 알고 말씀에 민감한 자만이 영적으로 깨어 있을 수 있다. 장로가 겸손한 자세로 말씀을 열심히 배워야 교회가 산다. 장로로서 교회를 말씀대로 세우고 싶다면 우선 성경과 신앙고백에 정통해야 한다. 배움에 게으른 장로의 교회는 희망적일 수 없다.

신자들에게 세상적인 시기심과 질투심이 죽고 성경적인 상호존중심이 살아난다면 교회의 직분자 선출은 욕망과 갈등과 분쟁으로 얼룩진 이전투구의 장이 되지 않을 것이다. 오히려 하나님의 사랑

안에서 겸손과 축복과 화평으로 충만한 축제의 장이 될 것이다. 가르치고 다스리는 장로의 직분은 교회의 꽃이자 기둥이다. 모든 성도가 존경하는 아름다운 꽃으로 피어나길, 교회를 반석 위에 세우는 든든한 기둥으로 서 있길 바란다.

작은 교회의 현실과 대안

유해신 목사

한국국교회를 새롭게 하기 위하여서는 "작은 교회가 대안이다"라는 말들을 한다. 그리고 구체적으로 '작은 교회 살리기' 방법에 대해서도 여러 가지 제안들이 있다. 그러나 우리는 자칫 작은 교회를 미화하려고 하거나 상대적으로 큰 교회를 비하해서는 안 된다. 또한 방법에 있어서도 비현실적인 방법으로 접근해서는 안 된다. 규모가 작은 교회도 '거룩한 보편교회'의 하나이다. 큰 교회든 작은 교회는 모든 교회는 복음 안에서 자라야 한다.

작은 교회라 할 때 먼저 미자립교회를 들 수 있다. 고신교회는 전체 교회의 50%가량이 미자립교회이다. 2023년 1월 기준으로 2,128개 전체 교회 중 기도소 148개, 장로가 없는 미조직교회 905개 등 1,053개 교회가 대부분 미자립교회이다. 장로가 있는 조직교회 중에도 담임목사 사례를 정상적으로 지급할 수 없는 재정적 미자립교회까지 포함하면 미자립교회의 수는 훨씬 더 많다. 일반적으로 교역자들이 정서적으로 느낌에는 주일예배 출석인원 100명 미만의 교회를 '작은 교회'로 보는 것 같다.

작은 교회는 교회 사역과 운영은 물론이고 성장에까지 여러 가지 면에서 어려움을 겪고 있다. 이 글에서는 미자립교회와 작은 교회들이 어떻게 복음 안에서 성장할지에 대한 여러 제안을 하고자 한다.

필자가 섬기는 관악교회는 2009년에 목사가정과 성도 한 가정으로 개척됐다. 16년째가 된 2024년에는 매주 출석 인원이 어린이를 포함해 주일예배에 120명 성도가 모인다. 본 기고를 통하여 우리 교회의 경험과 다른 교회들의 경험을 나누고자 한다.

1. 말씀을 풍성하게 전파

1) 철저한 말씀 준비와 수적 성장

사도행전 6장 7절은 말한다. "하나님의 말씀이 점점 왕성하여 예루살렘에 있는 제자의 수가 더 심히 많아지고"라고 한다. 여기서 "왕성하여"(아욱사노)는 '자란다'라는 뜻이다. 하나님의 복음 말씀이 더 풍성히 선포되고 성도들이 복음 말씀을 마음으로 받아들이는 '말씀의 성장'이 먼저 있어야 한다. 그 결과 교회가 '수적으로 성장'하게 된다.

하나님께서 아담을 창조하시고 복 주어 말씀하셨다. "생육하고 번성하라"(창 1:28). 구약 헬라어 성경(셉투아진트)이 헬라어로 번역한 표현 그대로 사도행전 6장 7절에 사용되고 있다. 구약식으로 표현하자면 예루살렘교회에는 "말씀이 생육하고 제자들의 수가 번성"했다. 인류가 많아지는 하나님의 계획은 성도의 수가 많아지는 것으로 실현된다. 말씀이 성장하고, 수적으로 성장하는 것은 주님의 교회에서 정상적인 일이다.

교회의 중심은 예배인데 예배에서 말씀이 풍성하게 전파되어야 한다. 작은 교회는 목사는 교회당 관리까지 해야 하므로 자칫 말씀 준비를 소홀히 할 수 있다. 어떤 경우도 말씀 준비에 우선순위를 두어야 할 것이다. 재정의 부족은 다른 교회들의 지원을 받아 메꿀 수 있다. 그러나 말씀을 전파하는 일은 다른 교회로부터 도움을 받을 수 없다. 담임목사 자신이 감당해야 한다. 말씀은 성령님께서 성도들을 먹이는데 사용되는 수단이다. 때로는 목사 자신이 힘들어서 자기가 전하는 말씀에 은혜를 받지 못할 수도 있다. 그러나 성령님께서는 객관적으로 선포되는 말씀을 은혜의 수단으로 사용하신다. 목사 자신의 느낌이나 컨디션에 관계없이 말씀을 전하면 말씀은 효력이 있다.

2) 세대 통합예배

주일예배는 하나님의 언약백성이 다 함께 한 하나님을 경배하는 시간이다. 그래서 어린아이를 포함함 모든 연령의 성도가 함께 예배하는 세대통합예배를 드리는 것이 이상적이다. 작은 교회는 담임목사 혼자서 교회 사역을 해야 하므로 유초등부와 중고등부 SFC도 따로 운영하기 힘들다. 따라서 세대통합예배를 드림으로써 이 문제를 해결할 수 있다.

관악교회는 주일예배 참석인원이 70명(어린이 중고등부 포함)일 때까지는 주일학교와 중고등부를 따로 조직하지 않고 장년교인들과 함께 예배를 드렸다. 요리문답 공부에도 참여하도록 했다. 교육부서가 조직된 지금도 주일예배는 전 세대가 함께 예배드린다. 어린이들도 주일예배 전체에 함께 참여하지만 설교 전에 어린이 설교를 따로 하고 있다. 어린이들을 예배당의 앞으로 나오게 한다. 그들이 쉽게 이해할 수 있도록 5분 정도 어린이 설교를 한다. 어린이 설교의 내용도 중요하지만 어린이들이 교회당의 앞으로 나왔다가 들어감으로써 예배 전체에 집중하도록 하는 효과도 있다.

3) 성찬

우리 교회는 개척 때부터 지금까지 한 달에 한 번 성찬을 한다. 설교 말씀에 받은 은혜에 더하여 성찬에서 주님의 임재를 경험하는 놀라운 기쁨이 있다. 작은 교회이기 때문에 성도들의 상황을 잘 알기 때문에 성찬을 준비하기 위해 별도의 심방을 하지 않고도 성도들을 성찬에 초대할 수 있다.

2. 요리문답 교육

관악교회 주일예배 설교는 본문 중심으로 말씀을 전한다. 그런데 성경 전체를 균형 있게 가르치기 위해 요리문답 공부가 유용하다. 웨스트민스터 표준문서가 우리 고신이 공식적으로 고백하는 교리서이지만 단어들이 추상적이고 힘든 면이 있다. 그래서 관악교회는 하이델베르크 요리문답을 개척 이후 여러 번 가르쳤다. 따로 교리문답을 준비할 시간이 되지 않아 김헌수 목사의 '하이델베르크 요리문답 강해'(도서출판 성약)를 요약하여 전했다. 성도들뿐 아니라 담임목사인 저 자신의 신학을 균형을 잡아 주는데 큰 도움을 받았다. 2024년에는 안용준 목사의 인도로 웨스트민스터대교리 문답을 배우고 있다.

요리문답을 전 세대가 함께 배우다가 몇 년 전에 주일학교를 조직하면서 주일학교에서는 우리 교단의 '킹덤 스토리'로 배우고 있다. 중고등부 SFC는 부서 모임시간에 요리문답을 배우고 있다.

3. 심방

1) 듣는 것에 중점을 두는 심방

우리 교회는 따로 대심방 기간을 정하지 않는다. 목사가 연중 계속해서 성도들을 심방한다. 주일예배에서 모든 성도에게 필요한 말씀을 전한다. 각 가정 혹은 개인을 심방할 때는 생활의 어려움은 없는지! 주일예배와 모임에서 은혜를 누리고 있는지! 성도의 이야기를 듣는데 대부분 시간을 보낸다. 외견상 안정되어 보이는 가정과 성도로 의외로 생활과 신앙생활에 어려움이 있는 경우를 본다. 성도의 이야기를 충분히 들은 후 권면은 간략하게 한다. 심방 시작하면서 간단히 말씀을 나눈다. 교인 수가 늘어난 후에는 주일 오후에 모든 모임을 마친 후 교회에서 만나 심방하는 것과 가정을 찾아가서 하는 심방을 병행하고 있다.

2) 장로 심방과 집사 심방

관악교회는 장로를 세운 뒤로는 목사의 심방과 함께 장로들이 시간 되는 대로 성도를 면담하거나 심방하는 일을 함께하고 있다. 집사들은 성도의 재정문제나 기타 어려운 일에 대해 성도를 만나 상황을 파악하는 일을 한다. 이것도 일종의 심방이라고 할 수 있다. 장로, 집사 심방이 아직은 잘 정착되어 있지 않지만 그 방향을 향해 나가고 있다.

4. 소그룹 나눔모임

소그룹 나눔모임은 하나님의 말씀을 나눔으로써 말씀을 내면화하고 성도들의 교제를 통해 서로를 격려한다.

사랑이꽃피는교회(담임목사 구빈건)는 대구 근교의 교회이다. 구 목사가 2002년 부임할 때 130명 출석하던 교회였는데 2024년에는 600명이 출석하는 교회로 성장했다. 이 교회는 주일 오후 소그룹모임에서 주일 공예배 설교로 나눔을 한다. 매주 금요일 소그룹 인도자들이 미리 모여서 구 목사의 인도로 다가오는 주일예배 본문에 관해 성경공부를 한다. 리더들이 리더성경공부와 주일예배를 통해 말씀을 받고 주일 오후 설교 나눔 모임을 위해 잘 준비가 되어 있다. 대부분 교인이 주일 오후 나눔모임에 참여하여 3시간씩 말씀을 나누고 그것에 순종하기 위해 몸부림친다. 성도들은 주일에 받은 말씀으로 한 주간 동안 살아간다. "소그룹이 되지 않으면 교회가 뭉쳐지지 않고 영적 성숙이 어려워집니다. 소그룹모임을 계속함으로써 서로 사랑하고 섬기며 기다려 주는 것에 성숙합니다"라고 구빈건 목사는 말한다.

작은 교회는 성도의 수가 적기 때문에 더 집중적이고 밀착되게 나눔모임을 진행할 수 있다.

5. 성도들을 촘촘하게 돌보기

1) 매주 전화 및 기도

우리 교회 출석하는 성도가 어린이 포함하여 30여 명 될 때까지는 주중에 성도들에게 매주 전화로 심방했다. 성도의 안부를 묻고 전화로 축복하며 기도를 해 주었다.

2) 결석한 성도 연락

세종시장로교회(담임목사 최정복)는 개척 9년째인 2024년 현재 주일예배 출석인원이 어린이 포함 150명이다. 이 교회는 주일 모든 모임이 끝난 후에는 교역자들이 모인다. 예배에 결석한 성도들의 현황에 대해 함께 나눈다. 교역자들이 분담하여 전화 혹은 문자로 결석한 성도에게 연락한다. 성도들이 교회의 사랑의 돌봄을 받고 있다고 느끼게 해 준다.

6. 무리하지 않기

작은 교회가 큰 교회의 프로그램을 기계적으로 따라 하는 지혜롭지 않다. 큰 교회는 교역자와 봉사자들이 많아서 많은 프로그램을 소화할 수 있다. 작은 교회는 그런 여건이 되지 않는데도 무리하게 많은 프로그램을 운영할 우려가 있다. 목회자가 교회 성장을 위해서 지나치게 많은 세미나를 찾아다니는 것도 건강하지 않을 수 있다. 많은 프로그램보다 주일예배의 설교를 잘 준비하는 데 목회 에너지의 우선순위를 두고 사용해야 한다. 자신의 교회 성도의 삶을 두고 하나님 앞에서 기도하며 말씀을 준비하는 데 우선순위를 두는 것이 가장 지혜롭다. 그런데 마리교회는 작은 교회 단계에서도 '많은 프로그램'을 하면서 성장한 교회이다.

박용부 목사가 2015년 경남 거창 마리면 마리교회에 부임할 때 40명 출석했는데 2024년 현재 약 130명 모이는 교회로 성장했다. 그 중 100명 이상의 교인들은 거창 등 외지에서 주일에 예배하러 모인다. 박 목사는 부임할 때부터 매일 바쁘게 사역했다. 월요일에는 성도들의 사업체나 농장에 가서 경건회를 인도했다. 새벽 6시 30분에서 저녁 늦게까지 하루 10곳 이상을 심방했다. 화요전도대, 수요기도회, 목요다락방기도회, 금요구역모임을 인도했다. 물론 아이들을 위한 적절한 프로그램도 운영했다. 토요일에는 토요비전스쿨을 운영했다. 토요일마다 초등학생에게 점심을 먹이고 컴퓨터 코딩을 가르치고, 놀이를 제공했다. 인근 초등학교 전교생 30명 거의 마리교회 토요비전스쿨에 참석했다. 이렇게 해서 시골교회지만 초등부 출석이 30명 이상 모이는 교회로 성장했다.

7. 새가족을 신앙고백을 확인하고 받기

박용부 목사는 새가족 받을 때, 무턱대고 받지 않고 정확한 기준을 만들어서 신앙고백을 확인하고 받는 것이 좋겠다고 말한다. 다른 교회에서 직분자로 있었던 성도도 좀 더 신중하게 신앙고백을 확인할 필요가 있다고 한다.

광교장로교회는 2008년에 개척되었고 정중현 목사가 부임하던 2017년에는 출석교인 60명 후반으로 성장했다. 2023년 1월 출석교인이 175명 되었을 때 30명을 떼어서 분립개척했다. 광교장로교회는 신입교인에게 4-5주 동안 웨스트민스터 고백서 전체를 문답형으로 바꾸어 교육하고, 신앙적 내용을 동의하는지 확인하고 받는다.

8. 목사의 자기 관리

작은 교회 목사는 혼자서 모든 사역을 감당해야 하므로 탈진할 우려가 크다. 육체적 정서적 쉼과 충전이 필수적이다.

1) 월요일은 휴식
건강을 위해 월요일 하루는 충분히 쉬는 것이 필요하다.

2) 적절한 운동과 취미생활

건강을 위해 매일 운동할 필요가 있다. 체력도 영력이다. 몸이 피곤하면 많은 일이 귀찮아지고 말씀을 이해하고 전하는 지혜도 약해진다. 교회를 위해 제일 좋지 않은 것은 담임목사가 건강하지 않거나 병드는 것이다. 질병에 걸리지 않게 건강관리를 잘하는 것은 가족 사랑, 교회 사랑이다.

3) 외로움과 고립감을 극복하기 위해

작은 교회 목사는 혼자 있는 시간이 많다. 그래서 외로움을 느낀다. 물론 말씀과 기도 가운데 삼위 하나님과 교제하지만 사람과의 관계에서 힘을 얻을 필요가 있다. 노회나 시찰회의 모임은 빠지지 않고 참석하는 것이 좋다. 동역자들과 관계에서 힘을 얻는 것을 필자의 체험을 통해 말할 수 있다.

제가 섬기는 관악교회는 서울광염교회(담임목사 조현삼, 합동)의 재정지원을 받아 개척됐다. 서울광염교회가 개척한 교회 목사 30여 명은 정기적으로 만나 각자 교회의 상황을 나누고 있는데 이것이 많은 위로와 힘이 된다. 물론 우리 고신총회 서울서부노회 목사들과 좋은 교제 역시 말할 수 없이 큰 힘이 되고 있다. 대 사회적으로 봉사하는 일도 개척교회 목사로서 삶의 세계에서 고립되지 않는 데 도움이 되고 있다. 동사무소의 지역사회보장협의체 위원으로 참여하여 지역사회의 흐름과 연결고리를 만들고 있다.

9. 작은 교회에 대한 외부의 지원

1) 은퇴목사가 작은 교회에 설교지원

은퇴한 목사들이 무보수로 주일 설교를 맡아 주도록 지원하는 시스템이 있으면 좋겠다. 이러면 작은 교회 담임목사가 휴가 혹은 세미나 참석 등에 시간을 용이하게 낼 수 있을 것이다.

2) 노회별 지원 : 노회가 가급적 어려움을 감당해야

작은 교회 목사들은 생활비에 미치지 못하는 적은 사례 때문에 고난이 있다. 경제적 자립을 이룰 때까지는 그 교회가 소속된 노회의 교회들이 함께 짐을 지워주는 방법을 찾았으면 한다. 노회 차원에서 미자립교회 목사님 은급금을 납부하거나 은퇴시에 퇴직금을 드리는 것도 좋은 방법이다.

3) 큰 교회가 작은 교회에 성도 파송

이현철 교수(고신대)는 장기적 차원에서 큰 교회가 작은 교회를 지원해야 한다고 다음과 같이 말한다. "큰 교회가 작은 교회에 대해 하나의 교회라는 의식을 가지고 동반 성장하도록 지원할 필요가 있습니다. 미자립교회에 재정을 지원할 뿐 아니라 성도를 1년 정도 파송하여 함께 예배드리고 섬기도록 할 수 있습니다. 1년이 지난 후 그 교회에 계속 있든지 아니면 다시 원래 교회에 돌아가더라도 큰 도움이 될 것입니다."

4) 신학교육 과정에서 작은 교회 목회 교육

신대원 학생들이 졸업 후에 담임목사로 부임할 교회는 통계적으로 작은 교회의 비중이 높다. 그래서 신대원의 교육과정에 작은 교회 목회에 대한 실천적 내용을 보강할 필요가 있다. 이현철 교수는 "설교 훈련뿐 아니라 유초등부와 중고등부가 없는 경우에 세대 통합적으로 예배와 교육을 하는 방법, 직분자 교육, 성도 교육, 새신자 교육 등 작은 교회에 맞춤형 교육이 필요합니다"라고 말한다.

10. 작은 교회, 지금 주시는 은혜를 자랑스러워하기

작은 교회 목사는 큰 교회 목사들과 자신을 비교하여 마음이 위축될 수 있다. 심지어 성도들도 그런 태도를 보일 수 있다. 그러나 우리 주님은 교회 규모로 목사의 가치를 정하지 않다. 달란트 비유에서 다섯 달란트 받은 종과 두 달란트 받은 종은 각각 열 달란트와 네 달란트로 성장하여 사역의 열매는 양적으로 차이가 있다. 그러나 주님은 똑같이 칭찬했다. 똑같은 상을 주신다. "착하고 충성된 종아 … 네 주인의 즐거움에 참여할지어다"(마 25:21, 23).

지금 내가 복음을 전하고 지금 내가 주님의 양들을 먹이는 일들을 하므로 주님 앞에 자랑스러워해야 한다. 주인인 주 예수님께서 내세에 주님의 즐거움에 함께 참여할 수 있는 것 때문에 기뻐해야 한다.

교회 회의와 결정

유해신 목사

우리는 장로교 정치제도가 성경이 보여 주는 의사결정 제도에 가장 가깝다고 믿는다. 장로교회의 의사결정 중심은 당회(가르치는 장로인 목사와 치리장로로 구성)에 있다. 당회는 성도들의 의견을 겸손히 수렴할 필요가 있다. 우리는 권위 있게 하나님의 뜻을 결정하지만 겸손히 경청하는 모범을 사도행전 15장의 예루살렘 공회에서 찾을 수 있다.

1. 예루살렘 공회의 결정 : 의사결정 그러나 형제로서 동등성

1) 안디옥교회에서의 변론(1-3절)

바울과 바나바가 1차 전도 여행을 마치고 모교회인 안디옥교회에 있을 때였다. 유대로부터 유대인 그리스도인들이 내려와서 형제들을 가르쳤다. "모세의 법대로 할례를 받아야 구원받는다"(1절). 그들과 바울/바나바와 사이에 "적지 아니한 다툼(분열)과 변론(논쟁)이 일어"났다(2절). 그들은 감정적인 대립은 하지 않았을 것이다. 그러나 분열의 골은 깊었다. 신앙과 구원에 대해 의견의 차이가 일어나는 일이 종종 있다. 무엇이 옳고 그른지 논의하는 것은 좋은 일이다. 안디옥교회는 바울과 바나바와 몇 사람을 예루살렘에 '보내기로 작정'했다. '작정'은 교회의 결정을 말한다. 하나님께서는 성령의 인도하심을 따라 교회를 통해 그분의 뜻을 보여 주신다.

2) 구약의 의식법을 지키지 않아도 된다고 결정함(4-29절)

① 안디옥에서 온 사람들의 의견 제출(4-5절)

안디옥교회에서 보낸 사람들을 예루살렘교회는 기쁘게 영접했다. 바울과 바나바는 "하나님이 자기들과 함께 계셔 행하신 모든 일을 말해" 주었다(4절). 우리도 우리가 행한 선한 일은 하나님께서 함께하셔서 했다는 것을 기억하자. 그런데 바리새인 출신의 그리스도인들이 주장했다. "이방인에게 할례를 행하고 모세의 율법을 지키"게 해야 한다(5절). 이 말을 듣고 교회의 사도들과 장로들이 공의회(요즘으로 치면 교회 총회)로 모였다. 교리의 중요한 사안은 모든 교인이 민주적으로 결정하는 것이 아니다. 말씀을 맡은 직분자들이 말씀에 따라 결정한다. 직분자들이 의논하러 모였다(6절). 교회의 결정은 사람들의 의견을 합의하는 것이 아니다. 예언자로서 하나님의 뜻을 보고 발견해 가는 것이다. 그래서 '변론'은 나쁜 의미가 아니다(7절). 허심탄회하게 토론하는 것이다. 교단이나 교회의 교리적인 문제는 신학자, 목사, 교인들이 허심탄회하게 토론하여 결정해야 한다. 많은 토론 끝에 교회는 이방인이 구약의 의식법을 지키지 않아도 그리스도를 믿음으로 구원받는다는 결정을 한다. 그 결정 과정이 다음과 같이 아름답게 진행됐다.

② 베드로의 증언 : 하나님의 새로운 계시와 그 확증(7-11절)

먼저 베드로가 증거한다. 주요 내용은 다음과 같다. "이방인들로 내 입에서 복음의 말씀을 들어 믿게 하시려고 … 나를 택하시고 이방인에게도 유대인과 같이 성령을 주셨다"(7, 8절, 고넬료 집의 일). 하나님께서 "그들이나 우리를 차별하지 아니하"신다(9절). 이방인이 할례를 받기 전에도 복음을 듣고 성령의 역사로 동일하게 그리스도인이 되게 하셨다. 따라서 우리도 다 멜 수 없는 '멍에'(율법 준수)를 이방인에게 지워서는 안 된다. 그것은 '하나님을 시험'하는 일이다(10절). 우리도 이방인도 "주 예수의 은혜로(믿음으로) 구원받"는다(11절). 베드로는 하나님이 이방인을 차별 없이 받으신다는 하나님의 새로운 계시를 말하고 또 그것에 대한 증거를 말해 준다.

③ 바울과 바나바의 이방 선교 간증(12절)

이어서 바나바와 바울이 증거하기 시작한다. 모인 사람들은 가만히 있으면서 들었다. 잠잠했다. 잠잠함은 하나님의 말씀을 듣는 사람이 가져야 할 마음가짐이다.

④ 야고보의 요약과 동의안(13-21절)

예루살렘교회의 대표격인 예수님의 동생 야고보가 결론적으로 말한다. "하나님이 이방인 중에 자기 백성을 택하신 것을 목격한 베드로의 증언은 구약 성경에서 하나님이 약속하신 것과 "일치한다"(15절). 이방인의 구원은 구약의 선지자들이 예언한 바와 일치하는 것임을 지적한다. 그중 아모스 9장 11, 12절을 인용한다. 그 예언의 뜻은 이렇다. "말세에 나 여호와가 돌아올 것이다." "다윗의 무너진 장막(곧 하나님의 나라)을 다시" 세울 것이다. 교회를 세울 것이다. 그때, 이스라엘 백성의 "남은 사람들과" 함께 이방인들이 교회를 세우는 일에 참여할 것이다(16-17절). 그리고 야고보는 다음과 같이 결의할 것을 제안한다. 이방인들에게 구약의 의식법을 지키라고 짐을 지우지 말자. "우상의 더러운 것과 음행과 목매어 죽인 것과 피를 멀리하라고" 권고한다(19, 20절). 공의회는 야고보의 의견을 받아들인다. 이 결정에는 베드로에게 주신 하나님의 새로운 계시와 이방인의 회심, 바울의 이방인 교회에 대한 간증, 구약 예언 말씀의 교훈 등이 근거가 됐다.

⑤ 이방인 그리스도인들에게 보내는 사도들의 편지(22-29절)

사도들이 내린 결정은 다음과 같다. 율법 중 십계명을 지켜야 함을 전제로 말한다. 그러나 할례, 음식 규정, 유월절 등 의식적인 것은 지키지 않아도 된다. 다만 예외적으로 지켜야 할 것 네 가지를 말한다. 우상의 더러운 것, 음행, 목매어 죽인 것, 피. 공의회는 그리스도인으로서 우상숭배와 음행을 하지 말라고 특히 강조한다. 유대인 그리스도인은 이방인 그리스도인들에게 고통을 주고 갈등을 일으키지 않기 위해서 이 네 가지와 연결된 구약 의식을 지키도록 결정한다.

첫째, 우상의 더러운 것을 피하라. 우상 신전과 관련된 고기를 피하라는 것이다. 우상을 숭배하는 신전에 가서 먹어도 안 된다. 당시 시장에서 파는 고기도 다 우상 신전에서 제사 드린 다음에 나온 것이다. 그래서 아직 피가 묻어 있기 때문이다. 둘째, 음행을 피하라. 이방인들은 가까운 가족끼리도 결혼한다. 그러나 구약 율법은 이것을 금한다(레위기 18:6-18). 셋째, 목매어 죽인 것과 넷째, 피가 있는 채 고기를 먹는 것은 구약 율법에서 금지한 것이다(레 17:10, 신 12:16, 23-25).

이런 결정은 그리스도인이 반드시 지켜야 하는 것은 아니다. 다만 유대인 그리스도인이 구약의 이 관습에 익숙해 있다는 것을 고려한 결정이다. 이방인 그리스도인과 유대인 그리스도인 사이에 음식 문제로 갈등이 일어나는 것을 방지하기 위해서이다. 그러나 시간이 지나면서 유대인 출신의 그리스도인도 율법의 규정에서 점차 자유를 누리게 됐다. 고린도전서 10장에서 사도 바울은 우상 신전에 가서 고기를 먹는 것은 우상숭배이므로 금지했다. 그러나 시장에서 파는 고기는 양심의 가책을 받지 말고 그냥 사서 먹을 수 있다고 허락했다(고전 10:25-33). 교회의 역사가 흐르면서 의식법은 지키지 않아도 되는 것으로 더 분명히 정해졌다.

결론적으로 믿음으로 구원받는다. 율법을 지키는 것을 공로로 만들어서는 안 된다. 그러나 다른 성도를 배려하고 평화를 이루기 위해 서로에게 맞추어 준다. 하나님의 은혜에 감사하자. 불필요한 율법의 규칙에서 우리를 해방한 것을 감사하자. 우리의 일상생활에서 하나님의 백성으로서 주신 것을 자유롭게 사용하면서 하나님께 영광을 돌리자.

예루살렘교회는 바사바 유다와 실라를 안디옥교회에 파송하여 이 결정사항을 통지했다. 그 편지는 "사도와 장로 된 형제들은 … 이방인 형제들에게 문안하노라"(23절)로 시작한다. 예루살렘교회와 사도들이 이방인 교회와 성도들에게 군림하지 않고 형제로서 하나님의 뜻을 전한다. 겸손하자. "성령과 우리는"(28절)이라고 말한다.

성령님의 뜻을 전달하기 때문에 겸손하자. 자기를 낮추는 그 겸손 속에 성령님의 권위가 있다. 예루살렘공의회의 결정 과정은 지금까지도 교회의 모든 회의의 모범이 되고 있다. 먼저 '의견'(19절)을 제출한다. 교회가 '만장일치로 결정'(22, 26절)한다.

새로운 결정을 할 때 하나님의 새로운 계시, 하나님이 이루신 일, 기존의 계시 말씀(구약), 그리고 사람들의 느낌에 대한 실제적 지혜(목회적 고려)가 고려됐다. 의견의 차이를 자유롭게 토론하고 동의안을 내고 결정하는 가운데 성령님의 인도하심이 있었다. 이러한 결정을 통해서 교회가 풍요로워진다.

2. 열린 의사결정

"사도와 장로된 형제들은 … 이방인 형제들에게 문안하노라"(행 15:23). 예루살렘에 모인 사도와 장로들이 결정사항을 안디옥교회에 알리는 편지의 시작 부분이다. 예수님과 직접 함께 생활했고 성령님으로부터 계시의 말씀을 받던 영적인 권위가 있는 사도가 쓴 편지이다. 동시에 교회 앞에 군림하지 않고 '형제가 형제에게' 동등하고 겸손한 자세를 가졌다. 우리도 당회는 영적인 권위를 가지고 결정하지만 겸손히 열린 의사소통을 해야 할 것이다.

1) 공동체를 만드는 의견수렴

아무리 좋은 결정이라도 교회 공동체라 마음이 나누어지는 것은 하나님의 뜻이 아니다. 충분한 의사소통을 하면서 공동체를 만들어 가야 한다. 공동체를 만들어 가는 의사소통을 하며 일을 집행할 때 모두가 기쁜 마음으로 동역을 할 수 있는 것이다.

문장환 목사(진주삼일교회)는 경험에서 말한다. "의사결정을 할 때 충분히 시간을 두고 결정하는 것이 중요합니다. 급하게 결정하면 어려움이 생깁니다. 성도들이 미리 생각하게 만들면 생각이 달라도 받아들입니다. 그래서 어떤 것을 결정하기 전에 관련된 사람에게 미리 말해 주어 생각할 기회를 줍니다."

한마음으로 공동체를 만드는 것이 중요하기 때문에 당회원 중 한 사람이라고 강한 반대가 있으면 기다리는 것이 지혜롭다. 문재섭 목사(등촌교회 은퇴)는 교회신축 건을 의논할 때 당회원 중 한 명이 강한 반대를 하므로 논의를 중단했다고 한다. 시간이 흐른 후 반대하던 당회원이 찬성하는 쪽으로 마음이 돌아섰고 그래서 성공적으로 교회를 신축하게 되었다고 한다.

감기탁 목사(달성교회)는 사안을 두고 결정하는 문제보다 더 중요한 것이 신뢰 관계라고 말한다. 장로들과 제자훈련을 사역자반, 제자반으로 2년 동안 계속하면서 말씀을 가르친 것과 함께 부수적인 효과로서 깊은 사랑과 신뢰 관계를 이루었다고 한다. 서로 이해하는 상태에서 의사결정을 할 때 받아들이는 깊이가 달랐다고 한다. 의견수렴 방법은 다양한 부서별로 회의를 하게 할 수도 있다. 혹은 설문조사를 할 수도 있고 건의함을 설치할 수도 있다.

2) 투명한 소통

투명한 의사소통이 중요하다. 한 교회에서는 젊은 성도들이 종종 다음과 같이 항의한다고 한다. "왜 당회에서만 이야기하고 결정사항을 성도들에게 별로 알리지 않고 시행합니까?" 충분한 설명 없이 일방적인 통보하는 것도 좋지 않다. 주보를 통해 충분히 알리면 좋겠다.

3) 아래로부터의 의사 수렴

성도들에게 잘 소통하는 과정에서 성도들의 의견을 들을 수 있으면 좋다. 최종적으로 결정하기 전에 밑으로부터 의견을 수렴하는 과정이 필요하다. 하남시에 분립개척 햇수로 3년째인 청연교회(임대웅 목사)는 청년 사역에 중점을 두고 있다. 그 교회의 류지성 장로에 의하면 청연교회는 기존의 당회, 제직회와 별도로 운영위원회를 두고 청년을 포함한 성도들의 다양한 의견을 수렴하고 결정한다. 교역자, 장로, 권사 각 1명, 사역위원장 대표 3-5인 그리고 청년세대(20세 이상 40세 이하)의 대표 3인으로 구성한다. 매월 1회 모여서 교회의 행정의 제반 사항을 관장하고 결정한다. 청년세대의 의견을 수렴하여 의사결정에 반영한다.

4) 투명한 절차

의사결정의 내용보다 어떤 면에서 더 중요한 것이 절차의 투명성이다. 광교장로교회(정중현 목사)의 장로선출 절차는 좋은 참고가 된다. 장로 투표 6개월 전에 장로선출 절차를 성도들에게 공지한다. "① 장로 후보를 성도들이 추천 ② 당회가 후보를 검증 ③ 투표" 선거 2개월 전에 헌법상 장로의 후보가 될 수 있는 모든 성도의 명단을 주보에 공지한다. 그리고 2주간 성도들이 장로 후보를 추천하게 한다. 투표 1개월 전에 성도 2인 이상의 추천을 받은 사람을 당회가 개별적으로 검증한다. 본인만 아는 결격사유가 있는지도 검증한다. 투표일 2주 전에 후보를 공지한다. 이와는 별도로 장로는 어떤 일을 하는 직분인지를 담임목사가 몇 개월에 걸쳐서 3회 정도 강의를 한다. 아울러 모든 공동의회 회원은 하나님의 뜻을 구하면서 투표하겠다는 서약을 하도록 미리 교육한다. 장로를 선출하는 공동의회 때에 이 서약을 한 후 투표하게 한다. 이 모든 절차를 6개월 전에 미리 교육하고 정해진 절차에 따라 진행할 때 한마음이 된다.

5) 의사결정권자를 명확히 함

한 사안에 대해 누가, 어느 조직이 결정하는가 하는 것이 명확하지 않으면 오해가 생길 수 있다. 그래서 "이 문제는 당회에서 결정하도록 합시다." 혹은 "이것은 담임목사인 제가 결정하겠습니다"라고 누가 의사결정을 하는지 명확히 할 필요가 있다.

6) 당회는 목양에 집중, 의사결정은 제직회에

서울중앙교회(김진영 목사)는 2023년부터 다음과 같이 결정했다. "당회는 당회 안건만 다루고, 제직회는 제직회 안건만 다룬다." 즉 당회는 교인 목양, 직분자 피택, 직분자 교육, 학습 세례 보고 등 목회의 고유한 일에 집중하기로 했다. 그 외의 의사결정과 위원회 활동(전도, 교육, 건축, 장학)은 제직회에서 담당하기로 했다. 이것이 잘 정착되어 그 결과 성도들이 집사 직분을 장로로 나가는 디딤돌이 아니라 집사와 장로 직분의 동등성을 알게 되기를 바라고 있다. 그러면 "나는 장로의 은사보다 집사로서 은사가 있으니 거기에 쓰임 받기 원한다"라는 생각하는 젊은 사람이 나올 것이다.

주일성수와 영원한 언약

유해신 목사

오래전 천국에 먼저 가신 저의 아버지 유대수 장로는 주일성수에 철저했다. 비가 오면 논에 물을 대고 모내기를 준비해야 했지만 주일에는 일하지 않았다. 너무 극단적으로 하지 않았나 생각도 들지만 요즘처럼 주일을 가볍게 여기는 경향보다 훨씬 낫다고 생각된다.

우리 성도들은 주일에 하나님께 예배하며 안식하기 위해 주일에 일이나 경제활동을 중지하기를 제안한다. 우리 자신이 쉴 뿐 아니라 다른 사람들(비기독교인도 포함)도 쉴 수 있도록 주일에 가급적 물건을 사거나 외식하는 것을 자제할 것을 제안한다.

1. 복 주어 거룩하게 하신 안식일

"안식일(샤바트)을 기억하여 거룩하게 지키라" 하나님께서 출애굽기 20장에서 백성에게 제4계명을 주셨습니다. 그 근거를 다음과 같이 말한다.

"엿새 동안에 나 여호와가 하늘과 땅과 바다와 그 가운데 모든 것을 만들고 일곱째 날에 쉬었음이라(누하), 그러므로 나 여호와가 안식일을 복되게 하여 그날을 거룩하게 하였느니라"

하나님이 "안식일을 복되게 하여 그날을 거룩하게" 하였다는 근거는 창세기 2장 3절 말씀입니다. "하나님이 그 일곱째 날을 복되게 하사 거룩하게 하였으니 이는 하나님이 그 창조하시며 만드시던 모든 일을 마치고 그날에 안식하셨음이니라(샤바트)."

창세기 1-2장에서 하나님께서 세상을 창조하셨을 때 특별히 복을 주신 대상이 세 개 나온다. 첫째로, 다섯째 날에 새와 물고기를 창조하시고 '그들에게 복을 주셨다.' 그 복은 "생육하고 번성하여 바다와 땅에 충만하라"는 것이다. 둘째로, 여섯째 날에 사람을 창조하시고 '그들에게 복을 주셨다.' "생육하고 번성하여 땅에 충만하라. 땅을 정복하라… 모든 생물을 다스리라"고 말씀하셨다. 사람은 동물처럼 생육하고 번성하는 복보다 더 많은 복을 주셨다. 땅을 정복하고 동물을 다스리는 복을 주셨다. 셋째로, 일곱째 날에는 창조하시던 일을 마치셨고 "그날'에게 복을 주셨다. 그날에게 주신 복은 "거룩하게" 하신 것이다.

날을 거룩하게 하는 것이 무슨 뜻일까? 거룩하게 하셨다는 것은 하나님의 것으로 구별해 주셨다는 뜻이다. 제7일은 다른 날과 다르게 하나님의 거룩함과 영광을 주시는 날로 구별해 두셨다. 일곱째 날은 '여호와의 안식일'이다. 주중의 6일도 여호와의 것이지만 땅을 다스리고 정복하는 활동을 하도록 사람에게 위임해 주셨다. 그러나 제7일은 '여호와의 날'이다.

여호와께서는 '여호와의 날'에는 새롭게 창조하는 일을 쉬셨지만 이날을 거룩하게 만드는 일을 하셨다. 그리고 사람에게는 "너는 안식일을 기억하여 거룩하게 하라"고 하셨다. 사람이 자기 힘으로 제7일을 거룩하게 만드는 것이 아니다. 사람은 하나님이 이미 먼저 만드신 그 거룩함을 인정하고 그 거룩 안에 들어오라고 하셨다. 하나님의 거룩 안으로 들어오게 하셨다. 이 복은 사람이 하나님 자신의 거룩과 영광과 함께 하는 것이다. 하나님과 거룩하게 교제하며 복된 시간을 보내게 하셨다.

하나님이 안식일을 거룩하게 하는 것이 구체적으로는 사람을 거룩하게 하시는 것이다. 이것을 에스겔 20장이 잘 말해 준다. "내가 그들을 거룩하게 하는 여호와인 줄 알게 하려고 내 안식일을 주어 그들과 나 사이에 표징을 삼았노라"(겔 20:12). 안식일을 거룩하게 하시는 것은 하나님이 사람을 거룩하게 하는 것이다. 하나님이 안식일 제도를 통해 사람을 거룩하게 할 때, 사람도 "나의 안식일을 거룩하게 할지어다. 이것이 나와 너희 사이에 표징이 되어 내가 여호와 너희 하나님인 줄 너희가 알게 하리라"(겔 20:20).

안식일에 주신 복은 하나님께서 사람을 거룩하게 빚어 가시고 사람은 그것에 순종하여 거룩하게 지킨다. 우리에게 안식일은 "아무것도 하지 않는 날"이 아니라 "그 시간을 거룩하게" 하는 활동을 한다. 하나님께서 거룩하게 만드신 그 거룩 안에 들어와 머물러야 한다. 6일 동안 '힘써' 노동을 하고 제7일에는 힘써 '거룩하게 하는' 활동을 해야 한다. 하나님께서 거룩하게 하신 것을 따라 거룩하게 해야 한다.

하나님이 사람을 거룩하게 하고 사람이 거룩하게 하는 것은 구체적으로 거룩하신 하나님을 예배하는 것이다. 일상의 시간에서 거룩의 시간으로 들어오도록 초대하신 하나님의 초대에 우리는 응답하여 예배해야 한다. "거룩 거룩 거룩" 찬송하며 6일 동안에 보호해 주심을 감사하며 찬양해야 한다. 특별히 거룩한 시간으로 인정하고 거룩한 시간을 만드는 '활동'을 해야 한다. 안식일은 안식일에 해야 할 활동을 부지런히 해야 한다. 안식일에 예배하며 하나님의 말씀을 묵상하면서 거룩하게 살 결심을 하면서 거룩하게 변한다. '거룩한 활동'을 하기 위해 생계를 유지하기 위한 노동을 '중지해야'(샤바트)한다. 그래야 하나님이 정하신 대로 '안식일'(샤바트)을 지킬 수 있다.

2. 구원과 안식일

안식일을 지켜야 할 또 다른 이유를 신명기 5장이 말한다. 하나님의 구원 때문이다. "너는 기억하라. 네가 애굽 땅에서 종이 되었더니 네 하나님 여호와가 강한 손과 편 팔로 거기서 너를 인도하여 내었나니 그러므로 네 하나님 여호와가 네게 명령하여 안식일을 지키라 하느니라"(신 5:15).

이스라엘은 이집트에서 노예로 있을 때는 사람답게 살 수 없었다. 첫째, 자기의 소유도 없이 노예 노동을 하였기 때문에 땅을 다스리고 정복하는 복도 누릴 수 없었다. 둘째, 남자 아기는 죽임을 당하면서 "생육하고 번성하는" 복도 누릴 수 없었다. 셋째, 안식일을 지키어 하나님께 예배하며 거룩하게 할 수 없었다. 그들이 바로에게 가서 "우리가 광야에 나가서 하나님께 예배를 드리겠습니다"라고 했을 때 그는 "여호와가 누구냐?"고 하면서 허락하지 않았다(출 7:16).

모세가 바로에게 요구한 세 가지 중 가장 중요한 것은 예배할 자유이다. 우리 성경에 "섬긴다"(아바드)로 번역된 원어는 "예배한다"라는 뜻이다(출 3:12, 4:23, 7:16, 8:1,20, 9:1,13, 10:3,7,11,24, 26, 12:31).

하나님께서는 크신 능력으로 이스라엘을 이집트에서 해방하신 후 시내산에서 10계명을 내려 주셨다(출 20장). 그리고 모압평지에서 자유의 땅을 바라보면서 다시 10계명을 선포하셨다(신 5장).

하나님의 백성은 이집트에서 구원해 주신 하나님을 기억하면서 안식일을 지켜야 한다. 생육하고 번성할 자유와 땅을 다스리고 정복할 자유와 함께 가장 중요한 하나님을 예배할 자유를 하나님께서 주신 것을 기억해야 한다.

우리도 주일이면 하나님께서 주 예수 그리스도 안에서 죄로부터 해방해 주신 것을 감사한다. 우리에게 직장을 주시고 가정을 주셔서 땅을 다스리고 정복하고 생육하고 번성하게 하신 것을 감사한다. 예배 중에 감사하고, 하루 동안 감사한다.

3. 안식일 : 영원한 언약

하나님은 시내산에서 10계명을 선포하시며 하나님의 백성과 언약을 세우셨다. 이어서 성막에 대한 규정을 자세히 말씀해 주셨다(출 25장-31:11). 이어서 10계명 중 안식일을 지키라는 특별한 명령을 주셨다.

"너희는 나의 안식일을 지키라. 이는 나와 너희 사이에 너희 대대의 표징이니 나는 너희를 거룩하게 하는 여호와인 줄 너희가 알게 함이라. 너희는 안식일을 지킬지니 이는 너희에게 거룩한 날이 됨이니라 그날을 더럽히는 자는 모두 죽일지며 그날에 일하는 자는 모두 그 백성 중에서 생명이 끊어 지니라. …이같이 이스라엘 자손이 안식일을 지켜서 그것으로 대대로 영원한 언약을 삼을 것이니"(출

31:13-16).

하나님은 그분의 백성이 자신과 만나 교제하며 예배하도록 성막을 주셨다. 성막을 중심으로 예배하기 위해서 백성은 안식일에 쉬면서 하나님과 교제해야 한다. 안식일은 하나님과 백성 사이에 대대로 이어 가는 표징이다. 안식일을 거룩하게 지키는 것은 하나님과 백성이 언약관계에 헌신해 있다는 표시이다. 하나님께서는 유다 백성을 다른 민족으로부터 구별했다. 거룩하고 특별한 백성으로, 그분의 기업으로 삼으셨다. 이날에 다른 일을 하지 않고 하나님과 교제 나누는 날로 삼았다. 하나님의 말씀을 배우고 찬양하는 예배자가 참으로 거룩하다.

이 복을 주셨는데도 유대인 조상들은 거절했다. "그들은 순종하지 아니하며 귀를 기울이지 아니하며 그 목을 곧게 하여 듣지 아니하며 교훈을 받지 아니하였느니라"(렘 17:23).

그들은 안식일을 지키라는 말을 순종하지 않았다. 그냥 어긴 것이 아니라 목을 곧게 하여 하나님의 명령에 반항했다. 하나님이 선물로 주신 하나님과의 친교 안으로 들어오지 않고 자기 고집대로 했다. 안식일에 일했다.

이유가 무엇일까? 요즘 주일에 쉬지 못하는 이유와 비슷할 것이다. 안식일에도 일하지 않으면 먹고 살기 어려울 것이라는 불안 때문이었을 것이다. 혹은 안식일에도 일해서 더 부유하게 되고 싶은 탐심 때문이었을 것이다.

안식일을 지키면서도 마음으로는 지키지 않는 사람도 있었다. "안식일이 언제 지나서 우리가 밀을 내게 할꼬"라며 마음은 딴 곳에 가 있었다(암 8:5). 안식일이어서 끝나서 장사하고 싶어 한다. 형식적으로 안식일을 지키지만 마음은 딴 곳에 있다.

우리도 해야 할 일이 많다. 공부할 것도 많다. 그러나 주일에 쉬면서 하나님을 예배하는 이 복을 포기하지 말자. 주일에는 일과 공부에 대한 부담을 내려놓자. 우리 주 예수님께 우리 짐을 맡겨 드리자. 주일에도 힘들게 일하면서 짐을 지지 말자.

예레미야 17장 27절은 말한다. "그러나 만일 너희가 나를 순종하지 아니하고 안식일을 거룩되게 아니하여 안식일에 짐을 지고 예루살렘 문으로 들어오면 내가 성문에 불을 놓아 예루살렘 궁전을 삼키게 하리니 그 불이 꺼지지 아니하리라 하셨다 할지니라." 그들이 회개하고 순수하게 하나님을 경배한다면 그들의 안전에 대한 확실한 소망이 있다. 그러나 완고하게 안식일을 거룩하게 하지 않으면 공동체 전체가 징벌을 받을 것이다.

슬프게도 그들은 결국은 징벌을 받았다. 하나님의 백성이 안식일을 계속 어겼기 때문에 하나님은 바벨론 군대를 오게 해서 예루살렘 성벽을 허물고 궁궐을 불살랐다. 성전까지 파괴했다. 백성들이 바벨론에 포로로 잡혀갔다. 그곳에서 그들은 70년 동안 생활하다가 다시 예루살렘으로 돌아왔다. 돌아와서는 안식일을 엄히 지켰다. 예루살렘과 지방에서 회당을 짓고 안식일마다 모여서 성경을 읽고, 시편으로 하나님을 찬양했다. 그때는 새로운 문제를 일으켰다. 그들은 안식일을 잘 지키려고 복잡한 규칙을 만들었다. 안식일에는 모자챙이를 3cm 이내의 것만 쓸 수 있다는 규칙 같은 것들을 만들었다. 예수님 때에는 유대인은 안식일에 밭에 들어가 손으로 이삭을 비벼 먹는 것도 일하는 것이라며 비난했다(마 12:1). 형식적인 규칙만 남고 하나님을 예배하며 참된 거룩에서 성장하는 것은 뒷전으로 밀려났다.

4. 주일 : 그리스도 안에서 거룩하게 안식하는 날

1) 예수님의 완성

구약의 안식일을 우리 주 예수 그리스도께서 완성하셨다. "인자는 안식일의 주인이다"(마 12:8)라고 말씀하셨다. 예수님은 어린양으로 죄의 문제를 해결했다. 지금도 어린양으로서 하늘에서 쉬시며 안식하신다. 우리는 예수님을 믿을 때 하나님께서 우리를 의롭다 인정하신다. 성령님을 보내셔서 우리가 거룩한 삶을 살도록 인도하신다. 그리스도께서 우리를 거룩하게 만들어 가신다. 그리스도 안에 참된 쉼을 누린다.

2) 주일 : 신약의 안식일-사도시대

초대교회는 구약교회의 안식일인 토요일 대신에 주일을 새로운 안식일로 지켰다. 예수님은 "안식 후 다음 날" 주일에 부활하셨다. 제자들에게도 주로 주일에 나타나셨다. 교회는 예수님이 부활하신 날, "안식 후 첫날"에 모였다(행 20:7, 같은 단어를 고전 16:2은 "매주 첫날"로 번역함). 이날을 "주의 날"(계 1:10)로 불렀다. "주일"로 불렀다.

우리에게는 모든 날이 안식의 날이지만 우리의 약함 때문에 역시 특별한 한 날을 "주님의 날"(주일)로 예배의 날로 정하여 모인다. 거룩한 구별된 날로 지킨다. 하나님과 교제하는 날로 지킨다.

3) 주일 : 믿음으로 거룩하게 안식하는 날

주일은 믿음으로 거룩하게 안식하는 날이다. 우리 예수님은 초대하신다. "수고하고 무거운 짐진 자들아. 다 내게로 오라. 내가 너희를 쉬게 하리라." 오늘도 예수님은 예수님이 계신 거룩함 안으로 들어오라고 우리를 초대하신다. 안식은 다른 곳이 아니라 예수님 안에 있다. 예수님 안에 쉼을 누리며 하나님과 거룩한 교회의 복을 누리기 위해 이렇게 하자.

① 삼위일체 하나님께 예배드리며 마음껏 기뻐하자.

"기쁨으로 여호와를 섬기며(예배하며) 노래하면서 그의 앞에 나갈지어다"(시 100:2). 우리 주님은 우리를 죄에서 마귀의 권세에서 해방해 주셨다. 아직 남은 죄가 있지만 우리를 의롭다고 인정해 주시면서 받아 주신다. 성령 하나님께서 우리와 함께하시면서 거룩하게 살아갈 길을 가르치시고 힘을 주신다.

② 믿음으로 주일에는 일이나 공부를 그만하고 육체적으로 쉬자.

예배에 집중하기 위해 일과 공부에서 쉬어야 한다. 한 주간 일이나 공부한 것이 만족스럽지 않아도 주일에는 쉬자. 주일의 쉼은 하나님께서 은혜로 주시는 선물이다. 우리 주님을 믿자. 주일을 거룩하게 보낼 때 이 세상에서의 복과 예배의 복을 주신다는 약속을 믿음으로 쉬자.

③ 다른 성도와 사람들이 주일에는 함께 즐거워할 수 있도록 섬기자.

특별히 어려움에 있는 성도들을 격려하자. 성도들을 교회당에서나 아니면 집으로 초대하여 함께 친교 나누자.

④ 우리뿐 아니라 다른 사람도 쉴 수 있도록 주일에는 경제활동을 하거나 물건, 음식을 사는 것을 자제하자.

⑤ 주일에 쉬는 것은 천국에서 누릴 영원하고 완전한 안식을 미리 맛보고 훈련하는 시간이다.

히브리서 4장 9절은 말한다. "안식할 때가 하나님의 백성에게 남아 있다." 주일에 세상일을 중지하는 것은 우리가 언젠가 지상에서의 우리의 모든 일을 중지해야 하는 날이 있다는 것을 상기시켜 준다. 주님이 부르시면 이 세상에서 자신의 모든 중요한 일들과 애지중지하던 것들을 버려두고 떠나야 한다. 주일 안식을 통해 우리는 우리 자신에게 대단해 보이는 모든 것들을 상대화하는 훈련을 하자. 그리고 영원한 나라에서 누릴 더 좋은 안식을 소망하자.

십일조의 의미와 실제

문장환 목사

소득의 십분의 일을 헌금하는 제도인 십일조는 아브라함 때부터 시작하여 구약교회와 초대교회를 지나 중세와 근대와 현대교회에 이르기까지 하나님을 섬기는 신앙생활의 중요한 규범으로 지켜졌다. 그런데 최근에 와서 '십일조 제도를 신앙적인 원칙으로 볼 것인가?' 아니면 '구약 제사법의 한 요소로서 이미 시대적인 적법성을 상실한 것으로 볼 것인가?'라는 논란이 일어나고 있다. 그러나 십일조는 성도가 공의와 사랑과 믿음으로 실천해야 할 규범적 제도이다.

1. 십일조 역사

성경에서 십일조가 제일 먼저 등장하는 것은 믿음의 조상 아브라함이 살렘왕 멜기세덱에게 십일조를 드릴 때이다(창 14:18-20). 아브라함의 조카 롯이 전쟁 중에 물질을 다 빼앗기고 인질로 사로잡혀 갔을 때 아브라함이 318명의 사병을 데리고 가서 롯과 재물과 포로 된 자들을 구했다. 그 승리의 귀환길에 살렘왕 멜기세덱이 마중을 나와 아브라함을 축복할 때, 하나님께서 아브라함에게 주신 축복과 은혜에 대한 응답으로 그가 전쟁에서 얻은 것의 십분의 일을 멜기세덱에게 주었다. 히브리서 7장에서 아브라함이 멜기세덱에게 십일조를 드린 것은 그의 후손인 레위인도 멜기세덱에게 십일조를 드린 것이라고 설명하며 아브라함의 십일조는 율법을 따라 드린 것이 아니라 계시와 믿음으로 말미암은 것이라고 했다. 그의 십일조는 자원해서 드린 예물이었고 이미 주어진 하나님의 은혜에 대한 감사의 표였고, 하늘과 땅 그리고 그 안에 모든 것이 하나님의 것임을 인정하는 표시로 드린 예물이었다. 아브라함의 손자 야곱은 그 조부의 언약을 계승하면서 십일조를 잘 알고 있었고, 벧엘에서 조부의 신앙대로 자신도 십일조를 서원했다(창28:20-22). 야곱 역시 하나님의 언약적 축복들에 대한 감사의 표시와 하나님이 모든 것의 주인 되심을 인정하는 고백으로 자발적인 십일조를 서원했다.

율법시대의 십일조도 여전히 아브라함이나 야곱의 십일조에 나타난 기본원리들을 반영하고 있었는데 하나님의 언약 축복에 대한 감사 표시로, 땅과 소산물이 모두 하나님의 것임을 고백하는 표시로 십일조를 즐겁게 드리게 했다(레 27:30-33, 민 18:21-32, 신

14:22-29, 26:12-15). 게다가 십일조의 용도를 분명하게 정했는데 다음 세 가지로 분류할 수 있다. 레위인을 위한 십일조(민 18:26-28), 하나님 앞에서 축제와 교제를 위한 십일조(신 14:23-26), 그리고 가난한 자를 위한 십일조이다(신 14:27-29). 레위인을 위한 십일조는 땅을 분배받지 못하여 농사를 지을 수 없는 레위인에게 나머지의 지파들이 매년 내는 것이며 레위인도 십일조를 내서 아론의 후손인 제사장에게 드렸다. 축제와 교제의 십일조는 마치 지금의 절기 헌금처럼 드려져 예루살렘 순례를 위한 용도로 구별됐다. 그리고 매 3년과 6년째는 구제용 십일조를 내어 가난한 자들을 구제했다.

사사시대에는 물질적인 유혹과 경제적 이익을 위해서 십일조를 등한시하였고 그 결과 제사장들의 생계가 어려워지자 그들은 성전을 떠나버렸다. 더불어 제사 의식이 멈추고 백성들을 율법으로 지도하는 일도 시행되지 못했다. 제사장들은 생계를 위하여 배회하였고, 그중에 어떤 이는 개인에게 고용이 되어 가족 제사장의 역할을 하기도 하고 급기야 우상 숭배의 일에 종사하기도 했다(삿 17:7-10, 18:18-20). 왕정시대를 전체로 놓고 보면, 대체로 같은 상황이 반복되어서 십일조가 드려지지 않았고 성전에는 제사장도 제사 의식을 찾을 수가 없었다. 그러나 이 시대에는 신앙이 부흥하여 십일조가 넘치게 들어오고, 성전 예배와 제사 의식이 활발하게 집행되고, 레위인들이 하나님의 율법들을 방방곡곡에서 가르치는 때들이 있었다. 가장 대표적인 시기가 다윗과 솔로몬 그리고 히스기야 통치였다(참조, 대상 29:9-17, 대하 31:4-12).

포로기 직전에 선지자들은 거짓을 예언하여 백성들이 회개하여 돌이킬 기회를 앗아갔고, 제사장들은 재물에 대한 탐욕으로 성물을 함부로 업신여겼다(참조, 암 4:1-5, 5:21-27). 그 결과 포로시대는 십일조를 드리고 싶어도 드릴 수 없는 저주의 시대를 보내어야만 했다(욜 1:9, 겔 44:12-13). 포로후시대에도 불행하게 온전한 십일조 생활이 없었다(말 3:8). 십일조가 제대로 지켜지지도 않았고 그나마 들어온 십일조를 바르게 분배하는 일에 실패하니 레위인들이 직무를 포기하고 성전을 떠났다. 더불어서 성전 제사는 중단되고 율법의 가르침도 그쳤다. 이런 중에도 느헤미야 같은 경우는 십일조의 수납과 관리와 분배를 정확하게 함으로 십일조가 제대로 들어오고 더불어서 성전 의식들이 제대로 수행될 경제적 기반을 마련했다(느 10:37-38, 12:43-47, 13:10-14).

예수님이 태어나신 때에 유대인들은 적어도 외형적으로 십일조를 잘 드렸다(참조, 마 23:23). 거의 십의 2조를 드린 것으로 보이는데(참조, 토비트 1:7), 첫 십일조는 예루살렘성전을 유지하기 위함이고, 두 번째 십일조는 성지순례를 위한 비용을 위함이었다. 그 외에도 매년 반 세겔의 성전세를 드렸다(참조, 마 17:24). 그러나 율법주의적 태도로 십일조 생활을 하였는데 예수님은 십일조의 근본

정신이 살아있는 십일조가 드려져야 함을 강조하셨다(마 23:23, 눅 11:42). 예수님은 서기관과 바리새인들이 십일조를 엄격하게 드리지만 그보다 더 중요한 정의와 긍휼과 믿음을 잃어버린 모습을 두고 외식하는 자들이라고 책망하셨다. 초대교회는 십일조를 넘어선 헌금을 하였는데 자기의 것을 드려 공동으로 쓰거나 모든 재산을 바치기도 했다(행 2:44-45, 4:32-37).

바울서신에서 구약시대에 십일조로 레위인을 부양했던 제도를 소환하면서 그와 같은 방식으로 복음 전하는 자들을 부양해야 함을 분명하게 하고 있다(고전 9:13-14). 실제로 구약시대에 십일조를 하는 동기들은 신약시대에도 그대로 유효하며 십일조가 사용되는 원리도 같다. 곧 하나님의 은혜에 감사하고 모든 것을 하나님의 것으로 인정하며 자발적으로 드리는 십일조에 대한 마음과 자세는 예수님의 구속적 은혜를 받은 신약의 성도들에게 더욱 온전해진다. 또한 하나님이 세우신 사람들과 기관들이 존속하고 활발하게 움직이도록 뒷받침이 되는 십일조는 온 세상이 복음을 전하는 시대에는 더욱 필요하다.

예수님이 인정하시고 사도들이 인정한 십일조는 초대교회와 교부시대를 거쳐 주후 585년에 교회법으로 제정됐다. 이레니우스 암브로스 어거스틴 등 교부들은 십일조를 하나님에 대한 의무로 규정했다. 그러나 이후에 기독교 국가들은 십일조를 국법으로 정하여 강제하는 과정에서 부가 집중된 교회들은 타락의 길을 걸었다. 그리고 오랜 세월 동안 세금으로서 십일조를 부과시키는 억압과 착취를 경험하고, 교회와 수도원이 십일조를 오용하고 남용하는 것을 본 사람들은 십일조를 거부했다. 종교개혁 이후에는 국가가 더 이상 십일조를 거두지 않았고 로마 가톨릭도 강제적인 십일조 제도 대신에 자율적인 헌금을 시행했다. 그렇다고 십일조의 정신과 시행이 부정된 것은 아니다. 국가나 교회가 강제적으로 거두던 십일조를 금한 것이지, 교회가 헌금의 관례로 정하고 개인이 자기 신앙에 따라 자발적으로 하는 십일조는 여전히 유효했다. 루터는 십일조의 폐지는 도둑이고 말하였고, 쯔빙글리는 십일조의 정당성을 주장하면서 그 사용처를 설교자의 생계와 빈민구제로 지적하였고, 칼빈은 십일조는 예배의 한 부분으로 마땅히 믿음으로 드려야 한다고 했다.

그 후에 개혁교회는 십일조를 개교회나 개인의 신앙에 맡겼다. 미국교회는 십일조 혹은 다른 이름으로 드린 풍성한 헌금을 기반으로 교회가 더욱 왕성해졌고 온 세상으로 선교사들을 보낼 수 있었다. 최근에 안타까운 것은 서구신학이 제도로서 십일조를 부정하면서 십일조 정신 자체마저 상실하여 결국은 기독교 신앙이 약화되고 교회가 쇠퇴하는 길을 걷고 있다는 것이다. 한국교회는 처음부터 십일조와 주일성수에 철저한 청교도적인 신앙을 가진 선교사들의 영향으로 십일조 전통을 굳건하게 세워나갔지만 근래에 들어와서 십일조를 반대하는 목소리가 높아지고 있다. 지금은 국가나 교회가 강제로 걷는 십일조 제도는 없어졌지만 개인의 신앙적 행위로 십일조에 버금가는 헌금을 상당수의 세계 교회가 실천하고 있다.

2. 십일조 정신

십일조의 정신을 성경 전체에서 찾을 수 있지만 예수님이 명확하게 정리하신 십일조의 세 가지 정신이 있는데 공의와 사랑과 믿음이다(참조, 마 23:23, 눅 11:42).

십일조의 첫 정신이 공의인데 십일조가 정당하고 의로워야 한다는 것이다. 십일조를 드리는 사람의 삶이 의로워야 하는데 하나님과 관계나 이웃과 관계에 있어서 껄끄러움이 없어야 하고 만일 있다면 먼저 가서 회개 내지 화해해야 한다. 바리새인들처럼 겉으로는 엄격한 십일조를 드리지만 돈을 사랑하여 과부의 재산까지 삼키는 탐욕적인 삶을 산다면 그 사람이 드리는 십일조를 하나님께서 받으시겠는가? 또한 십일조로 드리는 재물도 의로워야 하는데 건강한 경제생활에서 정당하게 얻은 재물이어야 하고 드리는 금액도 온전한 십일조여야 한다. 왜냐하면 십일조의 기본 정신이 땅과 하늘과 그 가운데 있는 모든 것이 그리고 나에게 주어진 모든 것이 다 하나님의 것이라는 고백이기 때문이다.

십일조의 두 번째 정신은 사랑이다. 먼저 이웃을 사랑하는 마음이어야 하는데 주위에 어렵고 가난하고 연약한 사람들을 긍휼히 여겨야 한다. 이것은 사랑의 하나님에 대한 책임이어서 만일 긍휼이 없다면 불순종의 악한 삶이고 긍휼 없는 심판을 받게 된다. 십일조도 가난한 사람들을 위하여 그 일부를 사용하도록 드리는 것이다. 또한 하나님을 사랑하는 마음으로 십일조를 해야 한다. 어차피 하나님의 모든 말씀을 순종할 때 하나님을 사랑하고 이웃을 사랑하는 것으로 해야 한다. 그것이 율법과 선지자의 요약이다. 십일조도 하나님께 감사하고 하나님을 사랑하는 마음으로 해야 한다.

　십일조의 세 번째 정신은 믿음이다. 신자는 믿음으로 살기에 십일조도 믿음으로 드려야 한다. 하나님이 모든 재물의 주인 되심을 믿고 내가 먹고 입고 사는 것도 다 하나님이 책임져 주신다는 것을 믿음으로 드려야 한다. 십일조를 하면 당장 어려워질 것 같은 염려가 생길지라도 하나님이 외면하거나 부족하도록 내버려 두지 않으실 것이라고 믿고 해야 한다. 하나님은 충분히 공급하시고 인색한 분이 아니라 넘치도록 풍성하게 부어주시는 분이다. 십일조는 이런 하나님에 대한 믿음의 고백이 물질로 나타나는 것이고 하나님은 그 믿음대로 해주신다.

3. 십일조 방법

십일조를 드리는 방법을 구약의 실례와 규정에서 찾을 수 있지만 신약시대에 사는 우리는 헌금에 대한 바울의 교훈들에서 찾을 수 있고 구약의 실례와 규정들을 참조할 수 있다. 바울은 이방인교회들이 예루살렘교회의 가난한 자들을 위한 구제 연보 사업을 하면서 헌금에 대하여 여러 권고를 하는데(고후 8-9장) 우리의 헌금 생활, 특히 십일조 생활에 유익한 교훈들을 준다.

무엇보다 하나님이 기뻐 받으시는 십일조는 진심으로 드리고, 자원하여 드리고, 자신까지 드려야 한다. 십일조를 기계적으로 하지 말고 하나님께 진정한 감사의 마음을 담아서 드려야 한다. 그리고 십일조가 교회의 규례이긴 하지만 그렇다고 율법적으로 드려서는 안 되고 자발적으로 기쁨으로 드려야 한다. 교회의 다른 규례들도 강제적이 아니라 자발적인 순종과 준수를 원한다. 또한 십일조를 물질만이 아니라 우리 자신도 드려야 한다. 십일조에 해당하는 첫 수확 혹은 초태생은 나머지 모두를 대표하고 물질만이 아니라 삶과 존재 전체를 대표한다. 그러므로 십일조는 내게 주어진 재물 전부가 하나님의 것이고 나 자신조차도 하나님의 것이라는 고백이다. 그러므로 물질을 드리기에 앞서 먼저 나 자신을 드려야 한다.

하나님께 합당한 십일조는 균등하게 드리고, 힘대로 드리고, 힘에 지나도록 드리는 것이다. 교회는 그리스도의 몸이고 교인들은 그 몸의 지체들이다. 그러니 교회의 사역은 모든 지체가 함께 해야 하는데 재정도 마찬가지로 함께 그러면서도 균등하게 마련되어야 한다. 하나님은 각 사람의 소득의 십일조를 정하여 그 원칙을 실천하셨다. 일차적으로 십일조를 드림으로 우리는 균등하게 교회 일을 참여하고 감당한다. 당연히 따라오는 원칙은 힘대로 드리는 것이다. 경제적인 능력대로 그리고 감당할만한 액수대로 드려야 하는데 소득의 십분의 일을 그 분량으로 하나님은 보셨다. 그런데 감사와 사랑의 마음으로 드리다 보면 자신의 경제적인 능력을 넘어서서 자신을 희생하면서 드리고 싶을 때는 당연히 그렇게 해야 한다. 희생이 들어간 헌금을 하나님께서는 굉장히 기뻐하신다. 성경은 많이 심는 자가 많이 거둘 것이라고 한다.

그런데 하나님께 십일조를 드릴 때 꼭 피할 것이 있는데 체면과 억지와 인색함과 자랑과 외식이다. 체면으로 십일조를 하였다면 본인의 체면을 차렸으니 하나님께 드린 것은 아무런 효용이 없을 것이다. 체면의 결과는 억지인데 억지로 하면 나중에 시험이 든다. 체면을 차리는 것을 넘어서서 자랑하려는 것이 십일조의 동기가 될 수 있다. 이 경우 억지보다는 자발적이긴 하더라도 칭찬받지 못하면 곧 낙담한다. 이런 것들은 다 마음이 따라가지 않는 외식이다. 위선적 십일조는 더 이상 온전한 십일조가 아니다. 그런데 정반대로 위선하지 않는다고 하면서 인색함으로 할 수 있다. 그것은 하나님을 향한 사랑과 믿음에서 이미 실패한 것이다. 하나님은 풍성한 분이시지 인색한 분이 아니시다. 우리는 십일조를 마음에 정한 대로 즐겨 내어야 한다.

4. 십일조의 축복

십일조는 드리는 사람에게나 그것이 사용되는 곳에서 축복을 가져온다. 먼저 십일조가 사용되는 곳들에 축복이 임한다. 십일조(헌금)는 크게 목회자의 생계를 포함한 교회의 경상비, 가난한 사람들에게 사용되는 구제금, 선교를 위해 지출되는 선교비, 이 세 가지로 지출된다. 이 세 요소는 헌금 사용에 대한 성경의 전반적인 교훈에 합당하고 각각의 지출 비율은 교회의 형편이나 목적에 따라 달라질 수 있다. 교회에 투입되는 재정은 교회의 유지와 발전과 부흥을 가져오는 축복이 된다. 가난한 자들을 돌아보는 재정은 그들에게 하나님의 사랑을 경험하게 하는 축복이 된다. 선교를 위해 사용되는 재정은 선교지에 복음의 축복을 내린다. 이렇듯 십일조가 사용되는 곳마다 하나님의 축복이 임한다.

십일조는 드리는 자에게 의무 이전의 특권이다. 십일조는 구원받아 하나님의 소유 된 백성에게만 요구하기에 율법적 규례가 아니라 구원의 열매이다. 십일조 드림으로 받는 가장 큰 축복은 맘몬의 우상에서 벗어나 자유를 누리는 것이다. 십일조를 두고 고민하다가 드리기로 결정을 내리고 나면 돈에서 자유 하게 되고, 하나님을 전적으로 의지하게 되어 더욱 신앙의 사람이 된다. 또한 성경에 약속된 십일조 축복을 받는다. 하늘 문을 열어 하늘 복을 내려주시고(말 3:10), 창고가 차고 수확이 넘치고(잠 3:9-10), 각종 재해에서 건짐을 받는다(말 3:11-12). 십일조는 하나님께서 자기 백성들을 축복하시고, 그들로 복이 근원이 되게 하시고, 교회라는 기관을 당신의 몸으로 움직이시는데 사용되는 신적 자원이다. 그러므로 십일조를 내는 것은 엄청난 특권이다.

5. 십일조 Q&A

1) **십일조를 총수입에서 해야 하는가? 아니면 순수익에서 해도 되는가?** 일반적으로 세금 등을 뺀 순수익에서 내지만 상황이나 믿음에 따라 총수익에서 낼 수도 있다. 많이 심는 자가 많이 거둔다고 했다.

2) **형편이 어렵거나 빚이 있거나 수익이 나지 않는 데도 십일조를 드려야 되는가?** 그런 경우에도 믿음을 가지고 용기를 내어서 생활비의 십일조를 드릴 수 있다.

3) 정규수입 이외에도 십일조를 드려야 하는가? 모든 소득에는 십일조를 해야 한다. 그러나 중복되게 십일조를 내는 것이라면 제외할 수 있다.

4) 매달 받아 쓰는 생활비도 십일조를 내야 하는가? 가족이 이미 십일조를 하고 난 뒤에 주는 돈이라면 내지 않을 수도 있다. 그러나 독자적인 본인의 신앙적 재정관리로 십일조를 낼 수 있다.

5) 자기 십일조를 가난한 사람에게 혹은 시골교회나 선교단체 등 다른 곳에 드려도 되는가? 십일조는 본교회에 내는 것이 원칙이다. 이 경우에 두 가지 방안이 있다. 하나는 십일조 외에 따로 돕는 것인데 그 희생을 하나님이 갚아주실 것이다. 다른 하나는 담임목사와 의논하여 일정 기간 원하는 곳에 십일조를 보낼 수도 있을 것이다.

6) 당분간 교회를 비우고 다른 곳에서 머물 때는 십일조를 어디에 내야 하는가? 어느 정도 장기간이라면 현재 출석하는 교회에 하는 것이 맞겠지만 자유롭게 결정할 수 있다. 오해가 없도록 관계된 목회자에게 사정을 알리는 것이 좋다.

그 외에도 수많은 질문이 있으나 공의와 사랑과 믿음이라는 십일조 정신을 따라서 결정하면 큰 어려움이 없을 것이다. 십일조는 사랑과 믿음으로 드려야 한다. 온전한 십일조의 실천은 교회와 개인의 신앙적 부흥의 귀한 자원이 된다.

교회를 세우는 권징

김하연 목사

'권징이 살아야 교회가 산다고?' 이 말은 일단 부담스럽게 들릴 수 있다. 교회는 생명과 사랑의 공동체가 아닌가? 교회는 경건하게 기도하고 죄를 고백하고 주님께 도움을 구하는 그런 공동체가 아닌가? 그런데 권징이 강조되는 모습은 교회를 뭔가 '권위집단' 내지는 '살벌한 집단'으로 오해하게 할 소지마저 있다. 지금은 중세시대의 교회가 국가 통치의 권세를 가지고 황제의 대관식마저 거행할 정도의 힘을 가지고 있던 때도 아니고, 자유 민주국가에서 누구나 종교의 자유를 가지고 있는데 '권징'이란 말은 그 자체가 아주 부정적으로 들릴 수 있음을 인정한다. 그러나 오히려 이 모든 열거되는 부정적인 견해는 사실 반대로 생각해야 할 요소들로 가득하다.

먼저, 교회가 생명을 주는 공동체가 되기 위해서라면 예수 그리스도가 함께 해 주시는 교회가 되어야 한다. 지상의 교회 안에 각종 범죄가 일어날 가능성은 얼마든지 있다. 그리고 그 범죄는 전파력이 있고 방치하게 되면 교회는 타락한 교회가 되고 만다. 지상에서 하나님의 나라에 가장 가까운 공동체가 바로 교회인데 범죄가 방치되면 그 나라는 무질서 가운데 빠지게 되고 소위 '무정부 상태'가 되고 만다. 그 지경이 되면 그 공동체는 생명, 사랑, 회개, 거룩한 공동체가 아니라 그냥 세상의 일부 사람들이 자기들끼리 모여서 예배랍시고 축제하는 인간 공동체가 되고 말 뿐이다. 그렇게 되면 교회는 더 이상 교회가 아니다.

그러므로 교회의 본질을 지키기 위해서, 교회가 진정한 교회가 되기 위해서는 권징이 살아야 한다. 왜냐하면 지상의 교회의 구성원들은 결코 완전한 사람들도 아니고 모두가 균형있는 성경적 사고방식을 가진 신앙을 가지고 있는 것도 아니기 때문이다. 권징을 통해서라도 교회는 하나님께서 다스리는 하나님의 나라의 모습을 구현해 내야 한다. 이 땅에서 결국 역설적인 것 같지만, 단호하게 외칠 수 있다. '권징이 살아야 교회가 산다'고.

1. 교회에서 왜 권징이 필요한가

1) 교회는 교회다워야 하기 때문이다

바울은 고린도교회에 편지하면서 성도는 곧 '하나님의 교회'(고전 1:2)라고 한다. 그런데 동시에 우리가 생각해야 할 것은 교회의 머리는 바로 주 예수님이시라는 사실이다. "또 만물을 그의 발아래에 복종하게 하시고 그를 만물 위에 교회의 머리로 삼으셨느니라"(엡 1:22). 그러므로 교회는 거룩한 공동체가 되어야 한다. 교회의 머리가 예수 그리스도인데 그의 몸인 교회가 거룩하지 않은 공동체가 된다면 하나님의 나라, 예수가 머리가 되시는 교회는 그냥 엉망인 단체가 된다. 그것은 '주님의 교회'를 교회 되지 못하게 하고 마는 것이다. 물론 사도 바울이 언급하는 교회란 현재 이 땅에 있거나, 이미 하늘에 있거나, 미래에 세워지거나 간에 주님의 진정한 교회를 언급하고 있음이 틀림없다. 다시 말하면, 고린도전서의 '거룩한 성도'는 반드시 지금 지상에 '교회'라는 이름으로 모이는 모든 구성원을 지칭하는 것은 아니다. 왜냐하면 지금 지상의 교회에는 얼마든지 '가라지'가 들어와 있을 수 있고 그들은 자칫 사탄의 앞잡이 노릇을 할 수도 있기 때문이다.

지금 논하고 싶은 '교회의 권징' 문제도 이러한 전제하에 시작되어야 한다. 지금 이 땅에 완전하지 않은 교회 그러나 지상에서 하나님의 나라에 가장 가까운 모습을 드러내야 하는 교회의 질서를 위해서는 권징이 필요함을 인정하지 않을 수 없다. 비록 불완전한 모습의 지금 '교회로 모이는 사람들'의 공동체를 가능한 주님의 온전한 공동체로 만들어나가기 위해서 '어떻게 해야 할 것인가' 하는 것이다.

주님은 교회를 세우실 때 '주님의 피'로 값을 치르고 사셨다(행 20:28). 하나님께서는 그의 백성을 택하시고 하나님의 공의를 위하여 거룩하시고 보배로우신 무한대의 값을 치르시고 교회를 사신 것이다. 그러기에 하나님은 당연히 그의 자녀들을 일컬어 요구하신다. "나는 너희의 하나님이 되려고 너희를 애굽 땅에서 인도하여 낸 여호와라 내가 거룩하니 너희도 거룩할지어다"(레 11:45)라고. 한마디로 주님의 교회는 '하나님의 백성'이므로 바로 '거룩한 공동체'가 되어야 한다. 그런데 지상의 교회는 얼마든지 악의 영향을 받을 수 있고 시험에 들 수도 있다. '거룩을 잃어버린 교회는 교회가 아니다'라고 할 수 있다. 하나님을 닮지 않은 교회는 아무짝에도 쓸모가 없어지게 되고 밖에 버리워 사람에게 밟힐 뿐이 되고 만다(마 5:13). 사실 한국교회는 지금 사람들에게 밟히고 있다. 오늘날 한국교회에 대한 신뢰도가 20% 주변이다. 백 명을 붙들고 물어볼 때, 20여 명 정도만 교회가 믿을만하다는 반응을 보인다는 말이다. 이것은 충격이다. 이것을 사업하는 사람들의 입장에서 표현해 보자면 '제품 출하 불가'가 된다고 한다. 그 제품을 어떻게 내다 팔겠는가? 다른 말로 하면 사람들이 교회에 별로 매력을 느끼지 못하고 교회에 소망과 기대를 걸지 못한다는 말도 된다. 다시 한번 강조하지만 '거룩성을 잃어버린 교회는 더 이상 교회가 아니다' 그리고 세상으로부터도 버림을 받는다.

권징은 '교회의 거룩성을 회복'시키기 위한 측면에서 반드시 필요하다. 권징을 시행하지 않고도 사람들이 알아서 회개하고 주님께 돌아와서 경건하고 거룩한 공동체를 이루어 나갈 수 있다면 얼마나 좋을까? 그러나 현실적으로 그런 일은 없다. 오해하지 말 것은 교회의 권징의 목적 자체도 '심판이나 벌을 주기 위함'이 아니라 '회개하여 그 영혼이 돌아오게 하는데' 그 목적이 있다는 것이다. 고신총회 '교회헌법' 관리표준의 '권징 제2조 권징의 목적'에는 "권징의 목적은 진리를 보호하며 그리스도의 권위와 영광을 옹호하며 악행을 제거하고 교회의 정결과 덕을 세우며 범죄자의 영적 유익을 도모하는데 있다"라고 분명히 명시되어 있다. 두 가지로 정리될 수 있다. 하나님의 공동체에 악을 제하여 거룩한 공동체가 되게 하며 회개케 하여 범죄자의 영적 유익을 도모하는 것이다. 이 정의는 구약 신명기의 말씀을 잘 적용한 규정이라고 하겠다. 모세는 신명기 1장 5절에 "너는 이같이 하여 너희 중에서 악을 제할지니라"하였고, 또 한발 더 나아가서 "그리하면 온 이스라엘이 듣고 두려워하여 이같은 악을 다시는 너희 중에서 행하지 못하리라"(신 13:11)라고 함으로 이스라엘에 권징을 행하는 목적을 분명하게 하고 있다. 일벌백계의 교훈을 가지고 이스라엘 공동체가 범죄에 빠지지 않도록 하는 것이다.

일찍이 이스라엘이 거짓 선지자 발람의 꾀에 빠져서 모압 사람들의 우상 제사와 음란에 참여하고 이 일로 인해서 이만 사천 명이나 죽었던 일이 있다(민 25:9). 하나님의 권징(징계)이었다. 그러나 그 일로 인해서 이스라엘은 크게 경고를 받았고 바울은 이 일을 교훈 삼아 고린도교회에 경고하는 모습을 본다(고전 10:8). 하나님은 하나님의 백성이 거룩한 교회 거룩한 공동체가 되기를 원하시고 교회가 교회다운 교회가 되기를 원하신다. 그러므로 교회의 거룩성을 유지하기 위해서도 하나님께서 행하셨듯이 교회는 권징을 통해서 교회가 죄에 빠지지 않도록 해야 한다.

2) 성도는 성도다워야 하기 때문이다

상술한 부분은 교회의 공동체적 공의와 질서를 위해서 권징이 꼭 필요함을 서술했다. 그러나 개인의 영적 유익과 거룩하고 경건한 생활을 위해서도 권징은 반드시 수행이 되어야 한다. 사도 바울은 고린도교회에 보내는 편지에서 누가 그의 아버지의 아내를 취하였다는 소리를 들었을 때 마음이 심히 아팠다. 그 범죄한 이가 유력한 자여서인지 또는 고린도교회가 총체적으로 부패하여 음란의 범죄를 그냥 용인하여서인지는 몰라도 그를 '쫓아내지도 않고' 아무 조치도 하지 않은 것에 대하여 바울은 분노한다. 명백한 범죄자를 처리하지 않은 것에 대한 공의적인 분노와 함께 바울은 이것이 그의 개인적인 생명을 위해서도 반드시 권징했어야 함을 언급한다. "이런 일을 행한 자를 이미 판단하였노라 … 이런 자를 사탄에게 내주었으니 이는 육신은 멸하고 영은 주 예수의 날에 구원을 받게 하려함이라"(고전 5:3, 5). 결국 음란을 행한 자를 엄하게 권징하지 않으면 그 사람은 결코 회개하여 돌아올 수 없다는 것이다. 개인의 구원과 그리스도와의 관계의 회복을 위해서는 반드시 권징이 필요하다. 그러므로 권징은 개인의 차원에서 죽이는 것이 아니라 살리는 일이 된다. 누가 범죄하였으면 그리고 그를 살리려면 반드시 권징하여 (교회의 거룩성과 공동체를 보호함은 물론) 그 개인의 영혼을 살려야 하는 것이다.

오늘날 한국교회는 권징을 많이 꺼리고 있다. 그리고 이런 교회들의 생리를 잘 알아서인지 몰라도 성도 개인은 권징을 잘 받으려고 하지 않는다. 교회에서 권징을 내리려고 하면 그냥 교회를 나가버린다. 그리고 다른 교회에서는 '얼싸' 반가워하고 그를 감싸 안는다. 마치 이 교회에서 범죄한 자가 저 교회에서는 무죄한 자가 되는 형국이다. 자칫 이 교회는 인정이 없고 저 교회는 사랑 많은 교회가 되는 형국이다. 그러나 과연 그런가? 그리스도의 교회가 하나일진대 이러한 일은 있을 수 없다. 그러므로 교인이 다른 교회로 이동하여 등록하게 될 때는 반드시 이명서를 요구해야 한다. 혹시 그가 범죄함으로 그리고 권징을 피하려고 옮겨왔을 수 있기 때문이다.

시대적 현상으로 보여지는 더 심각한 문제는 교회나 노회가 권징을 행하지 않는 추세라는 것이다. 목사나 장로가 성적인 범죄를 행하였을 때 그냥 아무 일 없는 듯 넘어가는 일이 각 교단을 불문하고 다반사다. 범죄한 이의 체면과 영향력 개인적인 관계 또는 그의 공로 등으로 인하여 차마 권징을 행하지 못하는 형국이다. 아니 오히려 어떤 목사들의 경우는 명백한 범죄임에도 불구하고 사임 정도로 마무리하면서 수억씩 주어서 전별금(?) 형식으로 지급하는 경우도 있다. 하나님의 공의에 관해서 관심이 없고 인간적 선심에만 관심있는 교회 혹은 노회라고 하겠다. 이렇게 되면 본회퍼가 언급했듯이 '죄인을 의롭다 하는 것이 아니라, 죄를 의롭다 하는 것'이 되고 만다. 그리스도의 은혜를 값싼 은혜로 만들어 버리는 결과가 된다. 그것은 하나님께 죄를 짓는 일이요, 또한 범죄한 개인을 영원히 매장시키는 결과밖에는 가져오는 것이 없다. 죄를 지었으면 죄에 합당한 권징을 내리고 개인은 깊이 죄를 회개하며 통회하고 권징을 받아들여야 한다. 누구라도 죄를 지을 가능성이 있다. 그리고 개인적으로는 누구라도 다른 사람을 판단하기 어려울 것이다. 그럼에도 불구하고 당회와 노회와 총회는 치리회로서 성도 개인과 공회를 진리 가운데 거룩한 교회로 인도해야 할 막중한 책임을 가지고 있다. 그것이 교회를 살리고 개인 성도를 살리는 일이 되기 때문이다.

그러기에 교회의 권징은 형제를 사랑하는 마음으로 감당해야 한다(살후 3:13-15). 하나님의 나라를 위함이고 개인이 "깨끗하고 귀히 쓰는 그릇이 되어 거룩하고 주인의 쓰심에 합당하고 모든 선한 일에 준비함이"(딤후 2:21) 될 수 있도록 하기 위함이다. 그리고 '교회헌법'이 정하는 일정 시간이 지나, 회개의 징표를 가지고 다시 복직(직분의 회복)과 목회와 교회를 섬기는 현장에 돌아올 수 있도록 해야 하며(사역의 회복), 교회와 노회는 그때 그를 위로하고 격려해야 한다. 목회와 교회를 섬기는 일에 귀한 은사와 능력이 있는 이들이라도 실족할 수는 있을진대 노회가 권징을 행하지 않으므로 결국 평생 '꼬리표'(?) 따라다니게 되고 그 결과 다시는 공적인 사역을 떳떳하게 감당하지 못하게 되는 이들을 보면 참 가슴이 아프다. 잠언 기자는 "매를 아끼는 자는 그의 자식을 미워함이라 자식을 사랑하는 자는 근실히 징계하느니라"(잠 13:24)라고 하지 않는가? 결국 선심 치레와 체면치레한다고 권징을 소홀히 하면 형제를 미워하는 자가 된다. 마귀는 '사람이 다 그럴 수도 있지 … 왠만한 죄는 괜찮아'라고 유혹할 수 있다. 주의하라. 교회는 하나님의 공의를 어기고 교회를 혼란하게 만드는 범죄행위에 대해서 반드시 권징해야 한다(고후 2:6). 그리고 끝까지 회개하지 않으면 거룩한 공동체를 위해서 그를 교회에서 내보내야 한다(고전 5:13).

2. 교회에서 권징은 어떻게 올바르게 시행하는가

1) 권징의 기본원리(마 18:15-18)

권징의 필요성만큼이나 중요한 일은 '권징을 어떻게 시행하는가?'에 관한 문제라고 하겠다. 때로 여러 교회와 노회에서 '분명한 범죄 사실'에 대해서 권징의 조치를 취하고 난 후에 오히려 더 잡음이 많이 들릴 때가 많다. 절차의 문제로 인하여 권징을 부당하게 시행했다는 이유가 그 대부분이다. 권징을 시행하는 치리회인 당회나 노회에서 권징을 시행할 때에 '교회헌법'이 정하는 방법대로 행하지 않고 자칫 '들은 풍월'과 '주먹구구'식으로 대충 의협심으로 진행했다가 오히려 역풍을 맞는 경우들이 많다. 어떤 경우는 교회에서 권징을 시행한 후 마태복음 18장 15-18절의 절차를 밟지 않았다고 시비를 당하는 경우들도 많다.

마태복음 18장 15-18절은 교회에서 권징을 어떻게 시행해야 하는지에 대한 가장 기본적인 절차를 보여준다. 그 내용을 요약하면 '네 형제가 죄를 범하거든' 1) 개인 권면 2) 두세 증인으로 확증 3) 교회의 권면 그리고 마지막 4) 출교(이방인과 세리와 같이 여기라)의 절차를 밟았느냐는 것이다. 한편으로 이 절차는 너무 간략하여서 오늘날 구체적으로 적용하기가 쉽지 않다. 그러나 그 원리는 물론 그대로 적용되어야 할 것이다. 사랑으로, 신중하게 그러나 단호하게 그런 내용이 포함된 절차라고 하겠다. 교회에서 이런 절차를 따로 다 거친 다음에 무슨 새로운 절차를 가지고 교회 재판이나 권징을 위한 치리회로 모이는 것이 가능하다는 생각을 가진 분들이 있다. 그러나 사실 오늘날의 '교회헌법'의 권징은 마태복음 18장의 순서를 '교회헌법'으로 좀 더 구체적으로 규정해 놓은 것으로 이해하면 된다. '교회헌법'에 규정되어 있는 부분만 보아도 '권징'에 대하여는 너무나 다양한 경우들이 있어서 마태복음 18장의 4단계에 개별적 단순 매칭시키기는 어려움이 있을 수 있다. 그러나 대략 단계별로 연결시켜보면 이렇게 설명할 수 있겠다.

누가 죄를 짓거든 물론 ① 교회의 장로나 이웃이 그에게 가서 죄를 짓지 않도록 권면해야 할 것이다. 그러나 이미 저질러진 죄가 윤리와 신앙에 있어 공동체에 심각한 문제가 될 때는 지난 일이라고 하고 그냥 덮고 넘어갈 수는 없는 일이다. ② 다음 단계로 두세 증인으로 동참하여 확증하게 하는 일은 구-신약 시대의 증인의 유효성 혹은 증거의 효력 등에 관한 부분이라고 하겠다. 그러나 이러한 부분은 치리회가 진정서나 고소(고발)장을 접수한 이후에 반드시 정확한 '범죄 사실'을 확인하는 과정과 견줄 수 있겠다. ③ 이후에 당회나 재판국은 권면, 화해 종용, 회개 촉구 등을 진행할 수 있다. 아울러 죄과에 따른 적절한 권징을 시행할 수 있다. 그리고 마지막으로 ④ 이방인과 세리와 같이 여기라는 것은 출교에 해당하는 것으로, 중대한 범죄임이 분명함에도 끝까지 회개하지 않고 이단에 빠져있거나 회개의 표를 전혀 보이지 않아서 가중처벌을 해야 하는 등의 경우에 해당한다고 볼 수 있다.

2) 권징의 절차와 실제

교회의 권징이 치리회(당회, 노회, 총회)를 통하여 공식적으로 진행되기 위해서는 '진정서'를 치리회에 제출하여 문제해결을 요청하거나 '고소'(고발)장을 치리회에 제출함을 통하여 시작된다. 어떤 이들은 제직회나 공동의회 시에 여론몰이 등을 하여서 교회를 어지럽게 하는 경우가 있다. 그러나 그렇게 권징이 시작이 되어서는 안 된다. 정해진 절차를 따라야 한다. 교회의 권징은 신앙의 문제, 윤리적 문제 그리고 덕을 세우는 문제에 관계된 일과 관련해서만 진행이 된다. 개인적인 빚을 받아내야 하는 문제, 형제간의 재산권 문제, 형사 중범죄 문제에 대한 처결 등은 교회의 권징 범위를 벗어난다. 지금 이 세상의 사회법에서 이러한 것들을 다루고 있기 때문이고, 교회는 이 일들에 대한 권한을 갖지 않는다. 모세의 시대와 같은 '신정국가'의 정치형태 가운데 살고 있지 않기 때문이다. 그러기에 교회가 권징을 시행하는데 그 범위는 제한을 받는다. 고신총회 '교회헌법' 권징 제5조는 13가지의 교회 권징의 범위를 정한다. 요약하면, 성경에 위배된 치리회의 결정, 교리, 범죄행위, 건덕에 방해되는 일, 예배를 방해하거나 이단적인 행위에 동조, 명예를 훼손시킴, 직권남용, 국가의 금고 이상의 범죄행위, 치리회는 제직회 공동의회에서 폭언이나 폭행 등의 범죄행위에 대해서만 관여하는 것으로 제한한다. 권징에 대한 요청이 공식적으로 접수가 되면 치리회는 먼저 이 사건이 재판건인지 행정건인지에 대해서 결정해야 한다. 교회헌법 제6조는 "교인과 직원과 치리회에 대하여 범죄 사건으로 소송을 제기하면 재판건이 되고 기타는 행정건이 된다"라고 규정한다. 진정이 들어왔을 때는 일단 먼저 행정건으로 여기고 치리회는 조사하고 사건의 진위를 살피고 죄의 경중을 살펴야 한다. 행정건으로 취급하여 권징 할 수 있는 범위는 '견책, 근신, 시무정지' 또는 '권고사직' 등으로 처리할 수 있다. 고소(고발)건으로 치리회에 접수된 사건은 재판을 진행하되 먼저 기소위원회를 구성하여 조사하고 기소여부를 결정한 다음 재판을 개시할 수 있다. 재판의 결과는 앞선 세 가지 시벌의 내용을 포함하여 '정직, 면직, 수찬정지, 출교'의 처분을 결정할 수 있다. '정직' 이상의 시벌일 경우에는 '유흠'에 해당하여 항존직의 피선거권이나 유지에 영향을 받는다. 진정건으로 들어온 경우라도 범죄함의 사건이 너무 중하여 '정직' 이상의 시벌을 해야 할 필요가 있을 때는 치리회장은 기소위원회에 기소를 위탁할 수 있다.

* *

권징에 대한 규정들은 무척이나 복잡하다. 그리고 제한된 지면에 권징에 대한 모든 상세한 내용을 다 논할 수는 없다. 치리회는 권징의 중요성을 분명히 알고 올바로 시행함으로 진리의 수호와 주님의 피로 사신 거룩한 교회를 바로 세우는 역할을 잘 감당해야 한다. 특히 각 교단의 '교회헌법'을 잘 숙지하여 일절 절차 등에 착오가 없도록 해야 한다. 정확한 사실을 확인하고 성경과 성경의 원리를 따른 '교회헌법'의 규정들을 정확하게 적용해야 하고, 어느 누구도 억울함이나 부당함을 당하지 않게 하여서 온 교회가 치리회의 권징에 순종하고, 그 결과 교회는 더욱 하나님을 경외하고 하나님께 영광을 돌리는 그런 교회가 되어야 한다. 아나니아와 삽비라가 하나님의 교회 앞에 교만과 탐욕가운데 거짓을 행하다가 심판을 받게 되었고 그 결과 "온 교회와 이 일을 듣는 사람들이 다 크게 두려워하니라"고 했다(행 5:11). 권징의 궁극적인 목적은 바로 하나님께 영광을 돌리기 위함이다. 권징이 살아야 교회가 산다.

교회 갈등과 분쟁의 해결책

손재익 목사

"무엇 때문에 여러분 가운데 싸움이나 분쟁이 일어납니까? 여러분의 지체들 안에서 싸우고 있는 육신의 욕심에서 생기는 것이 아닙니까?"(약 4:1; 새번역)

1. 갈등과 분쟁의 장이 되기도 하는 교회

주님께서 피로 사신 교회는 그 자체로 복되고 거룩하다. 예수님은 평화의 왕이며 화평케 하시는 분이다(사 9:6; 엡 2:14). 그러나 인간의 연약한 본성은 주님의 교회 안에 갈등과 분쟁을 가져온다.

'교회라는 공동체는 절대로 갈등이 없어야 한다'라고 생각하지만 성경은 우리에게 수많은 갈등이 있었음을 가르쳐 준다. 오순절 성령의 뜨거운 체험이 있었던 예루살렘교회에도 갈등이 있었다(행 6:1).

고린도교회는 분쟁으로 유명하다(고전 1:11).

지금 현재도 교회는 갈등과 분쟁의 장이 되기도 한다. 안타까운 일이다. 역사가 오래된 교회 중에 갈등을 겪지 않은 곳이 별로 없을 정도다. 심지어 성경의 가르침(고전 6:1-11)을 무시하고 세상 법정으로까지 가는 경우도 있다.

2. 갈등과 분쟁의 이유

오늘날 개체교회 안에서의 갈등과 분쟁은 주로 사소한 것에서 시작된다. 야고보 사도가 말하는 대로 우리 안에 있는 욕심 때문에 일어난다(약 4:1). 나만 옳다는 생각, 나는 절대로 참을 수 없다는 이기심에서 비롯된다. 때로는 교회가 잘 되기를 바라는 마음에서 생기기도 한다. 교회의 발전과 성장 때문에 목사는 장로와 교인에 대해, 장로와 교인은 목사에 대해 기대와 소망이 있다. 어떤 사람은 이렇게 해야 발전한다고 생각한다. 어떤 사람은 그렇게 하면 발전이 안 된다고 생각한다.

어떤 사람은 빠르게 발전했으면 좋겠다. 어떤 사람은 조금 천천히 발전했으면 좋겠다. 어떤 사람은 이 정도는 우리 교회가 충분히 감당할 수 있다고 생각한다. 어떤 사람은 우리 교회는 그 일을 감당하기가 벅차다고 생각한다. 이렇게 기대와 소망이 서로 어긋날 때 갈등이 일어난다. 교회 쇠퇴기에 앞으로 이런 일은 더 자주 많이 발생할 것이다.

세대 간의 갈등도 교회 갈등의 대표적인 이유다. 90년대 후반 이후 세대가 구분하여 예배드리는 것이 일반화되고 세대 간의 다른 교회 경험이 세대 간 차이를 만들었다. 이로 인해 세대 간 갈등이 교회 안에서 심각하다. 특히 교회 성장이 정체됨으로 인한 직분의 적체 현상도 갈등과 분쟁의 원인을 제공한다.

고린도교회의 전철(前轍)을 따라 파벌과 계파로 인한 갈등도 있다(고전 1:12). 더 심각한 것은 교회가 교회답지 못하고, 교회 안에서 화평의 복음, 사랑의 복음이 선포되지 않음으로 인해 갈등과 분쟁이 나타난다.

3. 예방법

교회 내 갈등과 분쟁을 해결하는 가장 좋은 방법은 일어나지 않도록 예방하는 것이다. 갈등이 일어난 뒤에 후회하거나 해결하는 것보다 예방이 가장 중요하다. 갈등이 이미 일어나고 나서는 해결이 쉽지 않다. 그러므로 갈등이 일어나기 전에 늘 조심하고 갈등이 일어나지 않도록 공동체 모두가 노력해야 한다. 그렇다면 어떻게 해야 하는가?

1) 갈등은 언제든지 일어날 수 있음을 기억하라

부부나 연인도 갈등하는데 교회 안에서 갈등이 없을 것이라 생각하는 것은 어리석다. 아무리 좋은 사람들이 서로 만나도 갈등은 생길 수 있다. 갈등이 늘 있을 수 있음을 모두가 인식하는 것이야말로 더 큰 갈등으로 이어지는 것을 예방하는 방법이다.

'갈등이 생길 수 있다'라는 것을 모두가 인식할 때 서로 조심하게 된다. 예방할 수 있는 여러 가지를 각자가 생각하게 된다. 침해해서는 안 될 부분에 대해 먼저 경계하게 된다. 특히 설교자는 평소에 갈등과 관련한 설교나 강의를 할 필요가 있다.

필자는 지난해 '목사와 교인이 갈등할 때'라는 제목으로 설교한 적이 있다. 오후 시간에는 '교회 내 갈등'이라는 주제의 강의를 듣기도 했다. 지금은 물론이요 당시에도 우리 교회에는 전혀 갈등이 없었다. 그럼에도 그런 설교와 강의를 한 것은 이런 주제는 평화로울 때 해야 한다는 확신 때문이었다. 갈등이 일어나고 난 뒤에는 그런 설교나 강의의 효과가 반감된다. 갈등이란 일어나고 난 뒤에 어떻게 하는 것보다 일어나지 않게 하는 것이 중요하다. 교회가 화평할 때 교회는 갈등을 경계해야 한다.

2) 분파 혹은 계파가 생기지 않도록 주의

교회 안에 분파 혹은 계파가 생기지 않도록 미리 예방해야 한다.

성령의 하나 되게 하신 것을 힘써 지키지 않고(엡 4:3), 나는 담임목사파, 나는 A장로파, 나는 B집사파 라는 식으로 나뉠 때 교회의 갈등은 심각해진다(고전 1:12-13). 그러므로 그렇게 되지 않도록 목사와 장로 등 교회 지도자들의 지혜가 필요하다. 어느 한 집안, 어느 한 지역, 어느 한 단체 출신이 교회 안에서 힘을 행사하는 일이 없도록 미리 주의해야 한다.

필자는 개척 초기에 어느 한 집안이 교회 안에서 다수를 차지하지 않도록 부단하게 애를 썼다. 아주 일시적으로 어느 한 집안 구성원의 숫자가 전체 교인에 비해 상당히 많아진 적이 있었는데 이때 그 가정들을 따로 불러 조용히 위험성을 경계한 적이 있다.

개체교회의 역사에 따라 다양한 형편이 생기겠지만 결단코 계파나 분파가 생기지 않도록 애써야 한다(고전 1:13).

3) 의견 차이를 받아들이는 겸손한 태도와 오래참음

갈등과 분쟁은 의견 차이에서 비롯된다. 교회 안에는 출신, 빈부, 학력, 연령에 있어서 다양한 사람이 있다. 그러니 의견이 다른 건 당연하다. 그러한 차이를 인정하고 함께 한 공동체를 이루어 가야 한다.

그렇기에 의견 차이를 받아들이는 겸손한 태도가 모두에게 필요하다. 간혹 자기 의견을 말하면서 '하나님의 뜻'을 내세우는 경우가 있는데 기록된 말씀에서 명확하게 말하는 것이나 신앙고백서가 가르치는 것 외에 개인적인 의견에 대해 함부로 '하나님의 뜻'을 운운해서는 안 된다.

오래참음이라는 성령의 열매(갈 5:22)가 추상적이고 관념적인 것이 아니라, 교회생활에서 실제 나타나야 하는 것임을 모든 공동체가 늘 인식해야 한다(엡 4:2-3). 때로는 억울하거나 부당한 피해를 받는 일이 있더라도 그것을 참고 견디고 인내하는 예수님의 본을 받아야 한다(빌 2:1-11; 벧전 2:19-21; 4:14, 16; 엡 4:15). 때로는 "차라리 불의를 당하는 것이 낫지 아니하며 차라리 속는 것이 낫지 아니하냐?"는 바울의 가르침을 생각하며(고전 6:7), 참고 인내하는 태도가 모두에게 필요하다(마 5:40).

4) 성도의 교제의 중요성

평소 성도의 교제가 중요하다. 그런데 성도의 교제가 무엇인지에 대한 오해가 있다. 함께 대화하거나 어떤 프로그램을 하거나 체육 행사를 하는 것이 성도의 교제라는 오해다. 하지만 성경이 가르치는 성도의 교제란 하나의 신앙고백을 갖고, 같은 믿음 안에서(엡 4:5) 한마음과 한뜻이 되어(행 2:46; 4:32; 고전 1:10; 빌 2:2), 한목소리로 한 분 하나님을 경배하며(롬 15:6), 서로 문안하고(롬 16:16; 고전 16:20; 고후 13:11; 벧전 5:14), 돌아보고(고전 12:25;

히 10:24), 살피고, 서로의 삶을 나누고, 말씀으로 상호 간에 권면하고(골 3:16; 살전 5:11; 히 3:13; 10:24; 롬 15:14), 격려하고(히 10:24), 위로하고(살전 4:18), 서로 용납하고(골 3:13; 엡 4:2), 용서하고(엡 4:32; 골 3:13), 서로 존경하고(롬 12:10), 친절하고(엡 4:32), 서로 대접하고 섬기고(벧전 4:9-10), 서로 화목하고(살전 5:13), 서로 사랑하고(벧전 1:22; 4:8; 요일 3:18; 4:7, 11), 그 가운데 즐거워하는 자들과 함께 즐거워하고 슬퍼하는 자들과 함께 슬퍼하고(롬 12:15), 어려움 혹은 질병 가운데 있는 이를 위로하고 기도하며(고전 12:26; 약 5:16), 연약한 형제를 권면하고 이끌어 주며, 서로 짐을 지는 것이다(갈 6:2). 이러한 일이 평소에 교회 안에서 풍성하게 일어날 때 갈등은 미연에 예방할 수 있다.

5) 교회의 성결과 화평에 힘써야

갈등을 예방하기 위해서는 한두 사람이 아니라 모두가 노력해야 한다. 모든 세례 교인은 세례를 받거나 입교할 때 "교회의 관할과 치리에 복종하고 성결과 화평을 이루도록 노력하기로 서약합니까?"라는 질문에 "예"라고 대답했다.

삼위 하나님의 이름으로 행한 서약이다. 그러므로 이를 어기는 것은 제3계명을 어기는 것임을 잘 기억하고 교회의 화평을 위해 힘써야 한다.

6) 교회 지도자들은 더욱 그리해야 한다

교회의 리더에 해당하는 목사와 장로는 더욱 그리해야 한다. 안타깝게도 오늘날 교회의 갈등과 분쟁은 당회에서 시작되는 경우가 많다. 당회에서 시작된 갈등과 분쟁은 다른 어떤 것보다 해결하기 어렵다는 점에서 당회원 모두는 화평을 위해 힘써야 한다.

회의나 정책보다 중요한 것은 당회원의 화합이다. 목사와 장로, 장로와 장로는 서로 간에 대립하거나 갈등할 대상이 아니라 함께 협력하여 주님의 교회를 다스려야 할 치리자들임을 기억해야 한다. "할 수 있거든 너희로서는 모든 사람과 더불어 화목하라"(롬 12:18).

4. 해결법

1) 갈등이 일어나면

앞서 언급한 예방법에도 불구하고 갈등이 일어났을 때는 그것이 분쟁으로 이어지지 않도록 하루속히 해결해야 한다. 분쟁상황이 되면 해결하기가 쉽지 않기 때문이다. 무엇보다 양 당사자들은 감정의 골이 깊어지고 결국 성경의 가르침보다는 타락한 본성에 따라 행동할 가능성이 높기 때문이다.

2) 교인과 교인이 갈등할 때

교인과 교인이 갈등할 때, 당회는 치리회로서의 합당한 역할을 해야 한다. 교회헌법 정치 제9장 교회 치리회 제95조(치리회의 권한)에는 "각 치리회는 교회의 질서와 성결과 평화를 유지하기 위하여 헌법과 교회 규례에 따라 행정과 권징을 행사하고 필요한 때에는 헌법에 근거하여 자체 규칙을 제정할 수 있다"라고 되어 있다. 그러므로 당회는 교회 내 갈등 조정자의 역할을 해야 한다. 이를 위해 당회는 평소에 교인들의 신뢰를 얻어야 하고 편파적이라는 오해를 받지 않도록 노력해야 한다. 앞서 언급한 것처럼 당회가 모범이 되어 갈등의 유발자가 되는 일이 없어야 한다.

당회가 해결하지 못할 경우 신앙고백과 교회헌법에 정한 절차를 따라 노회와 총회가 단계적으로 해결한다. 노회와 총회 역시 치리회로서 교회헌법이 말하는 노회의 직무 중에는 "교회의 거룩성과 화평을 위한 개체교회 시찰"이 있고, 총회의 직무 중에는 "교회의 분쟁을 수습하고, 화평과 성결의 덕을 증진 유도한다"라는 내용이 있다. 더 넓은 장로회로서의 노회와 총회의 존재 목적은 교회를 잘 세우기 위함이다.

3) 목사의 문제로 갈등할 때

담임목사의 문제로 교회 갈등이 일어날 때가 있다. 교회개혁실천연대(공동대표 김종미·남오성·임왕성)가 2023년 한 해 동안 상담한 결과를 발표했는데 교회 분쟁을 유발하는 직분 중 위임목사가 69.1%로 가장 높은 것으로 드러났다. 원로목사 직분까지 더하면 73%에 달했다. 단순 수치만으로 평가할 수는 없다. 목사는 그만큼 교회에서 중요한 직분이기에 갈등의 원인이 아니라 할지라도 갈등을 둘러싼 중요 주체일 수 있기 때문이다. 특히 목회를 열심히 하더라도 시행착오와 실수를 할 수 있고 본인의 열심과는 무관하게 교인들의 기대에 못 미칠 수 있다. 또한 지도적 위치에 있기에 모든 책임을 목사에게 물으려는 경향성도 무시할 수 없다. 그럴 때, 가장 나쁜 방법은 신속하게 목양 관계를 깨뜨리는 것이다. 물론 범죄가 있거나 더이상 목회하기가 어려울 때는 상황이 다르겠지만 중대한 이유 없이 그렇게 해서는 안 된다.

J. A. 핫지가 쓴 유명한 책 '교회정치문답조례'의 제660문답은 "사소한 이유로 인하여 목양 관계를 해제할 수 있는가?"라는 질문에 대해 "담임목사와 교인 사이의 목양 관계는 중대한 이유 없이 경솔하고 조급하게 깨뜨려서는 안 된다. 목사와 교인 간의 목양 관계는 영구적인 것으로 목사의 선한 영향력은 해를 거듭할수록 더해진다. 불화가 있을 경우 무엇보다 오랫동안 인내해야 한다"라고 설명한다. 지금 당장은 관계가 어렵고 불화가 있더라도 서로 간에 참고 인내함으로 관계를 회복하기 위해 힘써야 한다.

목사도 연약한 성도의 한사람으로서 계속해서 말씀과 성령으로 자라가는 사람이기에 비록 지금 현재는 부족해도 날이 갈수록 성숙할 수 있으니 목사가 교인에 대해 참고 인내하듯 교회도 목사에 대해 참고 인내할 필요가 있다. 만약 도무지 해결하기 어려운 심각한 상황의 경우, 노회는 정의와 공의와 공평에 따라 해결하려고 노력해야 하며 무엇보다 주님의 교회를 든든히 세우는 방향으로 힘써야 한다.

4) 인간적인 방식은 피해야

우리는 하나님의 주권과 하나님의 섭리를 믿고 따르는 신자로서 교회 내 갈등과 분쟁을 인간적인 방식이나 세상적인 방식으로 해결하려고 해서는 안 된다. 반드시 성경과 신앙고백, 교회헌법에서 말하고 있는 대로 공적인 절차를 따라 해야 한다. 그렇지 않은 방법은 아무리 합리적이고 빠른 방법이라 하더라도 하나님 앞에서 죄다.

* *

갈등과 분열의 시대. 이런 시대 교회는 이 세대를 본받아서는 안 된다(롬 12:2). 교회는 세상 앞에서 갈등 없는 공동체 혹 있더라도 슬기롭게 극복하는 공동체로서의 모범을 보여야 한다. 갈등 유발자가 아니라 갈등 조정자여야 한다.

우리가 믿는 복음은 다툼과 분쟁과 갈등의 복음이 아니라 화평과 화해, 용서의 복음이다. 우리가 세워야 할 교회는 서로 사랑하는 공동체다(참조. 고전 1:10; 행 10:36). 그리스도인은 형제자매 관계요(행 15:23; 고전 6:5-8; 골 4:7, 9), 교회는 가족 공동체다. 그렇기에 다툼의 대상이 아니라 사랑의 대상이다. 서로 용납하고 아껴주고 이해하는 관계다. 교회는 세상에 참된 복음을 드러내기 위해 존재하지 서로 싸우고 분쟁을 일삼기 위해 존재하지 않는다.

신자가 분쟁해야 할 대상은 교인이 아니라 죄다. 우리 안에 있는 죄성과 분쟁해야 하며 우리의 더러운 욕망과 다퉈야 한다. 우리는 교회에서 싸울 것이 아니라 세상에서 싸워야 한다. 교회는 믿음의 '선한' 싸움을 '세상을 향해' 하는 공동체이지 믿음의 '더러운' 싸움을 '형제'를 향해 하는 공동체가 아니다.

"예물을 제단에 드리려다가 거기서 네 형제에게 원망들을 만한 일이 있는 것이 생각나거든 예물을 제단 앞에 두고 먼저 가서 형제와 화목하고 그 후에 와서 예물을 드리라 너를 고발하는 자와 함께 길에 있을 때에 급히 사화하라"(마 5:23-25)는 말씀에 따르면 갈등하고 분쟁하는 교회의 예배를 하나님께서 받지 않으실지 모른다. 칼뱅은 '합당한 예배의 시작은 화해'라고 했다.

주일학교 학생들에게 "미움 다툼 시기 질투 버리고 우리 서로 사랑해"라고 가르치면서 정작 어른들은 교회 갈등의 당사자가 되고 있지는 않은가? 분쟁으로 얼룩진 교회는 하나님의 영광을 가리며 그분을 즐거워하지 못한다(참조. 소요리 1문답). 교회 내 갈등과 분쟁은 교회에 사랑이 없음을 불신자들 앞에 폭로시켜 전도의 문을 막는 범죄다.

"서로 사랑하라. 너희가 서로 사랑하면 이로써 모든 사람이 너희가 내 제자인 줄 알리라"(요 13:34-35).

"온 율법은 네 이웃 사랑하기를 네 자신 같이 하라 하신 한 말씀에서 이루어졌나니 만일 서로 물고 먹으면 피차 멸망할까 조심하라"(갈 5:14-15).

교회의 불편한 진실

성희찬 목사

1. 목회자 은퇴를 둘러싼 불편한 진실

　불편한 진실이란 많은 사람이 암묵적으로 동의하지만 대놓고 말하기는 꺼려지는 것들, 사실이라고 해도 공개적으로 언급하면 비난받을 가능성이 있는 사실을 가리킨다. 비슷한 뜻으로 공공연한 비밀이 있다. 간단히 말해 무언가의 '사실'이 있는데 그 사실을 듣고 아는 사람들이 불쾌해하며 쉬쉬하면 그 '사실'은 불편한 진실이다. 대다수 사람은 불편한 사실에 대해 외면하고 금기시하는 방식으로 대처한다. 그런데 불편한 진실이라 해서 덮어두고 쉬쉬하기만 한다면 당장에야 아무 문제가 없는 것처럼 보이겠지만 나중에 가서는 도저히 해결할 수 없을 정도로 곪아 터져 분열과 불신, 심할 경우 해당 공동체의 멸망을 초래할 수도 있다. 암을 초기에 치료하지 못하면 나중에 시한부 인생 선고를 받는 것과 동일한 이치다.

지금 우리 교회 안에는 어떤 불편한 진실이 있을까? 언제부터인가 금기시되고 쉬쉬하고 넘어가곤 했던 목회자 은퇴 예우를 둘러싼 여러 잡음과 갈등, 이제는 어렵지 않게 맞닥뜨리는 사실이 된 것, 이것이 우리의 불편한 진실, 공공연한 비밀이 아닐까.

이 문제는 어느덧 한국교회 안에서 민감한 뇌관이 되었다고 해도 과언이 아니다. 몇몇 교회에서는 불편한 진실을 넘어 뇌관이 되어 폭탄 터지듯이 교회 한복판을 터뜨리고 있다. 여기저기 교회마다 목회자 은퇴 예우 문제로 갈등이 폭발하거나 숨어 있다. 이 폭탄을 터뜨리지 않고 무사히 은퇴하는 목회자가 과연 있을까 생각이 들 정도다. 목사은퇴식에 참여해 보면 사람들이 갖는 관심은 은퇴하는 목사가 은퇴 예우를 어떤 정도로 받았으며 이를 결정하는 과정에서 혹시 폭탄은 터지지 않았는지 등에 있다.

목사에게 은퇴란 본래 어떤 것일까? 디모데후서 4장 6-8절에서 바울 사도가 직분자로서 주님과 주님의 교회를 위한 봉사를 회고하며 지나온 삶의 의미를 고백했다. 완료형 동사를 사용하여 직분자로서 삶이 완성되고 목표를 이루고 종착지에 도달했다고 말했다. 싸웠다! 마쳤다! 지켰다! 목사의 은퇴가 바로 이러한 승리를 고백하는 시간이 되어야 하지 않을까.

그런데 목회자의 은퇴가 언제부터인가 한국교회의 뇌관으로 불릴 만큼 심각한 교회 문제로 대두됐다. 노회나 총회도 이를 해결할 마땅한 대안이 없기에 여기저기 교회에서 터지는 연쇄 폭발을 그냥 지켜만 볼 뿐 바리케이드도 치지 못하는 형편이다. 오랫동안 쌓여온 목사와 교인 사이의 목양적 관계가 하루아침에 파국으로 끝나기도 하고 교인들이 서로 갈라지고 심하면 교회가 분열되기도 한다.

이런 과정에서 일부 목회자가 교회를 사유화했다는 말도 들려온다. 여기서 '교회의 사유화'란 교회 재산이나 교인을 자기 개인소유처럼 사용하여 예배당이나 교인을 포함한 교회를 매매하는 것을 말한다.

지금 한국교회에 목회자 은퇴 예우를 둘러싸고 도대체 어떤 일이 일어나고 있는 것일까? 여기에 어떤 문제가 있고 또 이를 어떻게 해결하는 것이 바람직할까?

2. 현실

지금 우리 사회는 초고령사회로 진입함과 동시에 수많은 목회자의 은퇴를 예상하고 있다. 교회가 한창 성장할 때 세워진 많은 목회자, 베이비붐 세대의 은퇴가 시작됐다. 문제는 한국교회 절반가량이 미자립교회이고 다수 교회가 교인 수 100명 미만의 작은 교회라는 점이다. 작고 평범한 대다수 교회는 적정한 목회자의 은퇴 예우를 해드리기 힘든 것이 현실이다. 이로 인한 목회자의 생계 문제야말로 목회자 은퇴의 '뇌관'이라 부를 만하지만 마땅한 대안이 없다.

은퇴 예우를 기준으로 은퇴 목회자와 교회 사이에 벌어지는 현실을 몇 가지로 나누어 생각할 수 있다. 적정한 은퇴 예우를 해드릴 형편이 충분하고 목회자와 교인 모두 이에 만족하는 교회가 있다면 이는 가장 이상적일 것이다. 사실 이런 교회는 그리 많지 않다. 또 미자립교회라 하더라도 부족한 은퇴 예우를 목회자가 이를 수용하고 만족하면 당장에 교회 갈등은 없을지라도 여전히 은퇴하는 목회자의 복지 문제는 해결되지 않고 그대로 남아 있다. 적정한 은퇴 예우를 할 형편에 있다고 하더라도 목회자의 요구와 원만히 조정이 되지 않거나 목회자가 과욕을 부리면 이 또한 갈등의 원인이 될 수 있다.

적지 않은 미자립교회가 목회자 은퇴 예우와 관련해서 원하지 않게 다음을 선택하기도 한다. 첫째, 후임 목사에게 권리금처럼 요구하여 받는 경우다. 자신의 은퇴 예우를 어느 정도 할 수 있는 후임 목사를 찾는 것이다. 둘째, 목회를 접고 교회를 파산하는 경우다. 교회의 부족한 재정 상태로 인하여 목회자 개인의 생계를 위하여 스스로 목회를 그만두고 교회에 속한 저축예금이나 건물 보증금 등을 처분하여 스스로 은퇴 자금을 마련하는 경우이다. 이를 위해 교단 탈퇴도 감행하고 교인도 쫓아낸다. 셋째, 타 교회와 합병하여 해결하는 경우다. 넷째, 노골적으로 교회매매를 통해 해결하는 경우다. 이 문제를 대하는 상당수 목회자가 이런 현상에 대해 옳고 그름의 문제보다 서로 눈치만 보고 있다. 그분들의 딱한 사정을 알기 때문이고 혹시라도 자신의 문제가 될 수 있기 때문이다. 어떤 이들은 자신들의 상황에 비하면 큰 교회의 목회자들은 말도 안 되는 금액을 은퇴 보수나 예우로 받는 것을 손가락질함으로써 애써 자기 합리화를 하기도 한다.

이런 현실을 두고 과연 교회를 사유화했다고 목회자만을 탓할 수 있을까? 물론 이들에게도 책임이 없다고 할 수 없을 것이다.

3. 도대체 어디에 근본적으로 문제가 있는가

1) 인구 및 교인 감소, 미자립교회의 열악한 재정 상황

근본적으로 목회자 은퇴 예우에 어려움을 겪는 이유는 인구 및 교인 감소와 함께 한국교회 절반가량이 미자립교회이고 다수 교회가 교인 수 100명 미만의 소형교회이기 때문이다. 이들 교회는 적정한 은퇴 예우를 해드리기 힘든 것이 현실이다. '목회와 신학' 잡지가 25주년을 맞아 시행한(2014년) 조사를 보면 한국교회 목회자 10명 중 6.7명에서 8.7명이 최저생계비에 미치지 못하는 것으로 나타났다. 현재 약 2,100개 교회가 속한 예장 고신교회를 구체적으로 사례로 들어보자. 예장 고신에 속한 교회들의 사정도 이 통계의 범주에서 크게 벗어나지 않는다. 예장 고신의 2020년 교세통계를 보면 세례교인 30명 미만 교회 숫자는 전체 2,100개여 교회 중에서 939개였다. 2021년 교세통계를 보면 년 결산 총액이 3,500만 원 미만의 교회 숫자는 763개였다. 이 자료를 참고할 때 예장 고신의 2,100개 교회 중에서 절반 이상 교회는 미자립교회로서 목회자 적정한 은퇴 예우를 해드릴 형편이 되지 못한다. 이런 교회들은 매월 목회자 생활비를 드리는 것도 버겁게 여길 것이다.

2) 목회자의 은퇴 예우에 대한 현 시스템의 책임 문제

위에서 본 구체적인 통계를 볼 때 예장 고신의 경우 작은 교회들이 적정한 목회 은퇴 예우를 해드린다는 것은 상상하기 어렵다. 이를 방치할 때 목회자 은퇴 예우 문제는 교회에서 언제든지 폭탄으로 터질 수 있는 뇌관이 될 수 있다. 그런데도 현실은 목회자의 은퇴 문제를 목회자 개인의 책임으로 과중하게 돌리고 있다. 현재 예장 고신의 목회자 은급재단 가입율을 보면(2022년 기준) 목사 4,163명 중 절반을 약간 넘은 2,121명이 가입한 상태다. 은급재단 대신에 다른 개인연금제도를 이용하는 분들도 있을 것이다. 그러나 이것도 일부이다. 목회자의 은퇴 문제를 목회자 개인의 책임으로 돌리는 것은 문제의 소지가 있다. 목회자라는 이유로 목회자 개인에게만 무조건적 희생을 요구하는 것도 옳지 않다. 또 개 교회에 책임을 돌리는 것도 바람직하지 않다. 이로 인해 작은 교회 목회자의 노후는 고통스러우며 교회와의 갈등이 생길 수 있음을 인지하고 공교회적 차원의 지원 시스템을 마련해야 한다.

3) 목회자 개인의 과욕

은퇴 예우를 두고 목회자가 과욕을 부려서 평생 쌓아온 존경과 신뢰를 잃어버리는 경우를 본다. 목회자는 은퇴가 마지막 설교라고 생각해야 한다. 마지막 설교를 삶으로 보여 주는 것이 은퇴라고 생각해야 한다. 입으로 설교하기는 쉽다. 은퇴함으로 마지막 설교를 하고 떠나야 한다.

4. 무엇을 어떻게 해결할 것인가

목회자 은퇴 예우를 두고 교회에 미칠 위기, 어떻게 대처해야 할까?

1) 목회자 자신이 먼저 공교회적 자세를 가져야 한다

내가 개척했으니 내가 수고했으니 내 뜻대로 내 마음대로 내 교회 내 교인을 처분할 수 있다는 생각은 옳지 않다. 교인과 예배당을 내 소유인 양 매매하고 이를 위해 교단까지 탈퇴하는 것은 공교회적인 자세가 아니다. 교회 사유화는 공교회적인 생각이 희미해지면 얼마든지 일어남을 명심해야 한다. 평소에 교인을 내 교인이라고 여기고 은혜의 방편인 설교와 세례와 성찬, 기도를 목회자 자기의 뜻과 목적을 위해 잘못 사용하고 사유화하는 일을 해서는 안 된다.

2) 공교회적 대안을 제시해야 한다

주일마다 고백하는 사도신경의 한 대목 "나는 성령을 믿으며 거룩한 공교회와 성도가 서로 교통하는 것"을 기억하자. 교회는 그리스도의 몸 된 지체로서 한 성령 안에서 하나 되었으며 각기 서로 다른 지체로서 감당한 역할이 다르고 처한 상황이 다를 수는 있어도 모두 하나다.

공교회성은 교회의 중요한 속성이다. 진심으로 사도신경을 우리의 신앙고백으로 고백한다면 목회자 은퇴로 말미암아 작은 교회들이 겪고 있는 어려움을 서로 돌보아 살펴야만 한다. 목회자 생활비도 해결하지 못하는 미자립교회, 미자립교회가 아니더라도 적정한 은퇴 예우를 해드릴 수 없는 교회들이 처한 경제적 어려움, 불평등, 구조적인 문제들이 산적한데 이를 개인과 개교회가 스스로 해결하라는 것은 무책임한 행동이다. 벼랑 끝에 몰려 당장이라도 떨어질 것 같은 사람에게 "그건 스스로 해야 할 일이니, 알아서 해결해!"라고 말한다면 그 사람을 내 손으로 직접 밀지 않을 뿐이지 떨어지도록 내 버려두는 행위와도 같다.

큰 교회가 작은 교회를 돕는 일회성 이벤트가 아니라 근본적인 변화를 도모할 수 있는 새로운 접근이어야 한다. 예를 들면 교단마다 노회를 중심으로 우선 소속 모든 목회자의 은급재단 가입 여부를 전수조사해서 경제 형편이 되지 못해서 가입하지 못한 이들을 선별하여 매월 내는 납입금을 대신 내주는 방안을 적극적으로 검토해야 한다. 혹은 경제적인 이유로 은급 가입을 할 수 없는 목회자들을 위해 총회 은급재단을 중심으로 은퇴 목회자의 복지를 위한 기금조성을 할 수 있으면 좋겠다. 은퇴 후 주거나 의료비 지원 문제도 고려해 볼 수 있을 것이다.

3) 총회는 은퇴 관련 기본원칙과 매뉴얼을 제시해야 한다

교회마다 은퇴 예우 문제를 두고 은퇴하는 목사와 교회가 절충을 하는데 지금껏 목사와 교인으로 서로 살다가 돈 문제로 거래 아닌 거래를 하기가 쉽지 않다. 교회마다 여건이 다르고 목사마다 사역 연수와 기여도 등 변수가 많기 때문이다. 그렇지만 기본적인 규칙이 정해져 있다면 이를 토대로 논의를 해볼 수 있을 것이다.

은퇴와 관련한 중재위원회를 노회 차원에서 구성하는 방안도 고려해야 한다. 당사자들이 직접 나설 것이 아니라 중재하는 사람이 있어서 합리적으로 이끌어 준다면 좀 더 합법적인 선에서 은퇴 과정이 이뤄질 수 있다. 은퇴를 처음 맞는 교회들이 많고 경험이 있다고 해도 시대의 변화로 인해 적용이 쉽지 않다. 은퇴를 목전에 두고 은퇴 준비를 시작한다면 너무 현실적으로 되어서 서로 불편하기만 하다.

* *

목회자들의 복지는 교회 성장의 사활을 좌우하는 문제이다. 이는 인구 및 교인 감소와 함께 교회 현실이 된 목사 후보생 수급과도 무관하지 않다. 고신교회는 지금 한 교회 한 신학생 보내기 운동에 주력하고 있다. 목사 은퇴 예우가 불확실한 현실에서 목회 후보생 발굴은 한계에 부닥칠 수 있음을 기억해야 한다. 이런 이유로 우리 모두의 기도와 관심, 근본적인 대책이 절실하다. 목회자의 은퇴에는 은퇴 예우의 문제만 있지 않다. 적정한 은퇴 예우 외에도 은퇴에 따르는 정서적, 심리적 문제, 재정 문제 등 다방 면에서 제도적 보호를 받을 수 있는 연구와 노력이 절실히 요청되고 있다.

2부

살리는 교회

교회의 공공성

문장환 목사

1. 교회의 공공성(公共性)이란

'살아나는 교회! 살리는 교회!' 교회가 살아나야 살리는 교회가 될 수도 있다. 코로나 팬데믹으로 정점으로 찍었던 교회의 위기는 실상 교회 정체성의 위기였다. 교회가 교회답게 존재하려면 그 정체성을 확립하는 일부터 해야 한다. 교회는 언약공동체, 세상에 속하지 않은 공동체, 이 땅에 존재하는 하나님 나라이기에 어떤 상황에서도 주눅 들지 않아야 한다. 앞선 글이 살아나는 교회에 중점을 두었다면 이 글은 살리는 교회에 중점을 둔다. 앞선 글이 하늘에 속한 영광스러운 교회를 다룬다면 이 글은 땅에 있는 선한 교회를 다룬다. 교회는 이것도 놓치지 말고 저것도 붙잡아야 한다.

21세기에 들어와서 우리 사회에서 가장 많이 사용하는 단어가

'공공성'이다. 교육의 공공성, 의료의 공공성, 방송의 공공성 등 이 단어를 사용하지 않은 곳이 없을 정도로 모든 분야에서 논의되는 개념이다. 공공성(公共性, publicity)은 한 개인이나 단체가 아닌 일반사회의 구성원 전체에 두루 관련되는 성질이다. 앞의 공(公)은 공식적인(official) 혹은 공적인(public) 이란 의미이고, 뒤의 공(共)은 공유하는(common) 이란 의미다. 그래서 공공성이란 한 개인이나 특정 단체를 뛰어넘어 일반사회의 대표적 기구가 공적 혹은 공식적으로 가지고 있는 성격이고, 일반사회 구성원 전체가 공유하는 성격이다. 이 단어를 교회에 적용한 것이 '교회의 공공성'인데, 교회(기독교)의 한계를 넘어서 사회나 국가나 시민들과 공유하는 것 그리고 그들과 맺고 있는 관계와 역할을 일컫는 말이다.

비슷한 용어로 '공동선'(共同善, the common good)은 모든 사람의 유익이나 이익을 말하는 것으로 사적인 선과 공적인 선의 조화를 모색하는 것이다. 남산은 혼자서 오를 수 있지만 에베레스트산은 함께 올라야 가능한 것처럼 이 개념은 특정인이나 단체를 배제하지 않고 모두에게 바람직해야 한다는 것이다. '교회의 공동선'은 하나님의 일반은총처럼 교회 담장을 넘어 일반인들의 유익과 이익을 추구해주고 사회나 국가의 선(the good)을 위하여 활동하는 것을 의미한다.

밀접한 용어는 '공적신학, 공공신학'(Public Theology)인데 기독교의 진리를 공적 언어로 표현하고, 공적 영역으로부터 신학적 통찰을 얻고, 공적 영역에 참여하는 신학적 담론이다. 공공신학은 크게 두 과업을 가지는데 기독교 진리를 세속화된 사회 속에서 그들의 언어로 풀어내는 것이고 또한 공공의 영역에 참여해 기독교적 견해를 제시하고 실행하는 것이다. 그래서 공공신학은 교회 바깥의 사람들에게 기독교의 신앙을 설명하고 설득하여 사회적 변혁에 영향력을 행사하는 신학이다.

유관한 용어로 '하나님의 선교'(Missio Dei)는 선교가 하나님의 성품에서 나와 세상을 향한 운동이라는 말이다. 교회는 선교의 도구이고 교회의 본질과 소명은 선교이다. 교회의 선교 참여는 인간을 향한 하나님의 샘 같은 사랑 운동에의 참여다. '선교적 교회'(Missional Church)는 교인들이 선교사로서 교회당 바깥에서 복음을 증거 하는 것을 격려하는 교회다. 그 외에도 '교회의 사회적 책임'이라는 용어는 보수적 교회의 공공성의 일면을 오래전부터 대변해 온 말이다. 반면에 참여신학, 흑인신학, 해방신학, 여성신학 등의 용어들은 급진적인 교회가 가지고 있는 공공성의 일면을 대변해왔다.

2. 교회의 공공성의 역사

인간은 이기심과 이타심이 공존하고 사익을 추구하면서도 공익을 의식하는 신비한 존재이다. 그러나 인류의 역사는 공동체의 연대성에서 개인의 개별성으로 이동하고 유대성이 허물어지고 고립이 심해지는 경향을 보여왔다. 계몽주의에 근거를 둔 상대주의 개인주의 이기주의 소비주의로 인해 세상은 끝없이 분열됐다. 그 결과 빈부격차, 차별, 불공정, 자원고갈, 생태계 파괴, 기후변화, 공동체 붕괴, 종교와 문화의 충돌, 인간 소외, 질병 팬데믹 등으로 인류의 생존 가능성에 심각한 의문을 가지게 됐다. 이런 상황에서 여러 분야의 전문가들이 인류가 평화롭게 공존할 수 있느냐의 질문에 답하고 또한 개인과 사회, 사익과 공익의 조화를 이루기 위해 연구해왔다. 고대에서 근대까지 세상의 철학은 사익과 공익의 조화를 강조하면서도 그 사이를 왔다 갔다 하는 형태를 취하여 왔다.

기독교의 전통에서 공공성은 최고의 선이신 하나님께 기반을 두는데 하나님의 창조와 다스림의 본래 목적이자 질서가 그것이다. 성경은 공공성을 위한 책이라고 말할 수 있다. 구약성경은 약육강식의 고대 근동 사회에서 이스라엘 공동체 구성원의 안전, 보존, 번영을 위하여 영적, 사회적, 법적, 물질적 차원에서 하나님이 역사하시는 것을 보여주고 또한 그것들이 세상의 모든 나라와 사람에게도 확장되는 미래를 조망하고 있다. 신약성경은 예수 그리스도의 오심은 그것들이 온 세상의 문화와 역사로 확장되는 출발점이 된다고 말하며 실제로 어떻게 확장되는지를 보여주고 있다. 교부 크리소스톰은 기독교의 가장 완벽한 규칙과 정확한 정의의 최고점은 바로 공동선의 추구라고 했다. 토마스 아퀴나스는 개인의 선함도 중요하지만 도시를 위한 선함의 획득과 보존은 더욱 위대하고 완전하다고 생각했다. 로욜라의 이냐시오가 설립한 예수회는 공동선을 실천하는 것에 집중했다.

누구보다도 교회의 공공성에 관심을 가진 사람은 칼빈인데 신학적으로 그리고 실천적으로 연구하고 실행했다. 그의 종교개혁 목표는 사람들이 하나님과 올바른 관계를 맺어 '개인적 영적 공동선'을 누리고 서로서로 올바른 관계를 맺어 '사회적 공동선'을 회복하여 하나님 나라의 공공성을 세우는 것이다. 교회는 이것을 구현하기 위한 하나님의 선물이다. 칼빈은 구별이 되지만 분리될 수 없는 교회의 공동선과 인류의 공동선이라는 신학 패러다임을 창출하였고 그 관계성을 규정하였고 또한 그것들을 제네바라는 도시에서 실행했다. 이러한 교회의 공동선의 개념은 프로테스탄트 교회의 공공성을 전반적으로 형성했다.

교회 공공성의 최근 연구는 '공공신학'의 이름으로 이루어졌는데 1974년 미국의 신학자 마틴 마티가 이 단어를 '시민 종교'와 구별하기 위해 사용했다. 마티는 국가적 도덕 가치 체계를 수립하려는 시민 종교와 달리 공적 주제들을 교회의 관점에서 비판하고 제안하려는 의미에서 공공신학을 제안했다. 이후에 데이비드 트레이시는 복음을 공공의 언어로 설명하려는 데에 초점을 맞추었다. 예를 들면 그는 인간의 깨어진 현실과 하나님의 고통을 드러내는 것이 십자가라는 기독교의 핵심적 진리가 기독교인에게만 통용되는 것이 아니라 공공성을 획득할 수 있는 것으로 생각했다. 비슷한 시기에 맥스 스택하우스는 기독교적 에토스를 기반으로 공적 분야에 목소리를 내기 위해 비기독교적인 전통이나 일반 학문과 대화를 해야 한다고 했다. 이러한 흐름은 '선교적 교회'에 대한 연구로 혹은 남아공이나 한국 등에서 공공신학이나 교회의 공공성 연구로 이어지고 있다.

3. 교회의 공공성의 필요성

1) 공공성은 시대적 요청이다

지금은 교회의 공공성 연구가 필요한 토양이 형성되었고, 긴박하게 요청이 되는 실정이다. 지금 시대는 상대주의 개인주의 소비주의라는 풍조로 자기 이익을 극대화하는 때다. 세상은 정보통신 기술의 발달로 마치 하나가 된 것 같고 사람 물질 지식 심지어 이벤트까지도 공유하는 것 같지만 실상은 점점 더 소원해지고 있다. 사람들이 거리낌 없이 자기 욕망을 좇아 전쟁의 신 마르스, 돈의 신 맘몬, 성애의 신 아프로디테를 탐닉한다. 그러는 중에 사람과 사회와 세상은 갈등 충돌 붕괴 왜곡 고갈 파괴 분리 차별 소외를 경험하면서 공영의 미래는 고사하고 과연 인류가 생존할 수 있느냐 하는 근본적인 의문에 빠졌다. 결국 이것은 개인과 공동체 그리고 사회와 세상이 어떻게 하면 공존 공영할 수 있느냐 하는 질문으로 이어지고 우리에게 공공성이라는 주제를 소환한다.

공공성이 대두됨으로 갈등 관계로 있었던 이념들이 상당한 타협점을 얻게 되었고 한계를 지녔던 사상들이 다분히 스스로 보완하는 계기가 됐다. 사익을 공익으로, 개별성을 공동체성으로, 분열성을 연대성으로 그 흐름을 변경시키는 공공성이지만 그렇다고 사익이나 개별성을 포기하는 것은 아니다. 사익과 공익의 조화, 개별성과 공동체성 혹은 연대성의 조화를 염두에 두고 있다. 공공성의 요청은 모든 영역에 적용되어 교육 문화 예술 스포츠 종교 기술 등에도 공공성을 위한 연대의 현상이 일어나고 있다. 당연히 교회에도 적용이 됐다. 예를 들면 보수적 교회의 개인적 신앙과 진보적 교회의 사회적 역할이라는 가치를 모두 간직하려는 노력이 교회의 공공성이라는 이름으로 요청된다.

2) 교회의 공공성은 사상-세계관적 응전이다

지금은 포스트-모더니즘 시대로 세속화와 다원주의가 그 특징이다. 사회나 문화가 기존 종교의 제도나 상징체계의 지배에서 벗어나고 다양한 세계관과 상징체계가 경쟁하면서 공존한다. 당연하게 어떤 세계관도 절대적인 것으로 받아들이지 않는다. 동시에 사람과 사회에 대한 종교의 영향력도 현저하게 약화 되었고 종교는 공공영역에서 퇴출이 되고 개인적인 영역으로 물러나는 사사화(私事化, privatization) 현상이 일어났다. 이제는 교회도 신앙을 사회에 연결 짓는 것보다는 사람을 행복하고 건강하게 만드는 치료요법적으로 사용하는 경향을 보인다. 공공의 영역에서 교회는 보이지 않는 존재가 되었고 게다가 세속화와 국가중심주의는 교회를 공공의 영역에서 밀어내고 있다. 그러나 교회는 시작부터 공익적 존재이고 공공의 이익을 명료화하고 실행하는 것을 지향한다. 하나님은 교회를 특정 사회 안에서 세우셨고 따라서 교회의 영성은 개인에만 머무는 것이 아니라 사회의 수준까지 나아간다. 더군다나 국가와 사회의 시스템이 제대로 작동하려면 개인과 대중 사이를 중재하고 연계하는 적절한 제도가 필요한데 교회는 그 역할을 가장 효율적으로 감당할 수 있는 조직이다. 그래서 교회는 사회의 중요한 자본이다. 이런 상황에서 교회는 다시 한번 공공성의 정체를 확인하고 공공의 참여에 대한 의식을 형성해야 한다.

3) 교회의 공공성은 교회적으로 필요하다

1990년 이후 한국교회의 양적 성장과 사회적 신뢰도가 계속 내림세를 보이는데 교회 공공성의 약화가 그 주된 원인이라고 종교사회학자들은 진단한다. 교회가 사회적 책임을 얼마큼 감당하느냐에 따라 교회에 대한 사회의 호불호(好不好)의 흐름이 달라진다. 교회의 공공성 수행 정도가 교회의 사회적 신뢰도와 평판에 결정적인 영향을 미친다. 그리고 교회의 신뢰도나 평판은 개인이나 개교회 전도의 열심과는 상관없이 기독교 전체의 증가나 감소를 결정하는데 사회의 현상 혹은 트렌드를 형성한다. 교회의 공공성 수행과 사회적 신뢰도 사이에는 시간적 차이가 있다. 마치 나무를 심고 후에 열매를 먹는 것과 같다. 교회의 공공성은 기독교의 산업 인프라와 같아서 한번 이루고 나면 상당 기간 성장과 발전을 가져오고, 한번 실패하고 나면 오랜 기간 쇠퇴를 가져온다.

다행히도 기독교 전래 초기부터 한국교회는 공공성을 많이 실천했다. 교회는 계급주의 사대주의 샤머니즘을 타파하고, 나라의 독립, 민족의 자유, 신분 철폐, 성평등, 약자를 향한 박애 등을 실천했다. 그래서 사회적 신뢰를 얻었고 꾸준한 성장세를 유지하면서 때로는 폭발적 부흥을 경험하기도 했다. 그러나 아쉽게도 반세기 전부터 한국교회는 공공성의 수행을 등한시했다. 외적으로 교회가 절정의 성장을 이룰 때였지만 공공성에 실패했다. 교회에 만연한 성속(聖俗)의 이분법적 사고방식, 내세주의, 기복주의, 성장주의, 신앙의 사사화(私事化), 개교회주의, 교파주의, 교권주의, 세습, 분쟁, 양극화, 불의에 대한 침묵, 사회적 책임의 부재, 연대의 거부, 소통의 소홀 등으로 공공성 수행에서 낙제했다. 교회는 이기적이고 폐쇄적이라는 이미지가 굳어졌고 사회적 신뢰를 상실한 채 쇠락의 길을 걷는 사회적 현상이 일어났고 지금은 가속화되는 형편이다. 이제는 다시 한번 교회 공공성을 회복할 때다. 한국교회는 미래에 향한 기회를 놓치지 말아야 한다.

4) 교회의 공공성은 개혁주의 신학의 놓칠 수 없는 주제이다

한국의 주류 교회가 공공성 연구와 실행의 기회를 상당 기간 잃어버렸지만 칼빈주의에 기반한 신학을 가졌기에 공공성에 관심을 가질 수밖에 없다. 칼빈주의의 중심 원칙은 우주론적 특성을 가지는데 포괄적인 삶의 원리로써 하나님의 전적인 주권을 인정하고 그 주권을 교회와 세상에 특히 세상의 공적 영역에 적용하는 것이다. 이 원칙을 신학적으로 계승하고 적용한 아브라함 카이퍼는 모든 삶의 영역들에 대한 삼위일체 하나님의 주권이라는 신학과 모든 영역을 아우르는 삶의 체계로서의 세계관을 주장한다. 그래서 하나님의 주권은 모든 시간, 장소, 존재, 영역, 관계에 적용된다. 이 세계관을 좁게는 개혁주의 넓게는 복음주의가 공유하고 있다. 기독교적 관점과 가치를 추구하는 이런 신학은 당연히 세상에 가장 좋은 결과를 가져올 것이다. 그래서 우리의 신학적 과제는 모든 영역에 특히 공공의 영역에 기독교적 이해와 대안을 제시하는 것이다. 더 나아가서 세상의 요구와 필요들을 신학적으로 해석하고 신학적 용어로 번역하고 교회에 소통하여 교회로 세상에 적절하게 반응하게 하는 것이다.

5) 교회의 공공성은 성경적 요구이다

'오직 성경'의 칼빈주의가 주장하는 교회의 공공성은 당연히 성경적 근거가 충분하다. 성경에 나타난 공공성은 창조에서부터 '우리'라고 부르시는 하나님의 모습에서 그리고 아담과 하와라는 복수의 인간 모습에서 기원한다. 그리고 이 주제는 구약의 신정국가인 이스라엘에서 본격적으로 출발한다. 12지파로 구성된 이스라엘은 언약공동체를 위해서 율법을 준수해야 했다. 율법은 공동체가 개인의 삶에 개입할 수 있음을 보여주었고 각종 절기와 제사 제도도 사적인 영역을 넘어서서 공적 영역에 속하여 공동체의 거룩한 정체성을 유지하게 했다. 선지자들의 외침은 공공을 위한 공적 외침이었고 실제로 공동선을 이루고 공의로운 사회 형성에 공헌했다. 그리고 이런 공공성은 이스라엘을 넘어서 온 세상으로 확장하는 소망을 가졌다.

신약에 들어와서 뚜렷하게 드러나는 '하나님 나라'라는 주제는 본질적으로 공적인 담론이다. 예수의 하나님 나라는 세상에 존재하는 교회이며 그 나라를 전하는 것은 사회적 책임을 수행하는 것을 포함한다. 세상을 하나님 나라로 변혁시키려는 목적을 가진 교회는 당연히 공공성을 가지고 있다. 복음서와 사도행전은 하나님 나라를 이 땅에 가지고 오신 예수님과 그것을 세우고 확장하는 교회를 소개하고 서신서는 구체적으로 교회가 그 공공성을 어떻게 행사하여야 하는가를 제시하고 계시록은 그것의 완성을 보여준다. 중요한 것은 교회가 변혁과 새 창조의 주체로서 자세와 전략을 갖추는 것이다. 이것이 성경이 말하는 교회의 공공성인데, 성경적 연구와 설교 나아가서 실천이 절실하게 필요한 영역이다.

4. 교회의 공공성을 실천하려면

1) 공공성을 향한 인식의 전환이 있어야 한다

사회에서 기독교인은 선한 시민이 되어야 하고 교회는 선한 기관이 되어야 하는 인식의 전환이 있어야 한다. 교회 공공성이 성경과 신학과 교회 역사와 전도와 선교에서 얼마나 요긴한 주제인지를 연구하고 공유해야 한다. 설교도 공공의 영역에 속한 주제들을 자주 다양하게 다루어야 하고 교인들이 공공 문제들을 논할 때 성경적 관점을 가지고 접근하도록 지도하여야 한다.

2) 교회는 지역 사회에 참여하고 소통해야 한다

교회는 단지 교세 증가를 위해서가 아니라 기독교적 가치를 실현하여 더 나은 사회를 이루기 위해 노력해야 한다. 이를 위해 재정을 투입하고 교회가 공공의 장소나 공간이 되는 것은 좋은 방법이다. 그리고 교회들이 협력하여 실행할 때 공공성은 더 지속적이고 광범위하게 영향을 미칠 것이다. 연합기관들도 자기들을 위한 활동들을 과감하게 정리하고 대사회적인 선행에 집중해야 한다. 그리고 지역사회의 건강한 유관 단체들과 소통하고 연대하는 것이 바람직하다.

3) 교회 공공성 연구 및 실행을 위한 전문기관을 세워야 한다

교회들은 자기 교회를 넘어서서 한국교회 전체를 위한 인프라를 만드는 일에 투자해야 한다. 교회의 공공성은 사회의 복잡함과 얽혀서 연구와 실행이 간단하지 않기에 하나의 교회가 감당하기에는 역부족인 경우가 많다. 그래서 총회와 노회 혹은 유관 단체는 전문기관을 세워야 하고, 교회들은 자신들의 미래를 위한 가장 소중한 사역으로 여기고 여기에 참여해야 한다.

4) 공공성의 실천은 오른손이 하는 것을 왼손이 모르도록 해야 한다

자랑하거나 떠벌리면 공공성의 수행과 결과가 미약하게 될 것이다. 그리고 내 시대가 아니라 다음 시대에 열릴 열매를 바라보며 인내해야 한다. 지금 우리의 기회와 역량을 교회 공공성에 쏟아붓는다면 다음세대가 달콤한 열매를 먹을 것이다. 지금은 눈물을 흘리며 씨를 뿌려야 한다.

교회의 개방성

황대우 목사

'교회의 이웃은 누구인가?' 이 질문을 우리는 종종 던지기도 하고 받기도 한다. 마치 이 질문은 어떤 율법 교사가 예수님께 찾아와 "내 이웃이 누구입니까?"라는 질문과 같다. 율법 교사의 질문에 예수님께서는 여리고로 내려가다가 강도를 만나 거의 죽게 된 사람의 이야기를 말씀하신 후에 "누가 강도 만난 자의 이웃이 되겠느냐?"고 반문하셨다. 교회는 자신의 이웃이 누구인지 알고 싶다면 자신이 누구의 이웃인지부터 알아야 한다. 세상에 속하지도 속할 수 없는 교회가 세상 속에 있는 이유는 교회가 불신자들의 이웃이기 때문일 것이다.

교회가 불신자들의 이웃이 아니거나 그들의 이웃이 되고 싶지 않다면 세상 속에 있을 이유가 없다. 신자가 세상의 빛과 소금인 것처럼 교회 역시 세상의 빛과 소금인 것은 당연하다. 그리스도인과 교회는 세상을 밝히는 등경 위의 등불이다. 세상을 밝게 비추고 싶지 않은 그리스도인과 교회는 짠맛을 잃은 소금처럼 자신의 정체성을 잃어버리고 방황하게 될 것이다. 지금 한국교회는 복음이 이 땅에 들어온 이후 사회적으로 세상과 아주 멀리 동떨어져 있는지도 모른다. 게다가 아주 멀어진 거리가 좁혀지기보다 더욱 멀어져 가고 있는 위기 상황이 아닐까?

이전에 효과적이었던 노방전도나 가가호호 방문전도를 교회가 지속하기 어려운 것은 그런 전통적인 방법이 지금은 역효과를 초래하는 경우가 잦기 때문이다. 지금 한국교회가 세상의 빛과 소금이기는커녕 마치 사회적 골칫덩어리로 취급되지는 않을까 심히 염려스럽다. 이단이긴 하지만 오래전 다미선교회 사건부터 최근 세월호 사건에 이르기까지 수많은 사회적 중범죄에 교회라는 이름이 직간접적으로 연루되었던 일들은 한국교회의 부끄러운 치부다. 또한 교회는 한국사회와 이웃으로부터 배타적이고 이기적인 집단이라는 평가에서 자유로울 수 없다.

물론 지상교회는 세상 속에 있지만 스스로 세상에 물들지 않는 거룩함을 유지하는 거룩한 구원기관이어야 한다. 하지만 그와 같은 거룩함이 교회를 세상과 담을 쌓도록 요구하는 것은 아니다. 교회가 세상에서 마치 외톨이처럼 독야청청한 것은 결코 교회다운 모습이 아니다. 교회가 세상에 물들지 않으려는 모습은 고결하지만 스스로 세상과 담을 쌓아야만 자신의 거룩함을 확보하거나 유지할 수 있는 것은 아니다. 교회는 세상을 등진 절이 아니다. 교회는 복음의 빛을 밝히기 위해서라도 세상으로 들어가야 한다. 교회는 세상의 이웃이다. 필요한 도움을 제공하는 것이 이웃이다. 교회는 세상의 이웃이 되어야 한다.

1. 교회는 세상의 이웃이고, 교회의 이웃은 세상이다

칼빈은 그리스도인이라면 누구나 반드시 '우주의 인류를 위해'(pro universo genere humano) 기도해야 한다고 강조한다. 우리가 전도와 선교 사역을 위하여 불신자들이 회개하도록 기도를 하긴 해도 그들을 우리 마음에 따뜻하게 품고 사랑으로 기도하는 것은 아니다. 그 이유는 우리가 교회 밖에 있는 사람들을 우리 그리스도인과 무관한 존재들로 생각하기 때문일 것이다. 우리는 공간적으로 교회 안과 밖을 이원화하는 경향이 있다. 즉 교회 안을 하나님의 영역으로, 교회 밖을 마귀의 영역으로 구분하는 데 익숙하다. 이런 이원론적 사고 때문에 교회 안의 일만 거룩하고 교회 밖의 일은 세속적이라고 오해하는 교인들이 많다.

이원론적 사고에 익숙한 교인은 교회 안의 일만 열심히 하면 하나님께서 기뻐하실 것이라 믿고 산다. 거룩한 영역과 세속적인 영역으로 구분하는 이원론적 사고는 그리스도인이 사랑해야 할 대상이란 오직 하나님과 다른 교인뿐이라고 가르치기 때문이다. 따라서 교회 밖에 있는 사람들 즉 세상 사람들은 사랑의 대상이 아니라 사단에게 사로잡힌 자들로서 미움의 대상일 뿐이다. 이런 사고에 젖은 교인들에게 칼빈의 권면은 충격적일 것이다. "우리의 사랑은 가치 없는 자들을 향해 지속적으로 스스로 확대해 가야 한다." 이 권면은 "모든 사람을 위하여 간구와 기도와 도고와 감사를 하되…"(딤전 2:1)라는 성경구절에 대한 칼빈의 해석이다.

칼빈은 교회 밖에 있는 세상 사람들도 우리 그리스도인이 사랑해야 할 대상이라고 강변한다. 이런 주장에 대해 교인 대부분은 '왜 우리가 우리와 아무 관계가 없는 불신자들의 구원에 관하여 관심을 가져야 하는가? 형제들인 우리가 형제들을 위해 서로 기도하고 또한 하나님의 온 교회를 하나님께 맡기는 것으로 충분하지 않는가?'라고 반문할지 모른다. 이 반문에 대해 칼빈은 이렇게 반박한다. "바울은 이런 잘못된 견해에 반대하여 에베소 사람들에게 그들의 기도에 죽어 없어질 모든 사람을 포함시키고 이들이 교회의 몸에 가까워지는 것을 제한하지 말라고 명령한다."

칼빈에 따르면 불신자들의 구원은 전적으로 하나님의 뜻과 손에 달린 문제이긴 하지만 신자라면 반드시 불신자들의 구원을 위해 기도해야 한다는 것이다. 왜 그럴까? 그것은 신자뿐만 아니라 불신자까지도 온 인류가 기독교 사랑의 대상이기 때문이다. 따라서 불신자는 모든 신자가 관심을 갖고 사랑해야 할 사랑의 대상이다. 우리 그리스도인은 사랑받을만한 가치가 전혀 없어 보이는 불신자에게조차 사랑을 베풀어야 한다. 그 이유를 칼빈은 이렇게 설명한다. "왜냐하면 하나님께서 모든 사람이 구원받는 것을 원하시기 때문이다." 즉 "하나님께서 지상의 어떤 백성이나 신분도 구원으로부터 제외하지 않으시기" 때문이다. 그렇다면 우리 그리스도인이 기도해야 하고 사랑해야 하는 대상에서 제외될 수 있는 사람은 아무도 없다.

심지어 지금 교회를 박해하고 복음을 훼방하는 자라고 할지라도 복음전도의 대상에서는 결코 제외될 수 없다. 그러므로 우리는 교회 밖의 불신자들과 감옥의 흉악범죄자들뿐만 아니라 심지어 이단자나 페미니스트, 동성애자조차도 복음전도의 대상에서 제외하지 말아야 한다. 물론 이런 이론을 말하기는 쉬워도 실천하기는 매우 어렵다. 그렇다 해도 누군가를 전도대상에서 제외한다면 이것은 어리석고 인간적인 편견의 결과일 뿐이다. 바울 사도의 가르침과 같이 하나님은 모든 사람이 동일하게 구원에 참여할 자격이 있는 것으로 인정하신다.

교회 밖에 있는 모든 불신자는 우리 그리스도인들이 따뜻한 마음으로 품고 사랑해야 할 대상이다. 우리는 그들이 복음을 진심으로 받아들일 때까지 또한 그러지 않을지라도 주님께서 다시 오실 그날까지 인내하면서 그들을 품고 사랑해야 한다. 왜 그래야만 하는가? 칼빈은 그 이유를 '모든 인간이 하나님의 형상'이라는 사실에서 찾았다. 창조주 하나님은 한 분이시고, 모든 인간은 그 하나님의 형상으로 지음 받은 형제들이지만 불행하게도 인간의 타락으로 그 형제 관계가 깨어져 버렸다는 것이다. 그렇다면 타락의 영향으로 세상이 교회의 이웃은 아니어도 교회가 세상의 이웃이라는 사실은 변함없다.

칼빈의 주장한다. "세상은 하나님으로부터 매우 멀리 떨어졌으며 모든 사람이 하나님의 나라에서 추방당할 만했고 그분과 어떤 교류도 없었다. 이런 이유 때문에 우리는 율법 시대에 그분이 한 백성을 선택하셨고 그들을 인도하시기 위해 자신의 날개 아래 그들을 모으셨으며 나머지 세상은 혼란 가운데 내버려 두셨다. 하지만 비록 사람이 하나님과 완전히 분리되어 있었음에도 불구하고 그들 모두는 자연히 그분께 속해 있다. 그리고 그분이 그들 모두를 만드신 것과 같이 그렇게 그분은 또한 그들을 다스리시고 그분의 덕과 위대한 선하심으로 그들을 지켜주신다."

칼빈의 주장은 이어진다. "사람들이 타락을 향해 가는 것을 우리가 볼 때 비록 그들이 불신자들이고 또한 하나님께서 복음을 믿는 믿음 안에서 그들을 우리와 결합하실 만큼의 은혜를 그들에게 베푸셨던 것은 아니지만 그럼에도 불구하고 우리는 그들을 불쌍하게 여기고 할 수 있는 대로 열심히 그들을 바른길로 인도하기 위해 노력해야 한다. 왜냐하면 하나님께서 모든 사람을 만드셨기 때문이고 우리 사이에는 어느 정도의 형제애가 있어야 하기 때문이다. 사실 믿음 안에서 우리에게 동의하지 않는 자들은 마치 우리의 적이며 이들과 우리 사이의 거리는 아주 먼 것 같지만 그럼에도 불구하고 자연 질서가 우리에게 보여주는 것은 우리가 그들을 완전히 버리지 말아야 하며 그들이 다시 한 몸에 연합할 수 있도록 우리가 가능한 한 고통을 감내해야 한다는 것이다. 왜냐하면 그들은 마치 잘려나간 지체들과 같기 때문이다."

칼빈은 교회 밖의 불신자들을 '잘려나간 지체들' 즉 하나님의 한 가족으로 간주한다. 그러므로 '형제애'를 가지고 그들을 대해야 한다는 것이다. 현실적으로 불신자들이 우리 신자의 적이라는 사실을 칼빈도 인정한다. 그럼에도 불구하고 신자는 불신 이웃이 교회를 적대해도 결코 이웃인 그들을 포기하지 말아야 하고 또한 그들이 우리와 함께 '한 몸' 즉 하나님의 백성이 되는 그날까지 최대한 참고 인내할 줄도 알아야 한다는 것이다. 신자의 눈에는 불신자들이 머리카락을 서게 만드는 '괴물'로 보일 수도 있다. 하지만 신자든 불신자든 우리 모두가 '하나의 동일한 본질' 즉 하나님의 형상이라는 사실을 부정할 수는 없다.

2. 교회는 불신 이웃에게 가장 필요한 복음의 등불이다

불신자들을 향해 형제애 정신을 발휘하는 신자를 하나님께서 기뻐하시지 않을 이유가 없다. 칼빈은 설명한다. "그러므로 이제 우리가 가여운 불신자들이 구원의 길에서 벗어나 길을 잃고 방황하는 것을 볼 때 그들을 불쌍히 여겨야 하고 그들을 돕기 위해 열심히 노력해야 하며 우리의 손을 그들에게 뻗어야 한다." 전도와 선교는 그리스도의 지상명령이다. 그리스도인이라면 누구나 전도와 선교에 열심을 내어야 한다. 전도와 선교의 대상은 당연히 교회 밖에 있는 세상 사람들 즉 그리스도를 모르는 불신자들이다. 이들은 교회의 도움이 가장 절실한 교회의 이웃이다.

칼빈은 지적한다. "자신들의 이웃을 구원의 길로 인도하려는 마음이 전혀 없는 모든 자들 또한 가여운 불신자들을 인도할 마음은 없고 오히려 멸망하도록 내버려 두는 자들은 하나님께 영예를 돌리기는커녕 그분의 제국의 권능을 최대한 약화시키며 그분이 온 세상을 다스리시지 못하도록 제한하기를 원한다." 그뿐만 아니라 "그들은 우리 주 예수 그리스도의 죽음과 고난의 도를 부분적으로 어둡게 만들고 하나님 아버지께서 그분께 주신 위엄을 감소시킨다"라고 말한다. 한마디로 불신자 전도에 전혀 관심이 없는 자들은 하나님 나라 건설의 방해물과 걸림돌이다.

그리스도의 지상명령 "모든 민족을 제자로 삼아라!"는 말씀은 그리스도인과 지상교회의 가장 중요한 사명이다. 복음전도 없이는 지상교회도 없다. 복음전도는 복음 선포나 설교와 다르지 않다. 자신이 믿는 그리스도를 다른 사람에게 소개하는 간증도 전도이자 설교다. 참된 복음을 전하는 사명은 모든 그리스도인, 모든 교회의 존재 이유와 목적이기도 하다. 복음을 받아들이느냐 그렇지않느냐 하는 문제의 책임은 복음을 전하는 자에게 있는 것이 아니라 듣는 자에게 있다. 복음을 받아들이지 않는 자에게는 발의 먼지를 털어버리는 것으로 충분하다.

세상의 변화는 복음으로 일어난다. 복음이 심겨지고 물이 공급되는 곳에서 나무는 자라고 열매가 맺힌다. 이 복음의 열매가 곧 성령의 열매다. 성령의 열매는 우리 그리스도인을 통해 맺히기 시작하여 평생 시들지 않고 마치 단단한 알곡처럼 여물어져 가고 익어간다. 교회는 이웃 세상에 가장 요긴하고 필요한 복음 즉 영생의 진리를 제공할 수 있고 제공해야 한다. 교회가 세상의 이웃이라면 세상의 필요를 채워주어야 한다. 정작 그 이웃인 세상은 복음이 얼마나 값진 보물인지 모른다. 따라서 복음을 전할 때 주님보다 값진 보물이 없다는 것을 이웃이 깨닫도록 먼저 성령 하나님의 도우심을 구해야 한다. 전도는 우리의 힘으로 이루어지지 않는다.

3. 교회는 불신 이웃을 돕는 진정한 이웃이 되어야 한다

불신 세상이 없다면 사실상 신자를 불러 모으는 지상교회도 필요 없다. 불신 세상이 존재하는 한 지상교회의 사명은 지속된다. 교회의 이웃인 세상은 정작 교회를 이웃으로 받아들이지도 인정하지도 않을지 모른다. 교회 주변을 돌아보라. 교회 주변의 불신 이웃이 교회를 환영하는가? 환영받지 못하고 있다면 교회는 왜 그런지 고민해야 한다. 교회가 세상에 속한 존재는 아니지만 세상에 적응할 필요는 있다. 적응은 세속화라는 변질과 다르다. 이러한 사실은 "내가 여러 사람에게 여러 모습이 된 것은 아무쪼록 몇 사람이라도 구원하고자 함"이라고 고백하는 바울의 가르침을 통해서 충분히 알 수 있다.

교회는 철저하게 그 지역의 교회가 되어야 한다. 그 지역의 이웃이 되지 않는 교회는 지상교회로서의 사명을 제대로 감당하기 어렵다. 교회가 그 지역 불신자들의 진정한 이웃이 되기 위해서는 먼저 그리스도를 머리로 모셔야 한다. 교회의 머리이신 그리스도는 만왕의 왕이시지만 섬기시는 왕이시다. 그리스도는 자신의 몸이자 신부인 교회 즉 우리 죄인들로 구성된 지상교회를 아끼고 사랑하신다. 이처럼 섬기시는 왕을 머리로 모신 교회 역시 불신 이웃에게 그리스도의 사랑을 베풀어야 하지 않을까?

교회는 교회의 방식으로만 불신 이웃에게 이웃이 되고자 하지 않아야 한다. 오히려 교회는 강도에게 모든 것을 빼앗기고 피투성이가 된 사람을 도와준 사마라아인과 같은 이웃이 되어야 한다. 이웃이 원하는 방법, 이웃에게 필요한 방법으로 이웃을 도와야 한다. 교회가 불신 이웃에게 복음을 전하는 일은 예수님께서 제자들을 보내실 때 말씀하신 것처럼 때론 뱀처럼 지혜로울 필요가 있다. 비둘기처럼 순결한 복음을 뱀처럼 지혜롭게 전하는 것은 반드시 세상의 효과적인 방법을 동원해야 한다는 의미가 아니다.

불신 이웃에게 교회가 복음을 전하기 위해서는 가장 먼저 교회의 문턱을 낮추어야 한다. 교회는 누구에게나 열린 공간이어야 한다. 도둑이나 강도가 무서워서 교회 문을 걸어 잠그는 것은 생각해볼 문제다. 물론 오늘날 수많은 범죄의 가능성에 노출된 도시교회가 24시간 문을 열어 놓는 일은 결코 쉽지 않다. 사전에 범죄가 발생하지 않도록 반드시 최선의 방책을 먼저 마련할 필요가 있다. 만일 안전만 확보된다면 특정 공간을 24시간 공개 장소로 개방하지 못할 이유는 없다. 만인이 기도하는 장소로서의 교회당을 회복하는 것은 필수적이다.

교회가 불신 이웃이나 신자들의 불신 형제들에게 진정한 이웃이 되는 좋은 방법으로는 불신 이웃의 결혼식과 장례식 등에 참여하는 것을 들 수 있다. 교회가 축하 화환, 축의금이나 부의금을 보내는 것도 좋고 직접 참석하여 축하하는 것도 좋다. 불신 이웃의 기쁨과 슬

품에 동참한다면 최소한 교회는 불신 이웃으로부터 손가락질받는 일은 확실히 줄어들 것이다. 장소로 교회당을 개방하는 것뿐만 아니라 대사회적인 선행과 봉사에 교회는 적극적으로 동참해야 한다. 주차장 개방은 물론이고 쉼터나 독서카페로 장소를 제공하는 것도 교회의 개방을 위해 생각해볼 만하다. 이런 배려와 봉사 베풂은 매우 성가시고 힘들지만 반드시 필요하다.

불신 이웃에게 교회 행사 때 교회 나오라고 강요하는 일보다 먼저 그들에게 필요한 것을 공급하고 환한 미소로 그들을 따뜻하게 환대하는 것이 지혜로운 복음전도가 아닐까? 비록 가장 가까운 불신 이웃이 적개심으로 대할지라도 교회는 지속적으로 그들을 따뜻하게 환대할 뿐만 아니라 가식 없이 순수한 마음으로 필요한 도움을 제공하는 좋은 이웃이 되어야 한다.

장로교회의 정치원리

문장환 목사

정치하면 무슨 생각이 드는가? 치졸하고 낯짝 두꺼운 사람들의 난장판을 보면서 다들 신물이 난다고 한다. '정치에 관심이 있는가?' 하고 물으면 대부분이 정치에 관심이 없다는 듯이 말한다. 그러나 굉장한 관심이 있다. 그래서 뉴스나 토론에서 항상 제일 먼저 다루어지는 게 정치문제다. 왜 그런가? 그것은 정치가 우리의 삶에 엄청난 영향을 미치기 때문이다. 자기 역할을 제대로 하지 못하는 정부가 지배하는 곳에 가보면, 좋은 정부가 평소 국민에게 제공하는 각양 좋은 것들이 얼마나 감사한 것인지를 알 수 있다. 정치는 우리의 매일매일 삶의 질에 큰 차이를 만들어 낸다.

교회의 정치도 마찬가지다. 자기 역할을 잘하는 교회정치는 하나님의 백성이 그리스도인의 삶을 잘 살도록 도움을 주지만 반대로 하나님이 교회에 요구하시는 것에 부합하지 않는 정치는 그리스도인의 삶에 상처를 낸다. 그래서 우리는 교회정치에 대하여 알아야 한다. 그 지식은 우리로 교회를 더 잘 섬기게 하고, 열매 맺는 교인이 되게 하여 교회의 머리 되신 그리스도께 영광을 돌릴 것이다.

안타깝게도 최근에는 교회가 정치에 대하여 무관심하게 됐다. 교회정치에 대한 교인들의 지식과 이해가 낮아졌고, 학자들이나 목회자들의 연구와 개선 및 적용의 노력이 현저하게 약화 됐다. 기독교의 전반적인 약화도 그 원인이 되지만 교회 내 교인들의 개인주의나 교회들의 자급자족주의에서 나오는 제도에 대한 거부와 권위에 대한 불신이 더 큰 원인이다.

또 하나의 문제는 교회정치가 변질하고 있다는 것이다. 장로교회이면서도 교권주의 권위주의 계층화 그리고 집단주의로 감독교회화 되거나, 정반대로 개교회주의나 독립교회주의로 회중교회화 되고 있다. 이런 상황 가운데서 우리가 속한 장로교 정치의 역사와 근본을 이해하는 게 중요하다. 또한 장로교 정치의 특성들과 원리들을 이해하고 적극적으로 적용할 여지를 찾아보는 것은 많은 유익이 된다.

1. 장로교 정치의 역사와 근본

교회는 일반적으로 감독정치, 회중정치 장로정치라는 3가지 정치 형태가 있다. 감독제란 가톨릭교, 성공회, 감리교가 따르는 중앙집권식 정치 형태인데, 상회와 하회가 있고, 교회 직분에도 계급적 차이를 두고, 지역 교회의 평등성과 자율성을 인정하지 않고, 독재적 성격을 띠고 있는 제도이다. 회중제는 정반대의 정치 형태로 회중교회나 침례교가 따르는 제도인데 지역 교회의 독립성과 자율성을 강조하고, 교회 간 그리고 교회 내 직분의 평등을 강조하며, 치리회를 반대하고 개교회주의를 지향한다.

장로제는 회중이 선출한 장로가 교회를 치리하는 대의정치 형태인데, 교회의 독립성 평등성 자율성을 추구하면서도 그리스도의 몸이라는 점에서 교회들의 연합을 강조한다. 장로교인 우리는 장로정치가 성경에 합당하다고 믿지만 그렇다고 다른 형태의 정치를 부정하는 게 아니다. 또한 장로정치 자체도 교회의 질서나 구조에 있어서 획일적이지 않고 시대와 장소에 따라서 다양하게 발전하는 것을 인정한다.

장로교는 구약에는 100회 이상, 신약에는 60회 이상 나오는 '장로'라는 명칭에서 유래하였는데 그 단어는 연장자 손윗사람이라는 의미를 갖고 있다. 구약시대에 이미 장로회의 모습들을 볼 수가 있고, 신약시대의 초기 교회들에서 장로제의 교회를 볼 수가 있다. 그런데 중세기에 들어서는 로마 가톨릭의 감독제가 되었다가, 종교개혁자들이 장로제를 회복하고 발전시켰다. 칼빈은 성경에 나오는 초대교회의 신앙과 정치제도를 발전시키는 게 종교개혁의 길이라고 확신하면서 평신도들의 대표와 성직자의 대표가 당회를 만들어 교회의 일을 대의적으로 그리고 민주적으로 처리하였는데 이를 장로제도라 했다. 스코틀랜드의 존 낙스는 칼빈이 주장한 교회정치제도를 수용하여 장로교가 뿌리내리게 했다. 유럽의 개혁교회, 영국과 영연방국의 장로교회, 미국의 연합장로교회, 한국장로교회 등이 역사적 전통을 이어오고 있다.

장로교는 신학적 전통도 가지고 있는데 초대교회의 사도적 신학, 성경적 원리, 하나님의 절대주권, 언약 신학 등을 신학적 근저로 삼는다. 이러한 초대교회의 신학적 전통이 종교개혁 시대에 재발견되어서 후대에 장로교 전통과 정체성의 중심이 되고 장로교의 모든 신조와 신앙고백에 담기었다.

장로교는 교회정치가 교회의 창립과 일치해야 한다고 주장한다. 교회는 인간의 재능이나 결단의 결과가 아니다. 교회를 세울 만큼 능력이 있는 사람이 없고, 교회는 오직 삼위일체 하나님으로만 말미암는다. 교회는 그리스도께서 성령으로 하나님의 택하신 백성을 불러 모으심으로 발생한다. 그래서 참된 교회는 신랑이고 목자이신 그리스도의 음성을 듣고 순종해야 한다. 교회정치는 특별한 교직자의 일도 아니고 신자 전체나 다수의 일도 아니다. 오직 그리스도께서 다스리고 교직과 회중은 교회를 섬기는 기관일 뿐이다.

교회는 예배와 교회정치에 관한 그리스도의 법을 성경에서 받는다. 교회정치는 인간의 전제적인 방식이나 혹은 민주주의적인 방식을 통해서가 아니라 오로지 성경을 통해서 행해져야 한다. 성경은 교회가 적용할 수 있는 원리들의 형태로 교회정치를 우리에게 주고 있다. 비록 성경이 분명하게 지시하지 않은 세부 상황들이 많이 있지만 성경의 원리에 의해 충분하게 지도를 받을 수 있다. 또한 어느 정도 자유롭게 적용되어야 하는 세부적 상황들에는 고린도전서 14장 40절이 제시하는 건덕(edification) 그리고 품위와 질서(decency and orderliness)가 기준이 된다. 장로교회는 자신의 정치가 가장 성경적 원리에서 온 것임을 확신하고 또한 더욱 성경적 원리에 부합하도록 노력한다고 확신한다.

2. 당회의 대의정치의 원리

장로정치의 특징적 원리는 무엇보다도 당회에 의한 대의정치이다. 주권이 교황이나 감독에 있는 게 아니라 교인들에게 있는 민주정치이지만 그 주권의 행사는 주권자인 교인들에 의해 선출된 장로들의 치리회(당회)에 의해 시행되는 대의정치이다. 로마교회의 교황이 로마 황제를 임명할 정도로 막강한 신적 통치권을 가지고 있을 때조차도 칼빈은 회중에 의해 선택된 장로들이 교회를 다스려야 한다고 주장했다. 장로정치에서는 주권이 교인들에게 있다. 이것은 양보할 수 없는 천부적 권리이다. 이 주권의 의미는 교회권을 행사하는 권한을 말하는 게 아니라 교회 치리권의 시원(始原)이 되는 기본적 행사를 말한다. 곧 교회의 주인이라는 말이 아니라 교회권의 행사가 기본적으로 교인들에게서 출발한다는 것이다. 그리고 교회권의 행사는 치리회인 당회에 있다. 당회는 노회로부터 파송 받아 위임된 목사(가르치는 장로)와 교인들이 선택한 장로(다스리는 장로)들로 구성되어 교회를 주관하는 교회권과 치리권을 행사한다. 따라서 당회는 장로정치의 근간이 된다. 교인들의 주권에 의해서 당회가 구성되고 법적인 권세가 주어진다.

이렇게 장로정치는 한두 사람이 아니라 회의체가 지배하는 시스템을 만들었는데 개인이 교권을 남용할 수 없는 회의체를 통해서 교회권과 치리권이 행사되도록 한다. 당회는 목사와 복수의 장로들이, 노회는 목사들과 교회 파송의 장로들이, 총회는 동수의 목사들과 장로들이 모여서 함께 추론하고 논의하고 설득하고 절충하고 합의하여 결론을 내린다. 이렇게 함으로 개인의 지배를 막고 연대적 지배를 가능하게 한다. 이것은 어떤 사람도 교회권과 치리권을 완전히 맡을만한 자격을 가지지 못하고, 여러 사람의 양심적 검증을 거치는 것이 한 사람의 판단보다 낫기 때문이다.

그런데 연대적 지배가 파당적 지배가 되지 않도록 조심해야 한다. 그리스도인들이 함께 모여 생각과 양심을 나누면 성령의 인도를 받을 가능성이 훨씬 커지지만 서로에게 묶여있는 파당적 사람들의 생각과 양심은 특정 사람에 의해서 지배된다. 이렇게 되면 장로정치의 가장 큰 이점과 중요한 원리를 잃어버린다. 장로정치의 꽃은 회의이다. 교회의 모든 일은 회의를 통해서 결정하는 게 가장 장로교다운 모습이다. 모든 부서와 기관은 반드시 절차를 지킨 회의를 통해서 결정해야 한다. 장로정치는 회의를 사랑해야 하고 회의를 잘 진행해야 한다.

3. 평등성의 원리

장로정치의 두 번째 원리는 평등성인데 교회 간의 평등, 교직자 간의 평등, 장로들 간의 평등, 기본교권과 치리 교권의 평등 등을 포함한다. 첫째는 교회들이 평등하기에 개별교회가 다른 교회의 지배를 받지 않고 자율성을 갖는다. 교직자의 청빙, 예배 순서, 교회의 구조, 재정 등에 관한 일체 권한을 개별교회에 둔다. 예를 들어서 칼빈은 회중에 의해 회중의 합의에 따라 목사를 세워야 한다고 주장했다. 다만 회중의 경솔함이나 무질서로 공동의회가 잘못되지 않도록 다른 교회의 목사가 투표 진행을 하도록 권했다. 그래서 교권주의자나 세속통치자의 횡포나 전횡을 막고자 했다.

교회의 자율성은 존중되어야 한다. 요즈음은 '상회'(上會)라는 말을 사용함으로 노회나 총회에 개체교회가 무조건 복종해야 한다고 생각하게 만드는데 상회라는 용어를 사용하는 게 합당한지 생각해 볼 필요가 있다. 이런 종류의 생각은 장로교회를 감독교회화 하는 것이고, 헌법 정치 원리에 나오는 교회의 자유를 부정하는 것이다. 그러므로 노회나 총회가 개체교회와 관련된 문제를 다룰 경우에는 교회의 자유를 침해하는 것은 아닌지 조심스럽게 살펴야 한다. 노회와 총회는 교회의 자유를 존중해 주고, 교회는 노회와 총회를 동의와 협력의 정신으로 함께 하여야 한다.

둘째는 교직자들이 평등하기에 교직자 안에 신분적 서열이 없다. 예를 들어서 감독정치를 채택한 곳에서는 조제, 신부 혹은 사제, 주교 혹은 감독 등으로 나누어 계급화한다. 이것은 평등한 지위에서 직무를 분할 하는 게 아니라 하나의 계급적 구조 속에서 종속 지배하는 관계를 형성시킨다. 그러나 장로정치에서 모든 교직자를 목사라는 하나의 타이틀로 부른다. 교회 내의 역할이나 과정에 따라 강도사 전도사가 있고 부목사라고 부르긴 하지만 정식 교직자로서는 모두가 평등한 목사가 있을 뿐이다. 부목사도 한 사람의 목사로 가르치는 장로이다. 그렇다면 교회는 부목사를 가르치는 장로로 알아 가르침을 존중하면서 받아야 하고 하나님이 택하여 세우신 목회자로 알아 그들의 목양을 달갑게 받아야 한다. 또한 담임목사도 자기 목회를 도와주는 사람으로 알기보다는 동역자로 알아 협력하고 더 나아가 그들의 목회가 성공하도록 도와주어야 한다. 또한 지도자로 맡은 부서를 책임지고 목양하도록 도와주어야 한다.

셋째는 장로들 간의 평등인데 특히 가르치는 장로(목사)와 다스리는 장로의 평등이다. 먼저는 장로들 사이에 우열이 없다는 것이다. 개별교회의 당회 운영에서도 그 어떤 권한의 차이가 없고 동등한 권한을 갖는다. 그러기에 '수(首)장로'라는 단어는 평등성의 원리에 위배 되는 말인데 꼭 거기에 합당한 단어를 찾자면 '선임장로' 정도가 좋을 것이지만 이마저도 조심스럽게 사용해야 한다.

또한 가르치는 장로와 다스리는 장로 사이에도 계급상 우열이 없다는 것이다. 가르치는 장로와 다스리는 장로는 직무상 기능의 차이일 뿐인데 전자는 하나님의 말씀을 가지고 설교하는 강도권에 기초한 치리에 더 힘쓴다면 후자는 그 말씀을 기반으로 하는 목양권과 행정권에 기초한 섬김에 더 힘쓴다. 다만 그 일의 특성상 차이점들이 나타나는데 예를 들면, 목사는 그 사역을 맡기 전에 신학교육의 신임장을 소유해야 하지만 다스리는 장로는 그것을 요구받지 않는다. 더불어서 목사는 직업 자체가 교직자이지만 장로는 그렇지는 않기에 교회 일에 관여하는 정도는 현격히 차이가 난다. 위치적으로 장로는 교인들의 대표이지만 목사는 교회의 대표이다. 그러다 보니 자연스럽게 교회의 일들을 이끌어가는 사람은 목사일 수밖에 없다.

그래서 장로의 평등성의 원리가 기계적으로 적용될 것이 아니라 서로 간의 존중으로 아름답게 적용되어야 한다. 그러기 위해서 장로는 목사의 가르침을 두고 기도하면서 교회에 적용하려고 하고 목사는 장로의 의견이 목회 기도의 제목이 되게 하면서 목회에 반영해야 한다.

넷째는 평신도의 기본교권과 장로의 치리교권의 평등이다. 평신도의 기본적인 교권을 인정하지 않는 감독정치는 성직자가 막강한 권세를 행사하게 되는데 이것으로 인해 성직자들은 부패하고 평신도는 억압당하기 쉽다. 반면에 회중정치는 평신도의 권세가 막강해져서 무정부상태를 초래한다. 또한 성직자는 평신도의 비위나 맞추는, 사람의 종노릇을 하게 되어서 진리의 수호자로 역할을 제대로 할 수 없게 된다. 장로정치는 기본교권과 치리교권을 동등하게 둠으로 한편으로는 성직자의 독재를, 다른 한편으로는 회중들의 무질서한 타락을 막을 수 있다.

기본교권에 바탕을 둔 양심의 자유와 치리교권에 바탕을 둔 교회의 자유는 평등하게 존중받아야 한다. 기본교권과 치리교권이 동등한 것처럼 양심의 자유도 교회의 자유도 그 권리를 동등하게 하여서 서로 건강하게 견제하고 서로 존중하고 보호하고 육성하는 관계여야 한다. 곧 치리교권을 가진 교직자는 평신도의 양심의 자유와 기본권을 보호하고 육성해야 하고 기본교권을 가진 평신도는 교회의 자유와 치리교권을 약화시키지 않도록 노력해야 한다. 각자의 권리들을 서로가 존중하고 지켜주고 실현한다면 교회는 건강하고 행복할 것이다.

4. 연합성의 원리

장로정치의 세 번째 원리는 연합성인데 당회, 노회, 총회라는 3심제의 치리회를 통해 그리스도의 몸 된 교회의 연합을 강조한다. 연합성의 근간이 되는 3심제의 치리회는 교인이나 교회 직원의 권리가 침해당했을 때 충분한 재판을 받을 수 있는 권리를 보장해 준다. 3심제는 당회의 치리에 불복하면 노회에서 재판받을 수 있고 그것마저 불복하면 총회에 다시 한번 재판을 요구할 수 있다. 이것은 어떤 인간이라도 다른 사람을 완전하게 파악하고 판단할 자격이 없고 타락과 오류에서 벗어나지 못한다는 성경적 인간관에서 나온 것이다. 이런 과정을 통하여 교회 내적으로는 불화의 원인을 제거하고 외적으로는 다른 치리회들과 연합을 이룬다. 교회는 어떤 일을 결정할 때 언제든지 오류를 범할 수 있는 인간의 나약성을 극복하는 단계적 절차를 가지고 있어야 한다.

또한 장로정치는 노회와 총회의 구성 과정을 통해서도 교회의 연합성을 이루려고 한다. 먼저 노회는 노회원 목사와 각 교회가 파송한 장로들로 구성되고 총회는 각 노회에서 동수로 파송된 목사와 장로로 구성되어서 목사들만의 지배를 경계하고 연합과 일치를 이루고자 한다. 그리고 어떤 회의든지 결정을 내리면 타 치리회와 동일한 결정이 되도록 하여서 일치를 추구한다. 노회의 결정이 모든 교회의 결정으로 받아들이게 하고 총회의 결정이 모든 노회나 교회에 구속력을 갖도록 함으로 일치를 추구한다. 그래서 개체교회는 노회와 총회의 결정을 성경에 거스르는 게 아닌 한에서 권위 있는 결정으로 받아들여야 한다. 그렇다고 각급 치리회들의 관계는 종속의 관계가 아니라 동의와 협력의 관계이다. 개체교회가 소위 '상급' 치리회의 통치를 용인하는 게 아니라, 오히려 노회나 총회의 결정이 성경과 일치한 결정인 것을 함께 고백하는 동의와 협력을 해야 한다.

5. 집사 직분의 원리

장로정치라는 이름에서부터 간과되고 있는 직분이 집사인데 이 직분을 빼고는 장로정치의 원리를 다 말했다고 할 수 없다. 목사와 장로를 제외하고는 지금 교회의 모든 직분은 집사라는 직분의 범주에 넣어서 생각해도 무방하다. 집사의 직분에 대한 올바른 이해는 교회를 주님의 교회가 되게 하는 데 필수이다. 초대교회의 집사는 가난하고 병든 사람을 도와주는 일을 위임받은 교회의 아주 중요한 공적인 직분이었다. 그들이 없었다면 교회는 제대로 작동할 수가 없었다. 그런데 중세기에는 집사를 예배 의식에서 사제를 돕는 조력자 혹은 사제가 되기 위한 도제로 전락시키고 말았다. 다행히 칼빈은 이 직분을 사도적 기원을 갖는 영광스러운 직분으로 회복하여서 교회의 핵심적 역할을 하게 하였다.

집사의 원래 역할은 교회의 경제적 재화가 교회의 모든 사람 가운데 고르게 흐르게 하는 것이었다. 지금은 경제적 재화만이 아니라 각종의 재화들이 교회의 운영, 전도와 선교의 실행, 사회의 선행 등에 잘 흐르게 하는 역할을 하여야 한다. 실제로 교회를 작동하고 세상에서도 활동하게 하는 집사는 장로정치에서 핵심 중 핵심의 직분으로 자리매김해야 한다. 집사는 교회가 교회로서 움직이도록 역할을 하는 그리스도의 교회에 영구한 할 것이다.

인간의 타락을 충분하게 고려하면서 교회의 본질적 사명에 집중하는 장로정치는 성경적 교회정치이다. 그러기에 당연히 효율적이고 합리적인 원리들을 담고 있을 수밖에 없다. 교회가 장로정치의 원리들을 잘 이해하여서 정치를 제대로 한다면, 교회는 당연히 교회의 본질적 목적에 충실할 것이고, 그 결과 그리스도의 통치를 이루게 될 것이다.

그리스도인의 정치참여

유해신 목사

"데모 하지 마라. 하나님께서는 국가에 복종하라고 하셨다. 기독교인이 정치에 참여하면 안 돼." 필자가 대학생이었을 때 출석하던 고신교회 목사님과 장로님들이 대학생들에게 하시던 말씀이었다. 1970년 80년대에 박정희 대통령과 전두환 장군/대통령의 독재에 대항하여 대학가에서 학생시위가 민주주의를 외칠 때, 대부분의 고신교회 목사님과 장로님들이 같은 말씀을 하셨다. 그런데 민주화 운동이나 정치에 참여하지 않고 정치 문제에 침묵하는 것도 사실은 정치 참여이다. 침묵하는 것은 당시 정권을 지지하는 정치 참여이다. 그 시절 대통령과 정부는 민주화를 주장하는 학생과 시민을 구속하고 감옥에 가두고 심한 고문을 했다. 1987년에는 대학생 박종철이 물고문으로 사망했다. 그래도 침묵하는 것은 살인방조죄이다. 물론 당시 80년 후반으로 가면서 학생운동이 사회주의화 되어 가고 폭력을 사용한 것은 그리스도인으로서는 받아들일 수 없는 일이다. 실은 모든 그리스도인은 이미 정치에 참여하고 있다. 대통령과 국회의원, 지방자치단체의 장과 의원 투표에 참여하는 것은 이미 정치에 참여하는 것이다. 우리는 정치에 생각 없이 참여하는 것이 아니라 하나님의 말씀에 따라 의도적으로 정치에 참여해야 한다.

1. 정치 참여의 성경적 근거

1) 하나님은 구약 백성에게 정치적 참여를 하라고 명령하셨다

예레미야 29장 7절은 말한다. "너희는 내가 사로잡혀 가게 한 그 성읍의 평안을 구하고 그를 위하여 여호와께 기도하라. 이는 그 성읍이 평안함으로 너희도 평안할 것임이라." 하나님은 그분의 백성을 바벨론으로 포로로 잡혀가게 하셨다. 바벨론 군대는 하나님의 백성을 잔인하게 학살하고 일부 사람들은 포로로 잡아갔다. 그 원수 같은 바벨론 나라의 평화를 위해 기도하라고 한다. 평안은 모든 것이 잘되는 것을 말한다. 번창하는 것을 말한다. 내가 사로잡혀 가게 한 그 도시 바벨론의 번창을 '구하라'는 것은 기도한다는 뜻도 되지만 '힘쓰고 노력하라'는 것이다. 그 도시의 번영을 위해 애쓰고 노력하라는 것이다. 그리고 기도하라. 이 명령에 따라 다니엘과 그 친구들은 바빌론 제국의 고위 공직자가 되어 제국의 일에 기여했다(단

9:1-3). 그는 기도할 뿐 아니라 공직자로서 정치에 참여했다. 바벨론을 위해 기도하고 노력해야 했던 이유는 바벨론이 번성하고 잘 될 때 그곳에 포로로 살고 있는 하나님의 백성도 잘되기 때문이다. 하나님의 백성은 싫든 좋든 바벨론 제국과 하나의 공동체가 되어 있다. 바벨론의 번성에 하나님 백성의 번성이 달려 있다.

그때 거짓 선지자들은 바벨론에서 2, 3년만 기다리면 본국으로 돌아갈 것이라고 말했다. 그래서 백성들이 그냥 시간 때우기 식으로 대충 살도록 유인했다. 그러나 하나님은 70년 동안 바벨론에 있어야 한다고 예레미야를 통해 분명히 말씀하셨다. 모든 생활을 정상적으로 하라고 하셨다. '결혼하여 가정을 이루라. 아이를 낳고 생육하고 번성하라. 그곳에서 집을 짓고 텃밭을 만들면서 정상적인 경제생활을 하라.' 그런 정상적인 삶 중의 하나로 '바벨론의 평화를 위해 기도하고 노력하라'고 하셨다. 그들 포로는 바벨론의 국민이 됐다.

바벨론에 살던 이스라엘 백성은 오늘날로 치면 교회이다. 바벨론은 오늘날로 치면 국가이다. 내가 속한 나라의 번성을 위해 노력하고 기도하라는 명령에는 우리나라의 정치에 참여하라는 뜻이 들어 있다. 그리스도인들에게 정치에 참여하는 것을 금하는 것은 거짓 선지자들이 한 것과 같은 결과를 낸다. 성도를 바벨론 땅으로부터 도피하여 게토 속에 살게 만드는 것과 같다.

2) 하나님은 신약 성도들에게도 정치 참여를 하도록 권하신다

디모데전서 2장 1-3절은 말한다. "모든 사람을 위하여 간구와 기도와 도고와 감사를 하되 임금들과 높은 지위에 있는 모든 사람을 위하여 하라. 이는 우리가 모든 경건과 단정함으로 고요하고 평안한 생활을 하려 함이라. 이것이 우리 구주 하나님 앞에 선하고 받으실 만한 것이라." 역시 국가의 번성을 위해 기도하라고 명령한다. 그리스도인이 사는 국가가 잘 될 때, 하나님의 백성이 평안하고 번성하게 된다. 모든 사람을 위해 기도하되 특별히 공직자를 위해 기도해야 한다. 그 목적은 교회와 성도가 안정된 가운데서 평안하고 번성하게 하기 위함이다. 우리 자신을 위해서 우리가 살고 있는 이 세상을 위해, 대한민국을 위해 기도해야 한다.

과거 초대교회의 일반 성도들은 공직자로서 국정에 참여할 신분은 아니었다. 그들이 할 수 있는 유일한 정치적 행동은 나라를 위해 기도하는 것이었다. 이제 참여 민주주의 시대에 우리는 이 나라를 위해 기도할 뿐 아니라 정치가 잘되도록 참여해야 하겠다.

2. 정치 참여를 위해 우리가 할 일

웨스트민스터 신앙고백서 23장 '국가 공직자' 부분은 정치 참여에 대해 잘 말하고 있다.

1) 하나님은 자신 밑에, 백성 위에 공직자를 세우심(고백서 23-1)

공직자는 제일 높은 존재가 아니다. 온 세상의 왕이신 삼위 하나님께서 공직자를 그분의 밑에 세웠다. 국가 권력은 하나님에게 나온다(롬 13:1). 공직자는 선한 자들을 보호하고 격려하고 악인들을 징벌하도록 권력을 주셨다. 공직자는 하나님이 세상을 통치하는 일을 대리하는 '사역자'(디아코노스. 롬 13:4)이다. 즉 종이다. 하나님의 종이므로 공직자는 권위가 있다. 하나님의 종이므로 공직자는 하나님의 권세 아래 있다. 대통령을 비롯한 모든 공직자는 자기 마음대로 권력을 행사할 수 없고 제한된다.

2) 신자가 공직자와 정치인이 되는 것은 정당함(고백서 23-2)

그리스도인이 공무원 시험을 치고 공직자로 봉사할 수 있다. 혹은 공직자 선거에 출마하여 정치 활동을 하는 것이 정당하다. 기존 정당을 통해 출마할 수 있을 것이다. 기독교인들이 함께 '기독교 정당'을 만들어 활동하는 것도 가능하다. 네덜란드 개혁교회나 캐나다 개혁교회 성도들은 성도들을 중심으로 기독교 정당을 만들어 활동한다. 국회의원을 배출하여 활동한다. 기독교인 공직자는 "건전한 법을 따라 특히 경건, 공의, 평화"를 유지해야 한다고 우리 고백서는 말한다(고백서 23-2).

3) 공직자의 권위에 복종하는 것은 신자의 의무(고백서 23-4)

우리 고백서는 말한다. "백성의 의무는 공직자를 위하여 기도하고 그들을 존경하고 세금과 여타 부과금을 바치고 그들의 합법적인 명령을 순종하며 양심상 그들의 권위에 복종하는 것이다."

4) 신자는 반드시 투표해야 하고 선한 정치인을 뽑아야 한다

우리는 고백서가 만들어지던 17세기 초보다 더 쉽고 넓게 정치에 참여할 수 있는 시대에 살고 있다. 민주주의가 발전되어서 투표를 통해 공직자를 선출하는 시대에 우리는 살고 있다. 혹시 기존 정당과 출마자들이 다 흡족하지 않을 수 있다. 그래도 그중에서 가장 정직하고 유능한 후보를 찾아 표를 주어야 한다.

5) 기독 시민은 기존 정당에 가입하여 활동할 수 있음

우리나라는 2022년에 6개 정당에 1,420억 원을 지급했다(대통령 선거와 지방선거 때문에 예년보다 많은 금액을 지급). 더불어민주당과 국민의힘은 각각 600억 이상의 지원을 받았다. 선거가 없던 2021년에는 462억이 지급됐다. 그 예산을 바르게 쓰는지 감시가 필요하다. 또 당내민주화가 잘 될 필요가 있다. 기독교인이 공익을 위한 목적으로 정당원이 되어 정당의 재정과 운영을 정직하게 만들 수 있다.

3. 정치 참여에서 주의할 일

기독 시민이 정치에 참여할 때 다음 몇 가지를 유의해야 할 것이다.

1) 떠도는 소문이 아니라 확실한 사실에 기초하여 판단해야 함

요즘 사실과는 다른 정보들이 너무 많이 흘러가고 있다. 기독교인은 사적으로나 공적으로 사실이 확인되지 않은 소문들을 전달해서는 안 된다. 확실하지 않은 내용을 전달하는 것은 "네 이웃을 해하려고 거짓 증거하지 말라"는 계명을 어기는 것이다. 정확한 사실을 알기 위해서는 노력이 필요하다. 가급적 권위 있는 신문을 한부 정도는 구독하여 시사 문제에 대한 상식을 키울 필요가 있다. 가능하다면 보수적인 신문과 진보적인 신문을 병행해 보면서 균형 있는 판단능력을 키워 갈 수 있다.

2) 흑백논리로 판단해서는 안 됨

나는 100% 옳고 당신은 100% 틀렸다는 식으로 흑백논리를 가져서는 안 된다. 정치적 견해에서 흑백논리가 통하지 않을 때가 많다. 내 의견이 아무리 옳아 보여도 대개 한쪽은 60%, 다른 쪽은 40% 정도 옳을 경우가 많다. 나의 정치적 판단이 확실해도 '내가 틀릴 수 있다'라는 것을 인정하며 겸손해야 하겠다. 그런 태도를 가질 때 토론을 통해 발전적 결론으로 함께 나갈 수 있다.

3) 인신공격을 하지 않아야 함

기독 시민은 정치적 이야기를 할 때도 인신공격을 하지 않도록 주의해야 한다. 자기와 정치적 견해가 다르다고 사람을 공격해서는 안 된다. 정치적 입장이 차이가 나는 사람도 하나님의 형상으로 창조된 사람이다. 나와 다른 사람을 존중하며 신사적으로 대화해야 하겠다. "아무 일에든지 다툼이나 허영으로 하지 말고 오직 겸손한 마음으로 각각 자기보다 남을 낫게 여기고"(빌 2:3). 이것은 정치 현장에서도 지켜져야 한다. 자기와 정치적 견해가 다른 사람도 전도의 대상이고 사랑의 대상이다.

4) 정치적 입장을 복음처럼 절대화해서는 안 됨

복음은 영원한 절대적 진리이다. 그러나 정치가 다루는 사안들은 영원한 진리가 아니다. 이 세상의 평화와 번영을 위한 것이다. 그런데 정치적 이야기를 하면서 복음을 말하듯이 말하는 것을 보면 끔찍한 생각이 든다. 특히 절대적 진리를 선포하는 목사들이 정치 이야기를 하면서 복음을 말하듯이 하는 것을 보면 두렵기조차 하다.

5) 국가와 정치에 지나치게 기대하지 말아야 함

국가나 정치는 죄인인 사람들을 도덕적으로 바꿀 힘이 없다. 국민의 탐심과 음란, 위선, 이기심 이것들을 공직자나 정치인들이 바꿀 능력이 없다. 공직자나 정치인 자신들도 그런 죄악에 빠져 있다. 사람의 변화는 오직 십자가의 은혜와 그 은혜를 믿는 믿음으로만 가능하다.

6) 교회나 교회연합체는 선거철 선거운동에 이용당하지 말아야 함

과거에 종종 있었던 일이다. 1987년 대통령 선거 직전에 김영삼 후보가 출석하던 충현교회 장로를 중심으로 조직된 나라사랑협의회가 전국 기독교인 중심으로 조직을 확장했다. 기독교인을 중심으로 김영삼 지지 선거운동을 했다. 선거철이 되면 출마자들이 교회와 교회 부서 연합회 등을 이용하려 합니다. 거기에 말려들면 교회와 하나님의 이름의 거룩함을 손상할 수 있다.

7) 목사는 하나님 나라를 위해 바쳐진 자로서 정치 활동에 제한이 있음

목사가 강단에서나 공적 모임에서 어느 정당이나 후보를 지지하는 발언을 하는 것은 있을 수 없는 일이다. 목사는 사석에서도 성도들에게 어느 후보나 정당을 지지하는지를 밝히지 않는 것이 지혜롭다. 다른 후보나 정당을 지지하는 성도에게 상처를 주어 복음 말씀을 수용하는데 거침돌이 된다. 목사는 "천국을 위하여 스스로 된 고자"(마 19:12)라고 할 수 있다. 하나님 나라의 유익을 위해 자기 생각을 표현하는 자유를 절제해야 한다.

8) 기독교의 이름으로 정당을 만드는 것은 시기상조임

우리나라에서 기독교의 이름으로 정당을 만드는 시도가 있는 것으로 안다. 그러나 신중해야 한다. 그 이유는 첫째, 기독교 정당을 만들면 불교나 다른 종교도 정당을 만들어서 종교간 갈등을 일으킬 위험이 있다. 둘째, 기독교 정당을 만들기 전에 먼저 다양한 분야에서 정책대안을 연구하여 축적할 필요가 있다. 먼저 정책연구소를 설립해야 한다. 기독교계에서 요즘 동성애 관련 정치적 주장을 강하게 하고 있다. 이 한 분야뿐 아니라 정치, 경제, 문화, 환경 등 다양한 분야에 대한 정책대안이 축적되어야 할 것이다.

9) 정치적 참여와 하나님의 구원의 은혜는 구별된 가치가 있음

칼빈은 국가와 정치가 아무리 문제가 있더라도 그 환경에서도 우리가 누리는 영적인 행복이 있음을 다음과 같이 말합니다. "이 지나가는 삶과 미래의 저 다가올 삶 사이를 구별할 줄 아는 사람이라면 누구든지 그리스도의 영적인 나라와 시민국가의 관할권이 서로 간에 전적으로 별개의 사안이라는 사실을 별 어려움 없이 이해하게 될 것이다. … 정치적인 속박이 있다고 하더라도 영적인 자유를 그 가운데서 최고로 누릴 수 있다는 것을 뜻하는 것이 아니고 무엇이겠는가?"(기독교강요 4.20.1). 이와 동시에 칼빈은 정치와 국가를 통한 하나님의 복에 대해서도 다음과 같이 강조합니다. "하나님의 뜻은 우리가 참된 본향을 갈망하면서 지상을 순례하는 데 있다. 이 순례의 길을 통하여 유익을 얻으려면 이러한 도움들(국가와 정치를 말함: 인용자)이 없어서는 안 된다. 그러므로 순례자에게서 그것들을 빼앗는 자들은 그들의 인간성을 탈취하는 것이나 다름이 없다"(기독교강요 4.20.2).

하나님께서는 우리를 사랑하셔서 이 세상에서 국가와 정치를 통해서 우리에게 신앙의 자유를 누리며 일상에서 평안을 누리도록 하셨다. 우리는 우리가 할 수 있는 대로 우리 정치적 참여를 해야 한다. 그러나 하나님은 영원한 천국을 이미 교회와 복음으로 맛보게 하셨다. 우리는 천국을 맛본 자로서 품위 있게 정치적 책임을 다할 수 있기 바란다.

21세기 목회의 나침반

안진출 목사

2024년 1월 17일 미국 새너제이 SAP 센터에서 삼성전자의 인공지능(AI) 스마트폰 '갤럭시 S24' 시리즈 언팩 행사가 열렸다. 실시간 통·번역과 같은 강력한 AI 기능을 전면에 내세운 갤럭시 S24 시리즈에 대해 주요 외신의 호평이 쏟아졌다. 이런 현상에 대한 어느 특파원이 기고한 칼럼에는 "이 같은 호평은 삼성이 AI 스마트폰 시대를 열었다는 점에 대한 인정일지언정 향후의 AI 경쟁에서 승리를 거둘 것이란 뜻은 아니다"라고 했다.

그는 계속해서 "최근 만난 실리콘밸리 1세대 창업자인 이종문 암벡스벤처그룹 회장은 '한국 엔지니어들은 이미 존재하는 기술을 정교하게 발전시키는 데는 특출나지만 완벽하게 새로운 것을 만들어 내진 못한다'라고 지적했다. 삼성도 마찬가지다"라는 주장을 실었다.

조금 다른 이야기이긴 하지만 이런 흐름이 21세기 목회의 현장에도 일어나고 있다는 생각이다. 많은 분이 목회를 시계에 맞추어 현실감 있게 발전시키고 있는 듯하다. 하지만 이런 현상은 '김위찬, 르네 마보안'의 책 '블루오션 전략'에 의하면 레드오션이 아닐까 하는 생각이 든다. 레드오션이란 오늘날 존재하는 모든 산업을 뜻하며 이미 세상에 알려진 시간 공간을 말한다. 시계에 맞추어 가는 목회가 아니라 나침반을 보고 방향을 정해서 가는 블루오션 전략의 목회가 필요하다. 블루오션은 현재 존재하지 않는 모든 산업을 나타내며 아직 모르고 있는 시간 공간이다. 물론 시계에 맞추어 가는 목회도 탁월하게 할 수 있다. 하지만 급격한 변화의 물결 속에서 방향을 잃으면 안 되기에 나침반을 보고 가야 한다.

팬데믹 이후 교회의 나아갈 방향과 대응 전략에 대한 고민은 많은 목회자를 혼란에 빠지게 하고 있다. 팬데믹이 종식되면 교회가 다시 회복될 것을 기대했다. 그러나 최근 3년간 발표되고 있는 기독교 관련 데이터들을 보면 결코 희망적이지만은 않다. 기독교의 사회적 신뢰도가 2020년도 4월에 31.8%, 2021년도 4월에 20.9 %, 그리고 2022년 4월 측정 결과는 기독교를 신뢰한다. 18.1 %밖에 되지 않았다. 따라서 우리는 지금 이런 고민을 해야만 한다. '팬데믹 이후, 21세기 목회는 어디로 가야 하는가?'라는 방향성의 문제이다.

1. 목회자 개인의 역량을 키워야 한다

목회컨설팅연구소 김성진 소장은 "목회란 과연 무엇인가? 목회라고 하는 것은 양무리를 돌보는 '목양'과 교회를 조직 경영하는 '회무' 이 두 개의 융합이다"라고 말한다. 양무리를 잘 돌보는 목양이 목회자에게 매우 중요하지만 다른 한편 교회를 운영하고 경영하는 일도 매우 중요하다. 목회자 대부분이 양무리를 돌보는 일인 목양의 측면은 집중하고 있지만 교회 공동체 전체를 바라보고 앞으로 어떻게 섬기고 세워가야 할 것인가라는 전략적 측면에서도 시야를 확대해야 한다고 말한다.

21세기 목회는 목회자 개인의 역량을 키워야 한다는 이야기다. 역량이란 어떤 일을 해내는 힘이나 능력을 말한다. 역량을 키우는 일은 각 교회나 목회의 '방향성'을 도출하는 능력이다. 그 능력은 목회 정책 계발에 있다. '정책'은 곧 '방향성'이라고 할 수 있다. 그러므로 목회 정책은 '계획'과는 다른 것이다. '정책'은 '방향'이고 '계획'은 '실행'이다. 따라서 먼저 정책이 수립되고 계획은 정책에 따라서 세워지는 실행 계획이다.

목회자 개인의 역량을 키우는 일은 자기를 계발하는 일이다. 자기 계발을 하지 않으면 내일의 나는 없다. 자기 계발은 무엇을 어떻게 지속해서 계발해야 하는지를 날마다 점검해야 한다. 내일을 결정하는 일은 우리 자신이 아니라 내가 가지고 있는 습관의 연속이 만들어내는 결과라고 할 수 있다. 21세기 목회를 위해서 모든 면에서 목회자 자신이 성숙해져야 한다. 이 일은 이성과 지성, 인성과 영성 같은 분야에서 노력을 계속해야 한다.

목회자 자신의 역량을 키우기 위해서는 자신을 먼저 경영할 수 있어야 한다. 자기를 경영하는 일은 목표를 달성하는 능력을 습득하는 일이다. 피터 드러커는 "목표를 달성하는 일이 곧 지식근로자의 과업이다"라고 했다. 목표를 달성하는 사람들은 시간이 한정된 요소임을 안다. 그런 사람은 시간을 관리할 줄 안다. 그 시간 관리는 프로세스로 요약할 수 있어야 한다. 시간을 기록하고, 시간을 관리하고, 시간을 통합하는 프로세스이다. "이 같은 시간 관리 기법이 지식근로자의 목표 달성 능력에 기초 역할을 한다"라고 피터 드러커는 말한다.

자기를 계발하는 방법을 보면 관련 분야의 독서라고 말하는 분들이 많다. 기업은 일찍부터 독서를 경영에 활용하고 있다. 독서 경영은 지식 경영, 학습조직, 평생교육이라는 중요한 경영 트랜드와 밀접한 관계가 있다. 독서는 저마다 책을 보는 관점이 있다. 하지만 일정한 관점을 가지고 책을 보면 더 넓게 보고 더 많이 얻을 수 있다. 21세기 목회를 위한 방향성을 세우는데 독서만큼 자기 계발에 지대한 영향을 주는 요소도 없다고 생각한다.

2. 목회 방향성을 위한 내적, 외적 환경을 분석하라

온누리교회를 담임했던 하용조 목사는 '사도행전적 교회를 꿈꾼다'에서 성경적인 교회론은 건강한 교회의 척추와 같고 사도행전적 목회 철학은 교회의 시스템과 같다고 했다. 사도행전은 시대를 초월해서 우리가 어떻게 목회해야 하는지를 보여주는 교과서이다라고 했다. 그는 오늘날 교회에 예수님의 교회론이나 사도행전적 목회 철학을 적용한다면 초대교회처럼 놀라운 일이 일어날 것이다. 초대교회의 특징은 예수님의 교회론과 사도행전의 목회 철학으로 세워졌다는 데 있다고 했다.

그렇다면 21세기 목회의 나침판을 보는 우리의 목회는 사도행전의 목회 철학을 기반으로 하는 서술된 목회 철학을 가지고 있느냐 하는 점이다. 나의 목회의 나침판이라고 할 수 있는 목회 철학을 담은 목회 철학서가 필요하다. 그 목회 철학서에는 몇 가지 내용을 담아야 한다. 먼저는 개인의 사명문과 자신의 가치관을 정립해서 담아야 한다. 그런 다음, 개인적인 목회 철학을 세워야 한다. 그 안에는 인간관계, 변화에 관한 생각, 어떤 유형의 설교를 할 것인지, 자신의 역할 규정과 리더십의 유형에 관한 내용을 담아야 한다. 두 번째는 교회적 차원의 목회 철학을 정립해야 한다. 교회의 5대 기능을 중심으로 하는 자기 생각을 정립해야 한다. 바로 예배, 전도와 선교, 교육과 훈련, 지역사회 섬김과 교제에 대한 전략을 담아야 한다. 세 번째는 미래에 관한 자신의 견해와 그에 따른 목회적 준비를 어떻게 세워나갈지에 관한 생각을 담아야 한다. 네 번째는 목회자 자신의 장, 단점 그리고 부족한 부분을 어떻게 보완할 것인지 정리해야 한다. 더 필요한 일은 자신의 성격유형이나 행동유형, Communication Style 검사를 통해 자신의 스타일 유형과 강점, 약점을 분석해 놓는 일이다. 그다음은 교회 외적인 면의 현실적 분석이 필요하다.

한국교회의 전체 교인 숫자는 어느 정도일까? 최윤식의 '2050 한국교회 다시 일어선다'라는 책에서 "2023년 한목협이 발표한 자료에 따르면 2023년 한국 기독교인은 코로나19 팬데믹의 영향으로 15.0% 감소했다. 숫자로 보면 771만 명이다. 2017년보다 5.3% 하락했다. 2023년 한국 인구 5,278만 4,058명 기준으로 하면 275만 명 감소다. 반면 한국사회에서 무종교인은 63.4%였다. 2017년보다 10% 증가했다"라고 말하고 있다.

한국 기독교인 중에서 교회에 나가지 않는 가나안 성도는 얼마나 될까? 질문하면서 "2023년 한목협은 가나안 성도를 226만 명으로 추산했다. 한목협은 자체 조사로 파악한 기독교인 전체 숫자 771만 명 중에서 교회에 실제 출석하는 숫자는 545만 명이고 나머지 226만 명은 가나안 성도로 추정한다. 한목협에 따르면 가나안 성도 비율은 2013년 10.5%, 2017년 23.3%, 2023년에는 29.3%까지 꾸준히 증가했다"라고 한다.

그는 또 헌금 기근의 시대가 온다고 한다. 2017년 한국 기독교인의 월평균 헌금액은 17만 5,700원이었다. 1998년 한국 기독교인의 월평균 헌금액은 8만 3,000원이었고, 2012년에는 22만 2,000원까지 증가했다. 하지만 5년 만에 20% 정도 감소했다고 한다. "십일조를 내지 않는다"라고 답한 비율도 2012년 28%에서 2017년 39.5%로 높아졌다고 한다. 2023년 6월 21일 목회데이터연구소가 발표한 '개신교인의 헌금 의식 조사' 결과를 보자. 응답자의 23%가 월평균 헌금을 코로나19 이전보다 줄였다고 했다. 헌금이 "늘었다"는 응답은 7%에 불과했다. 헌금을 줄인 성도가 늘린 성도보다 3배 많다고 한다.

한국교회 트렌드 2024 서문에 대우증권 전 CEO인 홍성국의 '수축사회'(메디치)의 글을 인용하면서 수축사회의 대응 전략 몇 가지를 소개한다. 첫 번째가 미래에 집중하라는 것이다. 지금까지는 일찍 일어나는 새가 먹이를 많이 먹는 시대였지만 이제는 멀리 보는 새가 독식한다고 한다. 두 번째는 선택과 집중이다. 전략적으로 한 가지를 선택하고 거기에 집중하는 전략을 세우라는 것이다. 세 번째는 미래형 리더이다. 미래형 리더라면 다음과 같은 눈을 가지라고 조언한다. 곤충의 눈을 통해 입체적으로 보고, 새의 눈을 통해 먼 곳을 보고, 물고기의 눈을 통해 물결, 즉 시대의 흐름을 알아야 한다고 말한다.

이런 이야기는 우리 사회가 매우 불확실하다는 것이다. 트렌드 코리아 2024는 특히 경제의 모습을 이야기하면서 영국의 경제 주관지 '이코노미스트'는 "포스트 팬데믹 글로벌 경제는 '모나리자' 같다"라는 표현을 썼다고 한다. 레오나르도 다빈치의 그림 '모나리자'는 웃는지 슬픈지 찡그리는지 알 수 없는 오묘한 미소로 유명한데 팬데믹 이후 세계 경제의 모습이 바로 이렇게 모호하다는 것이다고 소개하고 있다. 이런 세상의 흐름을 통해 우리가 처한 교회의 현실을 진단하고 나의 목회의 방향성을 세우는 일이 중요해졌다. 21세기는 시간에 맞춰가는 목회가 아니라 나침판을 보는 블루오션의 전략이 더욱 필요한 시점에 있음을 알아야 한다.

3. 지속 가능한 성장을 위한 전략을 세워야 한다

트렌드 코리아 2024의 첫 번째 키워드를 '분초 사회'라고 소개하는데 요즘 사람들이 극도로 '시간의 가성비'를 중요시하며 사용 시간의 밀도를 높이기 위해 노력하는 경향성을 지칭하는 키워드라고 한다. 한국사회의 현상 중에 있었던 코리안 타임은 사라진 지 오래고 삶을 운용하는 시간의 단위가 분 단위로 쪼개지고 있다고 말한다. 이러한 변화에는 공통점이 하나 있는데 시간을 매우 효율적으로 쓰게 되고 효율성을 극도로 높이려는 사회의 경향성을 구성원 모두가 분초를 다투며 살게 됐다고 한다. 이런 세상에서 우리의 목회를 통한 교회의 성장이 지속 가능한 성장을 이룰 수 있을까? 라고 질문해야 한다.

'교회부흥전략'이라는 책에서 어브레이 맬퍼스는 "1988년 북미 교회의 80-85%는 정체되어 있거나 쇠락하고 있었다. 21세기에 들어서면서 교회 개척의 바람이 거세게 불었음에도 불구하고 그 수치는 크게 변하지 않았다"라고 말한다. 그러면서 교회의 쇠퇴라는 문제에 대한 답은 새로운 S자 곡선을 시작하는 것이다라고 한다. S자 곡선은 본질적으로 삶의 주기의 패턴이며 생물학적으로 어떻게 생명이 태어나고 성장하며 정체를 지나 마침내 소멸하는 것을 묘사하는 곡선이다. sigmoid 곡선이라고도 하는 기울어진 S자 형태의 곡선이다. sigmoid라는 말 자체가 S자 모양을 뜻한다.

맬퍼스는 '교회는 쇠퇴와 죽음을 회피하거나 최소한 연기시킬 수 있는 어떤 것을 가지고 있는가?'라는 질문에 '그렇다'라고 답한다. 여기에는 세 가지 단계가 있다. "첫째, 교회는 반드시 S자 곡선을 시작해야만 한다. 교회는 새로운 방향을 모색하는 일이 필요하다. 둘째, 새로운 S자 곡선을 시작하는 데 도움을 주는 전략 기획 과정이 필요하다. 21세기에 어떻게 생각하고 행동할 것인지를 알 필요가 있다고 한다. 이것은 교회 개척, 교회 성장 그리고 교회의 활성화라는 상황 가운데 발생하게 되어 있다"라고 한다.

지속적인 성장과 부흥의 핵심은 새로운 첫 번째 곡선에 해당하는 교회를 시작하는 것뿐 아니라 정체가 오기 전에 현재 교회에 새로운 두 번째 곡선을 시작하는 것이다. 교회가 여전히 생명력이 있고 성장하고 있을 때, 두 번째 곡선을 시작해야 한다고 한다. 이런 점에서 어떤 교회든지 이런 질문을 해 보는 일이 중요하다. '우리 교회가 첫 번째 곡선상에 어느 위치에 있으며, 언제 두 번째 곡선을 시작할 것인가를 어떻게 알 수 있는가?' 어떤 사람은 교회는 매 2년 혹은 3년마다 한 번씩 새로운 방향을 설정해야 한다고 이야기한다. 이것은 오늘날 더 많은 변화가 일어나고 있을 뿐만 아니라 변화의 시간이 더욱 짧아졌기 때문이다라고 한다.

교회의 정체와 쇠퇴라는 문제에 대한 답은 새로운 S자 곡선을 시작하는 일이다. 여기에는 전략 기획 과정을 통해 그들의 교회를 이끌어 가는데 영향력을 행사할 수 있는 목회자와 일치되는 과정이 필요하다. 전략 기획은 목회자에게 세 가지 기본적인 조직적 질문에 대한 답을 가지고 있어야 한다. 첫째는 정체성에 관한 질문으로 우리는 누구인가에 관한 것이다. 두 번째는 방향에 관한 질문으로 우리는 어디로 가고 있는가에 관한 질문이다. 세 번째는 사역 전략에 관한 질문으로 우리는 어떻게 그곳에 갈 수 있는가에 관한 질문이다. 이것은 어떻게 교회가 사명과 비전을 성취할 수 있을 것 인가에 대해 알려주는 일이다. 전략 기획이란 생각과 행동을 위해 목회자가 일반적인 기초 위에 교인들과 함께 전략 기획에 따라 비전을 품게 하는 과정으로 그들의 사역 환경 속에서 대 사명을 성취할 수 있는 사역 모델을 설계하고 재설계하는 것이라고 할 수 있다.

전략 기획은 과정이다. 이 과정을 통해 성경적 핵심 가치와 사명을 발견하고, 비전을 개발하고, 독특하고 완전한 교회에 전략을 실행하는 네 가지 활동을 통해 목회자는 과정을 인도해 가야 한다. 여기에 확실한 목회의 나침판이 필요하다. 항해하는 항해사가 나침판 없이 항구에서 다른 항구로 이동하는 배를 인도할 수 없다. 마찬가지로 목회자는 사역의 나침판이 없이는 교회가 열망하는 목적지로 사역의 배를 인도할 수 없다.

이 나침판은 네 가지 핵심 개념으로 이루어져 있어야 한다. 전략 기획 과정과 사역의 사명, 비전, 가치 그리고 전략이다. 주님은 이미 2천 년 전에 마태복음 28장 29절에 "제자 삼으라"라고 교회에 사명을 주셨다. 비전은 향후 5년에서 10년 사이에 어떻게 변해 있을까에 관한 것이다. 핵심 가치는 성도들이 사명, 비전을 추구함으로 능력을 부양받고 교회를 인도하는 일이다. 전략은 교회의 사명과 비전을 포함하여 목회자가 교회를 인도해 나가는 과정이다.

**

교회는 팬데믹을 거치며 시계 제로 상태에 놓이게 되었다고 한다. 왜 그렇게 되었는가? 첫째는 급격한 세상의 변화에 따라가지 못함은 물론 변화된 세상에 적응하지 못했기 때문이라고 한다. 두 번째는 세상을 바라보는 교회의 관점, 목회자의 관점에 문제가 있기 때문이라고 한다. 세 번째는 혁신하지 않기 때문이다라고 한다. 교회가 세상보다 뒤떨어졌다면 지금보다 성장하고 싶다면 당장 혁신해야 한다.

그렇다면 어떻게 혁신할 것인가? 먼저 혁신하지 않으면 망한다는 격렬한 변화의 의식이 필요하다. 그리고 어떤 일이 있어도 복음에 대한 자신감으로 충만해야 한다. '자신감을 잃으면 다 잃는다'라는 말처럼 교회와 목회자는 강한 자신감으로 무장해야 한다. 포스트모던 사회를 지나 포스트 코로나 시대를 살아가는 우리는 성령 안에서 용기와 담대함과 자신감을 잃지 않아야 한다.

혁신하려면 시대 변화를 통찰하며 사역해야 한다. 시대를 통찰하는 방법은 신문이나 뉴스를 정기적으로 보는 일, 시대를 분석하고 예측하는 책을 읽는 일, 문학, 역사, 철학의 인문학 책을 읽는 일 등 무엇보다 '객관적인 데이터를 읽는 것'이 필요하다. 시대가 변하면 소명도 변한다. 각각의 시대마다 하나님의 계획이 각기 다르게 적용되어야 한다. 또한 기술의 변화가 하나님의 영광과 하나님의 선한 뜻에 따라 사용되도록 경계해야 한다.

　21세기 목회는 교회와 성도를 어디로 이끌어야 할 것인가? 또 어떻게 이끌어야 할 것인가? 에 대한 나침판을 보는 지혜가 갖춰져 있어야 할 것이다.

목회의 뉴노멀 전략

안진출 목사

코로나19 팬데믹이 시작될 때 온 세상은 혼돈의 시대였다. 이제 팬데믹이 끝나고 우리는 많은 부분에서 일상으로의 회복에 관한 기대를 하고 있다. 이런 기대에 맞추어 교회와 목회 역시, 팬데믹 이전으로 돌아가기보다 새로운 일상 즉 뉴노멀(New normal)에 대한 전략을 세우고 달라진 시대에 맞는 목회를 해야 할 때가 되었다고 생각한다.

코로나 사태 이후 새로운 단어들이 만들어지기도 했다. 그중에 '언컨택트'(Uncontact)는 가장 많이 언급된 단어일 것이다. 이 말은 비접촉, 비대면 즉 사람과 직접적으로 연결되거나 접촉하지 않는다는 뜻이다. 사람에겐 사람과의 연결과 접촉이 무엇보다 중요한데 이를 부정하는 말이 바로 언컨택트다. 언컨택트를 줄여서 언택트(Untact)라고 하기도 하는데 '트렌드 코리아 2018'에서 기술과 산업적 발달에 따라 비대면 거래와 무인 거래가 유통에서 중요한 트렌드가 된다며 '언택트 마케팅'을 키워드로 처음 제시했다. 이 말은 이제 일상용어로 자리 잡을 만큼 폭발적인 관심을 받고 있다.

그다음 단어는 뉴노멀(New normal)이다. 이 말이 뜻하는 의미는 사실 2008년 세계 금융위기 때 저성장, 저물가, 고금리의 '3저' 경제 침체기를 맞이하면서 유행한 단어로 '새롭게 만들어진 경제적 기준'을 뜻한다. 2003년 벤처 투자가인 로저 맥나미(Roger McNamee)가 처음 사용했고 2008년 금융위기가 본격적으로 시작할 때 모하메드 엘 에리언(Mohamed El Erian)이라는 사람이 '새로운 부의 탄생'이라는 책에서 사용해서 유명해졌다.

코로나 전염병 시대에 뉴노멀이라는 단어는 어떤 의미로 이해되고 있을까? 오늘날 우리에게 '뉴노멀'은 어제까지 일상적이지 않았던 현상이 이제는 아주 흔한 표준이 되어 가고 있다는 뜻이다. 쉽게 말하면 '새로운 정상 상태'를 이야기하는 것이다. 마치 백조는 흰색만 있는 줄 알았는데 18세기에 서구인들이 오스트레일리아 대륙에 진출했을 때 '검은색 고니'를 처음 발견했다. 이 흑고니의 발견은 백조는 곧 흰색이라는 경험 법칙을 완전히 무너뜨려 버렸다.

이런 현상을 니콜라스 탈레브는 '블랙스완'(The Black Swan)이라는 그의 책에서 '검은 백조'는 과거의 경험에 의존한 판단이 행동의 준거가 되어서는 안 된다는 것 이것이 '흑고니 출현의 경고다'라고 했다. 블랙스완은 원래는 검은색을 가진 백조라는 자체가 아이러니인 것처럼 실제로는 존재하지 않는 어떤 것이나 고정관념과는 전혀 다른 어떤 상상적인 것을 은유적으로 표현한 것이다. 실제로 최근 주식시장에서 블랙스완이라 일컬을 만한 현상들이 자주 반복되고 있다. 전 세계를 팬데믹으로 몰아넣은 코로나19 바이러스로 인한 쇼크도 블랙스완이라 할 만하다. 아무도 이렇게 많은 사람이 코로나19로 인해서 목숨을 잃고 전 세계의 수많은 사람이 감염될 질병이라고는 상상하지 못했기 때문이다. 어쩌면 교회와 목회에 있어서 코로나19 바이러스로 인해 일어난 일들은 일종의 블랙스완이라고 할 수 있다.

우리는 싫건 좋건 간에 사실상 기업이나 비즈니스, 교육, 산업 전반에 걸쳐 뉴노멀 시대를 이미 맞이했다. 그런 의미에서 우리는 시대를 분별해야 한다. 왜냐하면 사람들은 묵시가 없어서 방자하게 행하기도 하지만 묵시를 깨닫지 못해서 방황하기 때문이다. 우리가 오늘 이 시대를 향한 하나님의 뜻을 발견하고 뉴노멀 전략을 세워야 하는 이유가 바로 여기에 있다.

1. 패러다임의 전환이 필요하다

하나님과 하나님의 말씀 외에 이 세상에 영원한 것은 없다. 과거

사회가 수렵채취사회와 농업사회, 산업사회, 지식정보사회를 거쳐 현재에 이르고 있다. 사회는 그 시대를 지배하는 패러다임의 영향을 받는다. 패러다임(paradigm)이란 어떤 한 시대를 사는 사람들의 견해나 사고를 지배하는 이론적 틀이나 개념을 뜻한다. 사람들은 이 패러다임 즉 생각의 틀 속에서 판단하고 움직인다. 따라서 패러다임의 변화를 읽는다는 말은 남보다 먼저 미래를 내다보는 것과 같다.

패러다임이라는 틀을 따라서 자연스럽게 주변 환경과 사건들을 통해서 패러다임이 형성된다. 이것은 보통 세월이 흐름에 따라 서서히 변하지만 전쟁이나 현저한 문명의 발달은 패러다임을 급작스럽게 바꾸기도 한다. 그런 점에서 코로나19는 우리의 패러다임을 바꾸어 놓았다. 또 개인적으로 성장에 따라서 이 패러다임이 바뀌기도 한다. 사실 세상에는 수많은 종류의 패러다임이 서로 겹쳐있다. 그래서 가끔 하나님은 패러다임 쉬프트(paradigm shift, 틀의 전환)를 통해서 문제를 해결하신다.

문제는 자기가 어떤 패러다임에 속해 있는지를 알아차리는 일이 중요하다. 그래야 자기의 정체성과 한계 또는 행동에 대해 분명하게 되고 또 담대해져서 자신감이 붙기 때문이다. 주소가 정확하지 않으면 제대로 전달될 수 없다. 자신의 영적인 일도 표류하게 된다. 표류하는 중에는 성장이 이루어지지 않는다. 자기의 현주소, 정체성을 알아냈다면 다른 사람의 주소에 대해서도 감을 잡게 된다. 그들의 목적이 무엇인지, 어떤 방법으로 그 목적을 이루려고 하는지를 알게 된다.

블랙스완의 저자인 나심 니콜라스 탈레브는 "체스 경기를 잘 관찰해보면 초보 선수들은 이기려고 애쓰지만 노련한 고수들은 지지 않으려고 애쓰는 것을 볼 수 있다"라며 "실수만 피해도 꾸준히 노력하면 일류보다 앞서가는 행운을 누릴 수 있을 것"이라고 했다. 그 이유는 세상이 급변하기 때문이다. 시대와 세상, 변화에 능동적으로 대처하지 못하는 조직, 패러다임을 읽지 못하는 조직은 21세기에서 승자가 될 수 없는 현실이기 때문이다.

분명한 일은 하나님은 모든 패러다임의 주인이시다라는 사실이다. 모든 패러다임을 주관하신다. 또 하나님은 변화의 주체이시다. 온 우주는 하나님이 뜻하시는 대로 진행된다. 우리의 패러다임 DNA는 하나님으로부터 와야 한다. 또 하나님께서 우리의 패러다임을 바꾸려고 하실 때 우리는 주저함 없이 패러다임을 전환할 수 있어야 한다. 시대는 빠르게 변한다. 시대를 분별하는 이유는 분명하다. 우리는 거룩한 것과 세속적인 것을 구분하지만 실제로는 같이 맞물려 있다. 이런 현실에서 우리가 해야 할 일은 하나님이 주신 능력으로 시대의 변화를 읽는 눈을 가지는 일이다.

사도행전 8장 4-5절에 "그 흩어진 사람들이 두루 다니며 복음의 말씀을 전할새 빌립이 사마리아 성에 내려가 그리스도를 백성에게 전파하니", 11장 19-20절에 "그때에 스데반의 일로 일어난 환난으로 말미암아 흩어진 자들이 베니게와 구브로와 안디옥까지 이르러 유대인에게만 말씀을 전하는데 그중에 구브로와 구레네 몇 사람이 안디옥에 이르러 헬라인에게도 말하여 주 예수를 전파하니", 13장 2-3절에 "주를 섬겨 금식할 때에 성령이 이르시되 내가 불러 시키는 일을 위하여 바나바와 사울을 따로 세우라 하시니 이에 금식하며 기도하고 두 사람에게 안수하여 보내니라"라고 말씀하고 있다.

이 말씀에서 나타난 패러다임의 전환은 8장에서는 빌립이 사마리아 성에 내려가 그리스도를 백성에게 전파한 일을 말하고 11장에서는 안디옥에 내려간 사람들이 헬라인에게도 예수를 전파한 일이며 13장에서는 성령이 바나바와 사울을 따로 세워 안수하여 선교하러 보낸 일이라고 할 수 있다. 또한 사도들과 교회가 외부로부터 오는 박해가 있을 때 위협과 박해로부터 사도들과 교회를 지켜달라고 기도했다.

그런 가운데 우리가 주목할 점은 패러다임의 전환을 통해 성도들이 한 일은 복음을 전하는 일이었다. 이 일은 그 어떤 환경과 여건 속에서도 그들의 뉴노멀이었다. 또한 바나바는 다소에 있는 사울을 데려와서 둘이 일 년 동안 모여서 큰 무리를 가르치는 일을 했다. 말씀을 가르친 그 일로 안디옥에 있는 성도들의 삶에 변화가 일어났다. 이런 일은 패러다임의 전환을 통해 일어난 일이라고 생각된다.

더 중요한 패러다임의 전환이 이루어진 일은 사도행전 13장 이후에 선교하는 교회를 세우는 적극적인 모습이라고 할 수 있다.

2. 트렌드를 볼 수 있어야 한다

사회마다 그 시대를 대변하는 시대정신이 사람들의 정신세계를 지배하는데 이것이 사회를 관통하는 크고 작은 트렌드의 변화를 만들어 낸다. 작은 트렌드는 다시 모여서 메가트렌드를 만들어 낸다. 개인의 가치관에 따라 되고 싶은 모습이 다를 것 같지만 시대의 흐름은 있다.

우리 사회에서 1970-80년대는 '스위트홈'이 로망이었다. 이 로망의 상징물은 누비천에 레이스 달린 냉장고 손잡이 커버였다. 이 커버는 홈패션으로 가정주부가 직접 만든 것이어야 했다. 1990-2000년대는 미국식 라이프가 로망이었다. 마이카시대가 열리고 신도시와 대형마트가 들어섰다. 주말에 아빠 차를 타고 근교의 대형마트에 가서 물건을 가득 실은 카트를 끄는 것이 이 시대의 상징이었다. 2000-10년대의 로망은 '취향과 여유'였다. '취향', '여유'라는 키워드가 '일상'이라는 키워드로 역전했다. 이때로부터 로망을 추구하는 단위는 가족이 아니라 '나'였다. 2020년대의 로망은 '독립된 나'를 완성하는 데 있다. 모든 관심은 '나'로 집중된다.

모든 관심이 '나'로 집중되는 한국사회가 극도로 미세한 단위로 분화되고 있다고 말한다. 이런 현상을 '나노 사회'라고 이름을 붙이고 있다. 초연결 사회를 살아가는 현대의 사람들이 모래알처럼 흩어지고 있다고 한다. 이런 현상은 생활의 기본 단위인 가족 구성에서 가장 먼저 확인할 수 있다. 통계청이 발표한 2020년 1인 가구의 수는 664만 3,354가구로 전체 가구의 31.7%를 차지한다. 가족 공동체가 지닌 결속력이 약해지고 가정이 수행하던 역할은 외주화되면서 구성원 각자가 홀로 살아가는 개체가 된다는 말이다. 이런 현상은 소속보다 선호가 중요해지고 있다는 증거다. 전통사회의 개인은 자신이 속한 준거집단 내에서 정체성을 찾았지만 이제 나노 사회에서 개인의 정체성은 내면 지향적인 취향을 기준으로 바뀌고 있다. 이렇듯 나노 사회에서는 더는 회사나 출신학교의 인간관계에 몰두하는 것이 아니라 온라인 혹은 오프라인 모임에서 본인의 취향과 지향하는 바가 비슷한 사람들을 찾아서 스스로 만들어나가는 관계를 추구하고 있다.

오늘날 목회에 있어서 소그룹의 중요성이 대두되고 있다. 이때 단지 지금까지의 소그룹 문화를 그대로 유지할 필요도 있겠지만 시대적 흐름에 맞추어서 때론 과감하게 탈피해서 취향과 지향하는 바를 따라 새로운 관계 그룹을 만들어 갈 필요가 있다. 이런 취향과 지향하는 바를 따라 움직이는 세대는 바로 MZ 세대가 대표적이다. 이들은 또한 '나' 중심의 가치관을 가진 사람이라고 할 수 있다. 세상은 이미 이들에게 엄청난 관심과 투자를 하고 있다. 하지만 교회에서는 이들은 외면받는 세대라고 할 수 있다. 동시에 그들 상당수가 1인 가구의 독립하고 있는 세대이기도 하다. 이들을 향한 분석을 통해 다시 교회에 관심을 두도록 하는 전략이 필요하다.

3. 목회자의 자기 계발이 필요하다

미국의 교회 컨설턴트이자 교회 연구가인 톰 레이너는 '살아나는 교회를 해부하다'에서 "매년 미국에서 매년 얼마나 많은 교회가 문을 닫는지 정확히 아는 사람은 없다. 하지만 7,000개가 넘는다고 보는 편이 정확하며 그 숫자는 점점 늘고 있다. 매일 20개의 교회가 문을 닫고 있다"라고 말한다. 더 부정적인 이야기는 "매년 더 많은 교회가 죽음을 향한 길을 걷고 있다. 10년 전에는 전체 교회의 약 10%만 급격한 하락의 길을 걸었다. 말기 혹은 말기 근처로 진단되는 교회는 전체의 10% 정도에 불과했다. 하지만 오늘날에는 미국 전체 교회의 19%가 그 범주에 속한다. 다시 말해 빈사 상태에 빠진 교회의 숫자가 10년 사이에 35,000개에서 66,000개로 늘어난 것이다"라고 했다. 암울한 현상이다. 이런 현실에서 어떻게 해야 하나?

이런 현상에서 톰 레이너는 소생하는 교회들의 특징을 7가지로 제시한다. "첫째는 남 탓하는 책임 전가에서 벗어나기. 둘째는 전통을 위한 전통에서 내려놓기, 시작하기. 셋째, 숫자가 목표가 아닌 바른 측정을 위한 바른 지표 세우기. 넷째, 처음부터 끝까지 회복의 전 과정을 기도가 지탱해 주기. 다섯째, 아프지만 연합을 방해하는 독소를 제거하기. 여섯째, 부흥의 마법은 없다. 일곱째, 소그룹 사역에 동시에 참여시켜 소속감을 느끼게 하기" 등이다. 그러면서 결론은 "소생한 교회들은 살기로 선택했다"라고 한다. 모든 교회는 살기로 선택하고 살아나야 하고 살리는 교회가 되어야 한다.

목회 트렌드 2023 프롤로그에서 "'한국교회의 미래는 밝다' 아니 밝아야 한다. 목회는 하나님의 일이기 때문이다. 하나님의 일인 동시에 목회자의 사역이다"라고 말한다. 그러면서 "2023년, 미래가 밝은 교회를 만들려면 먼저 진단을 정확히 해야 한다. 진단을 내린 뒤 방향성, 대안, 해결책을 모색하면 된다"라고 말한다. 교회가 살고 목회가 살기 위해서는 먼저 교회와 목회자 자신을 위한 변화의 노력이 있어야 한다. 목회자가 먼저 자신을 읽을 줄 알아야 한다. 이와 같은 방법을 우리는 컨설팅이라고 한다.

컨설팅의 사전적 의미는 조언하는 것이다. 일반사회에서 컨설팅은 주로 경영컨설팅을 의미한다. 물론 교회의 컨설팅과 사회에서 하는 경영컨설팅은 다르다. 컨설팅은 질문하는 것이다. 그리고 그 질문에 스스로 답을 찾아가는 과정이다. 지식이나 답을 구하기 위한 질문이 아니다. 문제의 본질과 핵심을 끄집어내는 질문을 하는 일이 본질이다. 교회와 목회에 있어서 올바른 질문을 해서 우리 교회와 목회가 지금 서 있는 곳이 어디인지 정확히 보아야 하기 때문이다. 불필요한 한 것들을 보게 하고 더 나은 선택을 할 수 있도록 이끌어 주는 일이다.

'왜 이렇게 해야 하는가?'라는 질문을 할 수 있다. 목회자는 팬데믹 이후의 교회 미래의 열쇠를 가지고 있다고 할 수 있다. 교회에 있어 가장 영향력을 발휘하는 지도자이기 때문이다. 목회자는 목회하는 당사자이다. 목회의 미래를 좌우하는 사람이다. 그러므로 목회자는 먼저 하나님의 말씀과 하나 되어야 하는 사람이다. 또한 시대의 흐름을 읽고 분별력을 가지고 교회와 성도에게 방향을 정확히 제시해야 하는 사람이다. 그래서 목회자가 먼저 자신을 계발해야 한다. 이미 세상은 너무나 복잡해지고 변화가 빠르기에 하나님의 지혜가 절대적으로 필요하다. 또한 빠르게 변화하고 있는 시대에 맞는 목회 방식에 대한 전문적인 식견을 구해야 한다.

스스로 자신을 계발하려고 노력해야 하고 자신의 사명을 확인해야 한다. 그 확인은 문서로 만든 사명 선언서가 필요하다. 그리고 목회를 위한 단기, 중기, 장기 플랜을 만들어야 한다. 단지 플랜 만이 아니라 실행계획서와 자신의 역할에 대한 매뉴얼을 만들어야 한다. 이런 일들은 목회를 잘하기 위한 노력이다. 일을 잘하는 사람들에게는 공통 적으로 나타나는 게 있다. 일이 취미이자 직업인 경우가 많다. 취미이니 일할 때 설렘이 있어야 하고 직업이니 그 일을 통해 성취감을 느껴야 한다. 목회는 하나님의 일이다. 하나님이 주시는 설렘으로 목회할 수 있게 해야 한다.

목회자는 무엇보다도 시간을 관리할 수 있어야 한다. 사실 시간을 완벽하게 관리하는 사람은 없다. 하지만 목회자의 자기 계발에 있어서 시간 관리에 성공한다면 엄청난 성과를 이루지 못해도 자신을 향한 자부심은 어떤 결과보다 남다르게 자신을 볼 수 있는 일이다. 경영학의 아버지라고 불리는 피터 드러커는 '성과를 향한 도전'에서 시간 관리의 핵심을 한마디로 "너의 시간을 알라"라고 했다. 그렇게 하려면 우선 시간을 기록하라고 한다. 시간을 기록하라는 말이 무슨 말인가? 내가 사용하는 시간이 어떻게 새나가는지, 낭비되고 있는지를 모르는 상태에서 우선순위나 자투리 시간을 활용하기가 어렵다는 말이다.

이렇게 해서 시간 낭비의 원인을 제거하고 위임할 것은 위임하면 된다. 그런 다음 그 시간을 하나의 묶음으로 모아야 한다. 그렇게 묶어진 시간을 독서로 자신을 업그레이드하는 시간으로 활용해야 한다. 목회자는 당연히 성경을 읽어야 한다. 또한 책을 가까이해서 책을 읽어야 한다. 왜냐하면 목회자는 지성을 연마하고 논리와 구조를 끌어내는 힘을 길러야 하기 때문이다. 책을 읽으면 깨닫는다. 책을 읽으면 관찰의 힘이 생긴다. 관찰은 생각의 한 형태이고 생각은 관찰의 한 형태라고 할 수 있다. 목회자는 당연히 신학과 신앙 서적을 읽어야 한다. 동시에 인문학적 책을 읽어 균형 잡힌 시각을 갖추어야 한다. 그렇게 하지 않으면 자신만의 생각, 자신만의 관점에 빠질 가능성이 있기 때문이다.

* *

우리 사회는 코로나를 겪으면서 사회 각 영역에서 양극화가 빠르게 진행되고 있다. 이런 현상이 교회의 양극화로 진행될 수도 있다. 그러면서 세상은 '평균'이 사라지고 있다고 한다. 이제 평균적인 무난한 생각, 평범한 상품, 괜찮은 서비스로는 두각을 나타낼 수가 없다고 한다. 평균으로 표현될 수 있는 무난한 상품, 평범한 삶, 보통의 의견, 정상의 기준이 변하고 있다고 한다. 정규분포로 상징되는 기존의 대중 시장이 흔들리면서 대체 불가능한 탁월함, 차별화, 다양성이 필요한 시장으로 변화하고 있다고 한다. 그래서 평범하면 죽는다. 근본부터 바뀌고 있는 산업의 지형도에 맞춰 각자의 핵심 역량과 목표를 분명히 하여 새로운 전략의 모색이 필요한 시점이라고 한다.

우리는 코로나19 팬데믹 시대, 뉴노멀 속에 살고 있다. 목회 사역에서도 시대적 뉴노멀도 필요하지만 나만의 뉴노멀의 차별화가 필요하고 자기만의 콘텐츠가 필요하다. 이미 시작된 변화의 흐름 속에서 어떻게 목회자가 자신의 역량을 키울지 고민해야 한다.

끝으로 도쓰카 다카마사의 책 '세계 최고의 인재들은 왜 기본에 집중할까?'에서 글로벌 기업에서 공통으로 강조하는 '기본' 네 가지를 소개한다. 첫째, 다른 사람과의 '관계'를 소중히 여긴다. 둘째, '자기 계발'을 평생 지속한다. 셋째, 하루도 빠짐없이 '성과'를 낸다. 넷째, '글로벌 마인드'를 한순간도 놓치지 않는다. 살리는 목회, 뉴노멀의 전략이 필요하다.

재난 시대의 교회 사명

감기탁 목사

1. 위험사회, 재난의 시대

"제가 신이 아닌 이상 어떻게 이것을 다 챙깁니까?" 김문홍 목포 해양경찰서장의 항변이었다.

2014년 부활주일을 앞둔 고난주간 수요일, 4월 16일 낮시간 전국에 TV로 방송되었던 '구조 완료'라는 오보 뒤에 304명이 목숨을 잃었다. 476명이 탄 여객선이 갑자기 침몰하는 가운데 해경은 또 정부는 무엇이라도 할 수 없었을까?

'세월호, 그날의 기록'(2016)은 객관적인 기록을 검토한 후 '구할 수 있었다'라는 결론을 내린다. 안타깝고 애타는 마음들이 제대로 위로받지 못한 채 벌써 9년이 지나간다. 그런데 2022년 10월 29일 용산 이태원에서 황망한 압사 사고로 또 159명이 목숨을 잃었다. 대구 중앙로 지하철 화재 참사(2003)나 삼풍백화점 붕괴(1995) 등 어처구니없는 수많은 사고와 참혹한 일들이 우리 곁에서 그치지 않고 일어난다.

울리히 벡(Ulrich Beck)이 현대사회를 '위험사회'로 말했는데 한국사회는 말 그대로 '위험사회'다. 위험의 소지가 있는 위험사회이고 위험대응을 하지 못하는 위험사회이며 심지어 사회 자체가 위험한 위험사회이다. 이런 여러 사회적 재난을 통해 언제든지 어디서든지 누구에게든지 위험한 일이 일어날 수 있다는 위험의 보편성과 편재성이 확인된 위험사회 가운데 우리는 지금 살아가고 있다. 규모와 강도 면에서 '위험'이라기 보다는 '재난의 시대'를 살고 있다고 해야 더 정확할 수도 있겠다.

우리나라만 아니라 미국 뉴욕에서 일어난 9.11 테러 등은 이 세상 어디에서도 누구도 재난으로부터 자유로울 수 없으며 전에 없던 더 크고 강한 규모의 재난을 인류가 언제든지 직면할 수 있다고 우리에게 경고하고 있다.

2. 재난의 정의와 분류

우리나라 '재난 및 안전관리 기본법'에서 '재난'이란 "국민의 생명, 신체 및 재산과 국가에 피해를 주거나 줄 수 있는 것"을 말하며,

'대규모 재난'이란 "재난 중 인명 또는 재산의 피해 정도가 매우 크거나 재난의 영향이 사회·경제적으로 광범위하여 주무부처의 장 또는 지역대책본부장의 건의를 받아 중앙대책본부장이 인정하는 재난과 중앙대책본부장이 재난관리를 위하여 중앙대책본부의 설치가 필요하다고 판단하는 재난" 등으로 규정한다.

보통 재난은 ① 자연 재난(태풍, 홍수, 호우, 폭풍, 해일, 황사, 지진, 적조 등) ② 사회적 재난(화재, 붕괴, 폭발, 교통, 화생방, 환경오염 사고, 에너지, 통신, 금융, 의료-감염병, 수도 등) 그리고 ③ 해외재난 등으로 분류할 수 있다.

미국의 경우는 응급상황(emergency)과 주요재난(major disaster) 등으로 분류하며 일상적인 절차나 자원으로 관리할 수 없는 심각하고 규모가 큰 사건으로 보통 돌발적으로 일어나서 민관이 합동으로 즉각적, 체계적, 효과적으로 대응하여 인간의 기본적 수요를 충족시키며 신속한 복구를 할 필요가 있을 때를 가리킨다. 일본의 동일본 대지진 같은 경우는 지진과 쓰나미에 이은 핵발전소 사고와 대응의 실패로 이어진 자연적, 사회적, 환경적 재난으로 얽힌 복합 재난으로 볼 수 있다.

3. 세상의 재난 대비와 대응

우리나라는 '재난 및 안전관리 기본법'을 통해 국가 및 지자체의 재난 및 안전관리의 기본 틀을 제시하고 국가와 지자체, 국민의 책무 등과 안전관리 기구와 역할 또한 안전관리 기본 계획의 수립과 집행, 재난의 예방과 대비 그리고 재난 시 응급조치와 긴급구조, 재정과 보상, 안전문화 진흥 등을 포함하여 체계적으로 재난을 예방하거나 대응함으로 국민의 생명과 재산을 보호하도록 한다.

미국의 경우 주요재난이 발생하면 주정부, 지방정부, 기타 재난 관련 자율단체에 필요한 자원 및 재원을 지원하는 연방재난보조를 받도록 하고 재난을 당한 주를 위한 비상 지원이 있고 응급재난 상황에서 재난 약자들의 대피와 지원에 대한 것을 명시한 응급법제도 등이 있다.

재난이 닥칠 때 재난 약자를 돕는 일은 매우 중요하다. 재난 약자는 재난의 위험으로부터 피해받기 쉽거나 받은 피해로부터 복구가 어려운 사람으로 13세 이하 어린이 또는 65세 이상 노인, 장애인 등을 가리킨다. 신체적 재난 약자는 고령자, 장애인, 유아, 임산부와 외국인(여행객)을 포함하며 경제적 재난 약자는 기초생활 수급자 및 차상위 계층 등이 있다.

일본 같은 경우는 이와 함께 의료적 배려 필요자(인공투석, 인공호흡기, 산소호흡기 필요자 등)나 환경적 재난 약자로 외국인 관광객 및 국내 거주 외국인 중 언어 소통과 문화이해 수준이 낮은 언어적 약자 및 타지역의 여행객 등을 포함한다.

미국은 재난 약자로서 의사소통, 의료적, 독립적, 돌봄, 이동 등 CMIST(Communication, Medical, Independence, Supervision, Transportation)의 도움이 필요한 개인(예: 장애인, 심신미약노인, 영유아, 임산부, 환자, 외국인, 정신질환자 등)을 포함한다.

재난 약자에 대한 별도의 대응을 위한 비상계획이 왜 필요한지는 9.11 테러 당시 현장에 있었던 세 명의 장애인들의 경험이 잘 설명해 준다.

당시 세계무역센터에서 근무하던 세 명 가운데 27층과 87층에 있던 두 사람은 장애로 인해 탈출하지 못해 사망했지만 68층에서 근무하고 있던 한 사람은 장애인용 대피의자에 실려 구조되어 살아남았다. 이들의 생존과 사망을 가른 차이는 1993년 세계무역센터 지하 폭발물 테러 사건 당시 장애인을 구조하는데 6시간 이상 걸린 점을 고려하여 뉴욕과 뉴저지 항만공사가 장애인 재난대피계획을 수립하고서 설치한 장애인용 대피의자의 유무였다.

국제 아동권리 비정부 기구(NGO)인 '세이브더칠드런'(Save the Children)이 미 하원에 보고한 현재 재난대응과정에서 재난 약자들과 관련한 문제점으로 재난 상황 시 아동 구조 및 지원에 대한 국가 전체의 전략 부재, 아동을 위한 재난 대비 계획이나 예산이 준비되어 있음에도 제대로 실행되지 못하는 점 등을 2005년 허리케인 카트리나 당시의 어린이 구조와 관련하여 구체적으로 지적한다.

4. 위험사회에서 교회의 역할과 과제

1) 위험사회 안에 함께 하시는 주님의 교회

무엇보다 먼저 이 재난의 시대 가운데 있는 주님의 교회는 '선하시며 전능하신 하나님께서 공의로 다스리시는 세상 가운데 어떻게 동시에 악과 고통이 존재하는가'라는 그치지 않는 근원적인 신정론(神正論)의 질문에 답할 필요가 있다. 앞서 언급한 세월호나 이태원의 참사 그리고 동일본 대지진 이후 핵발전소 사고와 방사능 오염의 문제, 미국의 9.11테러로 인한 대규모의 인명 손실 등은 인적 재난으로 분류할 수 있는 여지라도 있지만 역사적으로 계속 있어 온 갑작스러운 지진과 화산 폭발 등 특히 2004년 성탄절 다음날 인도네시아 수마트라섬 서부 해안에서 발생해 30만 명 이상이 목숨을 잃은 진도 9 이상의 초대형 해저지진으로 비롯된 대규모의 재난은 이런 신정론적 질문에 대한 답을 요구한다.

신학자들을 포함하여 적지 않은 그리스도인들은 이에 대하여 '가능한 최선의 세상 또는 더 큰 선' 모델로서 하나님은 자연법칙 가운데 일하시며 악한 것처럼 보이는 일어나는 모든 재난 가운데서도 선을 이끌어내시는 분으로 이해한다. 그리고 소수지만 일부 그리스도인들 가운데는 재난을 하나님의 심판이며 '보응'으로 받아들인다. 특히 1991년 필리핀 피나투보 화산이나 2004년 인도네시안 쓰나미 이후에 이런 의견을 내는 이들이 있었는데 최근에는 많이 줄어들었지만 여전히 소위 '바이블벨트'나 '성경문자주의자들' 극단적인 '보수적 복음주의자' 가운데는 자연재난을 불경건한 죄인들을 위한 것으로 여기고 있다. 그리고 이런 맥락에서 1990년대 중반까지 특히 기독교 비정부기구와 연관된 다수의 그리스도인은 영적으로 죽은 자들을 하나님께로 이끌기 위하여 재난 구호에 꼭 참여해야 한다고 강조하며 구호 사역을 편협한 개종과 선교의 기회로만 여겨서 재난을 사람과 재정을 확충하기 위한 도구로 사용한다는 비난을 듣기도 했다.

21세기에 들어오면서 UN의 재난감소를 위한 국제전략(ISDR: International Strategy for Disaster Reduction, 1999, 2002) 등과 함께 재난연구와 신정론의 패러다임 전환이 일어나서 새로운 관점이 확산되고 있다. 피해자들에 대한 기독교적 관점의 이런 변화는 교회와 지도자들, 그리스도인들과 기독교 NGO들이 '전능한 사랑의 하나님'과 '세상 고통의 실재'를 더 이상 타협 없이 받아들이게 되었다는 것인데 이는 하나님께서 피해자들의 고통이나 재난을 일으키시는 물리적인 촉발자가 아니라 그 고통과 재난에 처한 자들 가운데 임재하시는 분임을 주목하기 시작했기 때문이다. 하나님은 이 세상에서 초월적이실 뿐만 아니라 또한 이 세상에 내재하신다. 사람들이 재난에 취약하게 되는 근원은 하나님이 아니라 오히려 국내외 정치, 사회, 경제적 경향들 때문이며 허술한 건축 관련 설계나 법규들, 충분하지 못한 시민 보호조치나 위기대응, 기후변화에 대응하기에는 미흡한 온실가스 감소정책들, 부족한 국가의 사회보장이나 사회 안전망 등 때문이라는 것이다.

2) 위험사회에서 안전한 교회, 안전하게 하는 교회

위험사회에서 안전은 공적인 가치를 가진다. 안전이라는 공적인 가치를 사사화(privatization)하면서 '안전 문제는 모두 개인의 안전불감증 탓'으로 돌리는 것은 매우 위험하다. 왜냐하면 개인의 안전 의식이 필요한 것도 사실이고 이의 극복을 위한 다양한 노력도 필요하지만 많은 경우 사회 구조적 한계와 공공성의 문제를 간과할 수 없기 때문이다. 이런 태도는 재난이 발생했을 때 관련 당사자들에게만 책임과 보상, 또는 배상 등으로 문제를 해결해 버리고 '빨리 정상으로' 돌아가려는 의지에서도 나타난다. 이 세상에서 완전무결한 안전은 꿈이겠지만 망각으로 해결되지 않는 재난과 관련한 여러 문제를 우리 교회는 반드시 직면하고 적절히 다뤄야만 한다.

공공의 가치인 안전을 개인의 이익을 위해 훼손하는 행태 또는 사회 구조적인 문제를 지적하고 바로 잡아야 한다. 교회가 설교와 교육을 통해 탐욕을 경계하고 공공성을 높이도록 힘써야 하며 세속적 가치를 따르는 야망과 번영에 대한 추구가 아니라 의와 절제를 가르치고 열매 맺도록 해야 한다.

우리 교회가 공적 신앙의 부재나 결핍, 사회문제에 대한 소극성 등으로 비판을 받아왔지만 자본주의의 역기능에 대한 비판과 대안 제시로서 이제라도 안전의 공적 가치를 가르치며 실천할 수 있다. 예를 들어 교회당 건축이나 교회의 행사 등에서 안전을 우선하여 건축법규를 잘 지키며 위험 방지를 위한 구체적인 노력을 기울임으로써 법의 빈틈을 노리는 탐욕이나 안전불감증에 대한 실천적 대안을 우리 교회가 보여 줄 수 있다. 안전을 배우고 또 가르치며 실천하는 안전한 교회가 되는 것이 위험사회에서 교회의 소금과 빛이 되는 길이다.

3) 위험사회에서 우는 자들과 함께 우는 교회(롬 12:15)

도덕적 공감은 그 자체로서 기독교적 가치의 중요한 부분임을 성경은 반복하여 강조한다. 하나님의 사람들과 욥, 선지자와 이스라엘, 사도들과 교회의 고난을 빼놓고 성경을 말할 수 없고 의로우신 그리스도의 고난은 그 정점을 보여준다. 타자에 대한 도덕적 공감 능력의 회복을 통하여 우리 교회는 올바른 기독교 신앙으로 되돌아오는 각성의 기회를 가질 수 있다. 재난의 사건을 기억하며 공감하는 진정한 방법은 재난을 겪으며 전체 사회로서 연대를 고취하며 유사한 재난을 방지할 수 있도록 올바른 신학을 정립하는 것이다. 그렇게 '우는 자들과 함께 우는 교회'로서 한국교회는 신앙의 사사화를 극복하고 공적인 신앙을 회복해 나갈 필요가 있다. 그래서 우리 교회는 특정한 재난이 발생할 때마다 직면한 재난을 이해하기 위한 노력으로 먼저 진실을 규명해야 하고 이어 그 사건에 대한 해석과 이후 적절한 해결을 위한 단계를 밟아야 한다.

교회는 각 단계에서 주님 앞에 기도하며 재난의 당사자들과 함께하는 구체적인 노력이 필요하다. 예를 들면 2011년 3월 11일의 동일본 대지진의 경우는 상대적으로 사건에 대한 진실규명은 어렵지 않게 이뤄졌다. 자연재해로 말미암은 쓰나미와 핵발전소의 문제들 그리고 이어진 방사능 오염으로 볼 수 있었다. 물론 여기에 더하여 각 사건에 대한 해당 기업이나 정부의 부실한 대응 때문에 인적 재난으로 사건이 더 확대되기도 했다. 이에 대한 사건 해석과 해결을 위한 노력은 기독교 내의 협력과 타 종교 특히 불교와도 공동작업으로 현장 지원 등에서 적극적 참여로 이어졌고 국내외 에큐메니칼 연대 등도 이뤄졌다. 이어서 신학적인 프로젝트도 중장기적으로 이뤄져서 특히 현장의 피해자들과 직접적인 당사자들의 소리를 듣고 정리함으로 현장신학, 아래로부터의 신학, 대리자가 아닌 당사자의 신학 등으로 정리가 되고 있다.

반면에 우리나라가 겪은 세월호 사건의 경우는 일단 진실규명에서부터 어려움이 적지 않았지만 현재까지의 정리된 자료만으로도 우리는 전체적으로 이 사건을 인적 재난으로 파악할 수 있다. 선원들이 또 해경이 구조할 수 있었는데 실패했다는 것, 해운 회사와 관계 부처 그리고 대통령에까지 사회 전반의 안전을 위한 통제 기능에서 부패, 무능, 무책임을 모두 발견하기 때문이다. 그런데 이에 대한 올바른 해석과 해결을 위한 노력은 진실규명보다 더욱 힘들었는데 이는 이 사건이 인적 재난이라는 사회적 이슈에서 정치적 이슈로 바뀌면서 재난으로서 제대로 다뤄질 기회를 놓쳐 버렸기 때문이다. 더구나 교회 가운데서도 이런 추세가 진행되면서 일부 대형교회 지도자들의 망언 등으로 교회는 스스로 사회적 갈등의 당사자가 되었고 재난을 수습하는데 기여하기보다는 오히려 비난의 대상이 되기도 했다. 이는 로마 가톨릭교회가 상대적으로 적절한 현장 대응에 더하여 교황 방문 등으로 '인간의 고통 앞에 (정치적) 중립을 지킬 수 없다'라며 유가족들과의 연대를 통해 분명한 메시지를 전달하며 종교적 사회적 기관으로서 제 역할을 한 것과 대조를 이룬다.

4) 위험사회에서 먹이고 입히고 재워주는 교회(마 25:35-40)

그리스도인들은 하나님과 이웃을 사랑하도록 부름을 받은 사람들이며(막 12:29-31) 고통받는 모든 지극히 작은 자 안에서 우리가 섬겨야 할 우리 주 예수님을 발견한다(마 25:35-40). 그래서 초대교회로부터 그리스도인들은 어려움 가운데 있는 이웃을 돌보며 보살펴왔다(행 11:27-30, 고후 8:1-6). 재난을 당하고 고통 가운데 있는 이웃을 향하여 오늘까지 이어지는 교회의 헌신은 주 예수님의 몸인 교회로서 당연한 모습이다.

'지금 이 재난 가운데 선하고 전능하신 하나님은 어디 계십니까?'라는 사람들의 질문을 받을 때마다 우리는 '네 형제 가운데 지극히 작은 자 하나가 주리고 목마르고 나그네 되고 헐벗고 병들고 옥에 갇혔을 때 너희는 어디에 있는가'라는 주님의 질문에 답해야 하는 당사자가 된다. 그래서 '모든 재난도 다 하나님의 뜻'이라는 성급하고 무정하고 무책임한 발언은 그리스도인에게 적절하지 않다. 지역사회의 재난 예방과 대비 그리고 대응을 위한 교회의 탄력적인 역할은 매우 중요하다.

미 보스턴 재난대응 형평관련 심포지움에서도 공동체 기반 조직(CBO: Community-Based Organization)을 재난 약자에 초점을 맞춘 재난대응계획에 포함시키도록 제안했다. 지역을 잘 이해하고 재난 약자를 이미 파악하고 있는 지역 교회가 재난 약자들을 위한 재난의 대비와 구호, 회복의 단계에서 시설과 인력을 활용하여 적극적으로 기여할 수 있도록 사전에 자치 단체나 응급 대응 기관 등과의 재난 지원을 위한 네트워크를 구축해 두면 재난이 닥쳤을 때 보다 적절하고 효과적으로 대응할 수 있을 것이다. 2017년 포항 지진 이후 지역 교회들의 응급지원 및 시설 제공의 사례나 튀르키예와 시리아의 지진 같은 해외 재난에 구호를 위하여 동참한 한국교회들의 노력은 구체적인 좋은 예가 된다.

5. 위험사회를 넘어 온전한 주님의 품으로

이 세상에 완전한 안전이나 평화는 없다. 오히려 아무도 피할 수 없는 가장 크고 두려운 주님의 날이 모든 사람에게 임할 것이다. 우리 성도들은 주 예수님의 재림을 믿으며 재림과 마지막 심판의 날이 악한 자들에게 크고 두려운 재앙의 날이며 동시에 주님의 백성들에게는 구원과 영광의 복된 날이 될 것을 믿는다.

오직 예수 그리스도 안에서 믿음으로 말미암아 구원을 얻은 우리는 이 땅에서 주님을 섬기며 또 이웃들을 섬기는 진실한 신자로서 살다가 그날이 이를 때에 주님께로부터 저주를 받은 자들아 나를 떠나 마귀와 그 사자들을 위하여 예비된 영원한 불에 들어가라(마 25:41)는 벌을 받는 편이 아니라 내 아버지께 복 받을 자들이여 나아와 창세로부터 너희를 위하여 예비된 나라를 상속받으라(마 25:34)고 하시는 환대를 받으며 영원하고 온전한 주님의 품에 들어가는 은혜를 누리게 되기를 기도한다.

선교의 패러다임

손승호 목사

1. 전도와 선교

일반적으로 선교와 전도는 만민에게 복음을 전하여 예수님을 자신의 주와 구주로 고백하게 하고 구원을 얻게 한다는 면에서 같은 것(막 16:15-16, 마 28:18-20)이지만 복음을 전할 대상에 있어서 전도는 문화나 언어가 동일한 국내에 거주하는 사람들에게 복음을 전하는 것이고 선교는 언어와 문화가 다른 민족을 대상으로 복음을 전하는 것을 말한다.

'삼위일체'라는 용어는 성경에 없으나 신구약 성경 전체에 그 개념이 산재해있는 것처럼 선교라는 '용어'도 마찬가지이다. 사도행전에 성령이 강림하신 이후 사도들은 자신의 문화권을 넘어 복음을 전하는 선교를 자연스럽게 시작한 것을 볼 수 있다.

주님의 지상명령을 따라 세계 복음화를 완수해야 하는 그리스도인의 입장에서는 전도와 선교 중 어느 것이 더 중요한지 따질 필요는 없고 각자가 부르심을 받은 소명(召命)에 따라 자신이 머무르고 있는 곳(동일 문화권 혹은 타문화권)에서 복음전파의 사명을 다하는 것이 중요할 것이다.

2. 세계 선교 세력에 따른 선교 패러다임의 변화

2023년 12월 말 미국 인구조사국은 2024년 1월 전 세계 인구가 80억 명을 넘어 약 80억 2천만 명이 될 것으로 전망했다. 앞으로 14년 후에는 90억, 2055년경에는 세계 인구가 100억을 돌파할 것이라고 밝혔다.

점점 많아지는 인구에 비례하여 세계 복음화는 인구 증가율을 따라가기 힘들 것으로 예상된다. 선교역사학자 앤드루 월스(1928-2021)는 2000년 역사의 세계교회 물줄기를 바꾼 세 번의 전환점을 언급했다.

초대교회 시절 유대 그리스도인들이 전 세계로 흩어져 예수를 전파한 사건, 5세기 유럽이 복음화되면서 크리스텐덤(기독교제국) 시대를 이룩한 점 그리고 세 번째 전환점은 북반구에서 남반구로 세계 선교 지형이 바뀌면서 세계 기독교 시대가 열린 바로 지금이다.

세계기독교백과사전의 주요 연구 결과에 따르면 세계 기독교는 21세기 들어서면서 북반구의 기독교는 쇠퇴하는 반면 남반구(즉, 아프리카, 아시아, 라틴아메리카, 오세아니아)에서의 기독교는 증가하여 기독교 인구통계가 이동하고 있다는 것을 보여준다.

1900년에는 전체 기독교인의 18%만이 남반구에 살고 82%가 북반구에 살았으나 2020년에 이르러 전체 기독교 인구의 33%만 북반구에 살고 있고 67%는 남반구에 살고 있다.

1970년 전 세계 전체 선교사의 숫자는 258,000명이었는데 그중 88%(227,000명)는 북반구 출신이었고, 12%(31,000명)는 남반구 출신이었다. 2021년에는 전체 선교사 430,000명 중 53%(227,000명)가 북반구 출신이며 나머지 47%(203,000명)는 남반구 출신으로 가까운 장래에 그 숫자는 역전될 것이다.

패러다임이란 어떤 한 시대 사람들의 견해나 사고를 근본적으로 규정하고 있는 테두리로서의 인식의 체계 또는 사물에 대한 이론적인 틀이나 체계를 의미하는 개념이다. 즉 특정 시대에 일반화된 틀을 말한다. 우리는 지금까지 선교란 북반구에서 남반구로 진행되어야 한다는 인식을 하고 있었는데 이것은 크리스텐덤적 패러다임에 갇힌 사고이다.

오늘날 기독교가 서구 크리스텐텀 시대에서 탈식민지, 탈근대, 탈서구 시대를 거쳐 세계기독교 시대로 옮겨 가면서 세계교회의 선교는 근본적인 변화를 경험하고 있다. 과거 선교지였던 아시아, 아프리카, 남미의 교회가 성장하면서 이제는 세계 선교 세력으로 바뀌고 있다. 이제까지의 서구 중심의 선교시대를 마감하고 세계기독교 시대의 선교가 열리고 있다.

미사일의 발달로 전쟁에 전후방이 없어진 것과 같이 이제는 선교도 해외와 국내의 구분이 없이 다중심적, 전 방향으로 진행되고 있다.

3. 선교하는 교회와 선교적 교회의 차이

선교하는 교회, 선교 지향적 교회는 지금까지 한국교회가 해외에 선교사를 보내고 기도와 물질로 후원하는 것을 가리킨다. 교회가 선교의 주체이며 선교의 방법은 대리적 선교(내가 선교지로 가지 않고 선교사를 대신 선교지에 보냄)이며 선교는 교회의 여러 사역 중 하나가 된다. 교회를 건축하거나 개교회의 재정 상황이 좋지 않으면 재정이 필요한 우선순위에 따라 선교사 후원을 중단할 수도 있다.

'선교적 교회'라는 개념을 출발하게 한 가장 중요한 인물은 레슬리 뉴비긴(1909-1998)이다. 일반 교인들이 '선교적 교회'라는 단어를 들으면 해외선교와 관련되는 것인 줄 착각할 것이지만 우리가 흔히 생각하는 "선교를 열심히 합시다"라는 식의 해외선교와는 상관이 없는 것이다.

레슬리 뉴비긴은 1936년 선교사로 파송을 받아 선교사로 거의 40년을 인도 선교지에서 살다가 은퇴하여 1974년 고국 영국으로 돌아왔다. 은퇴선교사로 고국에 돌아오자 선교사를 파송하는 선교기지 역할을 하였던 영국 사회가 선교지로 변한 것을 보면서 그는 충격에 빠지게 된다.

영국은 탈기독교 사회를 넘어 반기독교 사회가 되어 있었다. 선교지보다 더 선교지가 되어버린 영국은 세속적이고 다원주의적이고 복음에 반항하는 상황 가운데서 복음은 사사로운 것이 되었고, 교회는 사회와 문화 속에서 복음을 공적인 진리로 제시되지 못하게 되어버렸다는 것을 보게 된 것이다.

선교적 교회는 해외선교보다는 오히려 교회 갱신 운동에 더 관련되어 있고 교회의 성육신적 측면을 강조하는 주장이다. 삼위일체 하나님의 역동성에 근거해서 교회를 정의하는 것이다.

칼 바르트가 지적한 것처럼 하나님은 '행동하시는 하나님'이시고, 이 하나님의 행위 결과로 성부가 성자를 보내시고 이어서 성부와 성자가 성령을 보내셨다는 것이다. 이 보냄이라는 개념이 바로 선교의 원래 의미이다.

주목할 만한 성경구절은 요한복음에 나타난 예수님의 말씀이다. "아버지께서 나를 세상에 보내신 것 같이 나도 그들을 세상에 보내었고 (중략) 아버지여, 아버지께서 내 안에, 내가 아버지 안에 있는 것 같이 그들도 다 하나가 되어 우리 안에 있게 하사 세상으로 아버지께서 나를 보내신 것을 믿게 하옵소서"(요 17:18-21).

"예수께서 또 이르시되 너희에게 평강이 있을지어다 아버지께서 나를 보내신 것 같이 나도 너희를 보내노라"(요 20:21). 성부는 성자를 보내시고, 성부와 성자는 성령을 보내시고, 삼위 하나님은 교회를 세상으로 보내셨다.

선교적 교회는 교회의 기능을 중심으로 접근하는 것이 아니라 교회의 본질이 무엇인가를 추구하고 그 본질로 돌아가야 한다는 것이다. 선교적 교회는 교인 중 몇몇 사람들에게만 선교를 일임하지 않고 모든 교인이 보내심을 받은 자로 인식을 한다.

선교적 교회를 구성하는 그리스도인들은 선교를 몇몇 사람에게 일임하기보다는 각자의 삶의 터전에서 보내심을 받은 자로 하나님의 선교에 참여한다. 교회의 목적이 하나님 나라를 선포하는 것이라면 매일의 삶 속에서 예수 그리스도와 동행하고 삶의 현장에서 복음이 구현되어야 한다는 것이다.

2023년 주요 종교별 호감도를 보면 기독교는 33.3%, 천주교는 51.3%, 불교는 52.5%로 기독교가 가장 낮음을 볼 수 있다. 기독교의 대 사회적인 신뢰를 회복하기 위해서는 거듭난 성도가 교회 안의 신자로만 살아가는 것으로 만족할 것이 아니라 반기독교적인 세상 가운데서 주일예배를 마치고 교회의 문을 열고 세상으로 나가는 순간 자신이 몸을 담고 있는 모든 삶의 영역이 바로 선교지임을 인식하고 하나님의 말씀을 실천함으로 하나님의 영광을 드러냄으로 복음의 영향력을 끼쳐야할 것이다.

선교역사가인 스티븐 닐(1900-1984)은 "만일 모든 것이 선교이면 아무것도 선교가 아니다"라고 언급하며 해외선교와 전도의 차이점을 허물어버리면 해외선교가 위축될 위험이 있다고 경고했다.

전도와 선교는 기차의 두 레일과 같다. 내가 동일 문화권인 국내에 머물며 신실한 성도로서 전도하는 것을 중지하면 교회성장은 멈추고 내가 속한 지역교회는 해외에 선교사를 보낼 여력을 잃어버리고 해외 선교도 더 이상 할 수 없게 될 것이다. 오늘날 쇠퇴해버린 유럽의 교회들을 보면서 우리는 준엄한 교훈을 얻을 수 있다.

4. 코로나 팬데믹으로 인한 새로운 표준과 이주민 선교

지난 3년 이상 진행되었던 세계적으로 감염병이 대유행했던 코로나 팬데믹은 우리의 일상을 많이 바꾸어놓았다. 코로나 팬데믹은 선교의 핵심적 개념이 무엇인지를 우리에게 깨닫게 해주었다. 선교란 땅끝까지 가야 하는 것만이 아니라 땅끝의 영혼들이 우리 곁으로 찾아왔기 때문에 오는 선교가 가능하게 됐다. 그러므로 선교란 근본적으로 지리적인 거리 개념이 아니라 문화를 넘어가는 것을 말한다. 선교는 속지주의적 개념보다는 속인주의적 개념에 더 가깝다. 해외에 간 한국인이 한인들끼리만 만나고 한인교회에 나가면 선교와는 상관이 없다.

유목민이 초지를 따라 동물을 몰고 다니며 풀을 먹이듯 자본(돈)이라는 초지를 따라 한국으로 흘러들어온 이주민들에게 전도하면 그것이 바로 선교이다. 현재 약 260만 명의 이주민들이 우리 가운데 들어와 머물고 있다. 우리가 비행기를 타고 멀리 가지 않아도 나의 동네에서 살아가고 있는 외국인을 만나 선교할 기회를 하나님께서 주신 것이다.

창세 이래로 사람들, 민족들을 보내시고 옮기시는 분은 하나님의 통치하심과 주권에 속한다고 성경은 말씀한다(행 17:26). 우리가 외국어를 사용하지 않고 우리말로 선교할 수 있는 시대가 온 것이다. 이것은 하나님께서 우리에게 쌓을 곳이 없도록 복(福)을 쏟아 부어 주신 결과이다.

우리 곁으로 찾아온 새로운 이웃인 이주민들은 네 그룹으로 나누어져 있다. 노동자, 유학생, 결혼이주자와 난민이다. 하나님의 은혜로 코로나 팬데믹 기간 중인 2022년 1월 27일 고현교회에서 울산경남세계선교협의회가 조직됐다. 이사장은 고현교회 박정곤 목사(고신), 울산지역 부이사장은 명성교회 김종혁 목사(합동측 부총회장),

경남지역 부이사장은 상남교회 이창교 목사(경남기독교총연합회회장), 김해지역 부이사장은 김해제일교회 김신일 목사(성결교회)이며 필자는 부족하지만 사무총장이라는 직분으로 섬기고 있다. 이사들은 교파를 초월하여 20여 명이 영입되어 울산/경남지역 약 450만 명 인구 가운데 유입된 20여만 명의 이주민들을 복음화하기 위한 목적으로 설립됐다.

5. 울산과학기술원(UNIST) 교회개척

울산지역의 유학생들은 대학교마다 있는데 지적으로 가장 우수한 유학생들이 있는 곳은 울산과학기술원(유니스트)이다. 유니스트에 유학 온 학생들은 다른 대학교에서 공부하는 유학생들처럼 일하거나 돈을 벌 시간적 여유가 없다. 학생들은 영어를 사용해야 하며 학교가 높은 수준의 학업 성취를 요구하기 때문에 오직 공부에 매진한다. 학교에는 학사과정과 석·박사 통합과정에 약 2,300명의 학생이 있고 우수하고 젊은 교수진들과 학생 수에 비해 많은 직원이 있다.

카이스트(한국과학기술원)보다 훨씬 늦게 출발했음에도 유니스트는 장족의 발전을 거듭하여 첨단 신소재, 바이오, 차세대 에너지 등을 중점연구 분야로 2030년 세계 10위권 대학 진입을 목표로 하고 있다.

울산지역 교회들과 다양한 학원선교단체들이 유니스트에 복음을 전하고자 하는 다양한 시도가 있었고 지금도 진행 중이다. 이제 2024년부터 울산경남세계선교협의회를 플랫폼으로 삼아 서서히 교회개척을 시작하려고 한다.

울산지역에서 울산경남세계선교협의회의 이사로 섬기는 담임목사들의 교회가 후원의 중심에 서고 영혼 구원에 열심을 가진 개인들의 동역으로 일을 시작하고자 한다.

유니스트 교회개척을 위하여 선교사 출신 두 커플(사역을 위한 환경 조성)과 최전방에서 복음을 전할 두 커플이 하나의 팀이 되어 각자가 하나님께로부터 받은 다양한 은사를 사용하여 우리 곁으로 찾아온 이슬람권, 불교권 배경의 유학생들뿐만 아니라 내국인 학생들도 복음전도의 대상으로 삼으려고 한다.

6. 기회란 왔을 때 잡아야

기회란 한번 오면 영원히 머물지 않는 특성이 있다. 헬라어로 시간을 뜻하는 말에는 두 가지가 있다. 자연스럽게 흘러가는 물리적 시간인 '크로노스'와 특별한 의미가 부여된 시간인 '카이로스'이다. 하나님께서 우리에게 허락하신 특별한 기회는 카이로스에 해당한다.

그리스 신화에도 기회의 신 카이로스와 관련된 의미 있는 이야기가 있다. 제우스의 아들 카이로스의 모습을 보면 앞머리는 숱이 무성한 대신 뒷머리는 대머리이며, 어깨와 양발 뒤꿈치에는 날개가 달려있을 뿐만 아니라 양손에는 저울과 칼을 들고 있다고 한다.

카이로스의 앞머리가 무성한 이유는 그를 발견한 자가 그의 머리채를 쉽게 붙잡을 수 있도록 하기 위함이나 그의 뒷머리는 대머리이기 때문에 머리카락을 붙잡을 수 없을 뿐만 아니라 발에 날개가 달려있어 순식간에 사라져 버린다고 한다.

그리스 사람들은 기회란 한번 지나가면 다시는 잡을 수 없는 것이라고 보았다. 카이로스가 저울과 칼을 손에 들고 있는 것은 기회가 다가왔을 때 저울과 같이 정확한 판단을 내리고 칼과 같이 날카로운 결단을 행동으로 옮기는 것이 바로 기회가 의미하는 것이라고 한다.

기회란 그리스인들이 이해한 것과 닮았다고 생각된다. 우리 민족이 기록된 역사 가운데 이웃 강대국으로부터 수많은 침략만 당했기 때문에 아침 인사가 '안녕하십니까?'이다. 밤사이에 누가 쳐들어와서 괴롭혀서 생명에 지장이 없었느냐는 것이다.

영어권 사람들은 날씨가 흐리고 비가 많이 와도 아침 인사는 '좋은 아침입니다'라고 말한다. 그들 대부분은 침략을 당하지 않았기 때문에 날마다 좋은 일만 있는 것이다. 우리가 6.25를 거치면서 완전히 망했다가 잘 먹고 잘살게 된 것은 얼마 되지 않는다.

우리가 이렇게도 풍요하고 잘살게 되는 날이 얼마나 남았을지는 오직 하나님만 아신다. 하나님께서 우리에게 많이 주셨을 때 우리 곁으로 찾아온 이주민들에게 많이 줄 수 있는 기회이다. 우리가 가진 것이 다 없어지면 주고 싶어도 줄 것이 없다.

유니스트에 유학 온 학생들에게 마음껏 복음을 흘려보내자. 그들에게 복음을 흘려보내기 위해 한 개인이나 한 지역교회가 할 수 없다.

세상 방식으로 경쟁하지 말고 이단이 아닌 이상 힘을 합하여 그들을 하나님의 사람으로 세워 본국으로 돌려보내고 또한 그들이 세계 선교에 헌신하도록 하자. 하나님께서 우리에게 주신 기회를 지금 바로 잡아야 지혜롭고 충성스러운 하나님의 자녀가 될 수 있지 않겠는가?(마 25:21,23).

질병에 대한 성경적 이해

유해신 목사

"목사님, 처음 암을 진단을 받았을 때 당황하고 잠시 좌절하긴 했지만 곧 저의 죄를 돌아보게 하심도 치료를 받을 수 있는 것도 모든 과정이 감사하기만 했습니다. 그러나 저의 마음은 변덕스럽게 감사와 원망을 수시로 반복하고 있습니다."

우리 교회 이세미 자매는 이렇게 말했다. 이 자매는 월간고신에 '나는 주부다'를 2년간 연재하던 믿음의 사람이다. 그런데 지난해 암 진단을 받고 고통스러운 치료 중이다. 하나님과 관계 속에서 투병 생활을 잘하고 있다. 필자의 이 글은 이세미 자매와 우리 고신교회 성도 중 투병하고 있는 성도에게 바친다.

'질병과 치료'에 관련된 성경 구절들을 보면서 놀라운 것을 발견했다. 질병을 유쾌한 태도로 대한다는 것이다. 성경에서는 병에 관한 이야기와 함께 삼위일체 하나님의 사랑의 손길에 대한 믿음이 함께 나온다. 또 질병이 없는 새 하늘과 새 땅에 대한 소망이 함께 나온다. 질병이라는 문제를 해결의 관점에서 바라본다. 이 작은 글이 투병 중인 성도들과 가족에게 주님 안에서 기뻐하는 데 도움이 되기 바란다.

1. 죄에 대한 심판으로 시작된 죽음과 질병

하나님께서 창조한 세상과 사람은 하나님이 보시기에 심히 좋았다(창 1:31). 병도 없고 죽음도 없는 낙원이었다. 그러나 아담과 하와는 하나님처럼 높아지려 하는 교만과 탐심으로 하나님께 반역했다. 그 징벌로 죽음이 시작됐다. 질병도 따라 왔다.

타락한 인류 가운데 하나님께서 이스라엘 백성을 하나님께서 특별한 사랑으로 언약을 맺어 하나님의 백성으로 삼았다. 백성이 순종할 때 언약의 복을 약속했다. 불순종할 때 언약의 저주를 내리겠다고 경고했다. 저주의 하나로서 질병 특히 전염병을 내리겠다고 말씀하셨다(신 28:15, 21). 실제 하나님께서는 죄에 대한 심판으로 전염병을 보내서 14,700명, 24,000명을 죽이신 적이 있다(민 16:49, 25:9). 그렇지만 모든 질병이 죄 때문에 생긴다고는 말하지 않는다. 예를 들어 몸에 유출병이 있으면 '부정하다'라고 규정하지 '죄를 지었다'고 하지 않는다. 그 사람이 어떤 죄를 지었는지 조사하지 않는다. 유출이 그친 다음 7일 동안 공동체로부터 격리했다가 정결례 제사를 드린 다음 공동체에 들어오게 한다.

신약교회에서도 성찬에서 "주의 몸을 분별하지 못하고 먹고 마시는 자는 자기의 죄를 먹고 마시는 것"이라고 말한다. 그 죄에 대한 하나님의 심판으로 병든 자와 죽은 자가 생겼다(고전 11:29, 30). 그러나 성경 어디에도 모든 병든 사람은 그의 어떤 죄에 대한 하나님의 심판을 받고 있다고 말하지 않는다. 그래서 우리는 병이 생긴 성도에 대해 '무슨 죄를 지어서 저렇게 병들었을까?'라고 생각해서는 안 된다.

요한복음 9장이 잘 말해 준다. 예수님과 제자들은 길을 가다가 날 때부터 맹인인 한 사람을 보았다. 제자들은 물었다. "선생님, 이 사람이 맹인으로 난 것이 누구의 죄 때문입니까? 자기의 죄 때문입니까? 그의 부모의 죄 때문입니까?" 예수님이 대답하셨다. "이 사람이나 그 부모의 죄 때문이 아니다. 그에게서 하나님의 하시는 일을 나타내려고 하심 때문이다." 질병 앞에서 우리가 가져야 할 생각은 '하나님께서 과연 어떻게 하나님이 하시는 일을 나타내실까?' 기대하는 것이다. 그러나 우리는 건강할 때도 항상 회개하듯이 병들었을 때도 자신을 돌아보고 회개하며 새 사람으로 변하는 일을 계속해야 한다.

2. 하나님 나라가 온 표적(표시)으로 병을 고친 예수님과 제자들

하나님의 아들 우리 주 예수 그리스도께서는 하나님의 나라가 온 표시로서 질병을 고치셨다. "주의 성령이 내게 임하셨으니 이는 가난한 자에게 복음을 전하게 하시려고 내게 기름을 부으시고 나를 보내사 포로된 자에게 자유를 눈 먼 자에게 다시 보게 함을 전파하며 눌린 자를 자유케 하고 주의 은혜의 해를 전파하게 하려 하심이라"(눅 4:18-19). 아버지 하나님께서 아들 하나님을 세상에 보내시며 성령으로 충만케 하셨다. 예수님은 십자가의 죽음과 부활의 복음을 전하여 하나님의 백성을 죄와 마귀의 권세로부터 자유케 하셨다. 눈먼 자를 고치며 육체의 질병과 장애를 고치셨다. 죄와 질병이 없는 새 하늘과 새 땅이 시작된 것을 알리기 위해 병을 고치셨다. 그런데 복음서에서 예수님의 지상 사역의 후반부로 갈수록 병 고치는 표적들은 점차 줄어든다. 대신에 십자가의 죽음과 부활이라는 기적이 전면에 등장한다. '하나님 나라의 표적'으로서의 치유사역은 십자가의 표적에 자리를 내어 준다. 사도행전에서 사도들의 사역도 초기에는 질병을 고치는 표적들이 많지만 시간이 지날수록 점점 줄어든다. 말씀을 전하고 가르치는 것에 집중한다.

3. 성화의 한 수단으로서의 질병과 치유

1) 기적 치료가 사라짐과 의료 기술을 사용(딤전 5:23)

하나님 나라가 시작되었다는 것의 표시로 기적 치료는 사도들의 다음세대에 점차 사라진다. 베드로나 바울 사도가 교회와 다음세대 사역자(디모데)에게 쓴 편지에는 기적으로 병을 고치라는 권면이 없다. 십자가 그리스도의 복음을 가르치고 복음에 합당한 삶을 사는 것을 가르친다. 교회는 병이 생기면 약과 의술을 사용한다. 디모데는 위장이 좋지 않고 '자주 나는 병'이 있었다(딤전 5:23). 정확히는 '병들'이다. 디모데에게는 위장병을 비롯한 여러 질병이 있었다. 사도 바울은 디모데에게 '어떤 죄에 대한 하나님의 징벌인지 자기를 살펴보라'고 말하지 않았다. 치료제로서 "포도주를 조금씩 쓰라"고 권면한다. 그 시대에 포도주는 일종의 치료제였다. 하나님께서는 필요할 때에는 바울을 통해 기적으로 병을 치료하셨다. 그런데 정작 복음사역자 디모데의 병을 기적으로 고치는 대신 일반 약품을 사용하게 한다.

이후 교회 역사에서 병이 났을 때 일반적인 치료법을 사용했다. 3세기에 로마제국에 큰 전염병이 발병했을 때이다. 비기독교인들은 병든 자를 바깥에 내쫓았다. 그러나 그리스도인들은 전염병에 걸린 자들에게 물과 음식을 공급하며 기본적인 간호를 했다. 종교개혁시기에 루터는 당시 흑사병 전염병이 퍼질 때 치료를 위한 지침을 성도들에게 주었다. 예를 들면 "나는 연기를 피워 독을 소독할 것인데 이로써 공기를 깨끗이 정화한다." 칼빈도 흑사병이 유행할 때 제네바시와 협력하여 '종합구빈원'을 운영했다.

우리 시대의 그리스도인도 병원을 통해 가장 좋은 치료법의 도움을 받아야 한다. 하나님께서는 병원과 의료 기술을 통하여 성도를 치료해 주신다.

2) 치료를 위해 기도하면서 동시에 자신의 영혼을 점검함

성도는 일반 의술을 통해 병을 치료하면서도 제일 먼저 할 일은 기도하는 것이다. 사도 바울도 병이 생겼을 때 하나님께서 치유해 주도록 간절히 기도했다. "세 번 기도"했다는 것은 많이 기도했다는 뜻이다(고후 12:8).

우리도 의사를 통해 치료해 주시도록 하나님께 기도해야 한다. 병원을 정하고 어떤 치료를 할지에 대해 의사의 도움을 받는 것도 하나님께 기도하며 결정해야 한다. 하나님 나라의 복음을 전파 수단으로써 질병의 치료를 시대는 지나갔기에 의료 기술을 통해서 치료해 주시기를 기도해야 한다. 그와 동시에 기도하는 성도에게 하나님께서는 의술의 한계를 뛰어넘는 기적 치료를 해 주실 수도 있음을 믿고 기도해야 한다. 또 자신의 영혼을 돌아보며 하나님을 진노하게 한 일은 없는지 돌아보아야 하겠다.

3) 질병 때문에 종합적으로 더 건강한 삶(고후 12:7-10)

하나님께서는 때로는 질병을 통해서 종합적으로는 더 건강한 삶을 살게 하신다. 바울이 여러 질병이 있어서 낫기를 간절히 기도했다. 주 예수님께서 이렇게 응답하셨다. "내 은혜가 네게 족하다. 이는 (왜냐하면) 내(예수님의) 능력이 (너 바울이) 약한 데서 온전하여짐이라"(고후 12:9). "약한 데서"는 '약함들 가운데서'라는 뜻이다. 바울은 여러 곳이 아팠다. 그 아픈 상태에서 예수 그리스도의 은혜가 충분했다. 그리스도께서 바울을 통해서 능력을 나타내는 데 최상의 조건이라는 것이다. 병 때문에 더 온전해진다. 그의 육체적 질병들은 영적 질병인 교만을 예방하는 치료제였다. "여러 계시를 받은 것이 지극히 크므로 자만하지 않게 하시려고 내 육체에 가시 곧 사단의 사자를 주셨으니 이는 나를 쳐서 너무 자만하지 않게 하려 하심이라"(고후 12:7). "교만은 패망의 선봉이요 거만한 마음은 넘어짐의 앞잡이니라"(잠 16:18). 교만 병에 걸리면 꼼짝없이 멸망한다. 넘어진다. 그래서 하나님께서는 예방치료제로 육체의 질병을 주셨다. 이것을 깨달은 후에 바울은 "그리스도를 위하여 약한 것들"(즉 질병)을 기뻐하고 있다(고후 12:10). 더 나아가 능욕과 박해와 곤고도 기뻐한다. 왜냐하면 "내가 약한 그때에 강함이라." 만성 질병으로 몸이 약할 때 사실은 전체적으로 더 건강하게 하나님의 일을 할 수 있게 됐다.

여러 질병, 만성 질병, 혹은 장애가 있는 형제·자매님들이 그 아픔을 통해 그리스도께서 주시는 강함이 머물러 있기를 소원한다.

4) 질병을 통한 훈련과 연단(롬 5:3-5)

"다만 이뿐 아니라 우리가 환난 중에도 즐거워 하나니 이는 환난은 인내를 인내는 연단을 연단은 소망을 이루는 줄 앎이로다"(롬 5:3, 4).

환난 중에 즐거워하는 바울은 만성 질병 중에도 즐거워했을 것이다. 질병이라는 환난을 통해 하나님은 인내를 훈련하신다. 인내를 통해 그리스도의 사람으로 연단한다. 연단은 소망을 이룬다. 이것을 아는 성도는 환난 가운데서 하나님의 영광을 바라고(소망하고) 즐거워한다. 영원한 하나님 나라에서 하나님의 영광 가운데 살 것에 대한 소망이 넘친다. 그 소망 가운데 질병의 고통을 인내한다. 단련되어 간다.

"무릇 징계가 당시에는 즐거워 보이지 않고 슬퍼 보이나 후에 그로 말미암아 연단 받은 자들은 의와 평강의 열매를 맺느니라"(히 12:11). 여기서 징계는 징벌이라는 뜻보다 훈련(discipline)에 가깝다. 하나님께서 사랑하는 자녀 된 우리를 훈련하는 여러 방법 중 하나가 질병이다. 일정 기간 겪는 질병도 있고 불치병과 장애도 있다. 어느 경우 이건 질병으로 훈련받은 성도는 하나님과 의로움 즉 바른 관계를 맺는다. 하나님과 사람과 평화를 누린다.

4. 새 하늘과 새 땅에서 새 몸을 소망하며

1) 선한 목자의 인도하심을 소망하며(계 7:16-17)

질병의 치료를 위해 애쓰고 불치병의 고통 가운데 부르짖을 때 우리는 멀리 영원을 바라본다. 우리 주님이 재림하셔서 선한 목자로서 성도들을 인도할 것이다. "그들이 다시는 주리지도 아니하며 목마르지도 아니하고 해나 아무 뜨거운 기운에 상하지도 아니하리니 이는 보좌 가운데 계신 어린 양이 그들의 목자가 되사 생명수 샘으로 인도하시고 하나님께서 그들의 눈에서 모든 눈물을 씻어 주실 것임이라"(계 7:16-17).

암 치료 중에 아파 죽을 것 같은 사망의 골짜기를 지나간다. 그럴 때 우리는 선한 목자께서 재림 이후에 모든 눈물을 씻어 주시고 생명수 샘으로 인도하실 것을 확신한다. 같은 선한 목자께서 지금 눈물의 골짜기에서도 그분의 지팡이와 막대기로 인도하심을 경험한다. 이것이 희미해지지 않도록 고통 가운데 탄식하며 주님의 이름을 부른다.

2) 하나님 나라를 바라며 항상 주의 일에 힘씀(고전 15:50-58)

"혈과 육은 하나님 나라를 이어 받을 수 없고 또한 썩는 것은 썩지 아니하는 것을 유업으로 받지 못하느니라"(고전 15:50). 병이 없이 건강해도 이 육체는 썩을 것이다. 썩지 아니할 하나님 나라를 상속받기 위해 우리 몸은 썩지 아니할 육체로 변하게 하실 것이다. 우리 주 예수 그리스도께서는 죽음을 완전히 정복하실 것이다. 그래서 우리는 지금 질병에 시달릴 때도 죽음을 두려워하지 않는다.

"우리 주 예수 그리스도로 말미암아 우리에게 승리를 주시는 하나님께 감사하노니 그러므로 사랑하는 형제들아 견실하며 흔들리지 말고 항상 주의 일에 더욱 힘쓰는 자들이 되라. 이는 너희 수고가 주 안에서 헛되지 않은 줄 앎이라"(고전 15:57, 58).

이 말씀은 우리 모두에게 항상 적용된다. 우리가 아주 건강하건, 가벼운 질병이 있건, 아니면 불치병과 장애로 고통 하건, 예외가 없다. 그리스도 안에서 죽음을 이긴다. 흔들리지 말고 주님의 일에 더욱 힘쓰는 자들이 되자. 질병 가운데 있다면 아직 남아 있는 만큼의 건강함으로 주님의 일을 하자. 하나님을 사랑하고 이웃을 사랑하는 우리의 사명을 다하자. 남은 힘으로 기뻐하자. "그리스도 예수 안에서 너희를 향한 하나님의 뜻"대로 "항상 기뻐하고 쉬지 말고 기도하고 범사에 감사"하자(살전 5:16-18). 병과 장애로 몸이 아무리 허약해도 기뻐할 수 있는 이 권리를 포기하지 말자

주님의 일에 더욱 힘쓰자. 주님께서는 주시지 않은 것을 요구하지 않으신다. 건강 주신 것만큼 열매를 기대하자. 우리 수고가 주 안에서 헛되지 않은 줄 우리는 안다. 주님은 아주 작은 액수밖에 헌금

하지 못한 가난한 과부를 알아주셨다. "자기의 모든 소유 생활비 전부"를 헌금한 것을 알아주셨다(막 12:41-44). 투병 중인 형제·자매님의 작은 수고와 기뻐함을 주님께서는 아신다. 질병으로 고생하는 이 순간에서도 정상적인 그리스도인의 삶을 살아가자.

3) 종말을 사는 초연성(고전 7:29-31)

우리가 누릴 새 하늘과 새 땅의 무한한 기쁨을 생각할 때 지금 치료를 위해 힘쓰면서도 건강과 질병에 대해 지나치게 집착하지 않는다. "형제들아 내가 이 말을 하노니 그때가 단축하여 진 고로 이후부터 아내 있는 자들은 없는 자같이 하며 우는 자들은 울지 않는 자같이 하며 기쁜 자들은 기쁘지 않은 자같이 하며 매매하는 자들은 없는 자같이 하며 세상 물건을 쓰는 자들은 다 쓰지 못하는 자같이 하라. 이 세상의 외형은 지나감이니라"(고전 7:29-31).

이 권면은 다음과 같이 적용될 수 있을 것이다. '건강한 자들은 건강하지 않은 자같이 하며, 병든 자들은 병들지 않은 자 같이하라. 이 세상의 것은 다 지나가기 때문이다. 건강하다고 너무 자랑하지 말자. 병이 있다고 너무 낙담하지 말자. 지금의 건강과 질병은 영원하지 않다. 다 지나간다. 주 예수께서 오시고 있다. 이 땅의 것에 조금은 가볍게 초연하게 대하자.

"할례받는 것도 아무것도 아니요 할례받지 못한 것도 아무것도 아니로되 오직 하나님의 계명을 지킬 따름이라. 각 사람은 부르심을 받은 그 부르심 그대로 지내라"(고전 7:19,20). 건강할 때도, 병든 때도, 삶의 형편이 어떠하든지 하나님께서 자녀로 불러 주셨다. 그 환경에 맞게 오직 하나님의 말씀에 따라 복종하며 사는 것이 중요하다.

마지막으로 이 말씀으로 힘을 얻기 바란다. "깨어 믿음에 굳게 서서 남자답게 강건하라. 너희 모든 일을 사랑으로 행하라"(고전 16:13, 14). 남녀노소, 건강 여부 관계없이 '남자답게 강하자.' 모든 일을 하나님을 향한 믿음과 주위 사람을 향한 사랑 가운데 행하자.

바람직한 기독교 결혼식

황대우 목사

1. 기독교 결혼의 의미

결혼식은 인생의 중대사 가운데 하나다. 그래서 흔히 인륜지대사(人倫之大事)라 한다. 물론 요즘은 이혼율이 높아 결혼도 옛날만큼 사회적으로 대단한 일은 아닌 듯하다. 또한 점차 가족보다는 '욜로족'(YOLO＝You only live once)을 선호하는 '결혼 기피 현상'도 한 몫하는 듯하다. 하지만 기독교는 교회와 사회의 근간을 가정으로 보기 때문에 교회에서 결혼은 여전히 중요한 전통이다. 이것만 봐도 교회는 세상 풍조와 함께 휩쓸리기 어려운 것이 사실이다.

남자와 여자가 만나 하나의 새로운 가정을 이루는 출발점이 결혼이다. 남자와 여자는 달라도 너무 다르다는 사실을 강조하기 위해 남자를 화성 출신으로, 여자를 금성 출신으로 비유하기도 한다. 하지만 성경은 남자와 여자가 처음에는 하나라고 가르친다. 하나의 인간이 두 성으로 분화되었는데 성경은 여자가 아담의 갈비뼈로 만들어진 존재라고 가르친다. 하나님의 천지창조 순서에서 보면 여자는 남자보다 늦게 창조된 최후의 피조물이다.

인간(에노쉬/아담)은 지상의 모든 동물과 하늘의 모든 새처럼 흙으로 지어졌지만 동물들과 달리 하나님의 형상으로 창조된 유일한 피조물로서 생령이다. 히브리어 '아담'은 강하면서도 연약한 인간을 의미하는데 첫 인간의 갈비뼈로 만들어진 특별한 존재가 바로 여자다. 잠에서 깨어난 최초의 인간 아담은 남자(이쉬)로서 자신의 눈앞에 있는 아름다운 인간을 보고 "내 뼈 중의 뼈요, 살 중의 살이라!"(창 2:23)고 감탄하며 '여자'(이쇠[히])라 불렀다.

그런데 성경은 여자의 창조기사를 여기서 끝내지 않고 가라사대 "남자가 부모를 떠나 그의 아내와 합하여 둘이 한 몸을 이룰지로다"(창 2:24)라고 했다. 성경 히브리어에서 남자와 여자로 지칭하는 단어는 동일한 단어의 남성명사와 여성명사라는 사실을 알 수 있다. 아담과 하와는 최초의 인간이었으므로 사실상 부모가 없다. 하지만 창세기를 기록한 모세시대에는 부모 없이 태어난 인간은 없었기 때문에 '부모'라는 단어는 인류가 곧 계보의 역사임을 예견한다.

성경이 가르치는 결혼이란 '한 남자와 한 여자'라는 두 인격체가 만나 서로를 존중하고 사랑하며 "합하여 둘이 한 몸을 이루는" 것이다. 결혼은 합하여 하나가 되는 일이기 때문에 한마디로 '협동'(協同)이다. 부부는 합하여 하나가 되는 협동체다. 이 협동체에 관한 사건과 가르침이 창조기사에 이어서 기록된 것은 아마도 결혼이 그 어떤 것보다 중요하기 때문일 것이다. 한 남자와 한 여자의 협동체를 통한 새로운 가정의 탄생은 창조의 기적과도 같다.

그렇다면 가정을 '하나의 작은 교회'라고 주장한 18세기 프랑스 출신의 계몽주의자 볼테르의 말은 옳은가? 교회는 부모와 자녀로 구성된 가정이 아니므로 가정이 작은 단위의 교회는 아니다. 가정은 생물학적 교제의 단위인 반면에 교회는 영적 교제의 단위이다. 생물학적 단체인 가정과 영적 단체인 교회는 출발점과 토대가 전혀 다르기 때문에 구분되어야 하지만 기독교 가정이 언약 공동체와 작은 교회로 간주 되는 것은 분명 기독교 전통이다.

2. 종교개혁과 개혁교회의 결혼식

결혼에 대한 서구의 전통 즉 기독교 전통은 결혼을 3가지 개념으로 구분하는데 그것은 성례와 계약과 언약이다. 성례는 천주교 전통의 결혼 개념이고 계약은 비기독교 전통의 결혼 개념이며 언약은 개신교 특히 개혁교회 전통의 결혼 개념이다. 사실상 서구의 결혼식은 오랫동안 사회법이나 국가법보다는 기독교 신학에 기초한 교회 전통에 따라 시행되어온 것이 사실이다. 결혼은 성례로 시작하여 언약으로 인식되다가 오늘날에는 사회계약으로 바뀌었다.

1541년과 1561년의 제네바교회법에 따르면 결혼은 반드시 혼인공시의 공표가 선행되어야 하고 예식은 양가의 요청에 따라 주일이든 평일이든 설교 시작 전에 거행하되 찬송으로 시작하여 교육받은 어린아이를 입장시킨 다음 교인들이 입장했다. 1559년의 프랑스개혁교회법에 따르면 결혼 당사자는 결혼 전에 자신들의 결혼 약속을 증명하는 서약서를 반드시 교회치리회에 제출해야 하고 혼인공시를 공표한 지 15일 후 주일에 회중 가운데 결혼식을 거행할 수 있었다.

프랑스개혁교회법은 교회가 결혼 당사자들에 대한 승인이나 충분한 지식 없이 결혼하도록 허용하는 것을 금지했다. 또한 모든 결혼은 오직 목사의 집례로만 성도의 신앙 회집에서 공적으로 하나님의 말씀에 따라 거행되어야 한다고 규정한다. 약혼 후라도 결혼 전에 동거하는 것을 엄격히 금했으며 약혼 후 6주 이상 결혼을 연기하지 않도록 금했다. 모든 결혼은 교회등록부에 등록하도록 했다. 결혼예식에 대해서는 결혼서약과 참석자들의 엄숙한 기도만 언급한다.

네덜란드 개혁교회 성도들의 첫 모임인 1568년 베젤 비밀모임은 결혼할 신랑·신부의 이름을 결혼 전 3주 동안 주일 설교단에서 공포해야 하고 금식일 외에는 어느 날이든 결혼식이 가능하며 결혼예식에는 반드시 설교가 있어야 한다고 규정했다.

영국성공회의 공동기도서는 매우 구체적으로 결혼예식을 기술한다. 집례자가 만든 결혼서약서에 따라 결혼식이 시작되는데 결혼에 대한 간단한 소개에 이어서 신랑·신부에게 문답을 하고 문답 후에 반지를 끼우게 한 다음 기도하고 강복선언(축도) 또는 시편 낭송 등의 순서로 진행된다.

에드워드 6세 시절에 공동기도서를 감수한 스트라스부르의 종교개혁자 마르틴 부써는 결혼과 이혼 문제를 가장 세밀하고 폭넓게 다룬 인물로서 결혼을 정부의 일이면서 동시에 교회의 일로 간주했다. 이런 점에서 결혼은 사회적 계약이면서 동시에 교회적 언약이다. 부써에 따르면 결혼이 비록 성례는 아니지만 '거룩한 결혼'이므로 결혼식도 엄숙하게 집행되어야 하고 결혼식에 말씀과 기도가 있어야 하고 서너 명의 증인도 필요하다.

결혼과 관련하여 부써가 제시하는 성경의 원리는 다음과 같은 바울의 권면이다. "끝으로 형제들아, 무엇에든지 참되며 무엇에든지 경건하며 무엇에든지 옳으며 무엇에든지 정결하며 무엇에든지 사랑받을 만하며 무엇에든지 칭찬받을 만하며 무슨 덕이 있든지 무슨 기림이 있든지 이것들을 생각하라"(빌 4-8). 부써는 결혼의 모든 과정을 '덕'과 '명예'의 문제로 본다. 그러므로 결혼과 관련하여 덕스럽지 못하거나 명예스럽지 못한 모든 요소는 제거되어야 한다.

16세기 개혁교회법들의 공통적인 결혼은 약혼 후에 결혼식을 거행하고 결혼식은 엄숙한 예식으로 성찬일과 금식일 이외의 모든 날에 시행 가능하며 목사의 설교와 권면 및 축복기도 그리고 결혼서약과 결혼선언 등의 요소를 포함한다. 16세기에 결혼과 관련하여 가장 강조한 것은 결혼 당사자들의 동의가 가장 무엇보다도 우선적으로 중요하고 그다음으로 부모의 동의가 필요하다는 점인데 이것은 당사자의 의사와 무관한 강제 결혼이 허다했기 때문이다.

루터교회 전통이 아닌 개혁교회 전통의 대표적인 결혼예식으로는 16세기의 제네바 예배서(1542/1545년. 영어판은 1556년)와 17세기의 웨스트민스터 예배모범(1645년)에 나오는 내용과 순서를 꼽을 수 있다. 제네바 예배서의 결혼예식에는 결혼공포식을 3주간 하게 되어 있다. 결혼식은 설교 전에 시작하여 인간 창조 이야기, 그리스도와 교회의 관계와 같이 남편과 아내도 한 몸이라는 사실, 남편과 아내가 각각 서로에게 지배 권리나 능력을 가질 수 없다는 등의 내용을 담은 목사의 긴 권면이 따른다.

다음으로 목사가 결혼 당사자들에게 이 결혼이 하나님께서 짝지어주신 합법적 결혼인지 묻고 이의가 없으면 다시 이것을 참석자들에게 묻고 이의가 없으면 신실한 남편의 의무사항을 나열하는데 나열이 끝나면 신랑이 화답한다. 이번에는 목사가 아내의 의무사항을 나열하고 신부가 화답한다. 그러면 목사는 마태복음 19장의 내용으로 권면한 다음 축복기도로 마무리한다. 요약하면 긴 권면, 결혼의 합법성 확인, 신랑·신부의 맹세 서약, 결혼승인, 축복기도의 순이다.

웨스트민스터 예배모범의 결혼예식은 6일 동안 치열한 논의 끝에 통과된 내용이다. 가장 먼저 결혼이 성례도 아니고 하나님의 백성들만의 고유한 것도 아니라고 선언하는데 그 이유는 결혼이 신자와 불신자를 가리지 않고 모든 인류와 국가의 일이기 때문이라는 것이다. 그럼에도 불구하고 결혼은 '주님 안에서 이루어져야' 하는 새로운 출발이므로 '하나님의 말씀에 의한 훈계와 지도 및 권면'이 반드시 필요하다. 또한 일부일처제를 강력하게 지지한다.

결혼 당사자들에게 하나님의 복이 반드시 필요하기 때문에 우리가 마땅하다고 판단하는 것은 "결혼이 합법적인 말씀의 사역자에 의해 엄숙하게 이루어지는 것과 말씀의 사역자가 그들과 알맞게 상담하고 그들에게 복이 임하길 기도하는 것이다." 여기서 말씀의 사역자 즉 좋은 목사를 의미한다. 또한 여기서 언급하는 상담과 기도는 결혼 전에 결혼 당사자와 목사 주례자 사이에 필요한 규정으로 보인다.

결혼식은 '공적 예배를 위한 권위로 지정된 장소에서 공적으로' 거행해야 하고 고난주간 등과 같은 애도의 날과 공적 예배일인 주일을 제외한 모든 날에 가능하다. 결혼예식은 목사가 기도양식에 따라 기도로 시작하여 성경말씀을 봉독하고 간단하게 설교한 후에, 결혼

제도와 관습과 목적을 설명하는 양식을 읽은 다음, 이 결혼을 합법적으로 진행할 수 있는지 여부를 물어 이의가 없으면 신랑과 신부가 하나님 앞과 회중 앞에서 상호 약속과 언약의 선언을 하도록 한 후에 그들이 남편과 아내로 하나가 되었음을 선언하고 기도양식의 기도로 마친다.

웨스트민스터 예배모범이 제시하는 결혼예식 순서를 요약하면 다음과 같다. 목사의 기도, 목사의 성경봉독과 설교, 결혼에 대한 간단한 설명 낭독, 결혼의 합법성에 대한 공개적 질문, 결혼을 위한 신랑·신부의 상호 약속과 언약 선언, 목사의 결혼승인 선언, 목사의 축복기도, 마지막 순서의 축복기도는 강복선언의 축도(benediction)가 아니라, 목사가 신랑·신부의 새로운 출발인 결혼을 위해 축복을 기원하는 기도를 의미한다.

3. 초기 한국교회의 결혼식

1924년과 1925년에 연속으로 간행된 한국기독교 최초의 혼례예식서인 '장로교회혼상예식서'에는 초기 한국장로교회의 결혼풍습이 자세하게 기록되어 있다. 혼례는 성례가 아니라는 것과 일부일처제를 강조하고 집례자의 자격을 결혼한 목사나 교역자로 제한하며 조혼과 강제 혼인을 금하고 하나님의 법과 국법을 어기지 말아야 하며 혼례증인들이 충분해야 하고 반드시 혼인증서를 발부해야 하고 주일에 결혼하는 것을 금하며 주례목사가 혼인명부를 비치해야 한다는 등의 규정들이 들어 있다.

유럽의 결혼예식에서는 볼 수 없는 한국적 특징으로는 간택 일을 점치는 비기독교적인 요소들을 제거하려고 노력했다는 점 그리고 주민등록등본이나 당회보증서를 신청받아 신분을 확인하게 하고 혼인증서에 양가 혼주와 결혼 당사자, 주례자가 모두 서명하도록 하여 혼인의 적법성을 담보하려고 했다는 점 또한 지나치게 춥거나 무더운 날씨의 계절을 피해 혼례일자를 정하도록 권고함으로써 양가 및 하객들의 편의를 도모하려고 했다는 점 등을 꼽을 수 있다.

신랑의 예복은 높은 모자와 긴 코트를, 신부는 면사포와 화관 그리고 반양제복을 착용하도록 권했으나 당사자의 형편대로 하도록 허용했다. 혼례 즉 결혼예식의 개식은 신랑·신부 입장하여 주례자의 오른쪽에 신랑이, 왼쪽에 신부가 서는 것으로 시작한다. 개식에 이어서 찬송, 기도, 주례자의 결혼식사, 성경봉독, 설교, 신랑·신부의 문답을 통한 서약, 신랑·신부 반지 끼워주기, 주례자의 축복기도, 결혼승인 선포, 광고와 기타 축전, 찬송, 축도, 신랑·신부 각자에게 혼인증서 수여 등의 순서로 진행된다.

4. 성경과 기독교 전통에 부합하는 결혼식

기독교 역사 속의 다양한 결혼문화는 성경의 가르침과 전통을 반영한다. 성경에는 당시 결혼풍습을 추정할만한 기록들이 있다. 결혼을 위해 신랑은 신부가정에 즉 신부의 아버지와 신부에게 제공해야 할 결혼예물이 필요했는데 흔히 결혼지참금이라고도 한다. 구약에서 지불된 결혼지참금의 형태로는 현금이나 보물, 의복 등 다양하다. 결혼 준비는 양쪽 가정 모두가 참여했다. 이스라엘의 결혼풍습은 고대 근동의 결혼풍습과 크게 다르지 않은 것으로 보인다.

성경의 결혼풍습에 따르면 결혼식은 신랑이 신부를 데려오기 위해 먼저 신부집으로 찾아가서 신부집에서 벌어진 혼인 잔치에 참여한 후 신부를 신랑의 집으로 데려오는 전체 과정을 의미한다. 성경은 모두 결혼의 중요성과 의미 및 부부의 관계에 대한 가르침을 제공하지만 결혼예식 자체에 대한 직접이고 구체적인 성경 기록은 찾아보기 힘들다. 따라서 결혼예식은 일종의 '아디아포라' 즉 '선도 악도 아닌 중립 영역'에 속한 것으로 볼 수 있다.

결혼예식이 아디아포라에 속한다면 어떤 형태의 결혼예식이든 결혼예식의 식순이나 형식과 내용에 대하여 옳고 그름의 문제로 평가할 수는 없을 것이다. 그렇지만 기독교 결혼식이라면 성경이 가르치는 결혼의 의미와 원리를 담고 표현해야 하는 것은 어쩌면 당연하지 않을까? 기독교 결혼예식이 경건한 예배로 간주하여 지나치게 엄숙한 형식주의에 빠지는 것도 주의해야 하겠지만 또한 아무런 형식

없이 지나치게 자유로운 방임주의로 변질하는 것도 주의해야 한다.

그리스도인의 결혼예식에서 가장 중요한 점은 하나님 앞에서의 결혼 즉 하나님께서 짝지어주신 결혼이라는 믿음이다. 이 믿음은 신랑·신부가 서로를 사랑하기 때문에 결혼한다는 사실 이상이다. 이것은 주님 안에서 결혼이라는 의미다. 결혼예식에서는 무엇보다도 주님이 신랑·신부의 혼주로 존중받아야 하고 그다음으로 결혼 당사자인 신랑·신부가 서로를 존중해야 하며 나아가 양가의 부모도 존중받아 마땅하다. 이런 의미에 부합하는 형식이면 족하다. 요즘 유행하는 스몰웨딩이 권장할 만한데, 비용은 결코 스몰이 아닌 경우가 허다하다.

결혼식 하객에 욕심을 부릴 필요가 없다. 현대인들은 결혼식 초대장 받는 것을 기분 좋은 일로 여기지 않는 듯하다. 하객으로는 결혼 당사자 외에 양가 가족과 친한 친구들이면 족하지 않을까? 결혼이 옛날에는 마을 잔치였지만 지금은 전혀 그렇지 않다. 따라서 결혼형식도 현실에 맞게 변해야 한다. 결혼식이 지나치게 화려한 것도 문제지만 지나치게 초라한 것도 권장할 일은 결코 아니다. 물론 형편껏 하는 것이 맞지만 최선을 다해 준비한 결혼식이어야 한다.

결혼식이란 결혼 당사자가 서로에 대한 맹세 서약을 하는 엄숙한 자리이자 축하 세례와 기쁨으로 충만한 잔치 자리다. 새로운 삶의 미래를 함께 열고 나눌 평생의 동반자와 하나가 되는 축복과 감사의 날이다. 두 사람의 사랑의 합의만 아니라 가족적이고 사회적이며 교회적인 사건이 결혼이다. 다른 사람의 눈을 의식하는 유교적 결혼식에서 벗어나 기독교 전통에 맞는 결혼문화가 자리 잡길 바란다. 지나치게 화려한, 보여주기식 결혼문화는 지양해야 한다. 안타깝게도 우리의 결혼 정서로는 여전히 사랑보다 배우자의 조건이나 능력이 더 중요하다.

5. 기독교 결혼예식의 특징

기독교는 결혼의 기원을 창세기 2장 22-25절에서 찾는다. 거기서 하나님은 친히 한 남자와 한 여자를 짝지어주시면서 명령하시길 "남자가 부모를 떠나 그의 아내와 합하여 둘이 한 몸을 이룰지로다"라고 했다. 즉 기독교의 결혼은 하나님께서 친히 세우신 신성한 제도이다. 그러므로 성경의 결혼 원리는 일부일처제를 의미한다. 구약성경에는 마치 일부다처의 관습을 허용하는 것 같은 기록들이 많지만 명시적으로 일부다처를 허용하는 구절은 없다.

하나님께서 자신의 백성에게 요구하시는 가장 중요한 삶의 원리는 "내가 거룩하니 너희도 거룩하라!"라는 한 문장으로 요약될 수 있는데 결혼제도 역시 이와 같은 하나님의 요구와 깊이 연관되어 있다. 결혼은 거룩함을 지키고 유지하는 신적 제도로서 "생육하고 번성하라!"는 하나님의 문화명령을 수행할 수 있는 최고의 합법적인 방법이다. 그러므로 신랑·신부는 하나님을 신뢰하고 서로를 신뢰하면서 부부생활을 거룩하고 즐겁게 영위해야 한다. 하지만 인간의 타락 즉 배신으로 일부일처의 신성한 결혼제도 역시 변질되었다는 사실을 알 수 있는데 타락한 가인의 계보로부터 최초로 일부다처의 혼인 관습이 나타나기 때문이다. 일부일처제의 타락한 변형인 일부다처제가 구약시대 하나님의 백성에게 일시적으로 허용된 것처럼 보이는 것은 사실이다. 하나님은 자기 백성이 살아가는 시대적 환경에 어느 정도 동화되는 것을 임시적이고 일시적으로 허용하신 듯하다.

기독교의 결혼은 먼저 하나님에 대한 거룩함 즉 신뢰가 전제되어야 한다. 따라서 기독교 결혼은 믿음의 결혼예식으로 나타나야 한다. 하나님에 대한 믿음과 결혼 당사자인 신랑·신부의 상호적 믿음이 기독교 결혼의 출발점이다. 여기에 신랑·신부의 양가 부모가 계시면 양가 부모의 결혼 허락과 결혼식 참여가 반드시 필요하다. 하나님에 대한 신뢰와 결혼 당사자 상호 간의 신뢰는 거룩함으로 통한다. 이 거룩함이 기독교 결혼의 가장 중요한 특징이다.

신뢰가 깨어지면 거룩함도 사라진다. 하나님에 대한 신뢰가 깨어지면 하나님께서 신자의 삶에서 요구하시는 거룩함도 사라진다. 신랑·신부의 상호신뢰가 어느 한쪽에서든 깨어지면 결혼의 거룩함도 사라진다. 두 종류의 신뢰는 불가분의 관계다. 따라서 기독교 결혼의 가장 중요한 요소는 하나님께서 짝지어주셨다는 확신이다. 그렇다면 기독교 결혼예식에는 반드시 하나님의 말씀이 포함되어야 하는데 전통적으로 목사의 주례 혹은 설교가 그 역할을 해왔다.

하나님의 말씀이 빠진 결혼은 기독교 결혼으로 볼 수 없다. 하나님의 말씀 다음으로 중요한 것이 상호신뢰에 근거한 서로에 대한 약속인데 이것이 곧 혼인서약이다. 즉 신랑과 신부가 결혼 그 순간부터 평생 서로를 부부로서 신뢰하고 어떤 상황에서도 그 신뢰를 깨뜨리지 않겠다는 맹세의 서약이다. 이 서약에는 최소한 2-3명 이상의 증인이 필요한데 오늘날에는 하객이 이런 역할을 한다고 볼 수 있지만 증인들을 따로 세우는 것도 의미 있는 일이다.

마지막으로 결혼이 성사되었다는 선포식, 즉 혼인선언이 필요하다. 기독교의 결혼은 하나님 앞에서 그리고 동시에 사람들 앞에서 공적으로 이루어져야 하는 인륜지대사임에 틀림없다. 그러므로 기독교 결혼예식은 한편으로 엄숙함과 진지함의 자리여야 하지만 다른 한편으로 즐거움과 감사함의 자리여야 한다. 너무 지나치게 엄숙하여 기쁨과 즐거움을 회피하는 것도, 너무 지나치게 자유로워서 진지함을 상실하는 것도 주의할 필요가 있다.

기독교 결혼예식은 성경적 결혼의 원리에 따라 필요한 기본적인 형식을 갖추는 것이 좋다. 스몰웨딩은 지나치게 화려한 예식과 번잡스러운 예식을 피할 수 있는 장점이 있지만 반드시 갖추어야 할 기본 형식과 내용조차 쉽게 생략해버릴 수 있는 단점도 있다. 우리 그리스도인의 결혼이 무엇인지 그 원리를 알고 존중할 때 기독교 결혼예식이 빛나고 아름다울 것이다. 하나님의 복과 사람의 축복이 가득한 결혼예식을 위해 신랑·신부가 함께 준비해야 한다.

바람직한 기독교 장례식

박신웅 목사

필자가 섬기는 교회에 연로하신 한 성도님이 돌아가셔서 교회가 주도하여 장례식을 치렀다. 그간 어머니를 모시기 위해 함께 기거하셨던 첫째 따님, 어머니 때문에 교회에 나오셨는데 이 일을 계기로 교회에 열심을 내기 시작했다. 홀로 출석하시면서 인근에 있는 동생들에게도 교회에 함께 출석할 것을 독려했다. 어느덧 다른 형제들도 종종 교회에서 볼 수 있게 되었고, 이 성도님의 첫째 동생(둘째 따님) 내외는 정식으로 등록하여 신앙생활을 '다시' 시작하게 됐다. 예전에 신앙생활을 하다가 상처를 입고 떠났던 교회를 다시 찾게 된 것이다. 얼마의 시간이 지났을까. 동생들을 인도했던 그분(첫째 따님)의 지병이 악화하여 병원을 들렀다. 그 길로 돌아가시게 됐다. 물론 예수님을 믿는 믿음을 가지고 돌아가셨다. 역시 교회가 정성을 다해 장례식을 치르고 남은 형제들을 위로했다.

그 일이 있고 얼마 지나지 않아 둘째 따님 내외 중 남편 되시는 분의 중병이 재발하여 치료를 시작했는데 안타깝게도 얼마 지나지 않아 돌아가시게 됐다. 그 가정에서만 몇 년 사이 세 번의 장례식을 치르게 된 것이다. 이제 홀로 남겨진 부인(둘째 따님) 집사님, 처음에는 힘겨워하셨지만 이 장례식들을 통해 다시금 천국의 소망을 품고 열심히 신앙 생활하며 자녀들과 다른 형제들에게 교회에 올 것을 격려하고 있다.

이렇게 보면 장례식은 단순히 그 한 예식으로 그치는 것이 아니라 남은 가족들에게 엄청난 영향을 미치는 일이라는 생각이 든다. 그뿐만 아니라 장례식의 과정과 전후를 지켜보는 주변 사람들과 성도들에게도 믿음과 소망에 대해 깊이 생각할 기회를 제공하게 된다. 하여 이번 글을 통해 교회의 장례식이 개인과 가정, 교회 공동체에 어떤 의미를 가지며 어떻게 진행되어야 할지 몇 가지로 생각해 보려 한다.

1. 신자의 죽음 그리고 장례식과 추도식

모든 교회 장례식은 부활의 소망에 뿌리를 두고 있다. 신자는 죽음으로 그 모든 존재가 소멸하거나 헛되이 끝나지 않았다. 오히려 꿈에 그리던 우리 주님을 죽음 직후에, 영광중에 뵙게 될 것이다(대

교리 문답 82문, 86문). 왜냐하면 하나님은 신자의 죽음을 귀하게 보시되(시 116:15) 죽음 그대로 두지 않으시고 영원한 세계로 그들을 이끌어 주실 것이기 때문이다(요 11:25-26, 살전 4:13-17). 하나님은 현세에서는 그들의 생명을 보전하여 하나님을 예배하게 하시고 그들이 죽은 뒤에는 자신의 품으로 맞아 주실 것이기 때문이다. 이러한 이유로 고인이 된 신자를 위해서는 다시는 기도하거나 어떤 것도 할 수 없다.

중세교회와 천주교의 관습에는 시신을 향해 무릎을 꿇고 기도하거나 죽은 자를 위하여 기도하는 것 등을 허용하지만 종교개혁 이후 웨스트민스터 예배지침(1645년)은 시신을 운구해서 장지에 옮기기까지 어떤 의식도 갖지 말고 즉시 매장하라고까지 했다. 하여 고인을 위해 기도한다면 고인의 출생 이후 지금까지 인도하신 하나님의 은혜를 생각하며 감사의 기도를 드리되 그의 영혼의 구원이나 기타 고인에게 어떤 변화나 영향을 미칠 수 있는 일을 위해서 기도하는 것은 옳지 않습니다(예장 고신 헌법해설 예배지침 제142문).

그러므로 교회의 장례식에서는 고인(신자)에 대해 어떤 것도 할 수 없고 오히려 천국과 부활의 소망을 품고 다시 만날 것을 기약하며 유족들을 위로하는 예식으로 치러야 할 것이다. 장례식 이후에는 추도식은 가질 수 있으나 그때에도 고인(신자)에 대해 어떤 기도나 간구를 할 수 없고 오히려 돌아가신 분을 추억하면서 믿음의 길을 잘 달려갈 것을 다짐하는 시간을 가지면 좋을 것이다(예장 고신 헌법해설 예배지침 제148문).

2. 결속하는 장례식

모든 장례식은 고인을 위한 자리라기보다는 남은 이들을 위한 자리이자 떠나보내는 이들을 함께 모으는 자리라고 할 수 있다. 그래서일까? '죽음의 에티켓'이라는 책에는 장례식을 이렇게 설명한다. "장례식은 [죽음을 맞이할] 당신을 위한 게 아니라는 사실 말입니다. 장례식은 당신의 죽음을 슬퍼하는 사람들을 위한 의식입니다." 맞는 말이다. 그래서 헨리 나우웬은 "좋은 죽음은 다른 사람과 결속하는 죽음"이라고 했던 것 같다.

교회의 장례식 또한 고인(신자)과 관련된 분들이 함께 모여 하나님 앞에서 결속하게 되는 예식이다. 가족 구성원의 죽음으로 다시금 살아 있는 자들이 삶과 죽음의 의미와 고인이 그들에게 어떤 분이었고 그들에게 어떤 믿음을 남겼는지 되새기는 결속의 장 말이다. 아울러 고인(신자)과 고인이 속했던 교회 성도들이 고인의 죽음을 통해 잠시 헤어지지만 영원한 천국에서 다시 만날 것을 기약하며 죽음이 끝이 아니라 새로운 시작임을 확인하는 '믿음의' 결속의 장이기도 하다. 이렇게 보면 교회의 장례식은 단순히 이 땅에서의 결속만 아니라 영원한 세계(하나님 나라)와의 결속이며(고후 5:1), 우리 생명과 죽음 그리고 전(全) 존재의 주인이신 주님과의 결속의 장(롬 8:23)이기도 한 예식이라고 할 수 있다.

3. 과정으로서의 장례식

신자는 죽음 그다음의 '세상'에 대한 소망을 품고 살아간다. 제임스 패커는 한 철학자를 인용하면서 죽음 다음의 세상을 "잘 아는 분이 살고 계시는 잘 모르는 나라"라고 표현했다. 맞다. 우리는 그 나라에 대해 잘 모르지만 분명한 건 잘 아는 분이 계시는 곳이고 그분은 우리를 죽음 이후까지도 책임져 주실 분이신 건 확실하다. 죽음 이전의 확실성(하나님을 아는 것)이 죽음 이후의 불확실성(그 나라에 대해 잘 모르는 것)을 이기게 해 주는 것이다.

야곱의 장례식이 그러하지 않았나 생각된다(창 49-50장). 야곱은 자신의 장례식을 거창하고 화려하게 치러 달라고 자녀들에게 부탁하지 않았다. 오히려 애굽의 화려한 묘에 비해 초라하기 그지없는 가나안에 있는 조상의 묘(막벨라 굴)에 장사해 달라고 부탁했다. 할아버지 아브라함과 아버지 이삭이 묻혔던 막벨라 굴에 묻힘으로 하나님이 그들(할아버지와 아버지)과 하신 언약을 기억하며 부탁했던 것이다. 이처럼 조상의 묘에 장사 되기를 바랐던 야곱의 시선은 죽음으로 끝나는 이 땅이 아니라 다시 시작되는 영원한 하나님의 나라를 바라보고 있었던 것이다. 이 땅의 화려함이 아닌 저 하늘의 영원함에 있었던 것이다.

야곱의 장례식에 대해 장 칼뱅은 "우리를 위해 마련될 저 영원한 처소를 생각하게 될 경우 우리는 이 무너져 가는 장막을 떠나는 것을 두고 가슴 아파하지 않을 것이다"라고 했다. 같은 이유로 많은 교회가 '천국환송예배'라는 표현을 쓰는데 생각해 볼 여지가 있다. 교회는 장례식을 통해 또 다른 시작을 알리며 소망 중에 눈물을 닦아 주는 예식이 되도록 해야 할 것이다. 아울러 거창한 장례식을 통해 이 땅의 화려함을 추구하기보다 소박하지만 의미 있는 예식, 저 하늘의 영원함을 추구하는 예식이 되도록 힘써야 할 것이다.

4. 준비된 장례식

준비된 장례식이 필요하다. 이건 비단 '어느' 장례 업체를 선정하고 '얼마의' 비용을 마련할 것인가 하는 수준의 문제를 말하는 것이 아니다. 영원한 나라를 위한 '믿음 준비'도 해야 하고, 장례식과 이어지는 삶의 자리를 정리할 준비도 되어 있어야 할 것입니다. 2년 전 당시 94세였던 외할머니께서 소천하실 때 당신께서 남겨 놓고 가신 자리를 보고 많은 걸 생각하게 됐다. 평소 보시던 손때 묻은 성경책, 옷가지 몇 벌, 장례식에 쓰라고 자녀들에게 남겨준 장례비용이 전부였다. 물론 무엇보다 소중한 신앙을 남겨주고 가셨다. 하여 다른 장례식장에서는 볼 수 없었던 자녀들만의 '부흥회'가 있었는데 천국에서 다시 뵙게 될 걸 기대하며 어느 목회자도 집례해 주지 않았지만 가족들 스스로 함께 모여 찬양하고 기도하는 뜨거운 시간을 가질 수 있었다. 이렇게 보면, 외할머니, 가장 귀한 유산인 '신앙'을 남겨 놓고 가셨고, 가신 자리는 정갈하고 아름다웠다.

이렇듯 장례식을 준비한다면 죽음 이후를 생각하며 남길 건 남기고 정리할 건 정리하는 시간이 필요하리라 본다. 제가 아는 A 성도님, B 배우자가 믿음 생활을 하지 않아 마음고생이 심한데 그 이유가 B 배우자의 형님인 C 직분자로 인해 신앙에 회의를 느끼고 교회를 떠났기 때문이다. 평소 다른 형제들을 힘들게 하는 C 직분자, 심지어 부모님의 장례식 이후 다른 형제들은 가만히 있는데 먼저 나서서 자기 몫의 유산만 챙기려는 이기적인 모습을 보이게 된다. 이를 본 B 배우자, A 성도님이 그간 힘들게 쌓아놓은 신뢰와 신앙에 대한 마음을 완전히 접게 된다. 신앙이 있으셨던 고인(부모님)의 죽음 이후 정리되지 않은 관계와 일이 오히려 상황을 더 악화시킨 것이다. 이처럼 만일 정리해야 할 일이 있으면 유산분배부터 시작해서 형제간의 모임과 예배, 관계와 관련된 내용을 사전에 정리해 두면 좋겠고 교회가 도울 기회가 있으면 돕도록 해야 하겠다.

아울러 장례식 절차도 미리 준비하면서 '사전장례의향서'를 작성해 두면 좋겠다. 고령의 신자나 병중에 있는 신자가 돌아가시기 전에 미리미리 준비해 두는 것이다. 모든 예식은 기독교식으로 한다는 전제하에 부고를 어떻게 알릴 것인지(대상과 범위 지정), 장례식은 어느 교회가 주체가 될 것인지, 누가 집례를 하면 좋을지, 영정사진은 어떤 걸 쓸 것인지, 분향 단 장식은 어떻게 하면 좋겠는지, 찬양은 어떤 거로 준비해 주면 좋을지를 미리 기록해 두는 것이다. 여기에 더해 부의금과 조화는 어떻게 했으면 좋겠는지, 음식 대접은 어떻게 하고, 염습과 관은 어떻게 할 것인지(간소하게, 화려하게 등), 시신 처리는 어떻게 할 것인지(화장, 매장 등), 장례 후 시신은 기증할 것인지 등을 사전에 기록해 두면 많은 도움이 될 것이다. 이렇게 기록한 것을 장례식을 집례할 교회와 목회자에게 미리 통지해 놓으면 교회가 당황하지 않고 그 절차에 맞게 그리고 은혜롭게 장례식을 진행할 수 있을 것이다.

덧붙이자면 장례식에 읽어 줄 가족(자녀)들을 위한 기도문을 미리 작성해 두면 좋겠다. ① 믿음의 부모(신자)로서 사랑을 담아 가족(자녀)을 주님께 부탁하는 내용과 ② 가족(자녀)들이 고인(신자)이 떠난 다음에도 보고 함께 기도할 수 있는 내용과 ③ 천국에 만날 소망을 담아, ① 보호와 인도하심(안전), ② 서로 사랑하게(관계 회복), ③ 진실하고 거룩하게 사명을 감당하도록(사명완수) 기도문을 작성해 보면 좋겠다. 이렇게 작성된 기도문을 장례식에서 함께 읽으며 기도하는 시간을 갖고, 장례식 후에 가족(자녀)들에게 전달하면 될 것이다. 이렇게만 되면, 단지 장례식 당일만으로 끝나버리는 예식이 아니라 이후에 함께 기도문을 읽을 때마다 그 의미를 되새길 기회를 제공할 수 있을 것이다.

5. 복음이 있는 장례식

성인교육학에 전환학습이라는 이론이 있다. 메지로우(Mezirow. 1978)에 의해 소개된 이론인데 인생에서 극적이고 감당하기 어려운 일을 경험한 성인은 이전에 가졌던 가치관과 세계관, 신념이 흔들리면서 재조정하는 과정을 거쳐 학습이 이루어진다는 이론이다. 통상 성인들은 기존에 가진 가치관과 세계관을 잘 바꾸지 않는다. 하지만 실직, 이혼과 같은 감당하기 어려운 일을 경험하고는 그간 가졌던 가치관과 생각이 옳았는지 반성하는 시간을 갖게 되는데 이럴 때 경험하게 되는 것이 '방향을 잃은 딜레마'이다. 가족의 죽음이 그 대표적인 예라 할 수 있다. 가족의 죽음(장례식)을 통해 삶과 죽음의 의미 그간 자신이 살아온 삶을 돌아보는 시간을 가진다. 이 '방향을 잃은 딜레마'의 시간이 오면 수치심, 죄책감 등이 들고, 그간 하지 못한 일과 회복하지 못한 관계와 상황에 대해 '반성'하는 시간을 갖게 되는데 이 '반성'의 시간을 극복하는 과정에서 세계관과 가치관 그리고 신념과 신앙의 변화를 경험한다. 전술한 세 번의 장례식을 경험한 가정의 변화가 이런 종류가 아닌가 생각된다.

이렇게 보면 장례식이야말로 남겨진 가족들 특별히 믿지 않는 가족들에게 복음을 전하기 가장 좋은 기회이자 계기가 아닌가 생각된다. 특별히 성인의 경우 가졌던 생각이 변하기 참 어려운데 이 특별한 예식을 통해 복음을 전하는 계기가 마련된다면 이보다 좋은 기회는 없을 것이다. 현실적으로 보면 필자의 교회에도 연로하신 성도님들의 다수가 믿지 않는 자녀들로 인해 가슴 아파하며 새벽마다 기도하고 있다. 머지않은 시간에 그 성도님들을 천국에 보내드리면서 믿지 않는 자녀들과 만나야 할 것이다. 그때 고인이 되신 성도님은 천국의 소망을 품고 사셨기에 하늘나라로 가시겠지만 남겨진 자녀들은 허망하게 부모님을 보내고선 '어머니(혹은 아버지)와 교회에라도 한 번 나갈걸' '그 소원 한 번 들어 드릴걸' 이런 심정으로 앉아 있을 수 있다. 그때 어머니(혹은 아버지)가 원하셨던 그 이야기, 복음의 이야기와 함께 천국의 소망을 품을 것을 기대하며 복음을 전하고 교회로 초대하는 기회로 삼아야 할 것이다.

이러한 이유로 가능하다면 성도님이 살아생전에 가족(자녀)들을 위한 영상이나 메시지를 남겨두게 한다면 복음 전도에 유익하리라 생각된다. 평소 자녀들이나 가족들에게 전하지 못한 말을 담아 기록에 남겨두었다가 장례식장에서 예식을 마치면서 보여주거나 읽어주는 것이다. "아버님(어머님)이 생전에 남기신 메시지입니다. 자녀(가족)들은 이 유언과도 같은 메시지를 기억하셨다가 잘 지키시기를 바랍니다." 이렇게 일러두면서 전한다면 남겨진 가족들의 가치관과 세계관에 큰 울림을 줄 기회가 될 것이고 복음을 전할 기회가 될 것이다.

* *

골로새 인근의 히에라폴리스 유적에 가면 어느 무덤의 비석에 이런 글귀가 있다고 한다. "나 어제 너와 같았으나, 너 내일 나와 같으리라." 성경은 이보다 더 직설적으로 우리에게 경고한다. "한 번 죽는 것은 사람에게 정해진 것이요 그 후에는 심판이 있으리니"(히 9:27). 장례식은 팀 켈러의 말마따나 우리를 흔들어 깨운다. 팀 켈러의 말이다. "죽음은 우리를 흔들어 깨워 이생이 영원하리라는 착각에서 벗어나게 해 준다. 장례식 특히 친구나 사랑하는 이의 장례식에 가거든 당신에게 말씀하시는 하나님의 음성을 들어라. 그분은 그분의 사랑을 제외하고는 이생의 모든 것이 덧없다고 말씀하신다. 이것이 사실이다."

장례식에 참여하거나 집례할 때 종종 이 팀 켈러의 말을 떠올린다. 또한 히브리서 9장 27절 말씀도 묵상한다. '또 하나의 장례식'에 참여할 뿐이라는 생각에서 벗어나 '이 예식을 통해 나를 흔들어 깨우시는 하나님의 음성은 없는가?'를 상기하면서 말이다. 이생이 영원하지 않고 내생이 분명히 있다면 오늘은 내가 타인의 장례식에 참여하지만 내일은 타인인 누군가가 내 장례식에 참여하게 될 것이다. 그러니 오늘 '타인을 위해 어떤 장례식을 준비해야 할까?'도 생각해야 하겠지만 내일 '나의 장례식은 어떻게 될까?'도 생각해야 할 것이다. '나 어제 너와 같았으나, 너 내일 나와 같으리라'라는 말을 기억하면서 말이다. 무엇보다 내일 죽는 것이 정해진 '내'가 오늘을 살고 있다는 사실 결국 다른 이가 아닌 '나'도 그분 앞에 서게 된다는 자명한 사실을 기억하면서 말이다.

이단들의 특징과 대처법

황대우 목사

 무엇이 이단인가? 이 질문에 가장 포괄적인 대답은 아마도 다음과 같은 라틴어 격언이 아닐까 싶다. "최상인 것의 타락, 이것이 최악이다." 인류의 타락은 길과 진리와 생명이신 하나님으로부터 분리를 의미하는데 이것이 곧 이단의 출발점이다. 이단이란 길과 진리와 생명을 잃어버린 개인과 집단을 의미하기 때문이다. 이런 점에서 타락한 상태의 모든 인간은 이단이다. 길과 진리와 생명이신 하나님과의 교제가 회복되지 않고는 누구도 이단의 절망에서 벗어날 수 없다. 따라서 이단의 해결책은 그리스도시다. 그리스도는 타락한 인간이 이단으로부터 벗어날 수 있는 유일한 길과 진리와 생명이시다.

 기독교 즉 그리스도교는 바로 그리스도를 나의 주 나의 하나님으로 고백하고 그분을 새로운 인생의 주인으로 모시는 종교다. 그리스도는 타락한 인간이 하나님과의 교제를 회복할 수 있는 유일한 통로

시다. 이 그리스도를 유일한 구세주로 가르치고 배우고 믿는 사람들의 모임이 교회다. 그리스도 없는 교회는 없다. 따라서 그리스도가 없는 교회가 곧 이단이다. 즉 교회라는 이름은 가졌으나 그리스도를 머리로 모시지 않는 모든 교회가 사실상 이단이다. 하나님과 그리스도를 입에 올리지만 정작 눈에 보이는 무엇이나 특정 인간을 신뢰하고 숭배하는 집단은 모두 이단이다. 그리고 이들은 기존교회를 아주 우습게 여긴다.

최근 JMS를 비롯하여 심각한 한국산 이단들을 넷플릭스에서 다큐멘터리로 방영한 것 때문에 대한민국 전체가 들썩일 정도로 파장이 크다. 이 모든 이단에는 몇 가지 공통적 특징이 있다. 첫째로 이단들은 의심으로 가득 찬 이성의 모든 질문에 합리적 답변을 제공하는 교리를 가르친다는 점이다. 둘째로 무식한 사람들보다는 오히려 배운 사람들 즉 엘리트 그룹에 속하는 지식인들이 이단에 빠지기 쉽다는 점인데 이것은 첫 번째 특징의 결과다. 세 번째 특징은 묻지마 신앙 즉 맹신의 중독성이다. 양극이 통하는 것처럼 이성과 맹신의 상극은 이단의 두 기둥과 같다. 의구심 많은 사람에게 그의 궁금증을 풀어주기만 하면 곧장 이단적 맹신이 작동하기 시작하기 때문이다. 맹신은 치명적인 독이다. 모든 상식과 지성의 활동을 마비시킨다.

이단의 그물에 한번 걸려들면 빠져나가기가 매우 어렵다. 평소 모든 신과 종교를 무시할 정도로 지극히 합리적이고 이성적인 사람

뿐만 아니라 종교에 대한 열심이 지나친 외골수 신앙인들도 이단에 빠지기 쉬운 대상이다. 반면에 오직 성경과 전체 성경의 원리에서 벗어나려고 하지 않고 정통 기독교 교리와 신앙고백의 내용을 열심히 배우고 아는 신자는 비교적 이단에 쉽게 빠지지 않는다. 물론 차갑거나 따뜻하지 않고 늘 미지근한 신앙생활을 유지하는 신자도 이단에 쉽게 빠지지 않지만 이 유형은 전자와 달리 진정한 그리스도인의 모습과 거리가 멀다. 이단의 특징은 가르침이든 삶이든 지나치게 극단적이라는 점이다. 하지만 그 모든 극단적 이단들이 기존의 기독교회로부터 나온다는 사실을 주목할 필요가 있다. 이단은 정통에서 나오지만 정통을 극도로 혐오하는 집단이다.

이 지면을 통해 다루고자 하는 '기독교 이단'은 기독교에서 출발했지만 기독교에서 떨어져 나간 따라서 기독교와 무관한 즉 기독교의 구원이 전혀 담보되지 않는 가르침이나 집단이다. 영국의 과학자이자 신학자 맥그래스에 따르면 "이단은 우발적이든 고의든 주인의 집안에 대안적 신념 체계를 세우는 수단 즉 일종의 트로이 목마 같은 것이다. 이단은 겉으로는 기독교처럼 보이지만 실제로는 파괴적 씨앗을 심는 신앙의 원수이다. 그래서 숙주 속에 자리 잡고 숙주의 복제 시스템을 이용하여 지배력을 장악하려는 바이러스에 비유할 수 있다." 트로이 목마처럼 교회로 포장된 이단들은 참 교회를 해치려는 적군들, 기독교 신앙을 허무는 원수들이다. 이들은 숙주인 참

교회를 무너뜨리기 위해 맹렬히 공격하는 바이러스와 같다. 이단의 공세에 철저하게 대비하지 않고 방심하면 교회는 함몰웅덩이처럼 무너지고 말 것이다. 지피지기면 백전백승이라 하지 않던가! 학이시습지(學而時習之)부터 하자!

1. 이단의 개념

'이단'(異端)이란 '다를 이'에 '끝 단'자로 구성된 단어이며 '끝이 다른 무엇'을 의미한다. 한마디로 "다른 복음"(갈 1:6-9) 즉 '저주받아 마땅한 가르침'이 곧 이단이다. 하지만 이단을 의미하는 영어 '헤러시'(heresy)는 헬라어 단어 '하이레시스'(hairesis)에서 유래한 것으로 신약성경에서는 '사두개파'(행 5:17), '바리새파'(행 5:17), '파당'(행 26:5; 고전 11:19; 갈 5:20) 등과 같은 '분파'를 의미하는 중립적 개념이다. 그 단어의 1세기 용법은 일종의 부정적인 의미에서 '특정 집단'을 지칭하는 용어였다. 2세기의 속사도 교부들은 그 용어를 부정(否定)과 차별(差別)의 의미가 강한 단어로 사용하기 시작했는데 이것이 오늘 우리가 사용하는 이단의 의미로 발전한 것이다. 이런 점에서 오늘날과 유사한 의미로 기독교적 이단이란 개념이 형성된 것은 2세기부터로 볼 수 있다. 정통 기독교에서 완전히 벗어난 집단이 이단이다.

'사이비 같다'라는 말은 '이단적이다'라는 뜻이다. 오늘날 '이단'이란 말은 '완전히 다른 복음' 즉 기독교에 포함시킬 수 없는 단체나 모임에 적용하는 용어다. 그렇다면 과연 '기독교'가 아니라고 단정할 수 있는 기준 즉 이단의 기준은 무엇인가? 기독교처럼 보이지만 실제로는 전혀 기독교가 아닌 집단으로 분류할 수 있는 기준은 '삼위일체'와 '그리스도의 양성'에 관한 정통 기독교 교리를 부인하거나 크게 벗어나는 것이다. 이런 점에서 믿음의 대상인 신론과 기독론이 다를 경우 이것을 구원이 없는 '이단'으로 규정할 수 있다. 엄밀하게 따지자면 이단이란 교리적 개념이다. 그것도 하나님이시며 동시에 사람이신 그리스도를 믿는 기독교의 '삼위일체' 교리에 국한되는 개념이다. 한국 기독교 이단은 대부분 교주를 '구세주' 즉 '메시아'로, 혹은 '성령'의 현현으로 간주한다. 이런 이단들은 기독교의 구원과 전혀 다른 구원의 길을 소개하기 때문에 기독교에서 완전히 떨어져 나간 집단이다.

  기독교의 하나님을 믿는다고 하면서도 삼위일체와 그리스도를 다르게 이해하고 가르치면 이것은 기독교가 아닌 이단이다. 따라서 이런 이단이 기독교에 속하지 않듯이 이런 이단의 세례 역시 기독교 세례가 아니다. 왜냐하면 비록 그들이 성부와 성자와 성령의 삼위일체 하나님을 가르친다 해도 그들이 믿는 하나님은 내용상 결코 기독교의 삼위일체 하나님이 아닌 완전히 다른 신이기 때문이다. 따라서 그들이 삼위일체의 이름으로 세례를 준다 해도 그들에게 삼위일체 하나님은 성부(안상홍)와 성자(문선명, 정명석)와 성령(박옥수)이기 때문에 이런 이단들의 세례는 결코 교회의 전통적 세례 즉 기독교 세례로 인정받을 수 없다.

2. 한국교회의 이단 유형

우리나라에는 삼위일체론적 이단과 기독론적 이단만 있는 것이 아니다. 이장림의 '다미선교회'(다가올미래선교회)와 같은 극단적 종말론 이단도 있고, 모든 기존교회를 부정하고 파괴하려는 이만희의 신천지 이단도 있고, 귀신론으로 유명한 김기동의 아류 이단들 특히 류광수의 다락방교회와 같은 교회론적 이단도 있다. 이 모든 이단은 기독교 교리를 자신들의 입맛에 맞게 왜곡시킨 교리적 이단 요소도 있지만 심각한 실천적 이단들이다. 전통적인 기존교회를 부정하고 교회 분열을 획책한다는 점에서 아우구스티누스 시대의 분리주의 분파인 도나투스주의 이단과 유사하다. 교리적으로 펠라기우스주의와 아르미니우스주의도 이단으로 분류하지만 구원받지 못할 이단으로 간주하지는 않는다. 이런 점에서 교리적 이단이든 실천적 이단이든 구원이 없다고 단정할 수 있는 이단과 구원이 없다고 단정하기 어려운 이단을 구분하는 것은 가능하고 유익하다. 물론 우리는 전자를 '이단'이라는 말로, 후자를 '이단적'이라는 말로 구분하고 있다.

이단이란 일반적으로 교리적 이단을 의미한다. 하지만 실천적 이단 문제도 결코 덜 심각하지 않다. 교리적 이단이란 성경에 근거한 기독교 핵심 교리의 수용 여부에 따라 비(非)복음(Non-Evangelism)과 반(反)복음(Anti-Evangelism)의 영역으로 구분할 수 있는데 반복음적 이단은 삼위일체론과 그리스도의 양성론 같은 기독교 핵심 교리를 부인하는 구원 없는 집단인 데 반해 비복음적 이단이란 기독교 핵심 교리를 벗어나지는 않지만 성경의 다른 주요 교리들을 심각하게 왜곡하는 집단으로 분류할 수 있다. 반복음적 이단에는 구원이 없다고 단정할 수 있으나 비복음적 이단 중에는 구원이 없다고 단정하기 어려운 경우도 있다. 비복음적 이단 가운데 상당히 건전해 보이는 집단들도 있는데 그 이유는 이들이 자신들의 왜곡된 교리에도 불구하고 그리스도의 모범적인 삶을 따르도록 가르치기 때문이다.

한국의 대표적인 기독교 이단들은 종말론을 강조하면서 교주를 신격화하는 경우가 대부분이다. 이런 이단들은 대체로 반복음적 이단이자 비복음적 이단이요, 심각한 실천적 이단이기도 하다. 이런 이단들은 교주와 추종자가 주종관계이기 때문에 추종자들은 교주의 명령이나 교주를 위해서라면 협박과 폭력뿐만 아니라 살인과 자살도 불사한다. 문선명의 통일교, 박태선의 천부교(=전도관), 정명석의 기독교복음선교회, 여러 갈래의 구원파 등이 대표적 이단들인데 이 외에도 확실하게 구원이 없는 이단으로 분류될 수 있는 군소 이단들이 많다. 이런 기독교 이단들은 하나님의 형상인 인간성 자체를 말살하는 암적 존재로 반기독교적인 집단일 뿐만 아니라 독버섯처럼 인간사회를 파괴하는 사회악이다. 심각한 문제는 그들이 한결같이 성경을 마치 자신들의 전유물인 것처럼 강조하면서 성경공부로 유혹한다는 사실이다. 교주는 배운 것이 일천한데 추종자들 가운데 엘리트가 많다는 것도 한국 이단의 공통적 아이러니다.

"주의 말씀은 내 발의 등이요, 내 길에 빛이니이다"(시 119:105). 이단을 대처하는 최상의 방법은 하나님의 말씀인 성경뿐이다. 이단으로부터 성경을 되찾아 와야 한다. 그러기 위해서는 목사든 성도든 성경을 바르게 알기 위한 열심을 가져야 한다. 정작 성경을 사랑하고 탐구해야 할 정상적인 교회 교인들은 세상일에 지쳐 성경공부에 열의가 없고 오히려 이단 교리에 빠진 이단자들이 더 열정적으로 성경공부에 매진하는 것은 이상한 현상이 아닐 수 없다. 교회가 정상이라면 하나님의 말씀인 성경을 이단보다 곱절이나 더 열심히 탐독하고 연구해야 한다.

3. 건전한 성경해석과 성경공부가 이단을 대처하는 최상의 방법

삼위일체론적 이단과 기독론적 이단과 같이 구원받지 못할 기독교 사이비 이단뿐만 아니라 삼위일체 하나님을 믿고 그리스도를 하나님의 독생자로 고백하지만 전통적 구원론과 교회론의 한계를 크게 벗어난 이단적 집단들도 경계해야 한다. 또한 심각한 실천적 이단들도 경계대상이다. 확실한 사이비 이단뿐만 아니라 기독교 유사 집단을 구분하고 대처하는 최상의 방법은 성경을 바르게 알고 가르치는 길뿐이다. 성경을 바르게 알고 가르치기 위해서는 기독교 역사 속의 건전한 교리를 알아야 하는데 기독교 역사의 중요성에 대해서는 루터와 칼빈도 이구동성으로 강조한다. 따라서 이단에 빠지지 않고 이단에 맞서 자신과 교회를 보호하기 위해서는 무엇보다도 먼저 성경과 기독교 역사를 탐구해야 한다.

성경을 배우고 가르칠 때 가장 중요한 원칙은 성경 전체의 통일성을 성경해석의 열쇠로 삼는 것이다. 성경의 다양성은 성경의 통일성을 중심으로 해석되어야 한다. 그렇지 않으면 기독교의 복음과 다른 결론 즉 다른 복음, 인위적인 가공의 복음에 도달하기 십상이다. 이 통일성은 예수 그리스도의 사도의 가르침이 핵심이다. 성경의 다양성이 구슬이라면 성경의 통일성은 실과 같다. "구슬이 서 말이라도 꿰어야 보배"라는 격언처럼 성경도 꿰어지지 않은 구슬은 악용될 여지가 충분하다. 그 실은 복음과 하나님의 약속, 하나님 나라, 교회 등이겠지만 무엇보다 그리스도가 핵심이다. 그리스도 중심의 통일성은 성경해석의 구심력이다.

그리스도 중심적 성경해석과 달리 자구적 이단의 아전인수식 성경해석에는 3가지 특징적 원리가 묘하게 서로 얽혀 있는데 그것은 문자주의(Literalism)와 신비주의(Mysticism) 그리고 공식주의(Uniformism)다. 문자주의는 권위주의(Authoritarianism)로, 신비주의는 신앙주의(Fideism)로, 공식주의는 퍼즐주의(Puzzlism/Crosswordism)로 통한다. 이 셋의 절묘한 합체로 사이비 이단이 양산된다. 문자주의는 성경의 단어 하나하나에 '하나님의 문자'라는 절대적 권위를 부여하는데 이단은 자기주장에 정당성과 권위를 부여하기 위해 성경이 하나님의 말씀이라는 원리를 자주 남용하고 왜곡한다. 남용과 왜곡은 성경을 해석할 때 성경 전체의 교리적 통일성에 근거한 문맥적이고 문법적 이해보다는 단어 하나하나가 성령의 영감으로 선택되었다는 이유로 자기주장의 근거가 되는 단어나 문장을 문맥에서 분리하고 독립시킬 때 자주 발생한다. 절대적 권위에 근거한 문자는 신앙주의의 극치다.

신앙주의란 묻지도 따지지도 않는 무조건적 믿음 즉 맹신이다. 묻고 따지는 이성을 철저하게 배제하는 원리다. 하지만 기독교 신앙은 이성을 배제하기는커녕 오히려 묻고 따져야 한다고 가르친다. 이것은 아우구스티누스의 "알기 위해 믿어라!" 혹은 안셀무스의 "나는 이해하기 위해 믿는다!"라는 말과 상통한다. 먼저 성경이 하나님의 말씀이라는 사실을 믿어야 하지만 믿은 후에는 모든 것을 묻고 따져야 한다. 물론 묻고 따지는 근거는 성경과 기독교 정통교리와 역사적 신앙고백들이다. 맹신에 가까운 신앙주의에 활력을 불어넣는 것은 신비주의다. 신비주의는 절대적 권위를 부여받은 '문자'에 신비롭고 새로운 의미를 부여하는 마술 같은 재주 즉 속이는 능력이 있다. 성경에 대한 신비주의적 해석은 새로운 것이 아니며 교부시대와 중세에도 있었다. 하지만 역사적 신비주의 해석은 그리스도 중심적인 반면에 한국적 이단의 신비주의 해석은 교주 중심적이다.

이단에서는 교주의 말이 곧 신의 명령이다. 교주가 절대 권위의 '성경 문자'를 가지고 신비주의라는 주술과 마술로 최면을 걸면 맹신에 사로잡힌 사람들은 신비주의라는 현란한 속임수에 빠져들고 열광한다. 이 열광을 의심하지도 가라앉지도 않게 만드는 기술이 퍼즐주의다. 퍼즐주의는 문자를 끼워 맞추는 일종의 이성적 속임수다. 지식인들이 이단에 열광하는 이유도 이러한 퍼즐주의 때문이다. 그럴듯한 질문과 답변의 퍼즐조각을 만들어 놓고 그것을 성경구절로 짜 맞추는 속임수로 맹신자들의 정신과 손발을 묶는다. 여기에 예언이나 치유 등의 양념이 추가되면 맹신자들은 스스로 자신을 옭아매는 족쇄를 채운다. 모든 이단에는 그들만의 독특하고도 고유한 공식 퍼즐조각 즉 교리가 있다. 이것은 마약과 같이 환각 증상을 일으켜 추종자들을 교주에게 충성하도록 만든다. 합리적 이성을 홀리고 묶는 퍼즐주의는 성경에 기초한 건전한 기독교 신앙과 교리를 통해 사람을 감동시키시는 성령의 인격적 역사와 전혀 다른 것이다.

우리의 지성과 감정과 의지를 모두 동원하여 우리를 부르시는 성령께서는 신앙과 교리를 통해 우리에게 그리스도를 가르치고 우리를 그리스도께로만 인도하신다. 물론 성령의 부르심이 우리의 지성과 감정과 의지 가운데 하나를 주요 수단으로 삼아 발생할 수 있다. 하지만 성령께서 우리의 이성과 감정과 의지 가운데 어떤 요소를 통해 우리를 역사하시든지 그 모든 것은 오직 하나님의 영광을 위한 것이요, 또한 우리 자신의 구원을 위한 것이다. 또한 기독교 신앙은 이성과 감성과 의지가 서로 균형 있게 작용하는 곳에서 가장 밝게 빛난다. 신비하고 새로운 내용일수록 반드시 성령의 기록물인 성경과 건전한 기독교 교리로 묻고 따져보아야 한다.

KOL 기획위원 및 외부필진

김하연 목사

대구삼승교회 담임목사, 고신언론사 주필, 고신총회 성경연구소장
The Hebrew University of Jerusalem(Ph.D., 구약학)
- 저서 「유대배경을 알면 성경이 보인다」(SFC)
  「창세기 원문새번역 노트」(SFC)
  Multiple Authorship of the Septuagint Pentateuch(Brill, 2020)

문장환 목사

진주삼일교회 담임목사
동남성경연구원장
남아공 스텔렌보쉬대학교 신학박사

안진출 목사

안디옥교회 담임목사
목회/선교 컨설턴트, 한국NCD교회개발원 코치
고신대학교 졸업, 고려신학대학원 졸업
KPM 이사장 역임

신원하 원장

한국기독교윤리연구원(www.koreanchristianethics.com) 원장
미국 칼빈신학교(Th.M.), 보스톤대학(Ph.D.,기독교 윤리학)
고려신학대학원 교수 및 원장 역임

- 저서 「죽음에 이르는 7가지 죄」(IVP), 「교회가 꼭 대답해야 할 윤리 문제들」(예영)
  「전쟁과 정치」(대한기독교서회), 「시대의 분별과 윤리적 선택」(SFC) 등
- 역서 「기독교 윤리학의 토대와 흐름」(스탠리 그렌츠)
  「예수의 정치학」(존 하워드 요더), 「개혁주의 윤리학」(CLC) 등

황대우 교수

고신대학교 학부대학 교수
개혁주의학술원 원장
고신대학교 신학과 및 대학원 졸업
Theological University of Apeldoorn in Netherlands 졸업

유해신 목사

관악교회(서울 신림동) 담임목사
설교와 함께 하이델베르크 요리문답과 웨스트민스터 표준문서로
하나님의 말씀을 가르치며 교회를 세워 가고 있다.
서울대학교(BA), 고려신학대학원(M. Div.)
기독교윤리실천운동 사무처장 역임

감기탁 목사

달성교회 담임목사, 부산대 SFC
고분자공학 석사, 미국 Texas A&M University, College Station, TX(Ph.D., 기계공학)
시카고 지역 선임연구원 근무, Trinity Evangelical Divinity School, Deerfield, IL(M.Div.).

박신웅 목사

소망교회 담임목사, 고려신학대학원 겸임교수
고려신학대학원(M.Div.), 美 Southwestern Baptist Theological Seminary(M.A. Christian Education), Gordon-Conwell Theological Seminary(Th.M, Preaching), Pennsylvania State University(성인교육학박사 Ph.D.). 기독교 교육을 포함한 성인교육학 분야 다수 논문과 저서, 고신 총회교육원 원장 역임

KOL 기획위원 및 외부필진

손승호 선교사

울산경남세계선교협의회 사무총장
고려신학대학원(M.Div.), 스텔렌보쉬대학교(Th.M., Th.D.)

- 저서 「태국선교:성령의 역사, 부흥으로」, 「불교권 선교 가이드」
- 공동 편저 「난공불락 불교권, 어떻게 선교할까?」

손재익 목사

한길교회(서울 광진구) 담임목사
부산대, 고려신학대학원 졸업
고신대 대학원 Th.M.

- 저서 「특강 예배모범」
  「분쟁하는 성도 화평케하는 복음」
  「설교, 어떻게 들을 것인가」 외 다수

이기룡 목사

고신 총회교육원장, 창원교회 기관목사
고려신학대학원(M.Div.), 고신대 교육학박사. 교회교육 교재 및 프로그램 개발, 고신대 및 고려신학대학원에서 가르치며 새로운 교회교육 모델을 만들고 있다.

- 저서 「한국교회 트렌드 2023」
  「한국교회 3040 트렌드」 등

최정복 목사

세종시장로교회 담임목사
고려신학대학원 교의학 석사

김보성 목사

울산신정교회 담임목사
고려신학대학원(M.Div.)
고신대학교 대학원 (M.A.)

이정규 목사

시광교회 담임목사
고려신학대학원(M. Div.)
- 저서 「새가족반」 외 다수

성희찬 목사

창원 작은빛교회를 섬기며, 신학교에서 헌법을 오랫동안 가르침
- 저서 「한국장로교회헌법개정역사」
  「고신교회 70년과 나아갈 길」 등

　　이 두 권의 책을 통해 한국교회를 향한 하나님의 사랑을 확인하고 그분의 비전을 깨달을 뿐만 아니라 또한 그 비전이 이루어지는 역사 일어나길 두 손 모아 간절히 기도합니다.

KOL 두번째 이야기
세대를 품은 교회 세상을 향한 교회

KOL 두번째 이야기
세대를 품은 교회 세상을 향한 교회

2024년 9월 9일 초판 1쇄 발행

지은이	김하연 문장환 안진출 신원하 황대우 유해신 감기탁 박신웅 손승호 손재익 이기룡 최정복 김보성 이정규 성희찬
편집인	김하연 황대우 감기탁
발행인	최정기
기획책임	박진필
디자인	문지연
인쇄	금강인쇄
펴낸곳	고신언론사
주소	서울시 서초구 고무래로 10-5(반포동) 고신총회 고신언론사
전화	02-592-0981, 02-592-0985(FAX)
ISBN	979-11-984522-7-6, 979-11-984522-5-2(세트)

이 책의 판권은 지은이와 고신언론사에 있습니다.
양측의 서면 동의 없는 무단 전재 및 복제를 금합니다.

※ 본문 및 제목에서 김정철 서체를 사용했습니다.

KOL의 읽기 발음은 히브리어 단어
'콜(소리)'과 동일하며, 이는 본 기획팀이 추구하는 바
이사야서 40장 3절의 '콜(KOL) 코레 바 미드바르'
(광야에 외치는 소리)'의 역할을 표방한다.

인사말

교회 회복을 위한 몸부림

김하연 목사(고신언론사 주필, KOL 기획위원장, 대구삼승교회)

2023년 1월부터 고신언론사에서 KOL을 특별기획하여 2024년 6월까지 연재하게 됐습니다. KOL은 Kosin Opinion Laboratory의 이니셜이기도 하지만 동시에 히브리어로 '콜'(KOL, 소리)을 음역해 놓은 의미를 부여한 것이기도 합니다. 이사야 40장 3절의 '콜(KOL) 코레 바 미드바르'(광야에 외치는 소리)를 생각하면서 절박한 한국교회 현실을 마주하며 '광야의 소리'를 외쳐보고 싶은 강력한 충동에 의해 기획된 것이었습니다.

코로나(COVID-19)로 인해 2020-2022년까지 출석교인 20-30%가 증발하고 교회에 젊은 층이 점점 사라져 주일학교가 문을 닫아야 하는 교회가 많아졌습니다. 교회의 사회적 신뢰도 역시 밑바닥까지 추락하고 미래에 대한 전망도 결코 밝지 않은 어려운 때 어떻게라도 해법을 찾고자 하는 몸부림으로 콜(KOL)을 시작했습니다. 아무 소리도 내지 않으면 아무 일도 일어나지 않기에 호수에 돌을 던져 파장이라도 만들고 작은 보트로 수면에 잔잔한 물결이라도 일으키고 싶은 간절한 마음이 있었습니다.

고신언론사 사장이신 최정기 목사님의 한국교회를 향한 시대적 사명감과 적극적 지원 그리고 간사로 섬기신 이호욱 편집국장(대행)의 수고에 감사합니다. 특히 헌신 된 각 분야의 전문기획위원들께 감사합니다. 이 두 권의 책은 저를 포함하여 모두 목사인 신원하(고려신학대학원 교수), 안진출(안디옥교회 담임), 유해신(관악교회 담임), 문장환(진주삼일교회 담임), 황대우(고신대학교 교수), 감기탁(달성교회 담임), 박신웅(소망교회 담임), 김하연(대구삼승교회 담임) 등 총 여덟 명으로 구성된 특별기획위원들이 한국교회를 위한 뜨거운 사랑과 열정으로 고민하고 토론하고 연구하면서 흘린 땀방울들의 값진 결실입니다.

기고된 많은 글은 그냥 한번 읽고 넘기기에는 너무 아깝고 소중한 내용들이라 곱씹을 요량으로 그중 일부를 발췌하여 두 권의 책으로 묶었습니다. 혹자는 한국교회가 다시 부흥의 역사를 맞이하기에 이미 때늦은 감이 있다고 생각할 수도 있겠지만 우리는 하나님의 섭리와 그분의 나라에 늦은 법이란 없음을 알고 고백합니다. 모세가 약속의 땅을 밟지 못하고 죽음을 앞두고 있을 때에도 우리 하나님께서는 그에게 이스라엘 백성의 미래 비전을 보여주신 분이십니다(신 34장). 요단 건너편 북쪽에서 남쪽까지 이스라엘이 들어가 정복할 땅을 보여주신 것입니다. 약속을 이루실 하나님의 계획은 아직 끝나지 않았기 때문입니다. 그래서 비전이 계속되는 것입니다. 모든 사람은 각자 자기 시대에 자기 역할을 충분히 감당하고 결국은 하나님의 때에 하나님의 역사가 완성되는 것을 보게 될 것입니다.

한국교회도 지금 여전히 비전 가운데 나아가야 합니다. 이 두 권의 책을 통해 한국교회를 향한 하나님의 사랑을 확인하고 그분의 비전을 깨달을 뿐만 아니라 또한 그 비전이 이루어지는 역사가 일어나길 두 손 모아 간절히 기도합니다. 물론 미루기만 하는 것이 아니라 지금 할 수 있는 일들은 하나씩 이루어가면서 그리고 결국 완성해나가실 하나님의 나라를 향한 그분의 섭리를 바라보면서 오늘 묵묵히 책임 있게 달려가기를 원합니다. 더욱 많은 광야의 외치는 소리들이 울려 퍼지기를 소망하면서 이 책이 나오게 됨을 하나님께 영광 돌리고 감사를 드립니다.

추천사

세상을 바라보는 우리의 시선

김홍석 목사(고신총회장, 안양일심교회)

우리 총회 기관지 '기독교보'에 1년 반 동안 연재되어 많은 사람으로부터 사랑을 받은 주옥같은 글들을 모아 단행본으로 출간하게 된 것을 축하드립니다. 주간 신문의 전면을 할애하여 기획하는 일은 결코 쉽지 않은 일입니다. 그럼에도 오랫동안 귀한 지면을 통해서 우리 총회 소속 성도와 교회들에게 신선한 독서 자료를 제공하고 선한 영향력을 미친 것에 대해 우선 깊은 감사를 드립니다.

기독교보에 연재된 KOL은 '고신의 소리'(Kosin Opinion Laboratory)를 줄여 사용한 것이기도 하지만 동시에 히브리어의 '콜'(קוֹל, 소리)을 의미하기도 합니다. 그런 의미에 걸맞게 KOL은 이사야 40장 3절의 '광야의 소리'처럼 한국교회의 현안들과 그 대안들을 추구하며 광야에 외치는 자의 소리를 질러 왔습니다. 고신의 목회자와 학자들을 중심으로 여덟 분이 집필팀을 이루고 일 년 반 동안 열심히 소리를 질러온(?) 내용을 모은 것이어서 더욱더 기대가 됩니다.

  이번에 출간하는 KOL 첫 번째 이야기 '살아나는 교회, 살리는 교회'와 KOL 두 번째 이야기 '세대를 품은 교회, 세상을 향한 교회'는 목회자들은 물론 많은 교우에게도 큰 도움이 될 것이므로 기쁜 마음으로 추천하고자 합니다. 물론 한 사람의 전작(全作)이 아니어서 약간의 견해차가 있을 수도 있으나 이는 우리의 다양성이라는 측면에서 이해될 수 있을 것입니다. 무엇보다도 오늘 우리 시대에 꼭 필요한 주제들을 엮은 것이 큰 장점이라고 할 수 있습니다. 아마도 이미 알고 인식하고 있는 내용도 있을 것입니다. 그러나 우리가 알고 있는 내용일지라도 이를 잘 정리하여 준 것에 대해서 고마운 마음을 전합니다. 새로운 내용에는 더욱 찬사를 보냅니다.

  고신언론사에서 탁월한 기획 의도를 갖고 연재되었던 내용을 모아 단행본으로 출간하게 된 것을 다시 한번 감사드리면서 우리 고신총회와 한국교회에 큰 도움이 될 것으로 믿고, 적극 추천합니다. 이 책은 단순히 딱딱한 지식이나 정보 제공에서 끝나지 않고 그리스도인의 삶에 반성적 사고(反省的 思考, reflective thinking)를 촉진할 것입니다. 우리의 걸어온 길을 되돌아보고, 미래를 열어갈 좋은 담론(談論)이 가득 담긴 책이므로 성도와 젊은 목회자의 일독을 권합니다.

추천사

시대의 어둠을 밝히는 교회와 성도

이정기 박사(고신대학교 총장)

흔히 '어벤져스'라는 말을 합니다. '슈퍼히어로'를 뜻하는 의미로 사용합니다. 우리 교단에서 가장 탁월한 식견과 필력을 가지신 8분의 전문기획위원과 각 분야의 전문가들이 어벤져스팀으로 뭉쳤습니다. 그리고 2023년 1월부터 장장 1년 6개월 동안 혼신의 힘을 다해 쏟아 놓으셨던 소중한 결과물을 책으로 출판하게 됐습니다. 너무 고맙고 감사한 일입니다. 어느 교단이 눈물의 기도와 깊은 연구를 통해 교회와 사회를 섬기는 일에 앞장서고 있을까요? 우리 교단에 주신 하나님의 은혜요 축복이며 사명이라고 생각합니다. 이번에 출판되는 '살아나는 교회, 살리는 교회'와 '세대를 품은 교회, 세상을 향한 교회'는 주님께서 고신교회에 주신 사명을 다하기 위한 몸부림이며 세상을 주님의 사랑으로 품고자 하는 거룩한 도전이라고 믿습니다.

지금 한국교회와 사회는 몸살을 앓고 있습니다. 이 몸살이 성장통이 될지, 수명을 갉아먹는 중병이 될지는 아무도 알 수 없지만 이렇게 한국교회와 사회를 진단하고 고민하는 분들이 계시기에 우리 교단의 앞날과 조국의 미래는 결코 어둡지 않을 것이라 확신합니다. 간헐적으로 지면에서 만나던 'KOL'의 목소리를 한곳에서 함께 읽고 묵상할 수 있게 되어 너무 기대가 됩니다. 전문기획위원뿐 아니라 보이지 않는 곳에서 음으로 양으로 헌신과 섬기신 많은 손길이 있기에 오늘의 기쁨을 함께 누릴 수 있다고 생각합니다.

우리에게 남은 과제는 집필진들이 먼저 고민하시고 제안하신 일들을 어떻게 삶의 현장에서 담아내고 구현해 내기 위해 노력하는 것이라 믿습니다. 우리 교단에 속한 모든 교회가 이 책을 함께 읽고 기도하며 미래를 대비하면 좋겠습니다. 이 책을 통해 성경에 기초한 기독교 세계관과 더불어 시대를 분별할 수 있는 영적인 민감함을 배우고 갖추어 나간다면 고신교단이, 고신에 속한 모든 교회가, 고신교회에 속한 모든 성도가 시대의 어둠을 밝히는 빛의 역할을 감당하게 될 것으로 확신합니다. 이 책을 읽는 모든 분이 세상을 향한 하나님의 마음을 품고 시대를 분별하는 예리한 영적 분별력으로 세상을 살리는 교회를 세우고, 세대 갈등을 넘어 세상을 향해 나아가는 믿음의 동역자가 되기를 기대하고 소망합니다.

추천사

민감한 문제들에 대한 진솔한 답변

최승락 박사(고려신학대학원 원장)

지금 우리는 다각적인 측면에서 변화의 시대를 맞고 있습니다. 교회 안팎의 상황이 급격히 변화되고 있고 어떻게 여기에 대처해야 할지 혜안과 방안을 찾기가 쉽지 않습니다. 그동안 기독교보에 연재되었던 '고신의 소리: 콜'은 이런 난국을 헤쳐가기 위한 좋은 기획이었습니다. 그 열매가 금번에 책으로 나오게 된 것은 참 축하하고 환영할 만한 일입니다.

한 저자가 잘 지적하는 것처럼 이 시대의 많은 교회는 부흥을 외치면서도 하나님의 영광의 임재보다 숫자 놀음에 더 집착하고 있습니다. 말씀의 선포보다 '선동'에 가까운 설교가 난무하고 있습니다. 이런 상황 속에서 우리가 어떻게 본질을 잃지 않으면서 현안의 문제들을 지혜롭게 풀어갈 수 있을지 시의적절한 방향 제시가 꼭 필요한데 이 책은 이런 필요에 잘 부응하는 책입니다. 이 책은 교회 안에서 흔히 접하는 민감한 문제들에 대한 진솔한 답변을 담고 있습니다. 또한 유년부터 노년에 이르기까지, 특히 MZ세대와 3040세대의 구체적 필요와 대처 방안들을 심도 있게 제시하고 있습니다. 이런 면은 현장 목회자들과 신학생들에게 큰 도움이 되리라고 봅니다.

나아가서 이 책의 저자들은 오늘 우리가 살아가는 이 시대의 사회적 현황과 그 요구에 답하고자 하는 진지한 노력을 기울이고 있습니다. 목회와 사회 활동의 다양한 경험과 지식을 보유한 저자들의 믿을 만한 방향 제시가 매우 큰 호소력을 가집니다. 이런 주제에 관심이 많은 다양한 분야의 평신도 전문가들이 이 '콜'에 호응을 해서 다음에는 이런 전문가들의 '콜'이 책으로 나왔으면 좋겠다는 바람을 가져봅니다.

이 책에 실린 글들이 처음 기독교보에 연재되었을 때 눈에 띄는 몇몇 글들을 찬찬히 읽으면서 깊은 공감과 자부심을 느꼈던 적이 많습니다. 쉽지 않은 전문 주제들을 균형 있게 잘 다룰 수 있는 분들을 친구로, 동료로 가진 것에 대한 자부심이 컸습니다. 나아가 하나님께서 고신교회에 주신 인재들에 대한 자부심과 감사가 컸습니다. 이런 귀한 분들이 모처럼 한 책에 자신의 경험과 고민과 생각과 비전을 함께 담아 놓게 된 것이 참 자랑스럽습니다. 한 저자가 다양한 주제를 얇게 다루는 것보다 이 책이 시도하고 있는 집단 지성의 가치가 더욱 돋보입니다. 여러 전문가가 함께, 한 목표를 위해 협업함으로써 그 효과가 배가되고 있습니다. 귀한 수고에 감사를 드립니다.

글 마감 시간이 다가올 때마다 거의 뜬눈으로 밤을 태우곤 하던 동료 교수의 수고를 곁에서 지켜본 만큼 여러 필진의 수고가 얼마나 컸을지 쉽게 짐작이 갑니다. 그 귀한 수고가 주님의 교회를 더욱 빛나게 하고, 성도들의 섬김을 더 값지게 할 것이라 믿기에 마음 깊이 글로또 편집으로 수고해주신 모든 분들께 감사와 찬사를 보냅니다.

추천사

교회 회복을 위한 몸부림

이상규 박사(백석대학교 신학대학원 석좌교수)

이번 고신언론사에서 '살아나는 교회, 살리는 교회'와 '세대를 품은 교회, 세상을 향한 교회'는 라는 책을 출판하게 된 것을 환영하고 축하합니다. 이 책은 2023년 1월부터 2024년 6월까지 1년 6개월간 '기독교보'에 연재했던 기획 특집 '고신의 소리' 혹은 '고신논단'(Kosin Opinion Laboratory) 원고를 주제별로 재편집하여 발간한 것으로 알고 있습니다. 코로나 펜데믹 이후 한국교회 특히 고신교회가 처한 상황에서 교회, 예배, 교육, 선교, 신학, 신앙과 생활, 다음 세대, 신앙의 계승, 기독교 세계관과 교회 생활 등 다양한 주제에 대해 여러 목회자와 신학자들의 사려 깊은 연구를 모은 것으로 오늘의 교회와 교회 지도자들 그리고 성도들에게 큰 유익을 줄 것으로 확신합니다. 우선 이런 뜻깊은 연재를 기획하시고 적절한 필자를 발굴하여 우리 시대 교회가 안고 있는 현실적인 문제에 대하여 혜안을 제시하고자 했던 기독교보사 최정기 사장님과 이호욱 편집국장대행 그리고 이 책을 기획하신 대구 삼승교회 김하연 목사님 등 관계자들에게 감사를 드립니다. 이전에는 이런 시도들이 거의 없었기 때문입니다.

저는 이 책 원고를 살펴보면서 몇 가지 점에서 이 책은 오늘의 교회가 걸어가야 할 길을 안내하는 지로가 될 수 있다고 생각합니다. 첫째, 이 책의 내용이나 주제는 다양하지만 그럼에도 불구하고 이 책에 수록된 글들은 일차적으로 성경적 원리를 제시하려는 노력을 보여주고 있습니다. 성경적 근거 혹은 성경적 원리는 우리의 모든 논의의 근거 혹은 출발점이 되어야 하는데 모든 필자가 이 점에 유의했습니다. 둘째, 개혁교회 전통에 충실하려는 필자들의 의지를 읽을 수 있습니다. 이 점 또한 우리의 주장이나 이론, 사상 혹은 학리사상의 중요한 지침이라고 할 수 있는데 개혁교회 전통에서 논구한 흔적이 보입니다. 셋째, 이 책에서 제시하는 여러 주제는 오늘 우리 교회가 처한 현실의 문제에 대한 지침 혹은 해답을 제시하고 있다는 점입니다. 각종 교회적 관행, 예배와 예전, 교육과 권징, 다음세대 육성, 정치 현실에 대한 교회의 태도 등에 대한 가르침은 오늘을 사는 교회와 성도들에게 좋은 안내가 될 것으로 확신합니다.

이 책에 수록된 여러 사안에 대해 약간의 견해차나 이견이 있을 수 있다고 생각합니다. 그럼에도 불구하고 이 책에 수록된 주장, 의견, 제안을 보면 하나님의 교회의 건실한 발전을 위한 충정을 읽을 수 있습니다. 이 책을 통해 다음 시대 우리 교회를 건실하게 세워가는 진지한 노력이 계속되기를 기도하며 이 책이 널리 보급되기를 기대합니다.

책을 엮으면서

작은 불꽃이 큰 횃불 되길

최정기 목사(고신언론사 사장)

홍수가 나면 마실 물이 부족하다고 합니다. 모두가 교회의 위기라고 말들은 많았지만 막상 바른길을 제시하고 그에 따라 함께 갈 수 있는 방향은 모호하기만 했습니다. 3년가량의 코로나 전염병(COVID 19)으로 더 깊어진 어둠 속에서 작은 불꽃이라도 보았으면 하는 절박감으로 인해 그냥 그대로 있을 수는 없었습니다.

2023년 새해부터 기독교보에 콜(KOL)을 연재했습니다. 주필 김하연 목사님을 중심으로 고신의 각 분야에서 대표성을 인정받는 전문가로 테스크포스팀인 특별기획위원회가 구성됐습니다. 특별기획위원님들은 감당하기 힘든 열정과 열심으로 헌신해 주셨습니다. 그 바쁘신 와중에도 온라인 오프라인 기획 회의에 한 마음으로 참석해 주셨습니다. 문경에서의 1박 2일 회의 때는 밤길을 마다치 않고 그 먼길을 달려와 주신 위원님도 계십니다. 23년 한 해 동안만 연재하려던 애초의 계획은 그렇게 반년을 더 지속해 24년 6월까지 이어졌습니다. 큰 아쉬움을 뒤로 하고 대단원의 막을 내리면서 그냥 끝낼 수가 없었습니다. 1년 6개월간의 보석들을 책으로 엮기로 했습니다. 한 권으로는 모자라 두 권짜리 세트가 됐습니다. 그럼에도 이 책에 다 담아내지 못한 또 다른 보석들에 대해서는 못내 아쉬움과 섭섭한 마음뿐입니다.

하나의 책으로 묶으면서 출판팀을 별도로 꾸렸습니다. 주필 김하연 목사님을 비롯해 황대우 교수님과 감기탁 목사님 그리고 박진필 부국장님께서 수고를 많이 해 주셨습니다. 밤잠을 잊고 책의 구성과 편집과 교정에 최선을 다해 주셨습니다. 디자인으로 수고해 주신 문지연 과장님께도 감사드립니다. 그 엄청난 수고와 헌신을 결코 잊을 수 없을 것입니다. 우리가 들어 올린 작은 이 불꽃이 널리 퍼져 이 땅의 교회와 세상을 밝히는 횃불이 되기를 빕니다.

감사합니다.

목차

인사말 · 4
추천사 · 8
책을 엮으면서 · 18

3부　세대를 품은 교회

세대 차이를 넘어 통합으로 / 박신웅 목사 · 24
다음세대 세우기 / 이기룡 목사 · 35
세대통합을 위한 교회교육 / 박신웅 목사 · 46
세대를 잇는 신앙의 계승 / 김보성 목사 · 58
MZ세대를 수용하는 교회 / 신원하 목사 · 68
청년세대를 위한 목회 / 이정규 목사 · 79
2030세대의 워라벨 / 안진출 목사 · 89
3040세대의 현실과 역할 / 최정복 목사 · 101
3040세대와 교회의 미래 / 박신웅 목사 · 121
장년세대를 위한 목회 / 문장환 목사 · 132
아름다운 노년의 삶을 위하여 / 박신웅 목사 · 144
일인가구 시대의 교회 / 감기탁 목사 · 155

4부 / 세상을 향한 교회

기독교 세계관 / 김하연 목사 · 170

기독교와 문화 / 김하연 목사 · 185

기후위기와 교회 / 감기탁 목사 · 200

정당한 전쟁 이론과 기독교의 평화 / 신원하 목사 · 216

AI에 대한 기독교의 대응 / 감기탁 목사 · 232

그리스도인의 취미생활 / 황대우 목사 · 247

그리스도인의 음주와 흡연 / 문장환 목사 · 260

연애와 동거에 대한 신앙적 자세 / 박신웅 목사 · 272

저출산 문제와 교회의 대응 / 감기탁 목사 · 284

자살의 성경적 이해와 목회적 돌봄 / 신원하 목사 · 295

노화와 죽음의 문제 / 신원하 목사 · 306

KOL 기획위원 및 외부필진 · 318

3부 세대를 품은 교회

세대 차이를 넘어 통합으로

박신웅 목사

"우리 교회는 세대 통합예배를 자주 하는데 왜 하는지 모르겠어. 아이가 너무 힘들어하고 나도 이게 맞는지 모르겠어." 얼마 전 아내의 지인이 자신의 교회 이야기를 하면서 했던 불평이다. 아마 새롭게 세대 통합예배를 시작한 것 같은데 본인이 볼 때, 아이도 어른도 쉽지 않았던 모양이다. 결과적으로 세대 통합예배의 명분은 좋았으나 실리는 없었던 게다.

그 집사님은 왜 이런 불평을 늘어놓았을까? 필자가 보기에 몇 가지 이유가 있어 보인다. 우선 그 교회는 성도를 대상으로 세대 통합예배에 대해 설득하고 이해시키는 과정이 부족했던 것 같다. 무엇보다 세대 통합을 위해 각 연령대가 함께 참여하고 이해할 수 있는 공통의 경험과 소통이 부족했던 것 같다. 이런 이유로 세대 통합예배를 하고자 하는 교회의 명분은 좋았으나 그 명분에 대한 성도의 동의도 구하기 어려웠고 그러다 보니 적극적인 참여라는 실리도 얻지 못한 것 같다. 비단 세대 통합예배뿐 아니라 세대 통합을 위한 여러 다른 시도들도 이와 유사한 상황에 놓여 있는 것 같다. 명분은 있으나 실리를 찾기 어려운 상황들이 지속되고 있다. 그렇다면 어떻게 하면 세대를 아우르며 믿음으로 하나 될 수 있을까? 이전 세대에서 다음세대로 신앙을 바르게 전수하여 제대로 된 세대 통합을 이룰 수 있을까? 본 글은 그에 대한 답으로 '세대를 알아야' 세대 통합이 보인다는 걸 이야기해 보려 한다.

1. 멜팅 팟(melting pot)에서 샐러드 볼(salad bowl)로

우선 문화에 관한 이야기부터 해야 할 것 같다. 주지하듯 세대가 다르다는 건, 세대 간 문화가 다르다는 말이다. 세대 간 겪었던 경험이 다르고 사용하는 언어와 반응하는 문화 코드가 다르다는 말이기도 하다. 당연히 복음을 듣고 반응은 하되 세대마다 각기 다른 지점에서 다른 방식으로 반응하곤 한다. 일례로 찬양 스타일도 세대마다 다르게 반응하지 않는가? 찬송가에서 시작해서 CCM과 다양한 장르의 찬양까지. 이런 면에서 각기 다른 세대의 문화가 복음의 우산 아래 어떻게 조화롭게 공존할 수 있는지 생각해 봐야 할 것이다.

1) 멜팅 팟 이론(melting pot theory)

문화의 조화에 대해 가장 잘 알려진 논의가 있다면 아마도 멜팅 팟 이론과 샐러드 볼이론이 아닌가 싶다. 멜팅 팟이란 용광로라는 뜻으로 1780년대 처음으로 등장해서 1908년 브로드웨이 연극(이스라엘 장월 작)의 이름을 따 본격적으로 회자한 이론이다. 이 이론은 용광로에 각기 다른 금속을 녹여 하나의 물질로 만들 듯 다양한 문화와 민족을 한 국가의 한 문화(사회)로 녹여낼 수 있다는 이론이다. 19세기 아메리칸 드림을 꿈꾸며 미국으로 몰려왔던 유럽 이민자들을 한데 묶는 문화로 미국 사회를 흔히 이렇게 불렀다.

하지만 이 이론은 한계가 분명하다. 획일화된 문화를 추구하다 보니 다른 문화를 허용하지 않는다. 마치 채소를 모두 한데 끓여 만든 채소죽처럼, 본질적인 독특함이나 고유성을 상실케 하기 때문이다. 오늘의 중국이 이런 멜팅 팟 이론을 추구한다고 할 수 있다. 무려 56개의 민족으로 구성된 다민족 국가인 중국은 한족(漢族) 중심 통합정책을 쓰면서 '하나의 중국'이라는 구호 아래 다른 목소리(문화와 종교)를 내지 못하도록 하는 정책을 펼치고 있기 때문이다. 이런 이유로 티베트(티베트족, 티베트 불교)나 신장웨이우얼(튀르크족, 모슬렘) 지역의 고유성을 말살한 핍박과 압제의 역사가 고스란히 남아 있지 않은가.

2) 샐러드 볼 이론(salad bowl theory)

샐러드 볼 이론은 1970년대 이후로 영어가 아닌 프랑스어를 공용어로 사용하는 캐나다 퀘벡주에서 처음 대두된 것으로 미국과 호주 등 이민자의 나라에서 활발하게 논의되고 있다. 아울러 세계화와 국제화의 확산으로 문화의 다양성을 인정해야 한다는 요구가 늘어나면서 주목을 받는 이론이다.

샐러드 볼이란 말 그대로 샐러드용 접시를 말한다. 샐러드 볼에 담긴 다양한 채소들은 각자 고유한 맛을 잃지 않고 유지되는 데서 자기 맛과 정체성을 잃는 채소죽(멜팅 팟)과는 차이를 보인다. 각기 다른 문화의 정체성을 최대한 유지하면서도 조화를 이루려는 노력의 하나로 보면 될 것이다. 다양한 인종과 문화가 공존하지만 조화를 이루며 살아가고 있는 미국의 뉴욕과 같은 도시가 바로 샐러드 볼의 모습을 보인다고 할 수 있다.

이렇게 보면 기계적인 결합으로서 통합이 멜팅 팟 이론이라면 유기적, 화학적 화합의 의미로 샐러드 볼 이론을 들 수 있다. 당연히 세대 통합을 고려할 때도 각 세대의 개성과 독특성, 정체성이 사라지는 채소죽과 같은 멜팅 팟 모습보다는 각 세대가 가진 고유의 장점을 살리되 조화를 이루는 샐러드 볼의 모습을 가지는 것이 더 나은 방향이라 생각된다.

3) 샐러드 볼 이론으로 세대 구분을

사실 성경에도 세대를 구분하는 내용이 종종 등장한다. 쉐마 본문으로 잘 알려진 신명기 6장 2절에는 "'너와, 네 아들과 네 손자들이' 평생에 하나님을 경외해야 한다"라고 말한다. 즉 할아버지(노년), 아버지(장년), 아들(아동 혹은 청소년)을 각기 다른 세대로 구분하면서도 하나님을 경외하는 일에는 조화를 이루도록 명령하고 있다. 요한일서 2장에서 요한은 영적인 가족 내에 3개의 세대가 있다고 말한다. 어린이들, 청년들 그리고 아비들이 바로 그들이다. 또한 각 세대가 교회 내에서 감당하는 일도 각기 다르게 표현하는데 어떤 세대는 아버지 하나님을 알고, 어떤 세대는 악한 자를 이기기도 했다고 표현한다. 각기 다른 세대가 있고 그에 따른 다른 역할과 감당할 사명이 따로 있음을 보여주는 대목이라 하겠다.

이렇게 보면 성경 시대 이후 교회 안에서 다양한 연령대의 문화가 존재해 왔고 감당해야 할 사명도 달랐다는 걸 알 수 있다. 당연히 세대별 특징과 문화를 무시한 멜팅 팟과 같은 획일화되고 기계적인 결합보다는 샐러드 볼과 같은 유기적이고 화학적인 화합을 추구하는 것이 바르다는 생각이 든다. 이런 면에서 각 세대의 특징과 그에 맞는 역할과 사역의 주안점 등을 짚어 보고 하나의 교회에서 각기 다른 세대가 다른 사역의 영역을 구축하면서도 전체적으로는 조화롭게 각자의 역할을 감당할 수 있도록 하는 것이 필요하리라고 생각된다.

2. 목회적 관점으로 세대를 구분해 보면

그렇다면 어떻게 세대를 구분할 수 있을까? 대개 생애주기를 기준으로 구분하곤 하는데 이는 아이가 태어나 죽음에 이르는 전 과정을 말한다. 통상 임신을 통한 태아기와 출산 과정을 거쳐 영아기, 학령전기(유아기), 아동기, 청소년기, 청년기, 중년기, 장년기, 노년기에 이어 죽음에 이르는 과정으로 본다.

1) 장년기 이후도 구분이 필요하다

이렇게 보면 영아기에서 청년기까지는 비교적 세분되어 있고 그에 따른 사역의 장도 다양하게 펼쳐져 있다. 개별 교회에 가보면 규모에 따라 많게는 영아부, 유아부, 유치부, 초등1부, 2부, 3부, 중등부, 고등부, 대학부, 청년1부, 2부 등으로 나뉘기도 한다. 이는 피아제(Jean Piaget) 이후로 심리학 분야에서 아동을 중심으로 세대를 세부적으로 다양하게 구분한 영향이 교육 심리와 교육학 전반에 미쳤고 교회교육에도 영향을 주었기 때문으로 이해된다. 여하튼 그만큼 청년기까지는 세부적인 구분과 그에 따른 교육 사역의 장이 이미 많이 마련되어 있다고 볼 수 있다.

하지만 일명 '장년기'라 불리는 30대 이후의 세대들에 대한 교회의 교육적 노력(세대 구분) 혹은 시도(전략)는 그렇게 많아 보이지 않는다. 일례로 고신총회의 총회교육원에서 많은 교재를 개발하고 보급하고 있는데 유아부, 유치부, 초등1부, 초등2부 등과 같이 아동들에 대해서는 다양하게 구분하고 있다. 청소년부를 위해서도 교재가 개발되어 있고 대학생들의 경우 SFC에서 양육을 위한 교재들이 개발되고 있다. 하지만 청년기 이후 세대들에 대해서는 구역 공과나 장년부 교재 정도만 보일 뿐 세부적인 세대 구분이나 사역 방향에 대한 구체적인 대안은 많지 않은 실정이다.

실제 교회 현장에서 이루어지는 교육 사역의 경우도 별반 달라 보이지 않는다. 30대 이후의 세대를 '장년'이라는 동일한 범주 안에 한데 묶어 교육하는 경우가 대부분이기 때문이다(멜팅 팟의 개념으로 생각하여 그런지 모르겠지만). 하지만 실제로 3-40대들은 이제 결혼을 하고 자녀를 출산하여 그들의 생애 과업이 이전 청년세대와는 확연히 다르다. 어느 정도 자녀들을 독립시킨 5-60대의 경우는 또 다른데 가정과 교회에서 감당할 책임과 역할이 더욱 중해졌고 직분도 3-40대와는 상당한 차이를 보인다. 이렇게 보면 각기 다른 이들 세대에 대한 고민과 목회적인 접근이 이제는 더 교육적이고 전략적으로 변화되어야 할 필요를 느낀다.

2) 다양하게 열린 장년기 이후 사역의 장

그뿐인가? 노년들은 어떤가? 고령화되어 가는 한국교회 현실 앞에 노년 사역을 어떻게 해야 할지 목회자들의 고민만 깊어져 간다. 사실 1980년에는 기대 수명이 65세(65.69세) 어간이었기 때문에 노년으로 진입하는 세대가 많지 않았다(통상 65세부터 노년으로 보고 있다). 1980년 당시만 해도 연로한 분들의 경우 6-70대가 대부분이었고 그 수도 적었다. 노년 사역의 필요를 그다지 느끼지 못했다는 말이다.

하지만 2023년, 오늘의 기대 수명은 그로부터 대략 20년이 늘어난 85세 가까이 되어 간다(84.3세). 이렇게 보면 지난 40년 동안 20년의 기대 수명이 늘어났고 지금의 7-80대는 본인들의 앞선 세대가 지금과 같은 장수의 삶을 누린 걸 보지 못하고 그 나이를 살아가는 첫 세대가 된 것이다. 교회도 이런 고령의 노년들이 많아지는 현상을 처음 겪고 있어 어떻게 이들을 신앙적으로 양육하고 목양해야 할지를 놓고 고민만 깊어져 간다. 노년 세대에 대한 교육 사역의 방향이 제대로 서야 할 때라는 말이다. 또한 전혀 다른 형태의 목회적 필요도 늘어나고 있다.

최근 필자가 신학대학원에서 만난 수도권의 한 교회 부목사는 미혼의 청년부를 맡고 있는데 어리게는 20대에서 시작해서 많게는 50대까지 포진하고 있다고 한다. 이전에는 전혀 경험해 보지 못한 독신의 4-50대들이 등장한 것이다. 이들에 대한 교육적이고 목양적인 고려도 필요하게 된 것이다. 이미 서구교회에서 독신 사역에 대한 논의들이 많이 되고 있는데 이런 사역 대상과 문화에 대해서도 고민해야 할 때가 된 것이다. 물론 이들 범주를 넘어서는 대상도 있을 수 있다. 여러 이유로 혼자가 된 분(이혼, 사별 등)들과 그들의 자녀들은 또 다른 사역의 대상이 되고 있기 때문이다.

3) 목회적 관점으로 세대 구분을 해 보면

이제 목회적 관점에서 세대를 구분해 보려 한다. 필자가 다양한 세대 구분의 유형을 살피다 오늘의 현실 목회에 도움이 되는 방식의 유형을 찾게 되었는데 대한민국 정부가 구분한 생애주기가 바로 그것이다. 하여 대한민국 정부에서 구분하는 생애주기 구분을 따라 향후 논의를 전개하면 어떨까 제안해 본다. 그 내용은 다음과 같다. 영·유아(0-5세), 아동(6-12세), 청소년(13-18세), 청년(19-29세), 중년(30-49세), 장년(50-64세), 노년(65세 이상). 이 구분은 기존의 교회들에 흔히 보이는 영·유아, 유치부와 아동부, 청소년부, 청년부의 구분에 부합한다. 아울러 필자가 전술한 것처럼 장년세대에 대한 교회의 구분이 별로 없었는데 3-40대를 묶어 나름의 한 범주를 만들고, 5-60대를 묶어 노년 전까지 또 다른 범주로 묶었으며, 아울러 65세 이상 노년을 또 다른 사역과 교육의 대상으로 본다는 점에서 목회적인 관점으로도 좋은 구분이 될 것이다.

이러한 이유로 본 글을 기준으로 앞으로 목회적인 관점에서 영아에서 아동(0-12세)까지 한 세대, 청소년(13-18세), 청년(19-29), 중년(30-49세), 장년(50-65세), 노년(65세 이상)의 각기 다른 총 6개 세대의 구분으로 교육목회를 어떻게 감당해야 할지 살펴보려 한다. 당연히 세부적으로는 ① 각 세대의 특징과 문화 그리고 신앙적 필요 ② 이를 통한 교육 목회적 주안점 및 애로사항, 아울러 ③ 그들과 어떻게 소통하며 그들을 한 교회로 묶을 대안적인 제안에 대해 살펴보게 될 것이다(향후 각기 다른 필진이 각기 다른 세대를 대상으로 다양한 논의를 할 계획이다).

* *

처음 이야기로 돌아가 보자. 아내에게 왜 세대 통합예배를 해야 하는지 모르겠다고 말했던 그 집사님, 만일 세대 통합예배를 드리는 가운데 자신(세대)의 필요와 상황에 대해 이해해 주는 이전 세대를 만났다면 어떻게 반응했을까? 자신은 잘 이해하지 못한다고 여겼던 자녀들을 자신보다 더 잘 보듬어 주는 청년세대가 있어 그들이 자기 자녀들을 예배시간에 살뜰히 챙겨주는 걸 봤다면 어떻게 반응했을까? 무엇보다 자기 자녀들이 세대 통합예배를 통해 자신들의 언어와 경험이 그 자리에서 '이야기'되고 있다는 걸 깨닫게 되었다면 어떻게 되었을까? 그것도 성경과 복음이라는 거대 담론 아래서. 아마도 그렇게만 되었다면 세대 통합예배에 대한 거부감이 사라지지 않았을까?

맞다. 필자도 알고 있다. 어쩌면 이상적인 이야기처럼 들릴 수 있다. 그리고 필자조차도 온전한 답을 가지고 있다고는 말할 수 없다. 하지만 필자는 최소한 세대 통합을 위한 대안의 첫 단계는 알고 있다. 그것은 바로 각기 다른 세대를 바르게 이해하는 것이다. 그 바른 이해를 바탕으로 각 세대가 함께하는 교회(예배)라는 샐러드 볼 안에 집어넣는 것이 그다음이 될 것이다. 거기에 말씀의 드레싱을 얹어 통일된 맛을 내는(통합하는) 것이 마지막이 될 것이다. 마치 각기 다른 샐러드 거리(채소)가 들어간 샐러드 볼에 한 가지 드레싱을 넣으면 그 드레싱 맛으로 통일된 샐러드 볼이 되는 것처럼(이탈리안 드레싱을 넣으면 이탈리안 샐러드 볼이 되는 것처럼). 이 같은 이유로 교회라는 큰 샐러드 볼 안에 각기 다른 세대가 모여 말씀이라는 통일된 소스의 맛을 낸다면 다양한 재료가 어우러지는 풍미와 더 풍성한 복음의 다이나믹이 나오지 않을까.

다음세대 세우기

이기룡 목사

"옛날에는 주일만 되면 주일학교 학생이 교회 마당에 참 많았었는데 이제는 학생 자체를 찾아보기 힘들어요."

지방에 있는 주일학교 교사를 만날 때마다 많이 듣는 이야기다. 6·25 한국전쟁 이후 1960년대부터 1990년대까지 주일학교는 한국교회 성장에 중추적인 역할을 했다. 소위 진공청소기와 같이 아이를 교회로 불러 모으는 흡입구의 역할을 감당했다.

총동원전도주일, 어린이주일, 여름성경학교 등 주일학교의 행사는 동네 아이들에게 관심의 대상이었고 행사가 있을 때마다 문전성시를 이루었다. 하지만 지금 한국교회의 주일학교 상황은 어떠한가? 성도 가정의 아이를 돌보는 울타리로서의 역할만 겨우 감당하고 있을 뿐이다. 코로나 팬데믹 이후에는 불신가정의 부모와 아이에게 오히려 문전박대를 당하듯 관심조차 없는 상태가 되어가고 있다.

목회데이터연구소 및 여러 교단이 발표한 조사에 따르면 포스트 코로나 시대 한국교회의 가장 큰 고민도 여기에 있다. 담임목회자에게 "현재 교회의 여러 가지 상황 가운데 가장 어려운 점이 무엇이인가?"라고 물었을 때 나온 두 가지 대답도 이와 관계가 있다. 첫째는 '다음세대 주일학교 학생 수의 감소'가 큰 고민이었고 둘째는 한국사회와 한국교회의 허리인 3040세대 즉 '주일학교 부모세대가 교회를 떠나는 것'을 우려했다.

이 글에서는 이에 대한 우려를 염두에 두고 이러한 주일학교 문제에 관한 근본적인 대안을 모색해 보고자 한다. 근본적인 대안을 논하기 전에 포스트 코로나 시대 한국교회 주일학교 현실을 먼저 간략히 살펴보고자 한다.

1. 포스트 코로나 시대 한국교회 주일학교 현실

포스트 코로나 시대 한국교회 주일학교 현실을 요약하면 세 가지 키워드로 정리할 수 있다.

첫째, '세대 급감'이다. 코로나 팬데믹 이전에도 주일학교 학생 수는 꾸준히 감소하고 있었다. 예장통합의 주일학교 통계자료를 살펴보면 2010년에서 2020년 10년 사이 학령인구(초등학교, 중고등학교)가 26% 감소할 때 통합총회의 주일학교는 42%가 감소했다. 이를 기반으로 앞으로의 변동을 예측했는데 10년이 지나면 34%, 20년이 지나면 50%가 감소할 것이라고 예상했다. 하지만 예상을 비웃듯 코로나 팬데믹 이후 감소 속도에 오히려 가속이 붙었다. 고신총회의 경우 2020년에서 2022년 코로나 팬데믹 기간 유아유치부 40%, 유년초등부 37%, 중고등부 29%가 감소했다. 이는 앞선 통합 교단의 통계를 완전히 벗어난 통계로 주일학교 학생 수가 급감했음을 잘 보여준다.

둘째, '교사와 사역자의 문제'다. 주일학교 교사 노령화 현상이 심각하다. 수도권과 지방의 일부 교회를 제외하면 주일학교 교사의 평균 연령은 지속적으로 높아지고 있다. 대부분 교회의 교사 평균 연령이 40대 중반에서 50대 초반으로 형성되어 있다. 이는 향후 5년이 지나면 교사의 평균 연령이 50-60대로 올라간다는 것을 의미한다. 젊은 층 교사 수급이 없이는 주일학교의 미래도 불투명하다. 이와 함께 사역자도 큰 문제다. 신학교와 신대원의 지원자가 급속하게 줄어드는 상황에서 주일학교를 제대로 다니지도 않고 주일학교의 부흥도 경험하지 못한 청년이 사역자가 되는 경우가 지금도 많은데 앞으로 더욱 비일비재해질 것이다.

셋째, '가정의 변화'다. 코로나 팬데믹이 한국교회에 준 유익이 하나가 있다면 가정의 재발견이라 할 수 있다. 코로나 이전에는 자녀 신앙교육의 1번지를 주일학교로 여겼다. 자녀를 영어, 수학 학원을 보내듯 주일학교에 보내면 신앙교육이 다 되는 것으로 부모는 이해했다. 그런데 코로나를 경험하면서 신앙교육은 주일학교가 아닌 가정에서 부모가 해야 함을 깨달아 알게 됐다. 이는 성경의 가르침(신 6:7)을 회복한 놀라운 깨달음이다. 하지만 안타깝게도 부모가 깨닫고 필요를 느꼈지만 이러한 필요에 실제로 도움을 준 교회가 적다.

'세대급감' '교사와 사역자의 문제' '가정의 변화' 세 가지 키워드로 정리한 한국교회 주일학교의 현실이 참 막막하고 어렵다. 그러나 언제나 위기 가운데 기회가 찾아온다. 포스트 코로나 시대를 맞이하여 한국교회 주일학교를 근본적으로 전환할 대안을 이 글에서 짧게나마 제시해 보고자 한다.

2. 포스트 코로나 시대 한국교회 주일학교의 대안

'피벗팅'(Pivoting)을 들어보았는가? 피벗(Pivot)이란 원래 농구, 핸드볼과 같은 운동경기에서 한 발을 축으로 하여 회전하는 동작을 의미하는데 최근 경제 분야에서도 사용된다. 환경 변화에 따라 핵심 축을 중심으로 사업 방향을 바꾸는 것을 의미한다. 포스트 코로나 시대 한국교회 특별히 주일학교도 피벗팅이 필요하다. 기존 방식만 고집할 것이 아니라 새로운 변화에 맞추어 근본 축을 중심으로 세 가지 피벗팅을 해야 한다.

1) 기존의 교육철학을 피벗팅하라 : 주일학교에서 주중 목회로

코로나 팬데믹 이전의 교회 교육철학은 주일학교 이름에 그대로 드러난다. '주일'과 '학교'에 치중했다. 그 결과 시간은 주일, 장소는 교회, 형태는 학교 식 교육만을 강조했다. 하지만 이제는 상황이 변했다. 이 두 개념을 피벗팅해야 한다. 주일이 아닌 주중으로, 학교 식 교육이 아닌 목회 관점으로 주일학교를 재정립해야 한다.

'주일성수'는 이전 주일학교를 대표하는 용어다. 주일에는 어떤 일이 있어도 교회에 나와 하나님 앞에 예배를 드려야 함을 강조했다. 그러나 아이러니하게도 이러한 강조점이 팬데믹 이후 오히려 약점이 되어버렸다. 예상치 못한 팬데믹으로 인해 격리, 비대면 예배가 장기간 지속되었고 주일성수는 제대로 지켜지지 못했다.

주일에 치중하던 교육이 주일에 모이지 못하니 순식간에 허물어진 것이다. 그러나 오히려 이런 위기는 기회로 삼을 수 있다. 이제는 주일 외 나머지 시간으로 눈을 돌릴 수 있게 됐다. 주중 시간을 활용할 수 있게 된 것이다. 이런 변화는 주일만 중요하고 주중은 그리 중요하게 여기지 않았던 이분법적 태도도 자연스레 교정할 수 있는 기회가 된다. 이를 시행하기 위해서는 우선 학교라는 틀을 벗어던져야 한다. 학교 이미지는 학생과 교사를 구분하며 구분된 역할은 '학생은 잘 배우고 교사는 잘 가르면 된다'라는 식으로 고정된다. 그 결과 학생은 출석해 자리만 지키면 자기 역할을 다 감당했다고 생각한다.

교사 역시 주일 모임 시간에 잘 가르치기만 하면 임무를 완수했다고 여긴다. 하지만 교회교육은 학교교육과 근본적으로 다르다. 학교교육에서 교사의 관심이 가르침(Teaching)에 있다면 교회교육에서는 돌봄(Caring)에 있어야 한다. 물론 지식 정보 전달을 배제하라는 것은 아니다. 지식적 가르침과 함께 목회적 형태의 헌신적 돌봄이 수반되어야 함을 강조한 것이다. 다변화하는 세상에서 줄 수 없는 사랑과 돌봄을 목회적 돌봄을 통해 교회교육은 줄 수 있다. 급변하는 위기 상황에서 주일학교의 부흥을 꿈꾼다면 기존의 교육철학을 피벗팅해야 한다.

2) 기존의 교육방법을 피벗팅하라

오프라인 교육에서 온라인 교육으로 지금 주일학교 학생은 소위 알파세대에 속한다. 이들은 기존의 베이비부머, X, Y, MZ세대와 달리 태어나면서부터 글보다는 영상과 디지털 기기로 모든 것을 배우고 익힌 첫 세대이다. 그래서 디지털 원주민, 디지털 신인류라고 불린다. 이들은 온라인에서 무엇을 배우고 익히는 것을 어려워하지 않는다. 거기에다 코로나 팬데믹을 거치면서 학교교육에서 대대적으로 온라인 수업 전환을 경험했다. 그러므로 주일학교에서 온라인 교육을 활용하는 것은 적어도 학생에게는 어렵거나 두려운 일이 아니다.

주일 오프라인(현장) 중심의 교육을 유지하면서 주중 교육은 온라인을 활용하는 것이 효과적이다. 이러한 오프라인, 온라인 교육을 결합한 방식을 올라인(All-Line) 교육이라 한다. 온라인 교육이 중요하다고 해서 오프라인 교육을 약화시키면 안 되고, 반대로 기존의 오프라인 교육만을 고집하며 온라인 교육을 시도조차 하지 않으려고 해서도 안 된다. 두 교육방법이 가지고 있는 장점을 최대한 활용해야 한다.

온라인 교육의 장점을 세 가지로 정리할 수 있다. 첫째, 접근성이다. 온라인 교육은 시간과 공간의 제약을 받지 않고 언제든 손쉽게 접근이 가능하다. 둘째, 확장성이다. 온라인에 공유되는 교육자료(영상 등)는 다양한 방식으로 재생산되어 손쉽게 확장된다. 셋째, 활용성이다. 온라인 교육은 자체 교육뿐만 아니라 전도 도구 등 다양하게 활용될 수 있다.

오프라인 교육의 장점도 세 가지로 정리할 수 있다. 첫째, 눈높이 교육이다. 온라인 교육이 정보 공유에 보다 초점이 맞춰져 있다면 오프라인 교육은 각 개인의 필요에 따라 개별적으로 교육이 가능하다. 둘째, 친밀 교육이다. 첫째 장점과 연결되기도 하는데, 오프라인에서는 온라인보다 더욱 만남을 통한 친밀한 관계에서 교육이 시행될 수 있다. 셋째, 경험학습으로 오감을 통한 다양한 교육이 시행될 수 있다. 이처럼 오프라인 교육은 온라인 교육보다 대면 공동체 안에서 교제와 나눔을 통해 함께 신앙이 성장해 가는 데 장점이 있다.

코로나 팬데믹 이후에 주일학교 교육방법이 나아갈 방향이 여기에 있다. 예배와 교육방식에 있어 오프라인과 온라인을 잘 활용해야 한다. 여기에 한국교회 교육의 성패가 달려있다. 이러한 온라인 교육을 시행하기 위해서는 이를 담당할 수 있는 전문가가 반드시 필요하다. 온라인 교육은 큰 교회만 감당할 수 있는 사역이 아니다. 장비나 도구가 중요한 게 아니라 창의적이고 지속적으로 사역을 이어나갈 전문 사역자가 더욱 중요하다. 그러므로 신학교와 신학대학원을 중심으로 교육과정이 개설되어 이러한 사역자가 양성되도록 해야 할 것이다.

3) 기존의 교육주체를 피벗팅하라 : 교회교육에서 가정교육 중심으로

코로나 팬데믹 이후 한국교회 주일학교가 피벗팅을 해야 할 마지막 축은 교육주체이다. 지금까지 한국교회 주일학교는 성경적 교육에서 벗어나 있었다. 다음세대 신앙교육의 주체가 가정-부모 중심이 아니라 교회-교사 중심으로 교육이 진행되어왔다. 이제는 이를 바로 잡아야 한다. 다행스러운 것은 앞서 언급했듯이 코로나 팬데믹을 거치면서 생각의 변화가 많이 일어났다.

팬데믹 기간 중 시행된 한국 IFCJ 가정의 힘의 조사결과(가정 신앙 및 자녀 신앙교육에 관한 조사, 2021년)에 따르면 '자녀의 신앙교육을 위해 교육방법을 배울 필요성이 있는가?'라는 질문에 부모 10명 중 8명이 필요가 있다고 답했다. 자녀들의 경우에도 '부모로부터 신앙교육이 필요한가?'라는 질문에 10명 중 6명이 필요하다고 답했다. 부모에게 '가족신앙을 위해 교회로부터 받고 싶은 자료는 무엇인가?'라고 물었을 때 '자녀와의 대화법', '부모의 역할', '자녀와 함께 하는 신앙프로그램'에 관해 배우고 싶다고 답했다. 가정에서 자녀신앙교육 방법을 아는지 묻는 질문에는 절반 정도가 '안다'라고 답했다. 여러 긍정적인 답변에도 불구하고 '지속적으로 그렇게 살아가고 있는가?'라는 질문에 '그렇다'라고 답한 가정은 채 5%도 되지 않았다.

코로나 팬데믹 이후 주일학교 교육에 있어 중점을 두어야 할 부분이 여기에 있다. 주일학교는 교사교육과 함께 부모교육에 힘을 쏟아야 한다. 왜냐하면 교회에서의 주일학교 교육은 일주일에 1시간 정도이지만 가정에서의 신앙교육은 그보다 더 많은 시간을 할애할 수 있다.

신명기 6장은 부모가 가정에서 자녀를 어떻게 믿음으로 양육해야 할지를 구체적으로 설명한다. 제일 먼저 부모가 말씀에 순종하는 삶을 살고 이후 자녀를 말씀으로 가르칠 것을 강조한다. 이를 위해서는 부모교육이 반드시 선행되어야 한다.

가정에서 신앙교육이 잘 이루어지기 위해 다음 사항을 반드시 실천하길 권한다.

첫째, 전세대 교육으로 전세대가 '함께' 배워야 한다. 같은 성경말씀으로 온 가족이 큐티, 가정예배, 성경공부 등을 나누는 것이 효과적이다.

둘째, 전인적 교육이다. 말씀을 함께 배울 뿐만 아니라 부모가 신앙의 본을 보여주어야 한다. 교회 안 신앙생활을 넘어 가정에서의 생활신앙을 보여주어야 한다.

마지막은 가족적 회심이다. 개인적 회심을 넘어서 가정 안에서 개인의 역할을 회복하는 가족적 회심이 필요하다. 부모는 부모의 역할을 자녀는 자녀의 역할을 회복하고 반복적 믿음생활을 올바르게 시행할 때 가정에서의 신앙교육은 이루어질 수 있다.

* *

포스트 코로나 시대 주일학교 교육의 해결 방안 올바른 교육철학, 교육방법, 교육주체의 피벗팅과 함께 이를 연결하라! '구슬이 서 말이라도 꿰어야 보배다'라는 속담이 있다. 각각의 것이 좋아도 하나로 연결되지 못하면 아무런 쓸모가 없다. 교육철학에 있어 주일학교가 아닌 주중 돌봄, 교육방법에 있어 오프라인 교육과 함께 온라인 교육을 활용한 온라인 교육 그리고 교육주체에 있어 교회 중심이 아닌 가정 중심의 신앙교육까지, 이 세 가지가 하나로 잘 연결되어야 한다. 이를 위해서는 먼저 가정에서 돌봄 중심의 오프라인 교육을 통해 온 가족이 동일한 말씀을 잘 배워야 한다. 그리고 온라인 교육을 활용하여 부모와 자녀교육을 보완해야 한다. 또한 교회가 먼저 온 가족이 배운 말씀을 가정에서 구체적으로 어떻게 나누고 실천할지를 알려주어야 한다.

이제는 '다른 세대가 아닌 다음세대를 세우자!'고 구호만을 외칠 것이 아니라 하나님이 이 땅에 세우신 두 공동체인 가정과 교회를 통해 이를 실현해야 나가야 할 때이다. 여기에 다음세대와 주일학교에 관한 근본적인 대안이 있다.

세대통합을 위한 교회교육

박신웅 목사

"미국교회의 3분의 2는 이미 정체기를 맞았거나 쇠퇴하는 중이다."

팀 켈러 목사가 그의 책에서 인용한 충격적인 말이다(탈 기독교 시대 전도). 한국교회는 다를까? 주변을 돌아보면 한국교회의 상황도 별반 달라 보이지 않는다. '성장', '확장' 이런 단어보다는 '생존'과 '존립'이라는 단어가 더 많이, 더 절실히 들린다. 그래서인지 언제부턴가 '세상을 향하는' 교회가 아닌 '안으로 숨으려는' 교회의 모습을 자주 보게 된다.

이런 때, 교회의 공공성과 대사회적 역할에 대해 논의할 수 있다는 것이 감사할 따름이다. 지금까지의 수세적 경향에서 벗어나 보다 공세적이고 적극적으로 상황을 되돌려 놓으려는 것 같아 고무적이고 또한 기대된다. 하지만 현실은 녹록하지 않다. 다음세대라 불리는 미래세대가 줄면서 우리 세대가 '다음이 없는 세대'가 되는 것은 아닌지 염려가 되는 것도 사실이다. 특히 전통적 윤리와 규범을 중시하는 기성세대에 적합했던 복음 전도와 신앙교육의 방식이 비규범적이고 때로는 탈규범적인 다음세대에 적합하지 않은 것 같은 현실에 좌절하고 낙심하는 이들도 많다. 더욱이 세대 간의 갈등과 분열로 몸살을 앓고 있는 이때 우리는 어떻게 다음세대를 끌어안고 그들에게 신앙을 전수하며 복음을 전할 수 있을까?

이에 대해 본 글은 그 대안으로 세대 분리를 넘어 세대통합으로 가야 한다는 논의를 전개해 보려 한다. 물론, 교회가 세상에 전(全)세대가 함께 복음의 규범으로 하나 되는 것을 보여주는 것만으로도 대사회적, 공공적 메시지는 강력할 것이다.

1. 세대 분리 : 비규범적 세대의 등장

베이비붐 세대(1955-64년) 이전에 태어난 부모를 둔 필자는 X세대(1965-80년)로 태어나 조금의 변화, 일탈을 경험하기도 했지만 큰 틀에서는 기존의 규범과 전통을 배우고 고수하는 것을 미덕으로 알고 자랐다. 소위 주입식 교육을 받았으며 군사정권과 민주화, 경제 부흥을 겪었고 다양한 기술 발전도 경험했다. 당연히 이전 세대의 전통과 가치, 규범을 중시하는 경향이 있으며 정해진 틀 안에서 교회생활이 이루어질 때 안정감을 느끼는 세대에 속한다.

1) MZ세대의 등장 그리고 구분의 어려움

X세대 다음으로 새로운 세대가 등장하는데 필자의 막냇동생이 태어난 밀레니얼 세대(Y세대, 1981-96년)와 필자의 첫째 아들이 태어난 Z세대(1997-2005년 혹은 -2010년)의 등장이 바로 그것이다. 이들을 일명 MZ세대라 부른다. MZ 이전 세대는 공통의 역사적 사건이나 경험을 배경으로 한 심리적 동질감이 강했다면 이 세대는 공통의 특정한 역사적 경험보다는 개인의 취향이나 재미, 원하는 목표에 따라 한시적으로 인간관계를 맺고 선택적으로 반응한다. 즉 공동체 의식이 강한 기성세대에게 중요한 '의리' '정' '연줄'의 개념은 희박하고 이런 온정주의적 공동체 의식은 불합리하고 공정하지 못한 사회를 만드는 것으로 간주하는 세대이다. 따라서 공동체의 규범보다는 개인의 경험이나 취향에 주목하는 세대이다. 딱히 어떤 이념이나 가치의 범주로 규정하기 어려운 비규범적인 세대가 등장한 것이다.

사실 더욱 큰 문제는 이 밀레니얼 세대와 Z세대를 한 데 묶는 데 있다. 기성세대인 필자의 경우 밀레니얼 세대나 Z세대를 소위 '요즘 것들'로 보지만(필자도 앞세대에 그렇게 비칠 수 있겠지만) 그들 두 세대 사이에는 엄연한 기준과 구분이 존재한다. 통상 사회과학적으로 세대 연구를 할 때, 칼 만하임(Karl Mannheim 1952)의 '코호트' 개념으로 세대를 구분하는데 이 '코호트' 개념으로 두 세대를 하나로 엮기에는 무리가 있다. 원래 '코호트'란 비슷한 시기에 태어나 특정한 기간에 중요한 공통의 사건(6.25 전쟁, 경제 발전, 민주화, IMF 위기 등)을 경험함으로써 심리적 속성을 공유한 사람들로 이루어진 집단을 말하는데 밀레니얼 세대(Y세대)와 Z세대는 대학입시나 취업과 같은 사회적 경험의 '코호트'가 달라서 이들 간에는 서로를 다르다고 판단한다. 실제로 2023년을 기준으로 1981년생은 43세인데 반해, 2004년생은 20세로서, 현재의 20세와 43세가 심리적 속성이 비슷하다고 보기 어렵다. 오히려 청년세대와 장년세대로 구분하는 게 더 나을 수 있다.

2) 알파세대의 등장

여기에 다시 한 세대가 더 등장하게 되는데 2010년 이후 태어난 '알파세대'라 불리는 이들이다. 이들은 이전 MZ세대와 또 다른 특징을 가지고 있다. 처음으로 스마트폰이 대중화된 2007-2009년 이후 태어난 세대들로 나면서부터 SNS, 스마트폰과 디지털 문화를 경험하며 자란 첫 세대이다. 밀레니얼 세대나 Z세대의 경우 스마트폰의 대중화 이전에 청소년기 혹은 유년기나 영아기를 거치면서 '아날로그'적인 경험(감성)이 조금이라도 있지만 이들은 자신이 경험한 전(全) 생애 동안 '아날로그적' 경험(감성)은 없고 디지털 경험만으로 자란 세대라 할 수 있다. 게다가 온 인류가 처음 경험한 코로나19로 인해 타인과의 접촉이 쉽지 않은 환경에서 유치원, 초등학교 시절을 보내면서 사회성 발달에 한계를 경험한 세대이기도 하다. 분명한 건, 이들 세대(MZ세대와 알파세대)는 기존의 규범적, 전통적인 교육방식과 접근 방법으로 이해하기에는 쉽지 않은 세대라는 공통점이 있다.

필자의 경우 주입식 교육에 익숙하고 강의를 듣는 게 토론에 참여하는 것보다 편하고 안정감이 있지만 이 세대들은 오히려 자신의 의견을 개진하고 발표하며 자신의 취향과 재미에 반하는 제한적 활동에 대한 거부감을 가지고 있다. 당연히 강의식 수업을 힘들어하고 각자의 성향에 맞는 다양한 경험과 활동을 통해 배우기를 원한다. 이러한 이유로 기존의 교회가 만들어 놓은 '예배 – 성경공부 – 2부 활동'과 같은 정례화 된 신앙교육의 틀에 적응하는 걸 어려워하는 세대라고 할 수 있다.

2. '가르치는 일'과 '지키게 하는 일'의 구분

그렇다면 우리는 이런 비규범적인 세대에 규범을 말하지 말아야 할까? 그렇지 않다. 탈규범적이고 비규범적인 세대들에게 더욱 필요한 것이 그들의 삶을 지탱해 줄 복음의 규범이기 때문이다. 다만 그들에게 기존의 규범에 익숙한 세대에게 '당위'로 생각됐던 규범을, 비규범적인 세대는 다르게 받아들인다는 걸 이해하고 다른 방식으로 전해야 할 것이다. '당위'가 아닌 '유익'과 '필요'에 대해 이해시키고 수긍할 수 있고 '설득'이 가능한 논리와 방법을 취해야 할 것이다. 새 포도주에 맞는 새 부대가 필요하다는 말이다.

1) '가르치는 일'과 '지키게 하는 일'을 구분해 보면

우선 '가르치는 일'과 '지키게 하는 일'을 구분해 볼 것을 제안한다. 예수님은 마태복음 28장 18-20절을 통해 지상 대(大)위임령을 주셨다. 주지하듯, 예수님의 온 관심은 '모든 민족을 제자로 삼는 일'이다. 즉 제자 삼는 일이 주 명령이요, 대위임령의 목적이다. 이 대위임령은 "아버지와 아들과 성령의 이름으로 세례를 베푸는 것"에서 시작해서 "가르쳐 지키게 하는 것"으로 마쳐야 한다. 여기서 "가르쳐 지키게 하라"고 번역된 헬라어를 살필 필요가 있겠다. "가르쳐"라는 동사는 분사형태(διδάσκοντες, 디다스콘테스, teaching)로 되어 있고, "지키게 하라"는 부정사 형태(τηρεῖν, 테레인, to keep)로 되어 있다. 후자의 "지키게 하라"에 해당하는 헬라어 테레인(τηρεῖν)의 경우 NIV 성경은 "to obey"라고 번역하는데, 지키는 것을 순종하는 것으로 이해하고 있음을 알게 된다. 즉 가르치는 일이 결국 순종하는 일로 이어져야 한다고 말하는 셈이다. 어쩌면 너무 당연한 이야기이지만 지금까지 교회가 다음세대들을 가르치는 일에는 집중했지만 정작 그들이 순종하는지, 가르친 대로 지켰는지 확인하는 작업이 별로 없었던 건 아닌지 돌아보게 하는 대목이다.

2) 교육은 인상을 남기는 것과 표현하기가 함께 가야

고려신학대학원 원장으로 섬겼던 현유광 교수는 교육(敎育)을 정의할 때, 가르칠 교(敎)자에 집중하여 정작 기를 육(育)자를 간과하는 경우가 많다고 지적한다. 전자(敎)가 교사의 처지에서 가르치는 일에 주안점을 두었다면 후자(育)는 학생의 처지에서 양육 받고 훈련되어 자라는 것에 주안점을 두고 있는데 후자도 관심을 가져야 한다는 것이다. 이런 이유로 현유광 교수는 교(敎)는 영어로 impression(임프레션) 즉 학생에게 인상을 남기는 것에 중점을 둔다면 육(育)은 학생의 관점에서 자신이 배운 걸 표현하는 expression(익스프레션)의 측면을 가지고 있다고 한다. 이렇게 보면 교육은 인상을 남기는 것도 중요하지만 궁극적으로는 학생이 배운 내용을 스스로 표현하고 자기가 배운 내용을 확인해서 말씀에 순종하는 것까지 나아가야 완성되었다고 볼 수 있을 것이다.

하지만 현실은 어떠한가? 코로나19를 경험하면서 많은 교회들이 전자는 잘한 것 같지만 후자를 제대로 확인하지 못한 걸 깨닫고 있지 않은가? 특별히 비규범적인 세대들이 아닌가? 필자와 같은 기성세대들은 코로나19를 거쳐도 평소 가진 규범적인 틀과 이전의 습관이 있어 예배의 자리로 돌아오는 것에 별 어려움이 없지만 이들 다음세대는 규범적이기보다는 취향과 재미와 자신의 관심에 따라 움직이는 세대이다 보니 다시 예배의 자리로 이끄는 것이 쉽지 않은 상황이다. 이러한 이유로 현재 출석하는 인원들부터라도 가르치는 일과 함께 그들의 신앙을 스스로 고백하고 표현할 수 있는 표현의 장, 발표의 장을 마련해 주어 결국 순종의 자리(섬김과 봉사 혹은 전도와 선교의 자리)까지 나아가도록 도와야 할 것이다.

3. 세대통합 : 함께 예배하고 함께 대화하며

둘째로 세대 분리를 넘어 세대통합으로 교회의 교육 방향을 새롭게 할 것을 제안한다. 18세기 로버트 레이크스에 의해 처음 시도된 주일학교 제도는 그간 교회교육에 많은 긍정적인 결과들을 만들어 왔다. 믿지 않는 가정에서 출석하는 숱한 다음세대들을 책임졌고 신앙교육을 힘들어했던 부모의 역할을 대신 감당해 왔다. 하지만 시대의 변화로 인해 일주일에 한 시간 내외로 주어지는 신앙교육 시간의 한계와 가정과 학교가 학생들의 사고와 믿음, 세계관에 미치는 많은 영향 때문에 신앙교육의 시선을 교회 경계 너머로 옮겨야 할 시기가 됐다.

1) "한 아이를 키우려면 온 마을이 필요하다"

지금껏 교회에서 이루어진 세대별 예배의 분리는 신앙의 파편화, 개인화를 강화했다. 통전적인 신앙 발달과 세대 간의 교류를 방해했고 공동체적인 행위로서의 예배의 의미를 망각하게 했다. 또한 존 웨스트호프가 말하는 신앙공동체 안에서 함께 살기를 통해 자연스럽게 공동체 안으로 스며드는 경험과 참여의 기회를 박탈했다. 결국 자신의 세대에게 맞는 언어와 문화로만 예배드리게 해, 이전 세대가 가지고 있던 신앙의 언어, 이야기(story), 경험과 다양한 신앙적인 혜안을 배울 기회를 잃게 했다. 소위 세대 간의 소통을 불가능하게 만들었다는 말이다. 이제 이런 예배의 분리가 신앙의 분리와 단절로 이어지는 상황을 되돌릴 필요가 있겠다. 그렇지 않으면 찰스 포스터가 말하는 세대 간의 연결점을 잃고 '공동체적인 삶의 집단적인 기억 상실'이 일어나게 될 것이다.

같은 맥락에서 기독학부모 운동을 하는 박상진 교수는 교회학교 홀로 신앙교육을 하기 버거운 상황이 되었다고 한다. 오히려 교회를 포함해 가정, 학교, 지역사회(마을)와 미디어까지 아우르는 기독교 교육의 '생태계'를 복원해야 한다고 주장한다. 이제는 시대와 상황이 바뀌었고 다양한 매체와 상황에 노출된 자녀들의 믿음과 세계관의 성숙을 위해서는 '온 마을이 필요'하게 된 것이다.

2) 함께 예배하고 함께 신앙적 대화를 하며

이를 위해 분리된 예배를 통합하는 세대통합예배를 회복하는 것부터 하면 어떨까? 여기서 말하는 '세대통합'은 단순히 자녀와 부모 세대의 2세대 통합이 아닌 '조부모-부모-자녀'로 이어지는 3세대 통합을 말한다. 물론 이전 세대인 조부모 세대와 MZ세대인 부모 세대 그리고 자녀 세대인 알파세대가 한 장소에서 함께 예배드리는 것이 그리 녹록하지는 않을 것이다. 그러나 공통의 언어로 공통의 예배 경험을 만들고 임재하시는 하나님의 은혜를 함께 누리는 것이 가능할 때 비로소 다음세대도 예배의 참 의미와 재미 그리고 감격을 누리게 될 것이다. 풀러청소년연구소의 카라 파웰은 청소년 그룹 500명을 대상으로 신앙 여정과 관련된 연구를 했는데 놀랍게도 세대통합예배를 경험한 고등학생과 대학생이 더 높은 신앙 성숙도를 보였다는 결과가 나왔다. 세대통합예배가 잘만 정착되면 다음세대들이 더 잘 적응하고 더 잘 성숙한다는 걸 보여준 것이다.

아울러 3세대가 함께 하는 신앙적인 대화를 제안한다. 이를 위해 신앙적인 대화가 가능한 가정예배와 전(全) 세대가 함께하는 말씀 묵상(큐티)을 제안한다. 대부분 교회에서는 '조부모-부모-자녀'로 이어지는 공통의 신앙적인 '대화거리'가 별로 없다. 세대별로 분리된 예배와 분리된 신앙 양육 프로그램 때문이다.

필자가 아는 어느 교회는 같은 본문으로 큐티를 하면서 전(全) 연령대가 받은 은혜를 나누는 행사를 했는데 이전 세대와 MZ세대, 알파세대가 함께 공통의 신앙적인 이야기와 경험을 갖게 되었고 영적 성숙의 기회가 되었다고 한다.

* *

필자가 어릴 때만 해도 참고서에 '교수 목표'라는 말이 자주 등장했다. 교사의 관점에서 수업의 목표를 상정하고 기술했기 때문이다. 심지어 학생이 보는 참고서에도 '교수 목표'라고 쓰여 있기도 했다. 그런데 어느 순간엔가 학습자를 위한 '학습 목표'라는 표현이 보이기 시작했고, 급기야 '수행 목표'라는 말까지 등장하게 됐다. 시대가 변하면서 점차 교사에서 학습자로 관심의 대상이 바뀌게 된 것이다. 교회는 어떤가? 여전히 교사에게만 관심이 있는 것은 아닌가? 이제 학습자인 다음세대에게 더 많은 관심을 쏟아야 할 때다.

그렇다고 MZ세대, 알파세대에 이어 더 많은 세대를 구분하고 예배를 분리해야 할까? 그렇지 않다. 학습자인 다음세대에게 관심을 쏟되 오히려 그들을 이전 세대의 신앙적 이야기와 더 큰 하나님의 이야기에 포함되도록 설득하고 이끌어야 할 것이다. 단순히 규범으로서의 성경 이야기의 '당위'만을 말하는 게 아니라 조부모-부모 세대와 함께하는 예배의 자리, 삶이 이야기되는 말씀의 자리로 초대하여 그들과 함께 예배의 경험, 공동의 이야기를 나누는 시간을 가지면 좋을 것이다. 지나치게 세대를 분리하여 '그들만의 리그'로 만들어 이전 세대와 괴리감과 위화감을 느끼게 하지 않으면서 말이다. 이런 모습이야말로 진정한 의미의 세대통합이 되는 과정이 될 것이다. 아울러 교회가 세상에 보여줄 수 있는 참된 연합과 사랑의 모습, 대사회적 모범 혹은 역할이 될 것이다.

세상 그 어느 공동체에서 이렇게 다양한 세대(베이비붐 이전 세대-베이비붐 세대-X세대-MZ세대-알파세대)가 하나의 규범(복음)으로 하나가 되어 연합하는 모습을 보여줄 수 있단 말인가?

세대를 잇는 신앙의 계승

김보성 목사

1. 부모세대의 가장 어려운 숙제 '다음세대'

청소년을 대상으로 사역을 하거나 청소년 자녀를 둔 부모로 살아간다는 것은 결코 쉬운 일이 아니다. 그리고 이것은 시대를 불문하고 공감되는 주제다. 청소년 전문 사역자인 레스 크리스티가 쓴 '교회 다니는 아이들이 삐딱해질 때'라는 책에는 이런 글이 실려 있다.

화가 난 아버지가 십대 아들에게 물었다.

"너 이렇게 늦게까지 어디 갔다 왔어?"

밤늦게 몰래 집 안으로 들어오던 아들이 말했다.

"아무 데도 안 갔는데요."

아버지는 아들을 꾸짖었다.

"이제 속 그만 썩이고 정신 좀 차려!"

"이것은 요즘 대한민국의 한 가정에서 흔히 들을 수 있는 아버지와 아들의 대화 아닌가? 그런데 이 대화는 놀랍게도 BC 2500년, 수메르인이 점토판에 남긴 기록이다. 지금으로부터 4500년 전에도 가정에서 아버지와 아들은 이런 속 터지는 대화를 주고받았다.

오늘날 젊은이들은 사치를 사랑한다. 그들은 버릇이 없고 권위를 멸시하며 어른을 공경할 줄도 모르고 어른이 방 안에 들어와도 자리에서 일어날 줄 모른다. 그들은 부모에게 반항하고 폭식하며 식탁에 다리를 올리고 연장자들을 학대한다."

이것은 요즘 젊은이들을 바라보면서 어른들이 혀를 차며 하는 말 같은데, 알고 보니 BC 400년, 철학자 소크라테스가 한 말이다. 그때도 다음세대들은 부모 세대의 눈에는 이런 존재였나 보다.

"이 땅은 타락했다. 어린이들은 더 이상 부모에게 순종하지 않는다."

이것 역시 요즘 한 초등학교 선생님이 근무 일지에 남긴 글 같은데 알고 보니 BC 4000년, 지금으로부터 6000년 전, 이집트의 한 교사가 돌에 새긴 글이라고 한다.

이렇게 시대와 국가를 막론하고 다음세대는 부모 세대에게 늘 가장 큰 고민거리이며 그들의 생각과 언어와 문화와 삶은 부모 세대가 동의하기가 늘 어려운 숙제이기도 하다.

2. 무너지고 있는 다음세대

하지만 부인할 수 없는 분명한 한 가지 사실은 그 어떤 시대보다 우리가 살아가는 지금 이 시대의 다음세대들만큼 많이 방황하고 급격하게 무너지는 세대는 이전에 존재하지 않았다는 것이다. 사춘기 때 반항적이고 자기중심적인 것은 시대를 막론한 그 나이 때의 특성이기는 하지만 지금은 그 정도의 문제가 아니라 요즘만큼 다음세대들이 우울감이 높았던 적도 없고 깊은 절망에 빠진 적도 없다.

최근 한 설문조사에 의하면 한국에서 우울증 환자 수가 최근 몇 년 사이에 무려 35%가 증가했는데 놀라운 것은 우울증 증가 수치가 가장 높은 연령대가 바로 20대와 10대였다. 20대가 127%, 10대가 90% 증가했다. 둘 다 두 배 가까이 증가한 것이다.

지난 2023년 4월, 서울 강남에서만 10대 청소년 3명이 각자 극단적인 선택을 했는데 자살 3건이 5일 사이에 일어났다. 그중 한 여학생은 강남의 한 빌딩에서 투신해서 숨졌는데 충격적이었던 것은 높은 빌딩 옥상에서 자신이 투신하는 과정을 휴대폰으로 생중계를 했다는 것이며 그것을 방송을 통해 수십 명이 보고 있었다는 것이었다. 그런데 이 사건 후 알려진 뒷이야기가 더 마음을 아프게 했는데 이 여학생은 자살 전에 한 우울증 인터넷 커뮤니티를 통해서 자신의 속마음을 계속 이야기했다. "죽고 싶다. 그만큼 힘들다.", "하지만 부모님께는 말을 못하겠다.", "말할 데가 없다." 죽고 싶을 만큼 힘든데 마음을 터놓을 데가 없는 삶이 얼마나 외롭고 힘들었을까….

이 시대의 다음세대들이 많이 아프다. 성적에 대한 부담과 미래에 대한 불안 때문에 아프고, 게임중독, 휴대폰중독, 성중독, 마약중독에서 빠져나오지 못해서 아프다. 친구가 없어서 아프고, 친구들이 왕따를 시키거나 괴롭혀서 아프고, 부모님의 기대에 미치지 못하고 오히려 실망시키고 있다는 사실 때문에 아프다. 부족한 것 없이 자란 세대지만 마음이 병들고 웃음을 잃어버린 다음세대들이 얼마나 많은지 모른다. 그래서 필자는 가끔 교회에서 어린이, 청소년, 청년들의 웃는 모습만 봐도 반갑고 고맙다.

3. 교회의 현실

그렇다면 교회 공동체는 어떨까? 이 땅의 교회는 다음세대들에게 영혼의 안식처가 되고 있으며 그들을 위한 대안을 준비하고 있는가? 교회는 반드시 그래야 한다. 하지만 그러기가 쉽지 않은 현재 한국 교회 내에 자리 잡은 근본적인 문제가 있다. 사랑해주고 싶어도 사랑해줄 다음세대들이 교회 안에 없다는 것이다. 다음세대들이 썰물처럼 교회에서 빠져나가고 있다. 그 결과, 아이들이 없으니 교육부서가 없는 교회도 점점 많아지고 있다.

최근 대한예수교장로회 합동 교단의 총회교육개발원에서 발표한 자료에 따르면 "2030년이 되면 주일학교의 90%가 사라질 것이다"라고 전망했는데 너무나 두렵고 충격적이며 우울한 전망이 아닐 수가 없다. 그런데 정말 이 전망을 마치 증명이라도 하듯이 교회마다 어린이, 청소년들의 수가 아주 빠르게 줄어들고 있으며 낮은 출산율로 인해서 이 현상은 더욱 가파른 내리막길을 내달릴 것으로 예상된다.

가만히 있어도 다음세대들이 교회로 몰려오는 것을 경험한 기성세대에게는 당황스러운 현상이 아닐 수가 없다. 주일이 되면 아이들이 교회에 오는 게 당연한 줄 알았고 수련회나 성경학교 시즌이 되면 아이들이 참석하는 게 당연한 줄 알았다. 그러면서 우리는 "우리 교회, 우리 부서는 다음세대들이 몇 명 모인다"라는 것을 자랑삼으며 아이들을 존재 자체보다는 몇 명 중의 한 명이라는 '숫자'로 대하지는 않았는가?

코로나19팬데믹을 통과하면서 우리는 뼛속 깊이 깨달았다. 이 시대의 아이들이 교회에 오는 것은 당연한 것이 아니라는 것과 아이들은 우리에게 '숫자'가 아닌 '존재'여야 한다는 사실을 말이다.

4. 숫자가 아닌 존재

그렇다면 어떻게 해야 할까? 나는 지금이라도 교회와 부모세대가 다음세대들을 '숫자'가 아닌 '존재' 자체만으로도 존중하고 사랑하기 시작해야 할 때라고 생각한다. 숫자가 아닌 존재로 대한다는 것은 다음세대들을 향하는 우리의 마음의 시선이 주일예배 출석에 집중되지 않는 것을 의미한다. '주일날 교회에 왔다, 안 왔다'가 아니라 '주중에 학교와 학원과 가정에서 어떻게 지내고 있는지'에 더 관심을 가지는 것이다. 일주일에 딱 한번 토요일 밤에 전화해서 "내일 교회 올 거지?"를 묻는 것이 아니라 특별한 용무가 없어도 주중에 연락해서 "잘 지내니?"를 묻는 것이다. 그들을 위해 사용하는 시간과 물질과 호의가 그 존재만으로도 충분히 설명되고 아깝지 않은 것이다. 그럴 때, 다음세대들은 우리의 '진심'을 느끼게 된다. 진심이었다면 그것만으로도 충분하고 그 진심은 아이들에게도 전달되어서 그들의 마음을 여는 열쇠가 되며 그들의 발걸음을 하나님께로 나아오게 하는 가장 큰 동기가 된다.

 1989년 2월 4일까지, 14살짜리 중학생이던 나는 감정과 의지의 밑바닥을 계속 반복적으로 경험하면서 완전히 무너져버린 상태였다. 끝도 없이 계속 추락하는 성적과 너무나도 뚱뚱하고 못난 외모에 대한 콤플렉스, 도벽으로 인해 무너져가는 양심과 주위의 일그러진 시선, 그로 인해 점점 커져가는 나 스스로에 대한 실망감과 좌절감…. 나를 인정해주고 사랑해주는 사람은 내 주위에 아무도 없는 것 같았다. 지금 되돌아보면 아무것도 아니지만 어린 내게 그런 삶은 스스로에 대한 마지막 희망의 끈도 놓아버리게 만들 필요충분조건이었다.

하지만 2월 5일 오전, 난생 처음 교회에 발을 내딛고 예수님을 만나게 되면서 나의 삶은 완전히 변화되기 시작했다. 하나님을 만나고 새로운 꿈이 생기면서 공부할 이유를 발견하게 되었고 하나님의 작품으로 만들어진 내 자아상을 성경 속에서 발견하면서 나 자신을 사랑하기 시작했다. 그리고 도벽, 욕설, 싸움 등의 악습들이 내 삶 속에서 서서히 사라지게 됐다. 청소년 시절, 브레이크 없이 바닥으로 치닫던 인생이 역전되어서, 하늘을 향해서 달려가는 삶으로 변화된 것이다.

지금 돌아볼 때, 이는 나를 향한 전적인 하나님의 은혜이지만 그 가운데는 나를 하나님 안에 거할 수 있도록 도와주시고 친구가 되어주신 교역자님, 선생님이 계셨기에 가능했던 것을 깨닫게 된다. 그들은 삐뚤어지고 모난 내게 찾아와 나의 친구와 형이 되어주었다. 그들은 내가 먼저 찾아가기를 기다리지 않고 늘 내게 먼저 찾아오셨다. 오락실에서 게임을 하는 나를 찾아와 때로는 내 옆에 앉아 함께 게임을 하시면서 내 삶을 이해해주셨고 내가 학교를 마치고 나오기를 교문 앞에서 기다리셨다가 함께 분식집에 가서 라면을 먹으며 나의 학교생활에 관한 이야기를 들어주셨다. 그리고 다른 사람들은 인정해주지 않는 나의 꿈을 인정해주며 이 꿈이 언젠가는 나의 현실이 될 것이라고 응원해주셨다. 그렇기에 나는 그들이 나의 삶에 대해 관심을 가지고 있다는 것을 느낄 수가 있었다. 그들을 통해 '나 같은 사람도 교회에서는 사랑받는 존재구나!'라는 것을 깨달았고 신앙생활을 할 수 있는 용기를 얻게 됐다. 그때부터 나도 나중에 자라면 저렇게 청소년들에게 힘이 되는 선생님이 되어야겠다고 마음을 먹었던 행복한 기억이 있다. 그분들에게 '김보성'이라는 청소년은 숫자가 아닌 존재였다. 공부도 못하고 예배 결석도 빈번했지만 그 사실이 나를 사랑해주시는 그분들의 진심을 막을 이유는 되지 못했다.

5. 성육신

2000년 전, 성자 예수님께서 인간을 구원하시기 위해서 인간의 몸을 입고 인간이 거하는 땅에 내려오셨다. 그리고 인간과 함께 33년을 거하시면서 당신의 사랑과 헌신을 보여주셨다. 하나님이신 예수님께서 인간의 몸을 입고 이 땅에 오심으로 이루어진 하늘과 땅의 만남. 그것을 성육신이라고 한다. 나는 다음세대 사역을 하는데 있어서 가장 중요한 원리 중 하나가 바로 '성육신의 원리'라고 생각한다. 인간을 만나기 위해서 인간의 몸을 입고 이 땅에 내려오신 예수님처럼, 다음세대들을 만나기 위해서는 우리가 그들의 삶으로 먼저 찾아가야 한다. 함께 이야기하고, 그들의 고민에 공감해주고, 함께 웃어주고, 함께 울어주고 아파해주는 것이 성육신적인 청소년 사역이며 그들을 존재로 대하는 것이다. 지금 돌아볼 때 나의 삶에 큰 영향을 끼치셨던 분들의 사역 역시 성육신적인 사역이었으며 성육신하신 예수님을 닮아가는 삶이었음을 이제야 깨닫게 된다.

주일 오전에 교회에서 기다렸다가 딱 한 번 만나는 사역이 아니라 주중에 학생들의 삶 속에 찾아가야 한다. 주중에는 한 번 연락도 없고, 만나지도 않았으면서 주일 오전에 교회에서 만나 많이 보고 싶었노라고 말한다면 학생들은 그 말 속에서 진심을 느끼기 어려울 것이고, 어른의 흔한 인사 정도로만 생각할 것이다. 학생들은 말보다는 주일까지 기다릴 수 없어서 주중에라도 그들에게 찾아가는 발걸음을 원하고 기다린다. 김밥 한 줄이라도 괜찮다. 떡볶이라도 괜찮다. 학교 교문에서 기다렸다가 그들을 맞이하는 교역자님과 선생님의 환한 미소만으로도 그들은 충분히 배부르고 행복할 것이다.

6. '존재'로 꽃 피어나길

내가 그의 이름을 불러주기 전에는
그는 다만 하나의 몸짓에 지나지 않았다.
내가 그의 이름을 불러주었을 때
그는 나에게로 와서 꽃이 되었다.

김춘수 님의 '꽃'이라는 시의 일부다. 아이들은 우리가 그의 이름을 불러줄 때 꽃 피어난다. 이름을 불러줄 수 있으려면 이름을 알아야 한다. 이름을 안다는 것은 인격적인 관계를 맺을 준비가 되었다는 것이며 그 관계 속으로 들어갔다는 말로도 해석된다.

 '존재'로 꽃 피어나게 하자. 지금 나의 사랑과 노력이 사랑하는 다음세대들에게 힘과 도전이 되어서 장차 각자의 삶 가운데 아름다운 열매로 나타나길 기대하며 오늘도 그들이 있는 곳을 향해 발걸음을 옮겨나가는 모든 부모세대, 교역자님들, 선생님들을 응원한다.

MZ세대를 수용하는 교회

신원하 목사

1. 허리되는 MZ가 20년 뒤의 미래 교회 좌우

'살아나는 교회'를 만들어보자는 한국교회 내부의 소리가 곳곳에서 나온다. '그럼 현재 한국교회가 점점 죽어가고 있다는 것인가?'라고 예민하게 반응할 필요는 없다. 실제로 2000년도 이후 한국교회는 교세가 조금씩 감소되고 있는 것은 사실이다. 유초등, 중고등, 대학생들 그리고 청년들의 숫자가 교회에서 눈에 보일 정도로 줄어들고 있고 이 현상은 2020년 시작된 코로나 팬데믹 국면을 거치면서 더욱 심화됐다.

20여 년 전과 달리 코로나를 거친 지금의 교회 안에는 초중고대학생들뿐만 아니라 30대들도 현저히 줄어들고 있다. 2022년 5월 사회적 거리 두기가 해제되었지만 교인들의 상당수는 교회로 복귀하지 않고 있다. 그리고 그중에서 청장년들의 비중은 높다. 청장년들을 흔히 MZ세대라고 칭한다. MZ세대는 1981-1995년 어간 출생자를 일컫는 밀레니얼(M) 세대와 1996년-2000년 출생자를 뜻하는 Z세대를 합쳐 부르는 우리 사회가 만든 명칭이다. 이들은 2023년 현재 연령으로는 약 23세에서 43세에 걸쳐있는 세대를 일컫는 말이다. 통계청에 따르면 MZ세대는 2019년 기준 약 1,700만 명에 달한다. 국내 인구의 약 34%를 차지하는 매우 중요한 연령대의 그룹이다. 그런데 교회에서는 이들이 차지하는 비중이 50대 60대 70대에 비하면 현저히 낮다. 이것이 교회의 현실을 가리키는 단적인 예이다.

교회가 코로나 이전 상태로의 회복만이 아니라 앞으로 10년 20년 뒤의 생존을 생각한다면 지금부터 교회는 MZ세대들이 교회에 남고 또 교회로 들어오게 하는 일에 관심을 갖고 나아가 그 방안을 강구해야 할 것이다. 그러기 위해서는 이들의 특성을 이들이 자라온 사회 문화적 배경을 포함하여 종합적으로 살피고 분석해야 한다. 왜냐하면 이들을 알아야 이들을 잘 수용할 수 있고 적절히 목양할 수 있기 때문이다. 다행히 근래 몇 년 동안 MZ들의 특성을 연구 분석한 보고서와 학술논문이 교회 안팎에서 제법 많이 생산됐다.

본 글은 코로나로 달라진 사회적 특징과 현상 중에서 교회의 미래와 관련된 중요한 것들을 뽑아서 언급하고 이어서 교회가 되살아나기 위해 현실에서 교회가 어떤 모습으로 변화되어 가야 할지를 간단히 언급하려고 한다.

2. 코로나 시대의 흐름과 MZ세대

코로나 팬데믹은 지난 3년 동안 사회의 트렌드와 문화 그리고 사조에 적잖은 변화를 가져다주었는데 그것들 가운데 교회의 앞날에 크게 영향을 미칠 수 있는 대표적인 것들은 크게 세 가지로 분석할 수 있다.

1) 자아의 분절화와 초개인주의

첫째, 코로나를 거치면서 사람 사이의 간격이 벌어지고 자기중심주의가 심화됐다. 코로나 팬데믹으로 사람들은 마스크를 씌우고 대면 관계를 줄이게 되었는데 이런 과정을 통해 서로를 잘 알아볼 수 없고 또 다른 사람과 소통하는 기회의 장이 박약해졌다. 이에 따라 사람들을 점점 익명성 안에서 가두어진 채 지내게 됐다. 한편으로 주어진 이 익명성은 조직 안에서 인간관계로 어려움을 겪던 일부 사람들에게는 해방구로 되기도 했지만 한편으로는 사람들끼리의 간격이 점점 벌어지고 사람들은 자기 개인 안으로 고립되며 의사소통은 자기중심적으로 강화되는 현상을 낳았다.

2021년 가을에 서울대학교의 김난도 교수와 연구자들은 '트렌드코리아 2022'에서 2022년 한국사회의 모습과 흐름을 '나노사회'(Nano Society)라고 칭했다. 나노는 10억분의 1일 뜻하는 접두사인데 나노사회란 사회가 공동체적 유대를 유지하지 못하고 분절화되어 사람들이 분자나 원자처럼 쪼개어져 지내는 것이다. 사람들은 마치 모래알처럼 흩어져 지내고 온라인으로 자기의 생각과 취향을 밝히는데 이에 따라 성향과 취향이 맞는 사람들끼리 어울리게 된다. 이에 따라 사람들은 객관적으로 자기를 보는 기회가 줄게 되므로 의도적이든 비의도적이든 점점 자기 생각과 주장에 빠지기 쉽게 된다는 것이다.

　이런 흐름은 포괄적으로 개인주의라고 하는데 이것이 심화된 상태를 초개인주의라고 부른다. 서구사회에서는 1970년대에 개인주의가 이미 주요한 문화적 흐름으로 나타났고 80년 중반에는 미국 시민의 일상과 행동에서 가장 중요하게 작용하는 사상적 동인으로 자리 잡았다. 그러나 코로나를 거치며 이 흐름은 초개인주의로 진전되어 가고 있다. 이에 비해 우리나라는 경제발전과 서구문화의 동화에도 불구하고 개인주의가 상대적으로 크게 영향을 미치지 못했는데 그것은 가족과 공동체를 강조하는 유교 전통에 아직도 영향을 받아오고 있기 때문이었다. 그런데 코로나 팬데믹 시대를 거치면서 우리 사회에서도 개인주의에로의 변화 속도가 급가속 된 듯하다. 사람들의 관계에는 이전보다 경계가 많이 생겼고 격리되어 지내는 과정에서 서로를 배려하는 언어가 줄고 상대에 대한 적대적인 표현이 증가하는 현상이 심화됐다. 개인주의가 이전보다 넓게 퍼지고 깊이 스며들고 있어 이에 따라 개인의 고립감은 심화되고 있다고 해도 과언이 아니다.

2) 공동체성 약화와 그 주역인 MZ세대

둘째, 초개인주의로 공동체성이 약화되는 현상에 가장 크게 기여하는 세대는 MZ세대이다. 나노시대의 특징은 사람들이 점점 원자화되면서 사람들은 자기중심적이 되고 타인은 상생과 돌봄의 대상이 아니라 자기 이익과 성공을 위한 수단으로 대하게 된다. 여러 세대 가운데서 이런 현상과 특징을 가장 잘 나타나는 세대가 MZ세대이다.

'90년대생이 온다'의 저자는 MZ세대를 직장과 개인 생활과의 균형을 가리키는 '워라밸'을 중요하게 생각하는 세대라고 규정한 바 있다. 산업화 세대와 X세대들은 자기 가정과 직장을 위해 개인과 가정이 희생하는 것을 당연한 것처럼 여겼다. 현재 세계 경제 10위의 대한민국은 이러한 희생을 바탕으로 가능했지만 그 부작용도 만만치 않았다. 2021년 9월 27일에 발표한 한국보건사회연구원의 보고서 '불평등, 지표로 보는 10년'에 따르면 지난 10년 동안 한국사회의 소득 불평등 수준이 크게 악화됐다. 소득 외에도 주택, 부동산, 실물자산 금융자산 등의 모든 자산 형태에서 불평등 수준이 현격하게 심화됐다. 이는 국가는 부강해졌는데 개인은 상대적으로 더 가난해졌다는 뜻이다. 이러한 불평등의 심화 속에서 국가나 공동체를 위해 더 작은 공동체인 가정과 개인의 희생은 당연하다는 구시대적 인식은 MZ세대들에게 결코 공감을 얻을 수 없는 것이다.

현재 젊은 청년층 즉 MZ세대는 공동체를 위한 희생이 개인에게도 유익이라는 주장이 거짓이라는 사실을 지난 10년의 학습을 통해 인식하게 됐다. MZ세대 중 특히 M세대는 산업화 세대 부모의 가족과 직장에 대한 희생을 보았고 경제성장에 따른 풍요함을 맛보았지만 한편으로 IMF 구제금융 위기 속에서 부모님의 실직을 보기도 했고 그리고 금융 위기를 경험하기도 했다. 그래서 이들 M세대들에게는 현재 공동체의 유익과 성장보다는 개인의 안정이 훨씬 중요한 가치가 되어 있다. 심지어 가족보다도 개인의 삶이 더 중요하다. 이와 달리 Z세대는 태어나면서 스마트폰과 태블릿PC와 함께 살아온 세대이다. 이들은 SNS로 온라인으로 소통하는데 익숙해져 있고 즐기는 세대이다. 이들은 지구촌의 금융위기와 한국의 부동산 가격의 폭등, 취업난의 여건 가운데 자라면서 연애결혼, 자녀 등을 포기한 세대로 소위 'N포 세대'로 불린 세대이다. 이런 여건에서 사는 이들은 어쩌면 미래보다도 현재에 집중하여 살아가고 있는 것이 더 당연하게 여겨지는 세대이다.

이런 MZ세대들은 지난 3년 동안 코로나 팬데믹을 거치면서 더욱 개인의 삶에 집중하는 성향과 방향으로 나아갔다. 이들은 직장에서 서로 함께 의논하며 소통하며 목적을 향해 함께 엮어져 가는 것들에 관한 관심보다는 자기 자신의 앞날과 할 수 있는 것에 집중하여 살아가는 것에 골몰한다. 그러기에 이들에게 공동체를 세우고 그 공동체의 목표를 위해 함께 달려가려는 인식과 마음은 점점 뒷전에 놓인다.

3) 개인의 능력과 능력주의 신봉

셋째, '능력주의'가 MZ세대들에게 강한 이념적 기조로 강화되고 있다. 산업화 시대가 낳은 부산물인 부의 불평등과 신분의 격차는 대를 물려가면서 심화되어가는 부조리를 보면서 MZ세대는 사회와 공동체가 결코 개인의 안녕을 보장해 주지 못한다는 인식을 하게 되었고 이를 바꾸기 위해서는 무엇보다 부와 신분은 오직 개인의 능력에 따라 주어지고 결정되어야 함을 주장했다. 그리고 M세대는 산업화 세대와 달리 취업과 주택 마련이 어려운 사회적 여건에서 출발하고 살아가기 때문에 살아남기 위해서라도 개인의 능력을 극대화하려고 한다. 특히 Z세대는 연애, 결혼, 자녀, 취업이 늦어지고 심지어 포기하는 자들이 적잖은 비중을 차지하는 세대이기 때문에 이들은 어서 개인의 능력 외에 특별한 세습이나 특혜를 통해 혜택을 입는 사람에 대해 격렬히 분노를 표출한다. 그것이 공정을 깨뜨린 불의이기 때문이기도 하지만 자기들의 밥그릇을 차는 행위가 되기 때문이다. 이들이 당시 조국 장관 사태에 보인 냉소적이고 부정적인 반응은 이를 가장 단적으로 설명해 주는 것이라고 할 수 있다.

3. MZ세대를 수용하는 교회의 태도 3가지

코로나를 지나면서 우리 사회는 개인주의가 점점 심화되면서 공동체 의식은 약화되고 이것은 신앙인들에게 있어서도 예외가 아닌 현상이다. 이런 현상을 두드러지게 보이는 MZ를 교회에서 붙잡고 또 끌어들여야만 교회의 미래가 있다고 한다면 교회는 크게 다음의 큰 틀을 갖고 그 방향으로 나아가야 할 것이라고 생각한다.

1) MZ들의 필요를 파악하고 그것을 채워주려는 목자적인 마음가짐

살펴본 바와 같이 MZ는 이전 세대들보다 사회에서 더 불안정하고 힘들게 살아가는 상태에 있기 때문에 교회를 위해 자신을 기꺼이 희생하겠다는 의식보다 교회를 통해서 영육 간의 윤택함을 얻고 보상을 받고 싶어 하는 욕망에 더 크게 영향을 받는다. 목사는 자기 개인의 삶이 나아지고 필요가 채워지기를 바라는 이들에게 삶의 목표와 꿈을 갖고 그 꿈을 실현하기 위해 하나님을 의지하는 신앙생활에 힘쓸 수 있도록 동력을 제공해 주는 일에 힘써야 한다. 무엇보다 거룩한 꿈을 갖고 달려가는 성경의 인물들의 내러티브를 담은 복음적 설교를 구상하고 이것을 생생하게 제시하는 일에 목사는 신학적 목회적 역량을 발휘하도록 힘써야 한다. 그런데 목사와 교회가 이런 공급을 통한 영적 만족을 주는 일에 앞서 봉사, 헌신, 순종을 과도히 강조하고 요구한다면 이들은 시험을 받거나 교회에 마음을 붙이기가 쉽지 않게 될 것이다. 목사는 교회 안에서 용납받고 사랑받고 윤택함을 얻고 싶어 하는 이들의 마음을 잘 헤아려서 이 욕구를 성령의 인도하심으로 적절하게 채우기 위해 다각도록 힘써야만 한다.

2) Z들이 공감할 수 있는 교회의 투명한 행정과 열린 지도력

그것은 MZ들은 누구보다도 공정을 강조하고 능력에 따른 공정한 대우를 중시하는 세대들이기 때문이다. 교회는 재정 사용과 교회적 결정에 관해서 정보를 공개하고 많은 사람이 알고 공감할 수 있도록 해야 한다. MZ는 이전 세대보다 이 점에 민감하다. 이들은 목사와 리더십들이 자신의 의견과 견해에 귀를 기울이고 교회 행정과 사역에 반영하는 것을 보고 인식하게 되면 자신들이 존중받는다는 느낌을 갖게 되면서 교회의 일원으로 정착하고 직분을 받고 봉사하려는 마음을 굳히게 될 것이다. 물론 MZ들도 성숙해지면 이전보다는 교회를 세워가는 데에 자기 목소리를 조금씩 낮추고, 자기 욕구를 조금 더 절제하면서 교회의 필요를 더 우선하게 될 것이다. 그러나 그들이 그 수준에 이르기까지 교회는 이들에게 걸림돌이 될만한 것이 없도록 이들의 소리를 조금 더 존중하며 행정을 투명하게 펼쳐가야 할 것이다.

3) MZ에게 성경적 경제관과 재물관을 제공하기 위한 관심과 노력

MZ는 주식투자, 아파트 구입을 통한 재산 증식에 관심이 많고 실제로 그런 경제행위를 하는 연령층이다. 교회는 이들의 이런 특징과 관심을 잘 파악하여 여기에 대한 기독교적 시각을 제공해 주는 일에도 힘을 쓸 필요가 있다. 교회는 MZ성도들이 돈과 재산에 대한 성경이 가르치는 바를 잘 제시받고 배워서 재산을 증식하는 일에 있어서 해서는 안 되는 행동과 할 수 있는 행동이 무엇인지 정도는 분별할 수 있도록 해야 한다. 즉 교회가 성도들이 살아가면서 접하게 되는 여러 윤리적인 문제들에 대해 가르치고 지도해야 하지만 특별히 MZ세대들을 잘 수용하기 위해서는 이 경제윤리와 재정문제에 있어서 분명한 가이드라인을 제공해 주도록 노력할 필요가 있다는 것이다.

* *

2023년 현재 한국교회는 코로나 이전의 교회에 대한 향수가 크다. 그러나 지금 닥친 현실과 성큼 다가온 불투명한 미래에서의 목회는 이전과는 아주 달라져 있다. 현재 교회의 주축인 50대 이상들이 이제 20년 뒤에는 70대가 이상이 되어 교회의 원로가 된다. 이제 교회가 20-30대를 붙잡고 끌어들이지 못하면 20년 뒤의 교회는 상상할 수 없는 피폐한 상태가 될지 모른다. 이들을 교회에 붙잡고 또 믿지 않는 이들을 교회로 끌어들이기 위해서 현재 한국교회는 MZ세대에 대해 종합적으로 분석하고 파악해야 할 것이다. 그리고 한국교회는 이들을 교회가 잘 수용할 수 있는 효과적인 방안을 제시한 연구보고서를 총회적으로 마련해서 자기 총회에 속한 교회와 목사들에게 제공할 필요가 있다. 살아나는 교회가 되기 위해 교회는 우선 이 MZ세대에 대해 더욱 관심을 집중하여서 이들의 욕구와 갈망을 채워주는 교회로 준비해 가야 할 것이다.

청년세대를 위한 목회

이정규 목사

하나님께 감사하게도 시광교회는 현재 등록교인 552명 중 다수가 2-30대이다. 우리교회의 평균연령은 30.1세이고, 월평균 37.3명의 방문자가 있으며 이 중 8.1명이 비신자다.

종종 이런 질문들을 스스로에게 던지곤 한다. 내가 섬기고 있는 시광교회의 현 모습은 무엇 때문에 형성되는가? 왜 교회는 성장했는가? (감사하게도 12년 동안 교회는 지속적으로 성장했다) 우리 교회가 가지고 있는 문화는 어떤 점에서 독특하며 그것은 왜 그렇게 형성되었는가?

이러한 질문들은 중요하다. 교회가 성장한 경우, 우리는 보통 "하나님의 은혜 때문입니다"라고 말하고 깊이 생각하지 않을 수 있다. 물론 이것은 참이다. 모든 성장하는 교회들의 목회자들 역시 죄를 짓고 바보같은 결정들을 내린다. 하지만 그들이 성장을 맛볼 수 있었던 이유는 궁극적으로 조건 없이 베풀어진 하나님의 은혜다. 하지만 하나님께서 쓰신 요인들이 있다. 그리고 그것을 분석하고 이해하는 것은 성도들을 잘 섬기는 것에 도움이 된다. 그리고 때로 우리는 성공 원인에 대해 잘못 분석한다.

교회가 성장한 가장 큰 이유는 성도들의 사랑과 섬김 때문이었는데 자신의 탁월한 설교 때문이라고 분석한다면 자신의 설교를 고치려는 노력을 게을리하게 될 것이다. 그러면 자연스럽게 자신의 부족한 설교 때문에 성도들의 희생적인 사랑과 섬김의 동력이 줄어들 것이고 교회의 성장이 멈출 뿐 아니라 교회 내부적인 문제가 생길 수도 있다.

그렇다면 우리교회에서 2-30대를 대상으로 사역의 열매를 맺을 수 있었던 이유는 무엇인가? 아래 제시하려고 하는 두 가지 시광교회의 특징이 '잘' 이루어졌다고 장담하기는 어렵다. 우리 교회는 아직 여전히 해결해야 하는 문제들이 산적해 있다. 하지만 아래의 두 가지 특징들이 어쨌든 존재했다고 볼 수 있고 내부적/외부적으로 아래의 요인들 덕분에 교회가 젊은이들을 끌어들일 수 있었음에는 분명하다.

1. 변증적 설교

신자들의 심리에는 자신이 듣는 복음을 주변 친구들에게도 전하고 싶어 하는 욕구가 있다. 최소한 그렇게 해야 한다는 부담감이라도 가지고 있다. 하지만 그 욕구를 가장 방해하는 것은 뜻밖에도 설교일 수 있다. 이것이 많은 설교자가 가장 모르는 지점이다. 예컨대 신자들은 이렇게 생각할 수 있다. "나는 저 설교가 좋아. 하지만 내 친구가 저 설교를 듣고 은혜를 누릴 수 있을까?" 이것은 본능적인 두려움이며 이러한 상황에서 복음 전파를 종용해 봤자 위축된 심정은 변하지 않는다.

이러한 상황에서 메시지에 변증의 요소가 포함되지 않는다면 사실상 설교의 대상에서 방문한 사람들을 제외하겠다고 선언하는 것과 같다. 하지만 당신이 설교 중(굳이 설교가 아니어도 좋다. 소위 큰 모임의 '메시지' 역시 같은 기능을 한다) 짤막하게나마 변증을 제공한다면 청중 중에 무신론자와 회의론자들 역시 자신에게 말을 걸어온다고 느낄 것이다. 예컨대 우리는 "여기 계신 분 중 어떤 분들은 절대 진리를 말하는 것이 편협하다고 생각하실지도 모릅니다. 하지만 절대 진리가 없다고 생각하는 것 역시 또 다른 절대 진리를 주장하는 것 아닐까요? 자신의 생각을 재고해 보시기를 요청합니다"라고 말할 수 있다. 심지어 그때 청중 중에 그렇게 생각하는 사람이 없어도 상관없다. 청중 중 누군가는 이런 생각을 할 것이다. "맞아! 저 이야기 우리 과 선배님이 들으면 좋을 텐데!" 그리고 몇 주가 지나면 그 선배가 회중 가운데 앉아 있게 되는 것을 볼 것이다.

항상 청중 중에 무신론자들이나 회의론자가 몇 명씩 있다고 가정하고 설교하라. 그들에게 모든 것을 맞출 필요는 없지만 그들을 위한 배려가 있음을 알게 하라. 그들과 기꺼이 대화할 의지가 있음을 보여주라.

교회 내에서만 통용되는 특정한 용어를 지나치게 남발하지 말고 비신자들을 비하하거나 조롱하는 용어를 사용하지 말라. 심지어 청중이 좋아해도 절대 사용하지 말라. 청중들은 당신의 조롱에 웃겠지만 마음속 깊은 곳에서는 '우리 회사 과장님은 데려올 수 없겠는걸'이라고 생각할 것이다. 이 경우 전도를 막는 것은 설교자다. 하지만 설교자가 열린 마음을 가진다면 그들 사이에서도 '저 교회에 가면 내가 질문할 수 있대'라는 소문이 퍼지게 되는 것을 볼 것이다.

2. 젊은이들 특히 20대 후반의 상황을 이해하는 방식의 목양

필자의 경험으로는 연령별로 심방과 설교의 역동에는 차이가 있다. 10대 중후반에서 20대 초반까지의 청년들은 설교보다 심방에 먼저 반응하는 경향이 있다. 즉 설교자를 개인적으로 알고, 설교자가 자신을 사랑하고 아낀다는 사실을 확인하게 되면 그때야 귀를 열고 설교를 듣는다는 것이다. 하지만 20대 후반부터 40대 후반까지의 사람들은 심방보다 설교에 먼저 반응하는 경향이 있다. 즉 설교자의 설교를 한번 들어보고 괜찮다고 느끼면 그때야 설교자를 개인적으로 만나서 자신의 이야기를 하려고 한다는 것이다. 즉 20대 후반부터 사람들의 내적 역동은 극적으로 변하는 경향이 있다. 이때부터는 사람들을 곧이곧대로 믿지 않는다. 잘해준다고 해서 무조건 받아들이는 것도 아니다. 따라서 만일 당신이 20대 후반에서 40대 후반까지의 청중들을 대하면서 '왜 우리 교회 성도들은 심방을 싫어하고 목회자들을 만나는 것을 달가워하지 않지?'라고 생각한다면 당신의 설교에 문제가 있을 가능성이 높다. 아래의 체크리스트를 생각해 보라.

- 내 설교는 논리적 일관성과 흐름이 분명한가?
- 내 설교에 차별적이거나 거슬리거나 비하하는 언어가 있지는 않은가? (주변에 물어보라!)
- 내 설교는 성경공부에 가까운 것 아닐까? 적용이 거의 없고 앙상하게 주해만 하고 있지 않은가?
- 내 설교에는 논증, 예화, 예시, 이미지, 관련 본문들이 풍성한가?
- 내 설교에는 성경 본문에 대한 해설은 거의 없고 자기 간증과 이야기만 풍성한 것 아닌가?

내가 알기로는 '지적 각성'이 이미 일어난 20대 후반부터 50대 초반까지는 위의 리스트에 위배되는 설교들을 극히 싫어한다. 그러면 그 설교자들을 만나고 싶지 않아 할 것이다. 만나봤자 배울 것이 없다고 느끼거나 차별적이거나 거슬리거나 비하하는 언어를 쓸지 모른다는 두려움이 있기 때문이다. 10대와 20대 초반 사역자들에게는 이것이 반대로 작용한다. 그들은 자신을 사랑하고 좋아한다는 느낌이 있어야만 귀를 열고 설교를 듣는다(물론 대체로 그렇다는 것이다). 그래서 대체로 탁월한 청소년 사역자들은 청소년 아이들과 많은 시간을 보내고 사랑을 듬뿍 쏟아놓는다. 그러면 자신이 신뢰하고 사랑하는 사역자의 설교를 귀 기울여 듣는다. 이것은 초등부나 유치부도 마찬가지다. 중고등학교 교목으로 사역하거나 청소년 사역을 하는 목회자 중 열매를 맺지 못하는 사람들은 모두 예외 없이 '나는 이렇게 설교 준비를 열심히 하는데 왜 아이들은 모두 핸드폰을 보거나 딴짓을 하지?'라는 생각을 하고 있다.

내가 알고 있는 최고 수준의 청소년 사역자들이 사역하는 곳은 예외 없이 중고등학생들이 말씀을 아주 잘 들었다. 핸드폰을 보거나 일부러 자거나 딴짓을 하는 것을 찾아볼 수 없었다. 많은 사람은 "애들은 말씀을 잘 못들어"라든지 "애들은 산만하잖아"라고 생각하지만 내가 강사로 간 한 교회의 중고등부 아이들은 놀라울 정도로 말씀에 집중했다. 심지어 졸리면 뒤에 가서 서서 노트필기를 할 정도로 집중했다. 비결은 의외로 간단했다. 사역자는 그들 한 명 한 명과 대화하고 교제하며 게임하고 먹고 마셨다. 처음에는 모두가 핸드폰을 쳐다보거나 설교자의 말을 무시하는 청중들이었는데 6개월 동안 그들과 동고동락한 결과 서서히 예배 분위기가 달라졌다는 것이다. 그리고 그들 내부에서 규율이 생겨 서로 영향을 주고받았다.

다른 역동도 있다. 지역에 따라 다른 것이다. 나는 서울에서만 목회를 했기 때문에 이걸 말할 수 없지만 팀 켈러는 여기에 대해 아주 잘 설명해 준다. 그는 9년을 버지니아 호프웰이라는 작은 마을에서 목회하다가, 28년을 대도시 뉴욕에서 목회했다.

대학과 신학교에 다닐 때 나는 교리 중심적 모델에 매우 가까운 꽤 건강한 교회들에 참여했다. 그들은 탁월한 가르침과 설교 그리고 강도 높은 성경공부를 강조했다. 반면 신학교를 졸업한 후에 내가 섬겼던 첫 교회는 남부의 작은 공장 지역에 있었다. 그 당시 교인 중에 대학을 나온 사람은 아무도 없었고 오래된 교인들의 대부분은 고등학교도 마치지 않은 사람들이었다. 그곳은 삼십 년 동안 100명에서 150명 정도가 모이는 교회였으며 상대적으로 건강하지 않았다… 내가 그 교회를 떠나고 몇 년이 지난 후 회중들은 나의 목사 안수 25주년을 기념하여 우리 부부를 위한 연회를 열어 주었다. 축하의 순서 어디쯤에서 몇몇 사람들이 내가 그곳에 있을 때 했던 말 중에 기억나는 것을 한 가지씩을 이야기했다. 나에게 충격이 되었던 것은 단 한 사람도 내가 설교에서 한 말을 인용하지 않았다는 것이다. 모든 사람은 내가 그들과 일대일로 만났을 때 했던 말을 나누었다. 이 경험은 교회 모델에 있어서 차이점을 선명하게 보여 준다.

뉴욕시에서는 그들이 나의 설교를 인정하기 때문에 내가 그들을 목양할 수 있다. 버지니아 호프웰에서는 그들이 나의 목양을 인정하기 때문에 내가 그들에게 설교할 수 있다. 공동체가 이끄는 모델에서는 목양이 설교를 위한 기초가 된다. 목양을 통해서 설교할 수 있는 권한을 얻는 것이다. 뉴욕의 리디머교회처럼 교리가 이끄는 모델에서는 설교가 목양을 위한 기초가 되며, 심지어 지도력의 기초가 된다. 만약 당신이 소통에서 전문성을 보여 준다면 그들도 당신을 자신들의 삶에 들어오게 하며 당신을 따를 것이다.

미국뿐만 아니라 한국도 마찬가지일 것이다. 시골에서 목회하는 사람들은 지역주민들을 더 적극적으로 섬기고 다가가 함께 하는 시간을 보내야 한다. 그때 비로소 성도들은 귀를 열고 설교를 들을 것이다. 도시에서 목회하는 사람들은 설교가 지역주민들의 마음을 울릴 수 있도록 설교해야 한다. 그러면 비로소 성도들은 마음을 열어 목회자의 심방을 원하게 되고 지도력을 받아들일 것이다.

3. 목회의 근본적 도전 – 목양적 사랑

근본적으로는 아무리 변증적으로 대한다고 하더라도 따뜻한 사랑과 섬김이 없다면 젊은이들은 잠시 귀를 열었다가 떠나가 버리고 말 것이다. 다양한 방식으로 목양을 하더라도 목회자 자신의 성품이 차갑거나 복음과 거리가 먼 방식의 행동을 한다면 허사에 불과할 것이다. 좋은 변증은 목회자와 리더들의 매력적인 성품, 진지한 경청, 기독교 교리에 대한 깊은 이해가 뒷받침되어야 하고 이 모든 것은 사랑에서 나온다. 이것은 2-30대라고 다르지 않다. 나는 리처드 백스터의 다음과 같은 권면으로 글을 마무리하고 싶다.

"여러분, 그리스도께서 그분의 피로 사신 교회를 정성껏 돌보지 않는다면 그분의 피를 멸시하는 셈입니다. 목회자의 게으름이 얼마나 큰 죄인지 알겠습니까? 여러분이 나른한 잠에 취해 있는 사이, 그리스도의 피는 헐값으로 전락합니다. 주님이 목숨을 내어주어 사신 영혼들을 모조리 잃어버리는 셈입니다. 그러므로 나태해졌다고 느껴지면 다음과 같은 그리스도의 음성을 상기하십시오.

이 영혼들을 위해 나는 목숨까지 내어놓았건만 너는 왜 그들을 돌보려 하지 않느냐? 잃어버린 영혼들을 되찾으려고 나는 하늘에서 땅까지 내려왔다. 그런데 너는 옆집이나 이웃 마을조차 가기를 꺼려하는구나. 내 수고에 비하면 네 노고는 얼마나 작으냐! 나는 비록 낮은 곳에 임했지만 하나님의 구원 사역에 참여한 것은 말할 수 없는 영광이었다. 죄인들의 구원을 위해 나는 큰 고통과 수모를 감내했고 이제 너를 내 동역자로 삼고자 하는데, 너는 작은 수고조차 감당하기를 마다하느냐?"

2030세대의 워라벨

안진출 목사

한동안 우리사회에서는 '헬조선', 'N포세대', '흙수저', '이생망(이번 생은 망했어)'과 같이 아무리 발버둥 쳐도 벗어나기 힘든 세태를 자조적으로 빗댄 표현들이 난무했다. 이 용어들은 주로 20-30세대라고 불리는 MZ세대들에게서 나타났다. 이런 말들이 생겨난 배경은 소득불균형이 심화하고 계층 간 이동이 점차 어려워지는 등 사회구조가 굳어졌고, '내일은 오늘보다 나아질 것'이라는 믿음이 무너졌기 때문이다.

1980-95년생을 밀레니얼(Millennials), 1996-2005년생까지를 Z세대(Generation Z)라고 부르는 두 세대를 합쳐서 MZ세대라고 한다. MZ세대란 20-30대 청년세대를 일컫는 말이다. 1980년대생을 부르는 말 중에는 88만 원 세대라는 말도 있다. 88만 원 세대는 2007년 '88만원세대'라는 책에서 처음 등장한 용어다. 당시 기준으

로 20대이던 1980년대생의 경제적 지위에 초점을 맞춘 세대 구분 용어다. 오늘날 'MZ세대'는 사람들이 존재하는 모든 영역 곳곳에서 언급되고 있다.

대한민국의 직장 문화에 MZ세대를 중심으로 변화의 조짐이 있다. 이들에게 좋은 노동의 기준은 연봉과 회사 규모, 인지도가 아니라 '스스로 얼마나 행복하게 일할 수 있는 곳인가'이다. 이러한 사고는 안정성, 보수, 승진 등을 최우선으로 여기던 기존 세대와 확연히 다르다. 자신만의 방식으로 삶의 질을 높이려는 젊은 세대들이 일과 삶의 균형을 최우선의 가치로 여기면서 직장을 선택하는 기준도 달라지고 있다.

'일과 삶의 균형'을 젊은 세대 직장인들은 '워라벨'이라고 줄여 부른다. 사회생활에서 최근 가장 많이 사용하는 단어이다. 사실 '워라벨'은 'Work and Life Balance'에서 온 말로 매우 오래된 개념이다. 1970년대 말 영국에서 처음으로 등장했으며 미국에서는 1986년부터 사용됐다. 서구에서는 50년 가까이 사용했던 용어가 한국사회에서는 2018년부터 회자 되어 오고 있다는 사실은 의미심장한 일이다.

'트랜드코리아 2018'은 "이들을 '워라벨 세대'라고 명명했다. 워라벨 세대는 대한민국 소비의 변곡점이라고 할 수 있는 서울올림픽이 개최된 1988년생 이후부터 이제 갓 사회로 진입한 1994년생까지 정도의 세대를 직장 생활의 관점에서 규정하는 명칭이다. 일과 삶의 균형, 저녁이 있는 삶 등의 표현이 더욱 낯설지 않은 사회 분위기 속에서 워라벨 세대는 자유로운 표현에너지로 기존 제도와 기성 트랜드에 자극을 주고 있다"라고 말한다.

1. 20-30의 '워라벨' 트랜드는 어떻게 진행됐는가

2000년대 초 한국사회에서는 '웰빙'이란 단어가 화제였다. 풍요로운 경제에 대한 기대감이 커지면서 삶의 질로 사람들의 관심이 옮겨갔다. '웰빙'이란 말의 사전적 의미로는 '복지, 안녕, 행복'을 뜻하며 우리말로는 '참살이'라고 번역되어 사용되기도 한다. 물질적인 풍요에 치우치는 첨단화된 산업 사회에서 육체와 정신이 건강하고 조화로운 결합을 추구하는 새로운 삶의 방식이나 문화 현상으로 볼 수 있다. '웰빙'은 다양한 개념을 포괄하여 자의적으로 정의할 수 있지만 결국 물질적 가치나 명예보다는 건강한 심신을 유지하는 삶을 행복의 척도로 삼는다. 그로부터 약 10년 후인 2010년대, 경제 성장률이 점차 둔화하면서 '웰빙'은 '힐링'이라는 키워드로 대체되기 시작했다. 앞만 보고 달려온 속도의 사회에 지친 현대인들에게 정신적인 위로와 치유가 시대의 화두가 됐다. '힐링'은 '웰빙'이라는 단어와 비슷하게 쓰이기도 했다. 느리게 사는 삶, 여유를 되찾는 삶 등

양쪽 다 '행복한 삶을 살기 위한 방법'을 말한다. 차이가 있다면 '웰빙'에는 물질적 풍요가 필요하지만 힐링은 정신적 스트레스를 멘탈적인 개선으로 극복한다는 뉘앙스이다.

'힐링'의 뒤를 이어 2017년 등장한 '욜로'는 새로운 시대, 새로운 방향을 제시하는 키워드가 됐다. 욜로(YOLO)는 You Only Live Once라는 문장을 줄인 약자 즉 '한 번뿐인 인생'이란 뜻이다. 흔히 '오늘을 즐기라'고 인용되는 라틴어의 '카르페디엠'(Carpe Diem)과 유사한 표현이다. 한 번뿐인 인생을 충분히 즐기며 살라는 의미가 있다.

현재를 중시하는 20-30세대의 가치관이 '욜로' 문화로 나타났다고 보는 시각도 있다. 전 세계적으로 저성장 기조가 장기화하면서 미래를 준비하기보다 오늘에 집중하려는 태도가 20-30세대를 중심으로 자리 잡았기 때문이다. 오늘의 즐거움보다 미래를 위해 투자했던 기성세대와는 다른 삶의 방식이다. 즉 아끼고 모아 부자가 되는 시대는 지났으며 지금 가진 것으로 삶을 풍요롭게 만들겠다는 태도의 변화가 '욜로 라이프'에 반영되었다고 한다.

'욜로'의 기조에 맞게 현재를 즐기는 생활은 '욜로 라이프'라 하며 이를 실천하는 사람들은 '욜로족' 혹은 '투데이(Today)족'이라 한다. 오늘에 충실하게 살아간다는 의미다. 2017년 대단했던 '욜로'의 열기는 얼마나 많은 사람이 '바로 지금, 여기'의 가치를 원하는지 보여주었다. 그런데 사람들은 "그래서 어떻게 욜로 해야 하는데?"라고 질문하기 시작했다. 이런 현상에 대해 '작지만 확실한 행복, 소확행' 이란 키워드로 2018년에 나타나기 시작했다.

소확행은 일본의 소설가 무라카미 하루키가 1990년대에 발간한 수필집 '랑겔한스섬의 오후'에서 처음 소개한 신조어다. 소확행에 담겨 있는 의미는 '작은' '사소한' '일상' '보통' '평범'일 것이다. 소확행의 핵심은 '사소한 일상을 소중하게 여기는 마음'이다. 작지만 결코 가치 없지 않은 소시민의 사람이 새삼 관심의 대상이 되고 있다. 그래서 사람들은 '확실한' 행복에 집중한다. 20-30세대는 욜로를 위해 무지개 너머에 있는 파랑새를 꿈꾸기보다는 내 곁에 가까이 있는 확실한 행복에 집중하는 소확행을 만들고자 한다. 작지만 확실한 행복인 '소확행'을 꿈꾸고 한 번뿐인 인생을 멋지게 살고자 하는 '욜로'를 추구하는 그들에게는 일과 삶의 균형을 찾는 일이 무엇보다 중요하다. 워라밸 세대는 이전 세대와 달리 일 때문에 자기 삶을 희생하지 않는다. 조직보다 개인의 삶이 중요하기 때문이다. 따라서 많은 돈을 벌기보다는 스트레스 없는 삶을 꿈꾸며 삶의 만족을 높이기 위한 다양한 대안을 모색한다.

MZ세대가 최고를 표현할 때 쓰는 접두사 '갓'(god)과 인생을 합친 단어인 '갓생'은 MZ세대가 꿈꾸는 삶을 정의하는 단어다. 자신이 세운 목표나 계획을 착실하게 이뤄낸 생산적이고 부지런한 삶을

MZ세대는 '갓생'이라고 표현한다. 자신의 만족을 추구하는 데 그 어떤 세대보다 적극적이었던 MZ세대가 이제는 '욜로 라이프'가 아닌 '소확행'을 넘어 하루하루를 열심히 살아가는 '갓생'을 꿈꾸고 있다.

2. 하우투 워라벨

한국사회에서는 직장 생활을 여가나 가정은 물론이고 자기 자신보다 우선하는 경향이 있다. 적어도 대등한 가치를 부여해 삶의 저울대 위에 올려놓고 균형점을 모색하려 한다. 회사에 다닌다는 사실은 분명한 목적이 있기 때문이다. 그 목적은 가정보다 우선할 수 없다. 물론 일과 삶의 비율은 지극히 개인적이고 주관에 달려있기에 모든 것은 자신의 선택이다. 이들에게 자신(myself), 여가(leisure), 성장(development)은 희생할 수 없는 가치다.

첫 번째는 일과 자의 균형을 찾고자 한다. 한국보건사회연구원 학술지 '보건 사회연구' 최근호에 실린 '일, 생활 균형 시간 보장의 유형화' 논문에 따르면 OECD 31개국의 2021년 기준 연간 근로 시간 평균은 1,601시간인데 한국인들의 1인당 연간 평균 근로시간은 1,915시간에 달했다. 또, 한 취업 플랫폼에서 2022년 20-30 직장인, MZ세대를 대상으로 조사한 결과 입사 2년 차 퇴사율이 27%로 신입사원 절반이 입사 2년 이내에 퇴사를 결정한 것으로 나타났다. 그 이유는 장시간 노동의 실효성에 대한 의문이 커지면서 조직보다는 개인을 위한 시간이 필요하다는 인식이 확산하고 있기 때문이다. 이 같은 현상은 일과 나 자신의 균형을 찾고자 하는 워라벨 세대에게 회사의 과중한 업무와 과도한 스트레스는 견뎌내야 하는 임무가 아니라 벗어나야 하는 과제가 됐다.

두 번째는 일과 여가의 균형이다. 워라벨 세대는 호모 나이트쿠스(밤을 뜻하는 '나이트'에 인간을 뜻하는 접미사 'cus'를 붙인 신조어로 올빼미족과 비슷한 심야형, 밤샘형 인간을 뜻한다) 혹은 나포츠족(야간을 뜻하는 나이트와 운동을 뜻하는 스포츠가 합쳐진 신조어로 야간에 운동을 즐기는 사람들을 가리킨다)에서 한 단계 더 나아간 이들이다. 이들에게는 취미 생활도 '해야 할' 일이기에 '저녁 사수'에 심혈을 기울인다.

세 번째는 일과 성장의 균형이다. 삶에 대한 열정을 온전히 자신에게 쏟고 싶은 워라벨 세대에게는 공부도 자의에 의한 선택이며 그 어떤 취미 활동보다 즐거운 자기 계발의 시간이 된다. 이들은 '공부=시험'이었던 학창 시절에서 벗어나 자유로운 사회인이 된 후 비로소 공부의 즐거움을 만끽했다고 말한다. 워라벨 세대의 자기 계발과 학습특징으로 '퇴사를 위해 공부한다'라는 점이다. 홧김에 의한 퇴사가 아니라 계획된 퇴사를 위한 준비이다.

3. 성경은 워라벨에 대하여 무엇이라고 하는가

팀 켈러는 '일과 영성'에서 이렇게 말한다. "창세기 1장에서 하나님은 일하실 뿐만 아니라 거기서 큰 기쁨을 누리셨다. 놀라운 일이다. 주님은 스스로 지으신 세상을 참 아름답게 여기셨다. 하나님은 일하실 뿐만 아니라 일꾼들에게 그 일을 맡기기도 하신다. 창세기 1장 28절에서 주님은 인류를 향해 '땅에 충만하라. 땅을 정복하라'라고 말씀하셨다. 창세기 2장 15절에서 주님은 사람을 데려다가 동산에 두시고, 그곳을 '경작하며 지키게' 하셨다. 하나님은 우리의 공급자가 되시지만 우리 또한 그분을 위해 일해야 한다는 사실을 암시한다."

팀 켈러는 세상에 하찮은 일은 없다고 한다. 일은 종류에 상관없이 모두 존귀하다. 손으로 하든, 머리로 하든, 일이란 모두 인간의 존엄성을 상징하는 증표로 인식하고 있다. 성경이 가르치는 창조원리는 성육신과 부활의 교리와 조화를 이루며 기독교가 얼마나 육신적인 삶에 깊은 관심이 있는지 바로 보여준다고 한다.

기독교인이라면 세상에서 자신이 하는 일의 목적에 대해 혁신적인 통찰을 가져야 한다. 하나님이 불러서 과업을 맡기셨다는 사실 자체가 힘을 주므로 자아를 실현하고 권력을 얻을 속셈으로 직업을 선택하거나 일해서는 안 된다. 도리어 일을 하나님과 이웃을 섬기는 도구로 보아야 하며 그 목적에 따라 직장을 선택하고 업무에 임할 필요가 있다. 성도의 워라벨은 일을 통해 이웃을 사랑하는 주요한 방법 가운데 하나인데 '능숙한 사역' 즉 탁월하게 해야 한다.

하나님이 일을 주신 목적이 인간 공동체를 섬기게 하는 데 있다면 그 뜻을 받드는 으뜸가는 길은 주어진 과업을 끝낼 뿐만 아니라 제대로 해내는 일이다. 성도의 워라벨은 분명한 목적이 있어야 한다. 세상의 20-30세대처럼 자기를 위한 욜로, 소확행, 갓생, 워라벨 그 자체가 목적이 되어서는 안 된다. 우리는 일과 삶의 균형뿐만 아니라 이 일을 통해 하나님을 영화롭게 하고 그분을 즐거워하게 하는 삶을 사는 거룩한 백성이다.

이제는 나를 위한 비전, 목표를 세워서 나만을 위한 워라벨이 아니라 하나님을 섬기기 위한 큰 그림을 그릴 수 있어야 한다. 따라서 오늘의 우리는 분명한 목적이 있는 워라벨이어야 한다. 이 목적을 위해서는 시간 관리가 잘되어야 한다. 성도의 워라벨은 우선순위가 분명해야 한다. 그렇게 하려면 시간 관리가 필수다. 우리 삶에서 시간은 2가지로 구분할 수 있다.

먼저 기본적인 삶을 살기 위해 꼭 필요한 시간을 '생활시간'이라고 한다. 그리고 24시간 중에서 생활시간을 제외하고 남는 시간을 '가용시간'이라고 한다. 24시간 누구에게나 똑같이 주어진 시간이다. 하지만 어떤 사람은 하루를 25시간으로 만들어 사용한다면 그는 다른 사람보다 더 나은 삶을 보내고 있다고 할 수 있지 않겠는가? 우리에겐 그 시간을 어떻게 잘 활용할 수 있을지가 매우 중요하다.

한국고용정보원의 연구 결과를 보면 보통 사람들이 생존하는 데 필요한 생활시간은 일주일에 약 97시간 정도라고 한다. 일주일(168시간) 중에서 위와 같은 생활시간을 제외하고 나면 71시간의 가용시간이 생기게 되는데 이러한 가용시간 중 우리는 최소 40시간은 일을 해야 한다. 그러면 이제 우리는 30시간 정도의 자유로운 가용시간이 생기는 데 이 30시간도 오롯이 나를 위해 존재하지는 않는다. 답은 지금 내가 하는 일 중 무엇이 꼭 해야 하는 일이며 무엇을 안 하거나 할지를 결정해야 한다.

우리가 잘 아는 말씀 중에 에베소서 5장 15-17절에 "그런즉 너희가 어떻게 행할지를 자세히 주의하여 지혜 없는 자같이 하지 말고 오직 지혜 있는 자같이 하여 세월을 아끼라. 때가 악하니라 그러므로 어리석은 자가 되지 말고 오직 주의 뜻이 무엇인가 이해하라"라고 한다. 시편 90편 12절에 "우리에게 우리 날 계수함을 가르치사 지혜의 마음을 얻게 하소서", 전도서 3장 11절에 "하나님이 모든 것을 지으시되 때를 따라 아름답게 하셨고 또 사람에게 영원을 사모하는 마음을 주셨느니라 그러나 하나님의 하시는 일의 시종을 사람으로 측량할 수 없게 하셨도다"라는 말씀을 잘 적용하고 실천해야 한다.

워라벨 세대 특히 20-30세대의 청년들에게 슬럼프가 오거나 낙심이 일어나는 일이 있을 때 개인적인 대응으로 혼자 이겨내도록 내버려 두는 것이 아니라 멘토가 이끌어 줄 수 있는 시스템을 만들어야 한다. 워라벨 세대는 지도자 혹은 윗사람에게 상대적으로 기존 세대들보다 격의 없이 다가오고 싫으면 싫다고 분명히 말한다. 이런 특성을 이해하는 멘토가 호의적인 태도를 보이고 관심을 기울일 때 이들도 긍정적으로 화답할 것이다.

* *

1998년에 출간되어 미국과 한국에서 유명해진 스펜서 존슨의 '누가 내 치즈를 옮겼을까?'라는 책이 있다. 이 책은 두 개의 이야기로 구성되어 있다. 첫 번째 이야기는 두 쥐와 두 명의 인물에 관한 것이다 '스니프'와 '스커리'라 불리는 두 마리의 생쥐와 '헴'과 '허'라고 불리는 두 명의 꼬마 인간이 자신들이 좋아하는 치즈를 찾기 위해 복잡한 미로를 헤매다니면서 벌어진 이야기를 다룬 책이다. 언제나 그 자리에 있었던 치즈가 어느 날 사라지자 그들에게 시련이 닥쳤다. 이에 대해 두 마리 생쥐는 지체하지 않고 치즈를 찾아 나서지만 두 명의 꼬마 인간은 치즈가 사라진 상황을 받아들이지 못하고 망연자실한다. '누가 내 치즈를 옮겼을까?' 이 책은 치즈가 사라져

버린 현실을 받아들이지 못하는 '헴'과 새로운 치즈를 찾아 떠나는 '허'의 대조되는 모습을 보여주면서 변화에 어떻게 대처하느냐에 따라서 삶이 어떻게 달라지는지에 대한 교훈을 준다.

변화를 두려워하는 개인이나 조직은 쇠퇴할 수밖에 없다. 변하는 세상에 발맞춰 변화를 꾀하려면 현실을 인식하고 인정하는 것에서부터 시작해야 한다. 그렇지 않으면 현실을 부정만 하면서 세상 탓만 하다가 실패한 인생 또는 실패한 조직이 되기에 십상이다. 교회 안에 20-30세대, 워라벨 세대가 없어지고 있다고 걱정만 할 일이 아니다. 하나님이 지금도 일하고 계심을 우리는 믿는다. 그리고 하나님이 우리에게 주신 지혜를 사용한다면 이런 변화의 흐름을 알고 변하지 않는 말씀으로 그들을 참된 워라벨 세대로 만들 수 있다.

3040세대의 현실과 역할

최정복 목사

필자가 섬기는 교회의 성도들은 비교적 젊다. 23년 1월 기준으로 예배에 참석하는 수가 130여 명인데 3040세대가 40%, 그 자녀들이 35%, 20대 청년이 20%, 5060 이상 세대가 5%다. 경제적으로 독립한 인원만을 기준으로 보자면 90% 이상이 3040세대인 셈이다. 이렇게 교회의 구성원이 젊은 이유는 세종시의 인구 특성 때문이다. 세종시는 올해 3월 기준 평균연령이 35.3세로 전국 평균 44.4세보다 무려 9살이나 낮다. 거주 연령대도 40대가 22%로 가장 높고, 30대가 17%다. 조금 과장하면 세종시는 3040세대의 도시이고, 우리 교회 역시 3040세대가 주축인 교회이며 필자는 3040세대를 중심으로 목회를 했다고 볼 수 있다. 물론 세종시에 거주하는 3040세대와 우리 교회 구성원이 전국의 3040 성도들을 대표한다고 할 수는 없지만 3040세대의 특징을 어느 정도 보여줄 수는 있다. 우리 교회에서 목회한 경험을 중심으로 그들의 신앙적 필요가 무엇이며 목회의 주안점이 어떠해야 하는가를 제시해보고자 한다.

1. '허리 세대'의 고민들

3040세대를 '허리 세대'라고 부른다. 베이비붐 세대와 MZ세대 사이에서 중재적 혹은 완충적 역할을 감당해야 할 '다리 놓는 세대'라고 부를 수도 있다. 실제로 3040 성도들의 기도 요청 내용을 일일이 살펴보면 이러한 점을 분명하게 알 수 있다. 주로 자녀를 위한 기도 요청이 가장 많고 (그보다 훨씬 적긴 하지만) 몸이 불편하신 부모님을 위해 기도해 달라는 요청도 많다. 신앙 상담 내용 역시 부모 세대와 자녀 세대 사이에서 느끼는 문제들이 주를 이룬다. 그만큼 위, 아래로 섬겨야 할 책임이 막중하다. 그리고 스스로가 그 일들을 온전히 감당하기에는 부족함을 많이 느낀다. 그만큼 영적으로 돌볼 필요가 많다.

심방을 가면 그런 속 사정을 듣게 된다. 얼마 전 둘째 아이를 출산한 A 가정은 남편과 아내 사이에 다투는 일이 많다. 남 성도는 육아의 짐을 함께 지기 위하여 1시간 앞당겨 퇴근하는 가정적인 분이다. 어린이집을 다니는 첫째 아이를 돌보는 일은 주로 남편의 몫이다. 그런데 첫째 아이가 최근 부쩍 투정이 늘었다. 여 성도는 남편의 느슨한(?) 양육 방식 때문이라고 생각한다. 아빠는 엄마보다는 아이의 응석을 받아주는 편인데 여 성도는 그런 남편의 육아에 불만이다. 자신은 인내하며 훈육했는데 남편은 너무 쉽게 아이의 응석을 받아주기 때문이다.

남녀의 차이나, 성격차이, 양가 부모님의 양육 스타일의 차이에서 오는 다름이 존재함을 알지만 이를 맞추어 나가는 일은 쉽지 않다. 특히 여 성도는 시어머니에 대한 불편한 마음도 가지고 있었다. 시어머니께서 종종 육아를 도와주러 오시는데 육아나 살림 방식에 대한 차이 때문에 자꾸 불평하는 마음이 생긴다는 것이다. 도움을 주시는 것이 매우 감사함에도 불구하고 사소한 일로 마음이 불편해지게 되니 자기 자신에 대해서도 실망스럽다고 말하면서 눈물을 뚝뚝 흘렸다.

결혼 5년 차인 B 가정은 여러 가지 가사 노동을 각자 분담하기로 했다. 남편 성도는 집안일을 미루지 못하는 성격 때문에 이런저런 크고 작은 일을 도맡아 한다. 심방 전날 밤에도 부모님 칠순 기념 가족 여행을 위하여 숙소를 온라인으로 예약하고 몇 가지 필요한 물품들을 장바구니에 넣어 두는 일을 혼자 다 했다.

최근에는 직장 일도 바빠져서 아내와 거의 대화를 하지 못했다. 가끔 아내와 함께 성경을 읽고 기도하는 시간이 있긴 하지만 최근에는 몇 달간 그런 기회를 가지지 못했다는 것이다. 하나님 앞에 송구한 마음이 들어서 더 기도할 용기를 내지 못할 때가 훨씬 더 많다고 한다. 경건의 좋은 습관을 연습하고 싶지만 잘되지 않아서 마음이 힘들다고 했다. 그럼에도 조금 여유가 생기면 스마트폰으로 넷플릭스나 해외축구 경기를 챙겨보는 습관이 생겼다. 바쁘다는 핑계로 경건 생활은 안 하면서 시간만 나면 스마트폰을 붙잡고 있는 자신의 모습 때문에 괴롭다. 심방을 계기로 다시 마음을 다잡고 싶다고 기도 요청을 했다.

얼마 전 중소기업에 다니는 C 성도는 몇 년 동안 신입사원이 없어서 부서에서 막내 아닌 막내 노릇을 해야만 했다. 그리고 마침내 신입사원 후배를 받게 됐다. 후배에게 좋은 직장 선배가 되리라 다짐하며 친절하게 업무를 가르쳤다. 후배 역시 그를 가깝게 느끼며 어려운 일을 부탁하곤 했다. 그런데 어느 날 신입사원 후배가 직장에 대해 회의감을 느끼고 사직했다. C 성도는 마치 자신이 후배 관리를 잘하지 못해서 이런 일이 벌어진 것 같은 눈총을 받아야 했다. 또 다시 퇴직자의 업무 공백을 채우기 위해 여러 가지 업무를 과중하게 떠맡아야 하는 처지가 됐다. 하지만 정작 본인은 커리어가 단절될지 모른다는 생각에 20대 후배들처럼 직장을 사직하기로 결정하기는 쉽지 않다. 그는 과도한 업무 스트레스 때문에 가끔씩 불면증을 겪기도 하지만 직장에서는 내색하기가 어렵다. 다른 사람들에게 괜한 피해를 주고 싶지 않기 때문이다. C 성도는 정말 힘들 때는 공황장애 증세가 있었을 정도였다고 하소연한다.

  심방을 통해 알게 된 성도들의 어려움을 몇 가지만 사례를 제시했지만 많은 3040 성도들의 일상이 비슷한 것 같다. 물론 모든 3040세대가 부부 관계의 어려움을 겪거나 고부간의 갈등을 겪는 것도 아니고 고된 직장생활로 괴롭기만 한 것은 아니다. 하지만 대체적으로 가정과 사회에서 3040세대가 무거운 짐을 지고 있다는 점에서는 비슷하다. 구매한 주택의 대출 이자, 노후 대비를 위한 주식투자와 연금 가입은 단기간에 해결하기 어려운 고민 중 하나다. 부모님 용돈과 병원비도 꽤 부담이다. 자녀들의 학원비, 증가한 통신료, 새로 구매한 차량의 할부이자까지 생각하면 경제적으로 늘 빠듯하기만 하다. 출퇴근 시간은 또 어떤가? 경제적인 이유만 아니라 자녀 양육을 위하여 주거 여건이 좋은 지역으로 이사를 하게 되면 출퇴근 시간은 그만큼 길어진다. 틈틈이 유튜브, 넷플릭스도 시청해야 하고 SNS 활동도 해야 한다. 주말이면 자녀와의 추억을 위해 캠핑도 가야 한다.

  3040세대는 스스로를 '허리 세대'라고 느끼기보다는 '끼인 세대'라고 느낀다. 윗세대에게 '순종'을 강요받고 살아왔지만 아래 세대에게 '순종'을 가르치기 부담스러운 세대인 것이다. 후진국에서 태어나 경제도상국으로 발전시킨 베이비붐 세대의 전폭적인 지원을 받았고 지금도 여전히 의존적이다. 동시에 선진국에서 태어나 소비 지향적 삶을 사는 MZ세대와도 구별된다. MZ세대 못지않게 온라인 쇼핑과 배달 음식을 일상적으로 이용할 정도로 디지털화와 업무 고도화로 온라인에는 익숙하지만 여전히 90년대 아날로그 감성을 찾아다니는 어중간한 세대이기 때문이다.

이처럼 '끼인 세대'로 인식하는 것은 자신에게 주어지는 사회적 역할에 대한 소극적 태도로 나타나게 된다. 한국교회탐구센터의 송인규 교수는 22년 12월 '3040세대 파헤치기 : 그들의 고뇌와 사명'이라는 발표를 통해 3040세대에서 나타나는 최근의 흐름을 다음의 두 가지로 제시했다. 첫째, 입시 스트레스, 경제위기, 취업난 등 사회 경제적 요인으로 말미암아 젊은 세대에 번진 자기 폐쇄적 고립 성향(소위 귀차니즘). 둘째, 사회에서 부여하는 획일적이고 상투적인 규범에 의존하지 않고 자신의 욕망을 따라 살겠다는 탈제도화가 그것이다. 실제로 많은 3040세대에 속한 성도들은 자신을 '끼인 세대'로 여기며 가정과 사회에서 주어진 짐을 최소화하려는 경향성을 가지며 획일적이거나 상투적인 규범을 거부하는 탈제도화적 특징을 보인다.

2. 교회를 떠나가는 3040세대들

그렇다면 교회에서 이들의 신앙생활은 어떨까? 여전히 어중간하게 끼어있다고 말할 수 있지 않을까? 현재 5060 세대가 과거 3040 세대일 시절에 비해 교회에서 역할이 현저히 축소된 것처럼 보인다. 필자가 청소년 시절만 해도 40대에 교회의 장로, 안수집사가 되는 경우가 많았던 것 같다. 하지만 요즘은 40대 장로나 안수집사를 찾기가 어렵다. 실제로 2022년 12월 실천신학대학원대학교의 정재영 교수가 연구 발표한 '3040세대의 신앙생활과 의식 조사 발표'에 따르면 3040세대의 59.1%가 교회 봉사를 하지 않는다고 응답했다. 5060 세대의 응답률이 34.8%인 것과 비교하면 봉사 참여율이 현저히 낮은 것이다. 또 내년 교회 봉사 요청 시 수락할 의향이 있느냐는 질문에 대해서도 53%가 '없다'라고 대답했다. 5060 세대의 20.1%만이 '없다'라고 대답한 것과 큰 차이를 보인다.

봉사의 관점에서만 보더라도 이들은 교회의 중추적인 '허리 세대'의 역할을 잘 감당하지 못하고 있는 것이다. 사실 현재의 3040 세대는 이전 세대와 비교하여 교육도 많이 받았다. 경제적으로도 더 여유롭고 편안한 생활을 하고 있다. 주 5일제 시행으로 시간적으로도 더 여유가 있다. 그런데도 교회에서 헌신된 3040세대를 만나기 어렵다는 이야기를 듣는다. 왜 그럴까? 가장 큰 이유는 과거에 비해 문화/취미활동에 더 적극적인 세대이기 때문이다. 과거 많은 문화/취미활동이 교회에서 이루어져 왔다. 하지만 이제는 교회 밖 문화/취미활동을 즐긴다. 이전보다 더 개인주의적인 문화가 확산되었기 때문이다.

정재영 교수의 발표 내용에서도 교회 봉사에 참여하지 않는 이유로 주로 '시간이 없어서'(22.5%), '일상생활로 지쳐 쉬고 싶어서'(16.5%), '교회 일에 깊이 관여하고 싶지 않아서'(14.8%)로 조사됐다. 실제로 많은 3040 성도들이 바쁘고 지쳐 있는 것이 사실이나 주 5일제가 시행되기 이전의 과거와 비교해 보자면 그렇게 시간이 없다고 볼 수는 없다.

실제로 매우 바쁘고 지쳐 있는 성도가 가족들과 함께 캠핑이나 여행, 레저 활동을 즐기는 경우를 자주 접할 수 있다. 교회 봉사보다 개인의 문화/취미 생활에 더 큰 의미를 부여하기 때문이다. 이는 우리 사회에 개인주의가 크게 확산되었기 때문이다. 3040세대는 자신들을 집단주의적 교육의 피해자로 느끼고 개인주의적 생활에 만족한다. 그래서 이들은 개인의 문화/취미생활을 잘하는 것이 건강한 것이라고 인식한다. 대신 상대방과 어느 정도 거리를 유지하는 것을 문화적으로 선하게 여긴다. 특히 다른 사람에게 피해를 주지 말아야 한다. 그리고 다른 사람에게 피해를 주지 않고 살아가려는 노력은 이웃과의 친밀한 관계를 가로막는 담장을 만들어내곤 한다. 개인주의를 더욱 강화시키는 것이다. 송인규 교수는 코로나 시기를 통해 이러한 개인주의적 경향이 더 강화됐다고 분석한다. 다른 이유는 3040세대가 이전 세대보다 교회 봉사에 대해 회의적이기 때문이다.

정재영 교수의 조사에 따르면 5060 세대가 신앙생활을 시작한 계기로 모태 신앙 혹은 부모님의 전도라고 대답한 비율이 35%인 반면, 3040세대는 60%에 달한다. 부모를 따라 교회를 다녔지만 삶에 큰 영향력을 미치지 못한 것으로 해석할 수 있다.

신앙의 회의를 경험한 적이 있느냐는 질문에 대하여 그렇다고 응답한 80.3%의 사람 중 가장 많은 38.6%가 '기독교인들의 생활이 비도덕적이고 이중적이기 때문'이라고 대답했다. 같은 조사에 따르면 3040세대는 코로나 이후 현장 예배 이탈율이 43%에 달하는 것으로 조사됐다. 비록 현장 예배에 참여하는 사람들 역시 교회에 대한 실망감/회의감 때문에 봉사를 기피하는 것이다. 즉 교회 내 3040세대의 상당수가 어려서부터 부모님을 따라서 교회를 다녔지만 기독교인들이 봉사하는 모습에 실망한 경험이 많았기에 이들은 교회 봉사에 의미를 부여하지 않고 있으며 적극적으로 봉사하는 일에 대해서 부정적인 것이다. 이를 반영하듯이 같은 조사에서는 3040세대의 58.5%가 교회 중직을 맡고 싶지 않다고 대답했다. 이것은 앞서 송인규 교수가 3040세대에 속한 성도들 역시 탈제도화적 경향을 나타낸다고 분석한 것과 일치한다.

실제로 필자가 만난 3040세대인 성도의 상당수가 어려서부터 교회에 다녔으며 교회 중직자의 자녀인 비율도 상당하다. 많은 경우 중고등부나 대학 청년부 시절 임원 활동을 했으며, 몇 주 동안 해외로 아웃리치를 다녀온 경험도 가지고 있으며, 찬양대나 주일학교 교사로 봉사한 경험을 가지고 있다. 그런데 정작 이들의 상당수가 그러한 교회 봉사에서 기쁨과 보람을 느끼지 못했다고 토로한다.

교회를 위해 봉사하고 헌신했던 과거의 경험으로 인하여 오히려 봉사 자체에 대한 회의감을 가지게 된 것이다. 다른 한 편으로는 '내 신앙이 이 정도밖에 아니었나?'라고 자괴감을 느끼기도 한다. 교회와 신앙이 분리되어 느끼는 허탈감이다. 물론 과거의 교회 봉사에서 보람을 느낀 성도들도 분명 있다. 이 경우 최근에는 직장과 가정에서 바쁜 일정 때문에 시간을 내어 교회를 위해 봉사하지 못한다는 사실에 빚진 마음을 가지고 있는 경우가 많다. 하지만 이처럼 교회 봉사에 적극적인 성도들조차 정작 가정과 사회와 교회에서 '허리 역할'을 감당하는 것이 무엇인가에 대해서는 잘 배우지 못했다고 하소연한다. 즉 교회는 시대의 변화에 발맞추어 3040세대가 어떻게 허리 역할을 잘 감당할 수 있을지 고민하지 못한 것이다. 허리 세대를 감당하기는커녕 이들은 교회를 떠나가고 있다. 정재영 교수의 조사에서 3040세대의 49.7%가 10년 후 "기독교 신앙은 유지하지만 교회는 잘 안 나갈 것 같다"라고 답한 것 역시 이를 반영하고 있다.

요약하자면 많은 3040세대에 속한 성도들은 봉사를 통해 기쁨을 느낄만한 신앙적 동력이 없다. 귀차니즘과 세속화, 탈제도화의 영향일 수도 있고, 목회자가 성장 일변도로 목회를 한 탓일 수도 있으며,

젊은 세대의 생각을 이해하려고 하지 않는 경직된 교회 조직문화도 한몫했을 수 있다. 부모 세대의 세속적 모습, 사회가 풍족해지며 교회가 기득권 편에 서는 모습을 보며 실망했을 수도 있다. 그 이유가 무엇이건 간에 작금의 3040세대는 교회에서 '허리 세대'의 역할을 감당할 만큼 믿음이 자라지 못했고 양육을 받지 못한 것이다. 이 점은 교회 스스로 깊이 반성할 문제임이 분명하다. 우리는 지금이라도 3040세대의 역할과 사명을 고민하면서, 그들이 믿음의 세대로 일어설 수 있도록 어머니 교회의 역할을 감당해야 한다.

3. 교회의 어머니 역할이 회복되어야 한다

초대교회의 교부 이레나이우스는 교회야말로 성도들의 어머니라고 가르쳤다. 왜냐하면 교회 안에서 일하시는 성령님께서는 성도들에게 젖을 먹이시기 때문이다. 여기서 성도들이 먹어야 할 젖은 진리의 말씀이다. 또 다른 교부 치프리아누스 역시 교회에 속하지 않은 사람은 하나님을 그의 아버지로, 교회를 그의 어머니로 가질 수 없다고 했다.

초대교회는 신자가 어머니 교회를 통해서 구원을 얻는다고 가르쳤다. 종교개혁가 존 칼빈 역시 다음과 같이 가르쳤다. "단순한 말인 '어머니'로부터 그녀를 아는 것이 얼마나 유용하고 필요한가 배우기로 하자. 어머니가 자궁에 우리를 잉태하지 않았다면, 그녀의 가슴에서 젖을 먹이지 않았다면, 그 보호와 인도로 지켜주지 않았다면 우리가 살 수 있는 방도는 없었다." 즉 교회는 새로운 것을 창안할 필요가 없다. 교회가 신자의 어머니라는 이 단순한 진리로 돌아가야 한다. 교회가 신자들을 위한 어머니라는 사실을 기억하고 이 역할을 회복한다면 이들은 다시 어머니의 품으로 돌아올 것이 분명하다.

우리는 세대간의 통합을 말하기 이전에 먼저 3040세대를 튼튼하게 세우는 일에 역량을 집중해야 한다. 가장 중요한 것은 '허리 세대' 스스로 일어나도록 도와주는 일이다. 그렇다면 교회는 이들을 어떻게 세워야 할까? 특별한 비법은 없다. 교회의 기초, 기본으로 돌아가는 것이다. 필자가 생각하는 교회가 회복해야 할 기초, 기본은 '예배, 돌봄, 교제'다.

1) '보는 예배'에서 '참여적 예배'로의 자세변화

교회가 예배를 위해 존재한다는 것을 모르는 성도는 없을 것이다. 대다수의 교회는 매주 예배하고 있다. 그러나 왜 많은 3040세대가 현장 예배를 떠나 온라인 예배를 선택하고 있을까? 반드시 현장 예배를 드려야 할 필요를 느끼지 못하기 때문이다. 왜냐하면 예배가 주로 '보는 예배'이기 때문이다. 찬양대를 '보고' 설교자를 '보고' 화면을 '보는' 예배에서는 방송실이 가장 중요하다. 캠핑장에서도 스마트폰으로 얼마든지 '볼' 수 있는데 왜 굳이 교회에 가겠는가? 그러나 우리의 예배는 '보는 예배'가 아니다. 우리가 드려야 할 예배는 '참여적 예배'다. '참여적 예배'를 위해 아이들이 성경 봉독을 하고, 부모들이 특별 찬양을 하고, 노년 세대가 자녀들을 축복하는 이벤트를 의미하는 것은 아니다. 참여적 예배란 삼위 하나님과의 만남으로서 예배를 의미한다. 목회자는 '삼위 하나님의 이름'으로 성도들을 환영해야 하며, 성도들은 '삼위 하나님의 이름을 부르며' 예배에 참여한다. 특히 성찬식을 통하여 그리스도의 몸에 참여한다(고전 10:17). 함께 모여 성부 하나님께 감사하며, 그리스도의 살을 떼고, 피를 나누어 마시며 성령의 하나 되게 하신 것을 지킨다. 이것은 결코 비대면 예배로는 불가능하다. 참여적 예배는 성례의 회복을 통해서 가능하다. 설교, 기도, 찬송과 달리 성찬은 참여하는 자만이 누릴 수 있는 은혜의 방편이기 때문이다. 그래서 종교개혁가들은 순수한 복음 설교가 있고 성례가 바르게 집행되는 곳에 교회가 있다고 하였는데 이는 탁월한 가르침이 아닐 수 없다.

  필자는 교회에서 매주 성찬식을 한다. 기회가 닿는 대로 세례식을 한다. 물론 예배 시간이 길어지는 단점이 존재한다. 그럼에도 불구하고 설교를 통해 선포한 은혜를 떡과 포도주를 통해 각 성도들이 경험하는 시간이므로 이 시간을 예배의 우선순위로 둔다. 이것을 좀 더 체험적으로 느끼기 위하여 필자는 떡(실제로는 빵)을 직접 떼어서 준다. 각 사람을 향하여 마음속으로 '그리스도께서 당신을 위한 화목제물이 되셨다'라고 생각하면서 떼어 준다. 물론 성찬을 자주 하는 것이 능사는 아니다. 바르게 집례해야 하며 그리스도께서 명령하신 성례의 중요성을 잘 가르쳐야 한다.

2) '봉사할 일꾼'에서 '돌봐야 할 양'으로의 관점변화

3040세대가 교회에서 부담을 느끼는 것은 자신을 봉사할 일꾼으로만 여길 때가 많기 때문이다. 물론 봉사는 꼭 필요하다. 봉사를 통해 목회자와 동역할 수 있고, 관계가 더 깊어질 수 있으며 교회를 향한 사랑이 커질 수 있다. 그리고 봉사를 통해 신앙이 자라는 경우도 많다. 그러나 문제는 많은 3040세대가 자신을 봉사를 위한 소모품처럼 느낀다는 점이다. 처음에는 자발적인 마음으로 봉사를 시작했으나 점점 봉사에 지쳐가기 때문이다. 그러므로 봉사를 통해 인위적으로 교회 모임에 참여하게 독려하는 방식은 위험하다. 종종 3040이 교회생활을 잘하는 것처럼 보이면 목회자 입장에서는 봉사할 일꾼이 왔다고 좋아한다. 그리고 봉사의 일을 맡겨 소속감을 느끼도록 한다. 여기에 맹점이 있다. 정작 일만 시키고 그 고민을 들어주고 돕지는 않을 수 있기 때문이다. 교회의 조직을 생각해보라. 영유아부 담당 전도사는 있어도 3040세대를 전적으로 섬기는 담당 교역자는 찾기가 어렵다. 여전도회, 남전도회에 가면 젊은 지체가 왔다고 환영하지만 곧 모임의 총무, 서기, 회계를 맡기기 시작한다. 안 그래도 무거운 짐을 진 3040세대에게 또 다른 짐을 지우는 것이다. 이것은 한국교회가 조직 중심의 목회에 너무나 익숙하기 때문이다. 조직 중심의 목회에서는 3040세대는 '봉사할 일꾼'일 뿐이다. 그러나 양육 중심의 목회에서는 이들 역시 '돌봐야 할 양'이다. 결국 3040세대는 성도의 어머니인 교회가 돌보고 양육해야 할 자녀라는 사실을 잊어서는 안 된다. 조직 중심, 일 중심의 교회에서 양육 중심, 돌봄 중심의 교회로 전환해야 한다. 이를 위해서는 당회와 담임목사의 목회 철학이 조직 중심, 일 중심에서 영혼을 돌보고 양육하는 심방 중심으로 빨리 전환해야 한다.

심방은 성도의 삶의 자리로 직접 찾아가는 성육신적 행동이다. 교회는 3040세대가 교회 행사에 덜 참여한다고 불평하기보다는 그들의 자리로 찾아가려고 해야 한다. 이들이 캠핑장에 가 있다면 캠핑장에 찾아가 그들을 돌보기 시작해야 한다. 그들이 캠핑장에 왜 가 있겠는가? 일상에서 지쳐 있기 때문이 아니겠는가? 교회는 바쁘고 힘든 직장인을 만나기 위해 빌딩 숲 커피숍으로 힘들게 육아를 감당하는 부모들을 만나기 위해 키즈카페로 이들이 있는 곳으로 찾아가야 한다. 물론 찾아가도 별 도움이 되지 않는 경우도 많다. 심방을 통해 이들의 고민을 듣고 격려해야 하지만 정작 세상적 위로를 전하기 때문이다. 과거 우리 사회는 위로가 부족한 사회였다. 잘 살기 위해 누구나 고통을 참아야 했고 위로는 사치처럼 여겨졌을 것이다. 그런 상황에서 교회는 위로하는 역할을 자처했다. 교회가 주는 위로는 이 땅에서 '잘 사는 것'과 어느 정도 연결되었고 성도들이 마주한 여러 가지 문제 해결을 위하여 기도하는 것이 목회자의 당연한 의무처럼 여겨졌다. 그런데 1인당 GDP 수준이 올라가며 이제 위로와 공감의 방식이 달라지기 시작했다. 예수 믿고 행복해지고 잘살게 된다는 번영에 대한 약속에 의구심을 품기 시작한 것이다. 직장에서 맞벌이를 하고, 자녀를 낳아 어린이집에 보내고, 물질적으로 부족함이 없이 살아가지만 정작 이들은 교회에서 위로를 찾지 못하고 교회를 떠나고 있다.

무엇이 문제인가? 교회만이 줄 수 있는 참된 기독교적 위로를 전달하는 일에 실패했기 때문이다. 교회만 줄 수 있는 참된 기독교적 위로란 무엇인가? 그것은 이 땅의 소유와 상관없이 누리는 것이다. 남들보다 더 행복하기 때문에 누리는 상대적인 위로가 아니다. 이 땅에서 가진 것을 다 잃어버려도 여전히 잃어버릴 수 없는 절대적인 위로이다.

교회만이 줄 수 있는 유일한 위로를 바쁜 생활로 지친 3040세대에게 전해 줄 수 있어야 한다. 이것은 교리 교육을 통해 가능하다. 성경의 가르침(교리)은 성도들에게 믿음을 불러일으키고 성도를 위로하기 때문이다. 교리를 지식적으로 전달만 할 것이 아니라 그 속에 담긴 깊은 위로를 전해야 한다. 힘든 직장생활, 가정생활도 새 하늘과 새 땅으로 나아가는 경주의 일환임을 상기시키며 교회에서가 아니라 세상에서 빛과 소금이 되도록 격려하며 이들의 눈물을 닦아 주어야 한다. 심방의 목적이 주일학교 교사나, 성가대나, 전도회의 총무, 회계, 서기의 일을 맡기려는 것이 아니라 진심으로 그들의 영혼을 위해 기도하고 있음을 나타내는 것이어야 한다.

필자는 성도들을 가정별로 혹은 3-4명 소그룹별로 찾아간다. 장소가 마땅하지 않을 경우 교회에 모이기도 하지만 가정이나, 스터디 카페나, 커피숍에서 만난다. 그리고 각 성도들에게 교리를 가르친다. 성도가 세상에 살지만 세상에 속하지 않았다는 것을 가르치며 하늘에 속한 소망을 상기시킨다. 그리고 바로 이 자리에서 예수를 위해 살아가라고 독려한다. 그렇게 삶의 현장에서 교리를 가르치다 보면 삶의 자리에서 교리가 주는 위로를 누리게 된다.

교리를 통해 심방을 하다 보면 종종 생각지도 못한 질문을 받을 때가 있다. 어떤 질문에는 신앙적 회의감이 담겨 있다. 그때에는 변증이 필요하다. 물론 회의감에서 벗어나기 위해서는 기다림이 필요하기도 하지만 기도로 돕고 있다는 사실을 알려주면 시간이 흘러 자연스럽게 회의감을 극복하기도 한다. 특히 이런 질문을 염두에 두고 설교 준비를 하면 설교가 비슷한 생각을 가진 성도들에게 큰 유익이 된다.

3) '행사 중심'에서 '교제 중심'으로의 관계변화

마지막으로 교회의 기본은 친교다. 물론 앞에서 언급한 성찬은 성도가 친교를 갖는 아주 중요한 장(場)이다. 나아가 성도는 서로 친교를 나누며 사랑의 교제를 해야 한다. 그렇다고 성도들이 서로 친밀한 교제를 누리기 위하여 교회 내 '동아리'를 형성해야 한다는 것은 아니다. 또 교회 행사가 많아도 안 된다. 성도의 교제는 '세상적 교제'가 아닌 '복음적 친교'에 기초해야 하기 때문이다. 복음적 친교란 말씀을 듣고 그 말씀 안에서 서로 실천하도록 권면하고 기도하는 성도의 교제를 의미한다.

한국교회는 친교에 강하다고 스스로 자부하는 경우가 많다. 과거로부터 성도들이 함께 식사하며 친교를 갖는 것이 교회생활에서 중요한 부분을 차지했기 때문이다. 그러나 '복음적 친교'가 되지 못하고 '세상적 친교'의 연장이 되는 경우가 많았다. 좋은 투자처를 서로 공유하기도 하고, 좋은 물건이 있으면 서로 팔기도 하고 사기도 하고, 등산도 가고, 맛집도 찾아다니고, 조기 축구회도 결성한다. 하지만 설교를 통해 받은 은혜, 교리 교육을 통해 깨달은 것들을 서로 나누는 일은 대단히 약했다.

필자가 섬기는 교회의 3040세대 역시 이러한 복음적 친교를 어색해했다. 그래서 처음에는 직장에서 스트레스받았던 이야기, 스포츠 등 취미에 관한 이야기에서부터 정치, 사회 이야기까지 광범위한 대화를 나누곤 했다. 좀 더 친해진 후에는 육아의 어려움, 부부 생활의 문제, 고부간의 갈등으로 대화의 주제가 깊어지게 된다. 그렇게 서로에게 마음을 열고 교회의 지체로 부르심을 받았다는 것을 인식하기 시작하며 조금씩 복음적 친교를 시작하게 된다.

교회가 이러한 복음적 친교를 장려하려면 반드시 권위주의로부터 탈피해야 한다. 나이가 많거나, 경험이 많아도 발언 시간을 동등하게 줄 수 있어야 한다. 특히 교회에서 3040세대에게 발언할 기회를 절대적으로 보장해 주어야 한다. 그들의 생각을 듣고 이해하려고 노력해야 한다. 행사를 열고, 봉사를 강요하며, 도리어 짐을 무겁게 하기보다는 편하게 만나서 대화하는 자리를 되도록 많이 만들어야 한다.

교회가 3040세대 성도의 말에 경청하는 일은 가장 시급하다. 그리고 복음적 교제를 가로막는 무거운 짐이 있다면 세대와 세대가 힘을 합하여 그 짐을 서로 나누어지도록 해야 할 것이다. 행사 중심의 교회에서 친교 중심의 교회가 되어야 한다. 무엇보다도 중요한 점은 조급하게 생각하지 말고 긴 호흡을 가지고 3040세대가 믿음으로 일어설 수 있도록 기다려야 한다는 점이다. 그렇게 참여적 예배, 돌봄과 양육, 복음적 친교가 회복될 때, 3040세대는 어머니 교회의 품으로 돌아올 것이다. 그리고 비로소 어머니 교회가 얼마나 소중한가? 스스로 깨닫기 시작할 것이다. 그리고 교회를 사랑하게 될 것이다.

어머니 교회와 함께 일하시는 성령의 도우심을 통해 자발적이고 기쁜 마음으로 교회를 섬기는 3040세대가 일어날 것이다. 사모하는 마음을 가지고 예배에 참여하기 시작할 것이고, 다른 사람을 돌보며 양육하려 할 것이며 친교를 위해 서로의 무거운 짐을 나누어 질 것이다.

교회의 머리이신 우리 주님께서 그분의 지혜와 능력으로 3040세대를 일으켜 주시리라 확신한다.

3040세대와 교회의 미래

박신웅 목사

한국사회가 늙어가고 있다. 기대수명은 계속 늘어나지만 출생률은 줄어 인구구조가 피라미드형 구조에서 역피라미드형 구조로 바뀌고 있다. 2023년 5월, 한국경제인협회의 보고에 의하면 1950년대만 해도 인구구조가 전형적인 피라미드형 구조였다면 2000년대를 들어서며 마름모꼴이 되었다가 2050년이 되면 역피라미드형 구조로 바뀔 것으로 예상한다. 2023년 '더 미션'이라는 인터넷 신문에 의하면 2024년이 지나면 65세 이상의 인구가 1,000만 명을 넘어설 것이고, 2025년이 되면 한국사회는 초고령사회(전체 인구의 20% 이상이 노년인 사회)로 접어든다고 한다.

문제는 한국사회만이 아니라 한국교회도 늙어간다는 데 있다. '더 미션'에 의하면 한국교회는 한국사회보다 5년 더 빨리 늙어간다고 한다. 이런 때 우리가 주목해야 할 대상이 있다면 단연코 모든 세대의 허리 역할을 하는 3040세대일 것이다. 그들이 교회의 허리로써 든든히 받쳐준다면 역피라미드 구조로 가는 흐름이 멈추고 다시 피라미드 구조를 회복할 수 있을 것이다. 하여, 본 글은 교회에서 어떻게 3040세대를 준비시킬 수 있는지에 대해 생각해 보려 한다.

1. 두 세대가 위태롭다 : 왜 3040세대인가

2022년 기준 평균 초혼 나이는 남성이 33.7세, 여성 31.3세로 30대 초반이 되어서야 결혼한다. 이를 기준으로 생각해 보면 대개 30대 초반이 되면 결혼하고 아이를 낳는다. 그 아이가 자라 초등학교에 들어갈 때가 되면 부모는 30대 후반에서 40대 초반의 나이가 되고 40대 중후반이 되면 청소년기의 자녀와 함께 교회에 출석한다. 결국 3040세대 그들은 '두 세대를 책임지고' 있는 셈이다. 본인 세대와 자녀세대를 말이다. 코로나19 이후, 대면 예배 출석률이 가장 낮은 세대가 바로 이 세대들이고 보면 2024년 오늘의 교회는 3040세대 뿐 아니라, 그들의 자녀세대를 포함한 두 세대가 함께 위태로운 상태이다.

그렇다면 3040세대 그들은 누구인가? 이들은 1970년대 중반부터 1990년대 초반에 출생한 세대로 우리나라가 경제적으로 성장하던 시절에 태어난 세대들이다. 궁핍함을 경험하지 못하고 자라난 세대이지만 사춘기 혹은 청년기에 외환위기를 경험하면서 극단적인 개인주의와 '스펙 쌓기'에 골몰하던 세대이다. 외환위기 이후 과도한 경쟁 구도 속에 내몰린 이 세대는 공정성에 관심이 많으며 현실적인 필요로 맞벌이가 일반화된 세대이다. 직장의 불안한 위치와 과중한 업무, 가정에서의 육아 및 가사 부담으로 교회 활동에 소극적일 수밖에 없고 이는 신앙의 침체기 내지는 소극적인 시기로 접어든 세대이기도 하다. 실제로 이들 중에는 주일에 교회에 와서도 어린 자녀를 돌보느라 예배에 집중하지 못하고 모임에 참여하는 것도 버거워하는 이들도 많다. 많은 교회가 이런 이유로 전도회나 소그룹, 청장년 모임이 활성화되지 않고 있다.

'한국교회 트렌드 2024'에 의하면 이들 3040세대를 일컬어 한국교회의 "약한 고리"라고 한다. 청년세대와 5060세대를 이어줘야 할 세대인데 대면 예배 출석률이 가장 낮고, 직장과 가정, 자녀들에게 시간을 빼앗겨 교회 안에서도 자리를 제대로 잡지 못하고 있기 때문이다. 이렇게 보면 이제 3040세대를 세우는 일에 집중하지 않으면 점차 심화하고 있는 역피라미드 구조가 강화되고 교회 내에서도 허리이자 연결고리인 3040세대는 물론 그다음세대들도 함께 사라질 수 있는 상황이 될 수 있다.

2. 젊은 감성에 답하라 : 어떻게 세울 것인가

어떻게 하면 이 3040세대를 바르게 세워 교회의 허리를 강화할 수 있을까? 필자가 생각하는 최선은 복음이 그들의 '언어'와 '감성'으로 들리고 읽힐 수 있도록 하는 방법이 가장 확실한 것이 아닌가 한다.

1) 의사결정의 투명성과 젊은 감성의 반영

중요한 건 교회가 3040세대의 젊은 감성에 답할 수 있어야 한다는 점이다. 주지하듯 다수의 교회는 60대의 당회원이 중심이 되어 의사결정을 한다. 그러다 보니 3040세대의 고민과 관심이 반영되기보다는 5060세대 심지어 그 이전 세대의 관심과 고민이 반영된 의사결정이 많이 이루어진다. 이러한 이유로 교회가 젊은 감성이 아니라 어른 감성, 노년 감성에 전체 분위기가 좌우된다. 가령 전도를 위한 시도도 기존에 하던 평일 전도팀 운영과 같은 방식을 고수한다. 하지만 3040세대 특별히 직장인들은 평일 낮에 길거리에서 하는 전도 프로그램에 참여할 수 없는 시간과 상황이다. 이런 걸 고려할 때 이런 방식의 전도팀 운영은 애초에 3040세대에 대한 배려와 관심은 없다고 해도 과언이 아니다.

이러한 이유로, 우선 교회가 3040세대를 이해하고 도우려는 자세를 가질 필요가 있겠다. '한국교회 트렌드 2024'라는 책에 보면 대조적인 두 세대의 이야기가 나온다. 첫째는 3040세대 이전 세대들의 이야기다. "요즘 젊은 사람들은 애 하나 키우는 게 뭘 그렇게 힘들다고 하는지 모르겠어. 우리 때는 애 서넛 낳고도 일 잘하고 신앙생활도 열심히 했는데…." 둘째는 3040세대의 이야기다. "아이 키우며 직장생활을 하기도 쉽지 않은데 교회에 가면 왜 신앙생활을 열심히 하지 않느냐고 핀잔 들을 때가 많아요." 여러분의 교회에서는 어느 쪽 이야기가 자주 들리는가? 만일 전자라면 3040세대를 '이해하기'보다 그들을 '이해시키려는' 감성이 지배한다고 볼 수 있다. 반면 후자의 의견이 강하다면 3040세대들의 의견이 반영되고 있을 가능성이 크다.

2) 3040세대를 배려한 예배와 교육시스템 구축

보다 구체적으로 3040세대를 준비시키려면 우선 3040세대가 예배에 집중할 수 있는 환경을 조성해 줄 필요가 있다. 실제로 3040세대는 자녀들을 동반하여 예배드리는 데 많은 어려움을 겪고 있다. 유아실에서 예배를 드리지만 아이들이 떠드는 통에 제대로 된 예배를 드리지 못한다는 이야기를 많이 듣는다.

필자의 교회는 2023년에 어렵게 예배를 1부와 2부로 분리했다. 찬양대원들과 교사들 등 섬기는 이들의 어려움이 있었지만 3040세대를 고려하여 작은 교회임에도 예배 분리를 결정하고 시행했다. 물론 그 과정에서 성도들을 설득하는 시간이 많이 필요했다. 그렇게 1

부 예배는 교회학교 교사들을 중심으로 드리고, 2부 예배는 교회학교는 독립적으로 예배를 드리되 그 시간에 부모들은 자녀들을 해당 부서에 맡기고 따로 예배를 드릴 수 있도록 했다. 그 결과 적지 않은 3040세대 부모가 더 적극적으로 예배에 참여할 뿐 아니라 오히려 찬양대 및 다른 사역에 봉사할 기회가 주어졌고 새롭게 등록한 여러 3040세대 가정이 생겨났다. 또한 오전 예배 후 함께 점심을 먹고 3040세대 또래 그룹이 모여 소그룹 활동을 할 때도 주일학교 오후 활동 프로그램(BACK, 총회교육원 제공)을 진행하자 다수의 3040세대 부모가 소그룹에 더욱 적극적으로 참여할 수 있게 되면서 새롭게 등록한 3040세대가 정착하는 데도 많은 도움이 됐다.

당연한 이야기지만 이는 교회학교가 잘 운영될 때만 가능한 이야기다. 사실 3040세대는 자녀 양육에 관심이 많다. 아니 온 관심이 거기에 있다. 하여 교회가 그에 걸맞은 교회학교 프로그램을 먼저 준비해야 한다. 담임 목회자가 교육 목회적 관점에서 유아부터 노년에 이르는 전 연령대에 대한 분명한 철학을 갖고 차근차근 교육 환경도, 교사도, 커리큘럼도 마련한다면 교회학교가 건강하게 세워질 수 있을 것이다. 필자의 교회도 보면 3040세대 부모들이 처음에는 유치부와 아동부가 어떻게 운영되는지를 먼저 살피고 이후 자녀들을 교회학교에 맡기면서 자신들도 등록하는 걸 보게 된다. 그러니 3040세대와 교회학교는 떼려야 뗄 수 없는 상황이다. 여기에 3040

세대에 맞는 교육프로그램(양육과정과 부모교육)을 시행하여 그들을 신앙으로 양육하는 과정도 필요하다. 단순히 외부 강사를 모셔와 교육하는 수준이나 일 년에 한두 번 연례행사로서 교육 관련 이벤트를 하는 것으로는 부족하다.

3) 3040세대와 함께 하는 유아세례 교육과 입교 축하

여러 교육프로그램 중 유아세례 교육과 입교 문답 교육이 가장 중요하다고 생각된다. 왜냐하면 이 두 과정은 오롯이 3040세대의 손에 달렸기 때문이다. 필자의 교회는 4주에 걸쳐 3040세대 부모들과 함께 유아세례 교육을 시행하고 있다. 이를 이수한 부모만 자녀의 유아 세례식을 하는데 이 과정을 통해 젊은 부모들이 '자녀들은 하나님이 주신 선물이며(내 소유가 아닌) 왜 자녀를 신앙적으로 양육해야 하는가' 하는 필요성과 그 방법에 대해 함께 고민하는 시간을 갖게 된다. 이 과정에 참여한 다수의 부모가 유익한 시간이었고 어떻게 신앙교육을 해야 할지 알게 되었다는 피드백을 하는 것을 듣고 있다.

이렇게 유아세례 교육을 거친 부모들이 자녀들의 입교까지 신앙교육을 해야 하는데 그 과정에서 몇 가지 확인하는 절차가 필요하다고 본다. 생각해 보라. 지금까지는 부모의 신앙으로 신앙생활을 했지만 입교 후에는 자녀 스스로 신앙생활을 하도록 신앙의 독립을 시키는 축하잔치가 바로 입교예식이 아닌가? 그렇다면 좀 더 신중하고도 정확하게 자녀들의 신앙고백을 확인하는 절차가 필요하지 않을까? 사실 청소년들의 입교 문답을 하다 보면 부모의 등쌀에 어쩔 수 없이 입교 문답을 하지만 정작 신앙은 없는 그런 경우를 종종 보게 된다. 이건 전적으로 부모 책임이다. 그러니 자녀의 신앙을 확인하되 부모와 함께 살펴보는 과정이 필요하다. 그리고 스스로 신앙생활을 할 수 있는 독립의 시간이 되었다면 그간 자녀 양육에 수고한 부모와 예수님 안에서 거듭나서 스스로 신앙생활을 하게 된 자녀를 축하하는 자리로 입교식이 되어야 하는 것이 아닌가 생각한다. 이런 의미에서 유아세례식과 입교예식은 좀 더 신중하고 잘 준비된 형태로 해야 하지 않을까 생각된다. 그래야 3040세대도 그 자녀들도 제대로 영적으로 훈련되고 양육되지 않을까?

4) 3040세대를 위한 전도와 예배 분위기 쇄신

전도와 양육의 대안도 필요해 보인다. 막연히 3040세대가 교회에 와야 한다는 당위만 말할 것이 아니라 어떻게 복음을 전하고 양육할 것인지 준비해야 할 것이다. 가장 좋은 방법은 '쌍방향' 관계전도라 생각한다. 우선 3040세대의 성도가 믿지 않는 배우자와 자녀들을 전도하는 '하향식' 전도가 가능하다. 또한 교회학교 자녀들이 3040세대 부모를 전도하는 '상향식' 전도도 가능하다.

물론 교회는 전도할 수 있는 계기를 마련해 주어야 한다. 교회적으로는 전도행사(가족 전도를 위한)를 하면서 소그룹(구역, 목장)에서는 믿지 않는 이를 초청할 수 있도록 환경을 조성하고(VIP 작정), 교회학교 행사 발표를 통해 부모들이 교회에 방문할 수 있는 계기를 마련해 주는 것 등이 그 좋은 예이다. 실제로 필자의 교회는 1년에 한 번 가을에 2주간, 새생명축제를 통해 관계 전도할 수 있는 계기를 마련하고 있다. 많은 수를 초청하는 것으로 끝나는 이벤트성 행사가 아니라 가족과 이웃을 전도할 수 있는 계기를 마련하기 위한 방식으로 진행한다. 성도들에게 가장 가까운 이들(가족, 친구)을 전도하되 10년 프로젝트로 매년 꾸준히 모셔오다 보면 어느 순간 성령님이 도우시면 전도가 될 것이니 최소한 성령님이 일하실 기회는 드리자고 호소한다. 감사하게도 그렇게 2년을 했는데 그간 믿지 않는 남편들이 교회로 와서 등록하고 소그룹에 들어와 정착하는 수가 조금씩 생겨나 성도들도 전도에 자신감을 얻고 있다. 이런 과정을 거쳐 작년에 3040세대가 중심인 한 목장(소그룹)이 생겼고 기존의 목장(소그룹) 두 곳에서도 3040세대를 중심으로 소그룹 분리(3040세대의 증가로)를 계획하고 있는데 이 과정에서 관계전도가 중요한 역할을 했음은 분명하다.

무엇보다 예배 분위기 쇄신이 필요해 보인다. 3040세대가 대면 예배에 참여할 수 있는 예배 순서와 환경을 만들 필요가 있다. 얼마

전 어느 교회 이야기를 들었는데 그 교회는 주일 광고 시간만 8분에서 10분 정도가 되어 젊은 세대가 정말 힘들어한다는 이야기를 들었다. 참여한 젊은 세대에 대한 배려가 필요해 보이는 대목이다. 예배시간에 사용하는 언어도 살필 필요가 있다. 예배시간에 사용하는 어려운 용어들이 많아서(성경 봉독, 성시 교독 등) 3040세대가 잘 이해하지 못해 은혜받는 데 어려움을 겪어 예배참석을 꺼리는 걸 보게 된다. 만일 3040세대의 새가족을 고려한다면 예배 순서를 설명하는 시간이 필요할 것이다.

필자의 경우, 새가족을 배려해 사도신경을 고백하거나 성경을 읽을 때, 왜 하는지, 각 순서가 어떤 의미가 있는지 간략하게 설명하는데 새가족들로부터 예배 순서가 이해되어 좋았다는 말을 듣고 있다. 설교 시간에 사용하는 용어나 예화도 젊은 감성에 맞게 풀어서 쉽게 사용할 필요가 있다. 이렇게 3040세대에게 친숙한 감성에 답할 때 3040세대도 예배참석과 헌신과 봉사로 답하지 않을까?

* *

3040세대는 교회의 현재이자 미래다. '오늘'의 교회를 든든히 받쳐주는 허리 역할을 할 뿐 아니라 '내일'의 교회를 이끌 다음세대가 그들의 손에서 양육되고 있기 때문이다. 그러니 어떻게든 이들과 함께 교회는 성장해야 한다. 어떻게 해야 할까? 전술한 것처럼 젊은 감성에 응답해야 한다. '왜 우리 세대는 이렇게 헌신했는데, 너희 세대는 이러느냐?'라는 핀잔이나 힐책을 듣는 분위기가 아니라, '한 주일 내내 직장 생활하고 아이들 돌보느라 애썼는데, 이렇게 교회에서도 봉사해 주어 고맙다'라는 칭찬하는 분위기가 되도록 해 보면 어떨까.

무엇보다 3040세대의 고민과 관심이 반영된 의사결정 구조를 만들되 그들을 전도하고 양육하며 그들의 자녀들도 자연스레 교회 안으로 이끌 수 있는 교육부서 프로그램도 잘 운영되도록 애써야 할 것이다. 아울러 3040세대 이전 세대인 청년세대들이 '믿음의 가정'을 이루어 3040세대가 될 수 있는 환경도 만들어야 할 것이다. 청년세대가 자연스레 교회에 정착할 때, 비로소 교회학교에서 훈련된 '어제'의 다음세대가 '오늘' 교회의 허리가 되는 진정한 의미의 피라미드 구조가 완성될 것이기 때문이다. 이런 한국교회를 꿈꿔본다.

장년세대를 위한 목회

문장환 목사

1. 애매하고 서글픈 장년기

장년기는 애매한 시기이다. 나이로 보자면 50-65세, 좀 더 넓히자면 50-60대인 이 시기는 청년도 노년도 아닌 애매한 시기이다. 인생의 신록기인 청년도, 황금기인 중년도 다 지난 시기이다. 그렇다고 노년기에 안착한 것도 아니다. 장년기는 인생의 여러 단계 가운데 가장 불안하고 애매한 시기이다. 40대까지는 인생이 보이다가 50세에 접어들면서 죽음이 보이기 시작한다. 지금까지 자기 인생이 펼쳐지다가 이제 접어들기 시작하고 날아오르다가 내려앉기 시작한다. 그렇다고 그런 변화를 준비하지도 못했다. 그래서 이 시기에 이른 대다수 사람은 자신이 장년기에 도달한 것은 받아들이지 않으려고 한다. 사실상 많은 사람은 자신의 인생에서 이 시기를 맞이할까 두려워하다가 막상 이 시기가 다가왔을 때는 심리적으로 이것을 부정하거나 거부하거나 심지어 망각한다.

장년기는 소외되고 서글픈 시기이다. 안타깝게도 이 애매하고 불안한 시기를 도와줄 안내서 하나 프로그램 하나 제대로 없다. 인생의 다른 단계들을 안내하고 도와주는 책이나 프로그램은 엄청나게 많이 나와 있다. 아동, 청소년, 청년을 위한 자료들은 흘러넘친다. 사회와 나라가 이들의 한 걸음 한 걸음에 대하여 관심을 가지기 때문이다. 노년들을 위한 자료들도 그런대로 풍부하다. 고령화 사회, 초고령화 사회가 찾아오니 급한 대로 연구들이 한꺼번에 이루어졌고 프로그램들이 대량으로 만들어졌다. 그리고 중년기(3040세대)를 위한 자료가 특정하게 필요치 않은 것은 일반적인 책이나 프로그램들이 그 세대의 실질적인 필요를 채워주는 것들이기에 그렇다. 문제는 50-60세대이다. 이들을 위한 자료들은 거의 없다. 장년들을 위한 자료는 미개척이며 있더라도 원시적이고 비학문적이다. 어쩌면 인생의 각 세대 가운데 가장 내팽개쳐진 세대가 장년세대일 것이다.

이 현상은 교회 안에서도 마찬가지다. 일례로 교육 프로그램을 보라. 청년시기까지는 얼마나 세분화 되어서 진행되는가? 영아, 유치, 유년, 초등, 중등, 고등, 청년1부, 2부, 3부 등으로 심하다 싶을 정도로 세분화되어 있고 체계화되어 있다. 그러나 그 뒤로는 장년성경공부 정도 외에는 아무것도 없다. 여기에서 장년은 30세부터 노년에 이르는 세대들을 다 포함한다. 그래도 노년들을 위해서는 나름대로 프로그램을 개발하고 운영하려고 애를 쓴다. 가만 보면 3040세대를 위해서도 각종 실용적인 프로그램들이 실행된다. 그러나 장년층을 위한 배려나 노력은 거의 보이지 않는다. 특정하게 이 시기의 사람들에게 봉사하는 교육이나 목회가 이루어지지 않고 있다. 교회 안에서도 장년기는 애매하고 소외되고 있다. 그러면서도 가장 많은 헌신과 희생을 요구받는다.

2. 장년기의 특징

사람이 장년기로 진입하면 더 이상 청년이 아니라는 것이 육체적으로 나타난다. 흰머리가 나오고, 머리가 빠져서 대머리가 되고, 원근시 안경을 겸용해야 하고, 갱년기의 증상들이 나타난다. 기력과 감각기능의 예민함이 이전 같지 못하다. 무엇보다도 노화가 육체적으로 심리적으로 찾아오면 누가 뭐라고 하지 않아도 스스로 새로운 인생에 접어든 것을 몸으로 느끼게 된다. 그런데 이 시기는 반드시 부정적인 것만 있는 것은 아니다. 이 시기는 인생의 단계에서 성취라는 특성을 갖는다. 이 시기에 이르면 자신의 커리어에서 절정기에 도달하며 지금까지 부지런히 일한 열매를 수확한다. 직업적 경제적 사회적 목표를 달성하여 높은 지위를 누린다. 더불어 그런 성취가 감당해야 할 책임도 있다. 젊은 세대를 양육해야 하고 노인 세대를 부양해야 한다. 경제적 부담이 적지 않겠지만 소득도 절정에 이를 것임으로 균형을 유지할 것이다.

장년기는 또한 여러 가지의 적응을 해야 하는 시기이다. 오래 지속되어온 직업에서 오는 권태감에 적응해야 한다. 이 시기가 되면 부모님들이 세상을 떠나가기 시작한다. 함께 지내던 자녀들이 독립해나간다. 심지어 직장동료나 친구들마저 상실하는 경우가 생기고 차츰 남편과 아내만 남는 상황으로 들어간다. 이럴 때 찾아오는 고독감에 적응해야 한다. 비록 아직은 직업이 여전히 중요하긴 하지만 그 중요성이 서서히 시들기 시작하고 대신에 여가 시간이 늘어나고 취미와 수집 활동 등을 위한 기회가 늘어난다. 취미도 스포츠나 야유회 같은 것보다는 독서나 여행 등 조용한 것을 더 좋아하기 시작하고, 평소에 하고 싶었던 활동들을 시작한다. 사회적인 참여도 이 때에 가장 많이 하는데 사회의 각종 단체를 대상으로 하는 통계에 따르면 가입 숫자가 청년기 중년기에는 낮은 수준에 있다가 장년기가 되면 절정을 이룬다. 넉넉해진 경제와 시간을 확보함으로 자아성취를 위한 유익하고 창조적인 욕구를 가지고 또한 봉사를 위한 각종 기회에 참여하려고 한다.

장년들의 교회생활도 마찬가지이다. 실제로 나타나는 모습은 부정적인 것보다는 긍정적인 것이 더 많다. 우선은 장년 중에서 장로,

장립집사, 권사와 같은 중직에 선출이 되고, 교육기관, 구역(목장), 자치기관 그리고 제직부서를 실제적으로 책임지는 직책을 맡게 된다. 더불어서 교회가 요구하는 봉사와 활동에 적극적으로 참여하고 육체적으로 실제적으로 가장 많은 헌신을 하는 시간이다. 이들이 교회에 힘쓸 일을 도맡아 하고 재정적인 책임도 가장 많이 담당한다. 더불어 교회에서 이루어지는 의사결정을 주도한다.

장년기의 개인 신앙생활에서도 마찬가지이다. 지금까지 신앙생활을 해오던 것을 반추해 보는 시기이다. 그 결과 대부분이 신앙생활을 보다 적극적으로 하겠다고 결단한다. 소극적이거나 피동적이던 신앙의 형태가 다시 한번 능동적으로 바뀌기도 한다. 또한 생업에 조금 적게 매달리게 되고 시간과 경제의 여유가 생기기에 교회 봉사에도 이전보다 많이 참여하려고 한다. 장년기에는 가족 중심의 관계에 몰두하던 것이 점차로 옅어지고 교인들과 인격적인 교제의 관계를 추구하게 된다. 많은 부분에서 긍정적인 기회가 되기도 한다.

3. 장년기를 위한 목회

이처럼 일반적인 문제들에서 그리고 특히 교회생활과 신앙생활의 문제들에서 긍정적인 면들을 많이 가지고 있는 장년기이지만 앞서 밝힌 대로 육체적으로 그리고 심리적으로 애매하고 불안정하다. 게다가 교회에서 가장 많은 요구를 받고 실제적으로 가장 많은 헌신을 하지만 실제로 목회의 대상으로는 가장 소외되어 있다. 만일 지금까지 헌신도를 보면서 장년은 영적 자동 운항이 이루어진다고 믿는다면 장년들은 신앙생활에 여러 어려움을 겪을 것이고 교회로는 큰 자원을 잃어버릴 수 있다. 그러므로 교회는 먼저 장년들을 특별한 목회적 대상으로 삼아야 한다. 마치 아동들, 청소년들, 청년들, 30-40대들, 노년들에게 기울이는 정도의 관심을 가지고 그들을 목양해야 한다.

그 실천의 첫 번째가 그들을 위한 심방이다. 정기적인 심방이나 이사 혹은 질병으로 인한 심방 외에는 장년층의 심방을 거의 하지 않는다. 이미 신앙생활을 잘하고 있고 또 교회에 중추적인 역할을 하고 있기 때문이다. 그러나 앞서 살핀 바와 같이 중년의 때는 개인적으로 인생에서 가장 큰 변화의 때이고 위기의 때이다. 신앙을 포함한 삶의 지표들을 다시 점검하는 시기이고, 육체적이고 심리적인 노화가 본격적으로 시작되는 시기이고, 삶이 아니라 죽음이 보이는 시기이다. 또한 주위 있는 사람들이 떠나가는 시기이고, 일에서도 차츰 밀려나는 시기이다. 그래서 인생의 그 어느 시기보다도 많은 갈등을 겪는다. 오죽했으면, 장년기를 제2의 사춘기(思春期)라, 혹은 사추기(思秋期) 부르겠는가? 티를 내지는 않지만 사실 그 마음속에는 질풍노도가 일어나고 있다. 그러므로 장년기 교인들에게 절실하게 필요한 것은 목회적 돌봄이고 심방이다. 그들의 고민과 염려와 두려움을 들어주고 해소하고 영적으로 더 나은 곳으로 이끌고 성숙한 신앙인으로 자라가도록 격려하기 위해서다. 그들의 필요가 무엇인지 탐색하고 동시에 영적이고 정서적인 지원을 해야 한다. 다른 어떤 세대보다 장년층의 교인들을 목회적으로 돌보아야 한다.

실천의 두 번째는 그들을 위한 교회 교육이다. 장년을 위한 교회 교육이 절실하게 요청되는 것은 교회의 기능 중에 가장 중요한 것이 교육인데 교회의 가장 중요한 역할을 담당하는 장년들이 교육에서 제외된다는 것은 말이 되지 않기 때문이다. 또한 교육을 제대로 받지 않으면 다른 교회생활 즉 예배, 전도, 교제, 봉사 등도 제대로 할 수도 없다. 그리고 장년들 개인의 신앙을 견고히 하기 위해서도, 신앙의 성장을 위해서도 교회 교육을 받아야 한다. 비록 이들이 학습할 시간이 충분하지 않고 이미 그 생각들이 굳어버린 상태라는 단점이 있지만 이들에게는 삶에서 겪은 많은 체험 때문에 새로운 정보와 지식이 효과적이고 신속하게 흡수할 수 있고, 즉시로 현장에 적용할 수 있는 이점이 있다. 그래서 교회는 주일학교 위주의 교육을 좀 더 확장해서 장년을 포함한 교회 전체를 아우르는 교육을 해야 하고 교사 위주의 지식교육을 뛰어넘어 모두가 참여하는 실천 위주의 교육을 해야 한다. 성경을 가르칠 때에도 강의, 심포지움, 토론, 나눔, 실천, 사례연구, 역할연극, 프로젝트 등 다양한 방법들을 사용하고 학습자가 작은 것 하나라도 실천하는 것이 포함하는 것이 좋다. 그러기 위해서는 생활의 잠정적인 문제들에 대한 교훈과 안내를 제공하려 하고, 그 실천을 나눌 수 있는 시간을 주고, 다 함께 의미 있는 활동을 할 기회를 가지면 좋다. 때로는 교회론 등 교회생활에 필요한 신학적 기초를 쌓을 수 있는 공부를 하는 것도 필요하다.

실천의 세 번째는 그들이 가지고 있는 재능을 서로 나누는 것이다. 그 대안을 보여주고 있는 예가 사회에서 하는 '아름다운 인생 학교' 같은 것이다. 장년기에 있는 사람은 누구나 자기 영역에서 다른 사람에게 나누어줄 지식과 기술을 충분히 가지고 있다. 이것들을 서로서로 나누는 것이다. 물론 지역 사회에도 문화 교실 같은 것이 많이 개설되어 있지만 거기에 참여하려면 경제적인 부담이 만만치 않고 무엇보다도 거기서는 배우기만 하지 자신의 재능을 나타내지는 못한다. 그러나 모두가 재능을 기부하기도 하고 다른 사람의 재능을 통해서 배우는 것은 자신의 개인적인 가치성과 유용성을 새롭게 느끼게 하는 계기가 된다. 이런 자리를 마련해주는 것은 어떤 것보다 효과 있는 목양이 된다.

4. 장년기를 통한 목회

장년은 교회의 가장 중요한 자원이고 목회의 가장 든든한 후원자이다. 사실 지금의 장년과 노년은 그간 30년 이상 한국교회의 중추적인 역할을 해왔다. 이 책에 실린 최정복 목사의 3040세대에 관한 글에 따르면 그 세대에서 대다수 사람이 현재도 그리고 다음 해에도 교회 봉사도 하지 않고 앞으로도 중직을 맡아서 봉사할 의향이 없다는 통계가 나와 있다. 반면 장년기(50-60세대)에서 대다수는 지금도 봉사하고 있고 다음 해도 봉사할 것이라는 대답이 나왔다. 사실 이것은 우리 교회들 대부분의 현실이다. 그래서 교회는 3040세대에 많은 관심을 가져야 하고 그 아래로 내려갈수록 만만치 않은 모습을 보여주니까 다음세대 목회에 적극적으로 나서야 할 것 같은 절박함이 있다. 반면에 장년기에 대해서는 좀 느긋한 마음이 든다. 하지만 앞서가는 사람들이 나머지 사람들을 끌고 간다는 원리가 있다.

오늘 우리 교회들도 마찬가지다. 결국 신앙이 있고 헌신을 많이 하는 사람들이 전체 교회를 이끌고 나간다. 그래서 교회는 장년세대를 더욱 성장시키고 부흥시켜야 할 필요성이 있다. 장년세대 성도들을 교회부흥의 주역이 되게 하는 것이 가장 효과적인 성장과 부흥의 방안이다. 그들을 집중적으로 키워 교회를 부흥시켜야 한다.

장년세대를 부흥시키는 방법은 앞서 장년기를 위한 목회에서 제시한 방법들과 같은데 그것들을 좀 더 심화시켜야 한다. 먼저 심방을 통하여 개인적 돌봄을 해주면서 문제를 해결해주고 필요를 채워주고 믿음이 성숙하게 해주는데 거기에 머물러서는 안 된다. 한 사람 한 사람이 예수님의 제자가 되어 예수님을 따라가고 닮은 새 언약의 일꾼이 되도록 가르치고 양육하고 격려해야 한다. 특별히 하나님과의 관계나 자기 자신과의 관계에서 자라고 결국 이웃과의 관계에서 성숙하도록 격려해야 한다. 그리고 장년세대를 위한 교육을 하되, 성경적인 인격을 함양하는 것에서 그치지 않고 하나님 나라의 확장에 대한 비전을 품고 헌신할 수 있도록 교육해야 한다. 하나님을 사랑하는 것에서 그치지 말고 이웃을 내 몸과 같이 사랑하는 것도 교육해야 한다. 그들이 교회 봉사 만이 아니라 또 다른 세대의 충성스런 사람들을 예수님의 제자로 키워내는 사람들이 되도록 가르치고 훈련해야 한다. 교실만이 아니라 현장에서, 말로만이 아니라 본으로, 지식만이 아니라 실제적인 능력을 구비하도록 가르쳐야 한다.

또한 장년세대를 부흥시키는 방법은 올바른 '장년의 영성'을 실천하는 것이다. 장년의 영성은 기본적으로 목회 상담, 영성, 복지 등이 어우러진 영역이다. 이것은 장년의 회원들을 위해 임상적으로 구성된 교육과 훈련의 과정이다. 나눔식의 소모임 영성 훈련, 성찰을 위한 소모임(구역 혹은 목장)이나 독서 모임, 영적 연대감과 책임 의식에 기초하여 서로를 정서적으로 영적으로 격려하는 소모임, 영적 멘토링 프로그램, 섬김과 나눔의 봉사활동 등, 영적 성장을 추구하도록 이끄는 프로그램이 더 활성화될 필요가 있다. 이런 나눔식 소모임은 장년들이 자신의 영적 상태를 나누면서 서로 돌보고, 격려하고, 위로하는 지지그룹이 된다.

특별히 불신자들이 거리낌 없이 참여할 수 있는 행복한 인생학교 같은 프로그램은 장년층의 세상 사람들을 전도하는 방법이 된다. 교회는 항상 밖을 쳐다보고 있어야 한다. 이런 학교를 운영한다면 교회 밖의 사람들에게도 등록할 수 있게 할 뿐만이 아니라 적극적으로 끌어들여야 한다. 또한 그들이 가지고 있는 재능을 충분히 나눌 수 있는 장을 마련해주어야 한다. 거기에 전도의 귀한 기회가 생긴다. 사람들은 배우기도 좋아하지만 가르치는 것은 더 좋아한다. 이런 활동을 하는 가운데 자연스럽게 그들은 마음의 문을 열고 신앙에 대하여도 관심을 가진다. 사람들을 모이게 하고, 그들이 그리스도인들과 접촉하게 만들고, 그들의 귀에 언뜻언뜻 복음이 들려지는 기회를 놓쳐서는 안 된다.

5. 고령화 사회, 고령화 교회 그리고 장년 목회

우리나라는 2017년에 고령사회에 진입하였고 2025년에 초고령사회가 될 예정이다. 교회도 마찬가지다. 교회마다 노인인구가 많아지고 그다음으로 많은 세대가 장년세대이다. 장년세대는 돌봄이 필요하면서도 돌봄을 감당해야 할 특별한 세대이다. 위로는 부모 세대를 아래로는 자녀 세대와 때로는 손주 세대를 책임지는 돌봄의 제공자가 되어야 한다. 여기에 장년 목회의 중요성, 긴급성, 효율성이 있다. 교회의 장년세대는 성숙된 신앙 인격과 더불어 인생의 많은 경험을 가지고 있어 이 막대한 돌봄을 감당하고 교회를 부흥시킬 수 있는 사명과 역량을 가지고 제2의 전성기를 시작하는 세대이다. 감사한 것은 한국교회의 장년세대는 어렸을 때부터 교회에 헌신과 충성을 다 해온 세대라는 것이다. 그들은 항상 충성하였고 교회가 부흥하는 시기에 살면서 때로는 그 부흥의 역사에 동참하기도 했다. 신앙도 있고, 경험도 있는 그들을 교회부흥의 원동력으로 삼는 것은 이 땅의 교회가 부흥할 가장 지름길이다. 그러므로 한국교회는 어떤 의미로 장년 목회를 회복하든지 아니면 다시 시작해야 한다. 이들이 부흥의 불길을 일으킬 불쏘시개이고 원동력이 될 사람들이다. 교회여, 하나님이 교회에 아직 남겨두신 사람들을 보라! 귀하게 여기라, 그리고 그들을 돌보고 격려하고 교육하고 그들에게 신령한 불을 붙여라. 그러면 교회는 힘을 얻고 다시 한번 부흥의 불길이 타오를 것이다.

아름다운 노년의 삶을 위하여

박신웅 목사

　대한민국이 늙어가고 있다. 통계청 자료에 의하면 2023년 현재 대한민국의 고령 인구는 950만 명 가까이 되어 전체 인구의 18.4%나 된다. 통상 고령 인구가 전체 인구의 7%가 될 때 '고령화 사회'라고 하고, 14%가 되면 '고령사회', 20%가 넘으면 '초고령사회'라고 하는데 이렇게 보면 대한민국은 이미 고령사회를 지나 초고령사회를 향하고 있다.

　교회는 다를까? 일전에 우리 교단의 한 규모 있는 교회의 부목사로부터 충격적인 이야기를 들은 적이 있다. 그 교회는 꽤 전통이 있고 큰 도시에 있는 중형교회인데 65세 이상의 노년이 전체의 절반이 넘는다는 것이다. 그 교회는 노년이 교회에 상당한 영향력을 행사하는 초고령교회를 지나 아예 노년이 다수인 '노년의' 교회가 된 것이다. 이처럼 교회도 늙어가고 있다. 당연히 노년 사역의 필요성 또한 점차 늘어나지만 노년을 위한 사역은 별다른 진전이 없어 보인다. 이런 이유로 어떻게 노년 사역을 해야 할지 목회자들의 고민만 깊어져 간다.

이에 본 글은 교회가 노년을 위해 어떻게 교육적, 목회적 사역을 감당해야 할 것인지 간략하게 논해 보려고 한다.

1. 노년 사역을 위한 개념 정리

1) 노년(老年)과 그 시기 구분

일반적으로 노년(老年)이라고 하면 65세 이상의 성인을 일컫는다. 1980년대만 해도 기대수명이 65세 어간(65.7세)이었기 때문에 노년은 별다른 시기 구분이 없었다. 그러나 2023년 현재 기대수명은 거의 85세 부근(64.3세)까지 이르러 노년에 진입한 이후로 무려 20년 가까이 보내야 하므로 근래에는 노년을 세 시기로 구분하고 있다. 전기 노년(65-74세), 중기 노년(75-84세), 후기 노년(85세 이상)으로.

전기 노년의 경우는 직(職)을 내려놓는 은퇴의 이슈가 있기는 하지만 여전히 왕성한 활동을 하고 교회 내에서도 많은 역할을 감당하곤 한다. 중기 노년에 들어서면 점차 역할이 줄어들고 체력도 예전만 못한 걸 경험하게 된다. 마지막으로 후기 노년이 되면 다른 이의 도움이 없이는 활동과 생활이 어려워지는 때이다. 당연히 후기 노년의 성도 중에 돌아가시는 분도 많이 계시기 때문에 장례식과 같은 교회가 감당해야 할 일도 빈번히 발생하는 시기이기도 하다.

2) 노년의 4중고(重苦)

노년은 '노년의 4중고'라고 불리는 4가지 어려움을 겪는다. 은퇴하거나 하던 일을 내려놓게 되면서 경제적인 어려움을 겪게 되는데 이것이 첫째 고통인 빈곤이다. 사실 우리나라는 OECD 국가 중에서 노인 빈곤율이 가장 높은 것으로 알려져 있다. 둘째는 만성적인 질병으로 고통받는 질병의 고통이다. 통계적으로 64세가 지나면 만성적인 병을 하나 이상 가지게 되는데 각종 약을 처방받고 약과 함께 지내기 시작하는 시기이기도 하다. 어떤 분은 재정과 건강의 어려움은 없지만 서서히 역할이 사라지는 무위(無爲)로 인해 고통스러워하기도 한다. 무엇보다 배우자나 가족을 떠나보내고 홀로 되는 고독과 소외의 고통은 노년을 가장 힘들게 한다. 이런 일련의 고통으로 인해 노년은 사회성이 점점 떨어지고 외로움과 고독 속에서 자신의 이야기를 들어줄 사람을 찾게 되며 경제적인 어려움으로 인해 자신감과 역할의 위축을 경험한다.

3) 안티 에이징(anti-aging)과 웰 에이징(well-aging)

세상은 나이 드는 걸 싫어한다. 그래서인지 안티 에이징이라는 말이 자주 사용되고 있다. 안티(anti-)는 반대한다는 뜻이고 에이징(aging)은 나이 드는 걸 말한다. 나이를 거슬러 어떻게든 젊어지려 애쓰는 걸 안티 에이징이라고 한다. 하지만 성경은 "백발은 영화의 면류관이라 공의로운 길에서 얻으리라"(잠 16:31)라고 말한다. 즉 안티 에이징이 아니라 공의로운 길을 따라 잘 늙는 웰 에이징이 성도의 지향점이라는 것이다. 그래서 주석가 존 키친은 "노년은 골칫거리(bane)가 아니라 유쾌한 것(boon)"이라고도 말한다. 맞다. 젊음과 단단한 신체를 경배하는 안티 에이징의 문화를 따라가야 할 게 아니라, 성경이 말하는 고상하게 늙어가는 것, 의를 추구하며 하나님 앞에 더욱 신실하게 늙어가는 웰 에이징의 삶이 우리의 지향점이 되어야 할 것이다.

2. 사역의 방향: 웰 에이징을 넘어 웰 다잉(well-dying)으로

제임스 패커는 "인생은 상실과 연약함과 무감각을 거쳐 결국 죽음에 이르는 그림"이라고 한다. 노년 사역은 성도들이 이 '상실과 연약함과 무감각을 거쳐 죽음에 이르는' 시기를 믿음으로 담담히 받아들이고(노화를 긍정하고 수용하기) 남은 삶을 주님과 더 깊은 교제를 하며(대화를 나눌 대상 만들기) 다음세대에게 나의 신앙을 전수하고(신앙의 전수), 생을 아름답게 마무리 지을 수 있도록(웰 다잉) 돕는 사역이라 할 수 있다.

1) 노화를 긍정하고 수용하기(성경적 노년상 정립하기)

헨리 나우웬은 사람은 누구나 노화(늙어감)에 대해 두 가지 견해를 가지고 있다고 한다. 하나는 '어둠으로 내려가는 통로'로 보는 것이고(부정적 견해) 다른 하나는 '빛으로 이어지는 길'로 보는 것이다(긍정적 견해). 이 두 견해의 차이는 인생의 방점을 어디에 두느냐에 달렸다고 한다. 만일 인생의 방점을 소유에 두게 되면 노년의 시기는 기존에 소유했던 물질, 관계, 직책 등을 잃어가는 시기이기 때문에 분리와 적막감, 자아 상실을 경험하게 된다고 한다. '어둠으로 내려가는 통로'로서의 노년을 경험하게 된다는 말이다. 반면 인생의 방점을 존재에 두게 되면 주님께 더욱 가까이 가는 시기인 노년은 소망이 있고 삶의 유머와 통찰을 얻어가는 시기가 된다고 한다. '빛으로 이어지는' 노년을 경험하게 된다는 말이다.

오래전 믿음의 사람 바울은 우리에게 이 비밀을 말해주었다. "그러므로 우리가 낙심하지 아니하노니 우리의 겉사람은 낡아지나 우리의 속사람은 날로 새로워지도다"(고후 4:16). 소유의 관점에서 보면 나이가 들면 육체적으로는 점점 낡아지니 '어둠으로 내려가는 통로' 같지만 존재의 관점에서 보면 속사람은 날로 새로워지므로 소망이 있고, 내일에 대한 기대가 있는 '빛으로 가는 길'로 볼 수 있다는 말이다. 이렇게 존재의 측면에서 노화를 긍정하고 수용하는 자세를 갖추는 것에서 노년 사역은 시작된다고 하겠다.

2) 대화를 나눌 대상 만들기(기도의 어른 되기)

노년의 성도들이 남은 삶을 주님과 깊이 교제하도록 돕는 일도 중요하다. 일명 기도의 어른이 되도록 돕는 것 말이다. 인생은 누구나 중년에 자녀들이 독립하는 빈둥지증후군을 겪으면서 점차 자신이 쓸모없어진 것 같은 절망감, 무기력과 상실감을 겪다가 노년에 들어서면 그것이 본격화하여 어려움을 겪는다. 결국 노년의 4중고 중 가장 고약한 고독과 소외의 고통을 당하게 된다. 하지만 노년의 성도 중 의외로 기쁨과 감사의 삶을 영위하는 분들도 자주 보게 되는데 그들 대부분은 대화할 대상을 두고 있다는 공통점이 있다. 교회 공동체가 그들의 대화 대상이 되는 것도 좋지만 무엇보다 하나님과의 대화의 시간인 기도가 자연스러워지도록(유창해지도록) 하는 것이 노년들에게 최고의 탈(脫) 고독, 탈(脫) 소외의 방법이 될 것이다. 소위 '기도의 어른'이 되는 것, 말이다(기도의 아이가 아니라). 이를 위해 교회는 교회의 노년들이 '기도의 어른'이 되어 섬길 수 있는 기도의 공간(물리적, 정신적, 문화적)을 만들어 주어야 할 것이다. 가령 시니어 중보기도 학교, 시니어 기도 서포터즈, 시니어 열방 기도회 등을 만드는 것도 나쁘지 않아 보인다.

3) 신앙의 전수(신앙의 대 잇기)

빌리 그레이엄 목사는 하나님이 백발의 노년을 이 땅에 두시는 데는 그만한 이유가 있다고 한다. 맞다. 노년들도 감당해야 할 사명이 있다. 이 사명 중 가장 중요한 것이 있다면 아마도 그들의 자녀와 손주들을 주님께로 이끄는 것일 거다. 쉐마로 잘 알려진 신명기 6장이 이렇게 시작하지 않는가. "이는 곧 너희 하나님 여호와께서 너희에게 가르치라고 명하신 명령과 규례와 법도라 너희가 건너가서 차지할 땅에서 행할 것이니 곧 너와 네 아들과 네 손자들이 평생에 네 하나님 여호와를 경외하며 내가 너희에게 명한 그 모든 규례와 명령을 지키게 하기 위한 것이며 또 네 날을 장구하게 하기 위한 것이라"(신 6:1-2).

하나님은 모세를 통해 백성들에게 이르시기를 "너와 네 아들과 네 손자들"에게 하나님을 경외하는 걸 가르치라고 말씀하셨다. 맞다. 자녀만이 아니라 손주들의 신앙도 '내 책임'이다. 이걸 알 때, 자녀뿐 아니라 그다음 대까지 신앙 전수의 사명을 감당할 수 있다. 이를 위해 교회는 노년의 성도들이 다음세대에게 신앙을 전수할 수 있는 공간(계기)을 마련해 주어야 한다. ① 노년을 포함한 3세대가 함께 하는 세대 통합예배 ② 온 가정이 함께하는 가정예배 ③ 자녀와 손주에게 들려주는 신앙고백의 시간 만들기(영상이나 음성으로 남기기) ④ 할아버지, 할머니와 함께하는 신앙적 대화의 시간 만들기 ⑤ 신앙의 여정을 담은 자서전 작성하여 남기기 등이 가능할 것이다. 실제로 필자가 아는 한 은퇴 장로님은 신앙 전수를 위해 오랜 시간 두 명의 독자(두 명의 손주)를 위해 책을 집필하셨다. 대단하지 않은가? 손주들에게 신앙을 전수하기 위해 수년을 걸쳐 100페이지 넘는 책을 집필하셨다! 이런 신앙 전수의 기회를 개인이 아니라 교회가 만들어 주면 더 좋지 않을까? 책이 어려우면 영상으로라도 남겨서라도 말이다.

4) 웰 다잉(well-dying, 죽음 준비)

유진 비안키는 "노부모가 자녀에게 남길 수 있는 가장 아름다운 유산은 노년과 죽음을 용감하고 우아하게 맞이하는 법을 삶으로 가르치는 것"이라고 했다. 아름답게 죽음을 맞이하는 과정을 통해 생명의 구주 예수님을 드러내고, 예수님과 함께 인생 여정을 마치도록 돕는 것 그것이 교회가 노년의 성도에게 해 줄 수 있는 최선이 아닌가 생각된다.

(1) 엔딩노트 작성+영적 버킷리스트 시작하기

노년의 성도들에게 '나의 엔딩노트'를 작성하도록 도우면 좋을 것 같다. 자신의 인생을 돌아보고 마지막으로 남길 것과 해야 할 일들, 이별의 시간을 미리 준비하도록 기록해 보게 하는 것이다. 잘 살아온 삶과 부족했던 삶을 돌아보고 마지막으로 해야 할 '영적 버킷 리스트'를 따로 작성해서 그 일을 하나씩 마무리 짓도록 돕는 것이다. 특별히 이 과정에서 꼭 해야 할 것이 있다면 틀어진 관계의 회복을 위한 기회를 제공하는 것이다. 의외로 많은 노부모와 자녀 사이, 형제들과의 사이에 갈등과 불화가 있는 걸 교회 사역을 통해 목격하게 되는데 이 갈등과 불화를 마지막이 다가오면 함께 해소할 수 있도록 교회가 장(용서와 화해의 기회)을 마련해 주면 참 좋겠다는 생각이다. 용서의 편지 쓰기, 가족과의 대화의 장을 위한 가족 초청 잔치 등이 가능할 것이다.

(2) 사전장례의향서 작성하기+장례절차 진행하기

노년의 성도는 죽음을 앞두고 있다. 하여 노년의 성도와 그 가족들과 함께 사전장례의향서를 작성할 수 있도록 도우면 좋겠다. 기본 원칙은 기독교식 장례식을 치르는 것으로 하되 ① 부고의 대상과 범위를 기록하고 ② 장례식 형식과 참여 범위를 특정하고 ③ 장례식을 주관하는 교회와 집례자를 기록하게 한다. ④ 장례식장에 사용할 영정사진, 분향단 장식, 찬양곡선정 ⑤ 부의금과 조화에 대한 원칙도 작성하게 한다. ⑥ 음식 대접에 대해서 ⑦ 염습, 관, 시신처리에 대해서도 기록하고 ⑧ 장례식 이후의 기증에 대해서도 소상하게 기록한다. 이렇게 미리 준비해 놓으면 갑자기 찾아온 장례식에 당황하지 않고 준비할 수 있게 될 것이다. 그리고 장례가 발생하면 이 사전장례의향서의 순서에 따라 교회의 장례부서와 함께 장례절차를 진행하도록 하면 될 것이다.

(3) 자녀를 위한 기도문 작성+장례식에서 읽어 주기

"'작별 인사를 고할 새도 없었어요.' 이런 한탄의 소리를 족히 수십 번은 들었을 것이다. 하지만 이보다 더 슬픈 비극은 복음을 전할 마지막 기회를 놓치는 것이다."라고 말한 빌리 그레이엄 목사의 말을 기억하자. 어쩌면 노부모의 장례식은 그의 자녀들에게 죽음을 통해 마지막으로 남길 메시지를 전하는 장이 될 것이다. 이를 위해 자녀를 위한 '유언과 같은' 기도문을 남기도록 해 보면 어떨까. 마치 야곱이 창세기 49장에 자녀들을 불러놓고 그들에게 마지막 당부를 한 것처럼. 이를 위해 다음의 내용을 담아 작성하면 좋겠다. ① 보호와 인도하심(자녀들의 안전을 위해) ② 서로 사랑하게(자녀들과 친족들 사이의 관계 회복과 유지를 위해) ③ 진실하고 거룩하게 사명을 감당하도록(사명 완수를 위해). 물론 이 기도문을 장례식 중간에 자녀들에게 읽어 주고 고인의 유언과 같은 이 기도문에 맞게 신앙생활을 하도록 권고하고 격려하는 시간을 가지도록 하면 좋을 것이다.

**

노년 사역에 대해 논했지만 몇 가지 아쉬움이 있다. 우선 노년도 영적인 필요가 있고 영적으로 자란다. 이런 면에서 노년을 위한 영적 교육 프로그램 개발이 필요하리라 본다. 이것은 어쩌면 개별 교회 차원을 넘어서는 준비가 필요한 부분이 아닌가 생각된다. 노년의 시기에 가져야 할 영적 훈련과 신앙적 소양을 갖추도록 돕고 지역교회에서도 사명을 잘 감당하도록 보다 체계적인 교육 훈련 프로그램 개발이 시급해 보인다.

아울러 초기 노년(65-74세)의 경우 교회에서 왕성히 사역을 감당할 수 있는 시기이기 때문에 그들에게 어떻게 역할을 부여하고 사명을 감당하게 도울 것인지 고민해야 할 부분이 있다. 너무 일찍 직을 내려놓고 이후에는 '뒷방 늙은이' 취급하는 것에 대한 문제도 교회적인 공감대가 필요한 부분이 아닌가 생각된다. 여하튼 이 글은 노년 사역에 대한 간략한 시도 정도로 이해해 주면 좋을 것 같고 앞으로 계속해서 노년 사역에 대한 논의가 깊어지길 기대해 본다.

일인가구 시대의 교회

감기탁 목사

세계 인류 절반이 혼자 살아가는 시대가 멀지 않았다. 밀집한 대도시에서 고립되어 살아가는 1인 가구 시대 '역사상 최초로 개인이 사회적 재생산의 기본 단위'가 되는 인류 생활 방식의 급격한 변화의 때를 우리가 살고 있다.

현재 우리나라의 1인 가구 비율은 미국 영국 등과 비슷한 35% 수준인데, 스칸디나비아 국가들의 경우는 2018년 기준으로 스웨덴이 이미 57%를 넘었고 리투아니아, 덴마크, 핀란드, 독일 등 유럽 연합 국가들도 40%를 훌쩍 넘는다.

1. 정의와 현황

1인 가구는 통계청의 정의를 따르면 '혼자서 살림하는 가구'로 1

인이 독립적으로 취사 취침 등의 생계를 유지하는 가구를 말한다. 그러나 실제적으로는 혼자서 살림하는 가구일지라도 경제적으로 자립한 경우로만 제한하기는 힘든데 자녀의 부양비로 생활하는 홀몸 노인의 경우와 부모의 지원을 받으며 홀로 사는 청년 1인 가구도 상당한 비중을 차지하고 있기 때문이다.

또한 혼자서 생활하는 단독가구이면서 가족이 없다거나 결혼을 하지 않은 것으로만 제한하기도 어려운데 가족이 없는 1인 가구의 수보다는 가족이 있지만 여러 이유로 혼자 지내는 1인 가구가 다수를 차지하기 때문이다.

통계청의 연도 및 가구원수별 가구 규모를 따르면 우리나라는 1985년까지는 5인 이상, 2005년까지는 4인 가구가 주된 가구였으나 2010년에 들어서면서 2인 가구가, 2015년부터는 1인 가구가 주된 가구로 바뀌어 약 25년 만에 가구 유형이 급격하게 변했다.

1인 가구 수는 매년 증가해왔고 이런 추세는 우리나라만의 현상은 아니지만 우리나라의 1인 가구 증가율이 상대적으로 매우 크다는 것에 주의할 필요가 있다. 미국의 경우 1인 가구 비율이 1970년 17.1%에서 2010년 26.7%까지 40년 동안 9.6% 증가하였는데 우리나라는 2000년 15.5%에서 2012년 25.3%로 겨우 12년 만에 9.8%가 증가했다.

우리나라 전체 가구 수 가운데 1인 가구 비율이 2015년에는

27% 정도였으나 2019년에는 30%에 도달하였고, 2022년 통계는 전체 가구 수의 35% 수준으로 750만 가구에 이르렀다 (1인 가구 비율이 2037년에는 36%로 증가할 것을 예측한 2019년 통계청 자료가 있는데, 15년 더 빠르게 2022년 이미 약 35%까지 증가했다!).

2022년 1인 가구의 연령별 비율은 29세 이하와 70세 이상이 각각 19%로 가장 높고 40대에서 가장 낮아 독립하는 20대에 비율이 높아졌다가 가정을 꾸리면서 낮아진 1인 가구 비율은 40대를 저점으로 다시 높아지는 양상을 보인다.

성 및 연령별 1인 가구 비율에서는 남성은 30대가 22%로 가장 높았고, 여성은 70대 이상이 28%로 가장 높았으며, 60세 이상 여성 1인 가구 비율은 46%로 전체 여성 1인 가구의 거의 절반에 육박한다.

2021년 여성가족부 실태조사에서 여성 1인 가구의 80%는 향후에도 혼자 살 의향이 있다고 응답하여 63% 정도인 남성 대비 더 높은 비율을 나타냈다. 많은 미혼 청년 1인 가구의 경우 한시적 미혼 상태에 자의적으로 직장 등의 이유로 1인 가구로 지내는데 시간이 지나면서 결혼을 포기하는 '비혼 지속적 1인 가구'로 바뀌기도 한다. 혼인을 하고서도 1인 가구를 구성하는 경우도 결코 적지 않다.

이혼 이후 혼자 사는 1인 가구, 배우자와 사별 이후 1인 가구를 이루는 경우, 그리고 배우자가 있지만 소위 '기러기 가족'이나 별거,

직장 등의 이유로 가족과 떨어져서 홀로 사는 사람들이다.

2012년 1인 가구 혼인관련 자료는 미혼 44%, 유배우자 13%, 사별 29%, 이혼 14% 정도의 비율을 보여주는데 2035년 1인 가구에 대한 통계청 장래 인구 추계에 따르면 미혼 34%, 유배우자 19%, 사별 30%, 이혼 17%로 나타나서 유배우자와 이혼 상태의 1인 가구는 증가하고 미혼 1인 가구의 비율은 더 줄어들 것으로 보인다. 그래서 우리나라에도 이미 1인 가구 시대가 도래하였고 이는 일시적 현상이라기보다는 시대적인 흐름으로 보는 것이 자연스럽고 이후 더욱 지속, 확대될 것을 충분히 예상할 수 있다. 그래서 우리 교회도 이에 대하여 적절히 준비하고 대응하는 것이 지혜로운 길임을 알 수 있다.

2. 배경 이해

이전에는 1인 가구라고 할 때 보통 홀몸노인, 독거노인으로 생각하는 경향이 있었지만 최근 통계 자료는 1인 가구 구성에 청년 1인 가구가 매우 큰 비중을 차지하며 또한 혼인 관계의 변동 등으로 인한 중년 1인 가구의 증가 등으로 전 연령대에 1인 가구의 비중이 대동소이하다는 것을 보여준다.

세계적으로 1인 가구의 증가는 사회 경제적 발전 상태와 관련이 높지만 그 직접적인 인과관계를 밝히기는 쉽지 않다. 2010년대에 1인 가구 증가율이 약 5% 이상인 나라가 유럽 31개국 중 8개국, 거의 1/4을 넘는데 이들은 경제 위기를 겪고 있는 선진국가들만 아니라 경제개발 과정에 있는 나라들을 포함한다. 다만 여성의 지위 상승, 통신혁명, 대도시의 형성, 혁명적 수명연장 등의 거대한 사회변동이 1인 가구 확산에 유리한 환경을 만들었다는 분석이 있다.

우리나라의 1인 가구 증가와 관련한 요인들은 ① 무엇보다 개인주의, 비혼이나 이혼에 대한 저항감의 결여 등 '가치관의 변화'이다. 요즘 식당이나 카페에서 커다란 식탁이나 탁자가 가운데 자리 잡은 경우가 있는데 개별탁자가 아닌 공동의 테이블에 모르는 사람과 함께 앉아 마주 보며 식사하며 차를 마셔도 어색하지 않다. 공동체 지향을 드러내는 것 같지만 사실은 마주 보거나 곁에 앉은 사람에 대하여 서로 전혀 신경을 쓰지 않는다.

이는 대도시에서 1인 가구로 살아가는 칸막이가 있는 혼밥식당보다 더한 자기중심적인 개인주의가 어떤 것인지 잘 보여준다. 안정보다 자유를 선호하며 '싱글'의 삶을 더 이상 불완전함이나 비주류로 이해하지 않고, 더 이상 나이가 차면 당연히 결혼하고 자녀를 가져야 사람으로서 완성된다고 생각하지 않는다고 한다.

더불어 ② 취업난, 학자금대출 상환부담, 집값 인상, 생활비 증가 등의 '경제적인 요인'으로 결혼을 원하지만 하지 못하는 형편, 초저출산 사회로서 자녀 양육 등에 대한 큰 부담도 아예 결혼으로의 진입을 막고 있다. 1인 가구의 연 소득평균이 전체 가구의 36% 정도이며 국민기초생활보장 수급 전체 가구 중 1인 가구의 비율이 2015년 이후 계속 증가하고 있으며 2020년에는 69%에 달한다. ③ 고령화로 인한 독거노인 증가, ④ 여성의 사회진출과 경제 활동 참여를 위해 결혼과 출산을 기피해야만 하는 환경 등을 이어서 꼽을 수 있다.

일본은 2015년 1인 가구('단신세대') 비율이 35% 정도로 높고 특징적으로 젊은 남성과 여성 고령자 1인 가구가 높은 비율을 차지하고 있는데 우리 사회도 청년 남성 1인 가구와 여성 독거 노인의 비율이 증가하기 때문에 주목할 만한 나라이다(우리나라는 중년 남성 1인 가구도 증가하고 있다).

일본은 가족 형태의 변화 외에도 1인 가구가 증가하는 이유로 ① 청년들이 교육과 일자리 때문에 도시로 집중하게 되어 '도쿄 집중 현상'이 가속화되었기 때문이라고 보고, 또 ② 고령자 1인 가구의 지방도시 이전 특히 여성 고령자 70대와 80대 1인 가구가 각각 20% 정도를 차지하기 때문으로 본다.

3. 사회의 정책적 대응

당장에 소득이 많은 1인 가구가 늘어나면 사회적으로는 '1코노미'(1인 가구+이코노미), '싱글슈머'(single + consumer)와 같은 신조어에서 보듯이 특정한 소비가 촉진되어 경제에 유리하다고 볼 수도 있지만 장기적으로 결혼이나 출산을 포기하는 젊은 세대가 늘어나면서 인구가 줄어들게 되고 경제에 악영향을 미칠 가능성이 훨씬 크다. 특히 고령자 1인 가구 증가는 생활비나 의료비 증가와 복지 서비스 수요 증가로 사회적 비용이 늘어나는 문제를 일으킬 수 있다.

스웨덴, 영국, 미국과 일본 등을 포함한 대부분의 나라에서 정부나 지방자치단체들은 우선적으로 1인 가구를 위한 주거 시설을 지원하거나 주거비 일부 또는 생활비를 지원하고 있다. 청년 1인 가구의 경우는 직장 접근성이나 문화시설 이용이 편리하도록 도심에 공동주택이나 기숙사와 같은 시설의 형태로 지원하고 노년 1인 가구를 위해서는 개인의 방과 주방, 욕실이 있으면서 또 식사와 세탁, 취미활동을 함께 할 수 있는 공동주거를 제공하는 경우가 많다. 전체 가구에 비하여 상대적으로 1인 가구의 주거비 부담이 큰 것을 고려하면 적절한 대응이라고 할 수 있겠다.

1인 가구 증가와 관련한 이보다도 더 큰 사회적 문제는 1인 가구를 이루고 살아가는 많은 사람이 겪게 되는 여러 어려움에 있다. 특히 대부분의 1인 가구는 주거비 관련한 경제적인 어려움을 경험하며 그 외에도 불규칙적인 식사나 부족한 운동 등 건강과 관련한 부분 그리고 충분한 사회적 교류의 결핍으로부터 비롯되는 외로움이나 우울증 등 정서적인 어려움들을 겪는데 아무래도 그 가운데서도 가장 큰 어려움은 고립의 심화로 인한 정서적 어려움이다. 그래서 1인 가구 증가에 대응하기 위해서는 '경제적, 사회적, 정서적 돌봄'이 가능하도록 적절한 시스템을 마련해야만 한다. 특히 노년 1인 가구 등을 위한 사회적 관계 형성 및 방문 등을 통한 정서적 돌봄은 매우 중요한 부분이다.

4. 교회의 대응을 위한 제언

정부나 지방 자치 단체가 사회 정책적으로 1인 가구를 위한 주거나 경제적인 지원 등에 집중한다고 하면 교회는 사회 정서적인 돌봄으로 1인 가구 시대에 대응하는 것이 적절하다고 볼 수 있다. 교회는 이 세상 어떤 조직보다 신뢰와 친절을 나누며 지지와 공감을 표현할 수 있는 영적이며 실제적인 공동체로서 1인 가구 시대에 어느 때 보다 그 역할을 영향력 있게 감당할 수 있다.

"여호와 하나님이 이르시되 사람이 혼자 사는 것이 좋지 아니하니 내가 그를 위하여 돕는 배필을 지으리라 하시니라"(창 2:18)는 성경 말씀은 아담뿐 아니라 모든 홀로 사는 사람들이 돕는 사람을 필요로 함을 분명히 가르치고 있다. 자의든 타의든, 한시적이든 지속적이든 혼자 살 수밖에 없는 모든 사람에게 그들을 위해 돕는 사람을 창조하시는 주님이 계심을 우리 주님의 몸된 교회가 전하고 증거할 의무가 있다. 지속적으로 증가하는 1인 가구는 인터넷 예배나 비대면 온라인 활동을 상대적으로 더 선호하며 중대형 규모의 교회 안에서 익명성을 보장받을 수 있기를 바라기 때문에 규모가 작은 교회들은 더 어려운 목회적 환경에 처할 가능성이 있다.

친밀한 성도의 교제와 전도나 선교, 구제와 봉사 등 교회 내외의 활동에 대한 참여가 감소할 수 있고 결혼과 출산 기피 등과 연결되면서 인구 감소와 다음세대 교인 감소 등으로 이어질 수 있다. 공동체적 가치를 기본 전제로 하고 전도하며 선교하는 교회로서는 이런 변화된 목회 환경을 받아들이고 이해하며 적절한 대응을 해야만 한다.

교회 내 1인 가구가 겪을 수 있는 어려움들로는 사생활에 관한 관심 등으로 인한 스트레스, 비혼자에 대한 편견과 선입견의 대상이 될 위험, 소속 그룹의 모호함으로 사회 정서적으로 고립될 위험 등이 있는데 전통적인 교회에서 자연스럽게 이뤄지는 관심과 돌봄 등의 일상적 활동이 불편하고 극복해야만 하는 장애가 될 수 있다. 그래서 교회는 1인 가구로 출석하는 성도에 대하여 더 세심한 관심과 돌봄이 필요하다.

예를 들면, 결혼 권유나 가족 관계, 사생활 등을 캐묻는 행위를 지양하고, 교회 조직에 있어서 혼인 여부보다는 연령 기준으로 소그룹을 구분하거나 신자카드 등에 혼인, 가족관계 등의 기록 여부를 적절히 개선함으로 사소해 보이지만 작지 않은 불편을 사전에 제거할 수 있다.

교역자들과 앞선 지도자들이 1인 가구로 출석하는 성도들에 대하여 가능하면 전통적인 신앙관을 강요하기보다 자발적이고 개별적인 응대를 하는 등의 정서적 배려와 함께 가능한 대로 교회가 식당 운영이나 벼룩시장, 취미 동아리 등과 같은 실제적인 도움이 되는 기회들을 적절하게 제공함으로써 1인 가구가 교회에 불필요한 부담이나 걸림이 없이 나아오며 실제적인 유익을 누리면서 공동체에 녹아들도록 도와야 한다. 특히 노령의 1인 가구 성도들을 위하여 신체적인 기능 약화와 관련한 구체적이고 실제적인 도움과 함께 정서적인 필요를 채우도록 말벗을 제공하거나 복지와 여가 활동을 위한 적절한 지원을 할 수 있다.

그리고 무엇보다 1인 가구 성도를 사역의 대상으로만 여길 것이 아니라 1인 가구 성도들이 적절하게 교회 활동에 주도적으로 사역하게 돕는 것은 더 좋은 길이다. 1인 가구의 경우 배우자, 부모, 자녀들이 함께 있는 경우보다 상대적으로 자유로운 경우가 많기에 충분한 동기 부여를 통하여 적극적인 교회 내 교제를 누리게 하고 자원하여 봉사하며 '오직 주님만을 기쁘시게 할 열망'을 가지고 헌신하게 하는 것은 그 사람과 교회를 향하여 베푸시는 특별한 하나님의 복이 될 것이다(고전 7:32).

중년이나 노인 1인 가구의 경우도 직업적인 배경이나 경력을 살려서 교회 안팎에서 사역할 수 있는 적절한 길들을 열어주는 것은 본인들뿐 아니라 교회와 이웃 모두에게 큰 유익을 끼칠 수 있다. 1인 가구 시대에 교회가 성도 가운데 1인 가구를 돌볼 뿐 아니라 지역 사회와 이웃의 1인 가구들을 향하여 어느 때보다 더 관심을 가지고 사랑으로 돌볼 수 있다. 2023년 서울시의 한 조사는 임대주택 고시원 등에 거주하는 취약지역 거주 1인 가구의 62%가 고독사의 가능성이 높다고 한다.

지방자치단체와 협력하거나 지역의 기관들과 함께 취약한 1인 가구를 정기적으로 돌아보며 적절한 음식을 제공하거나 도움의 손길과 함께 보살피는 일은 지역 사회 전체에 긍정적이고 실제적인 영향을 미칠 수 있고, 특히 아프거나 위급할 때 혼자 대처하기 힘든 이들의 생명을 살릴 수 있는 중요한 기회가 될 수 있다.

* *

현재 급속하게 진행되고 있는 우리 사회의 1인 가구 시대로의 변화에 대하여 우리 교회는 전도와 선교를 위한 측면에서 수용하면서 배려해야 할 부분이 분명히 있겠지만 전체로서는 교회가 맞서야 할 도전이기도 한 것이 사실이다.

어떤 사람들이 1인 가구로 홀로 사는 것을 스스로 '자유롭고 편안하고 여유롭고 자기 관리를 잘하는 고독을 즐기는 사람'으로 여길 수 있고 사실일 수도 있지만 다른 한편으로는 때때로 '외롭고 불안하고 바쁘고 우울하며 초라한 홀로 사는 사람'인 것도 부정하기 힘든 사실이다.

대부분의 사람은 타인과 연결되기 원하고 공동체에 참여하고 싶은 갈망이 있지만 그 소망하는 공동체적 삶을 위하여 지불해야 할 여러 대가를 치를 여력이 없어서 '자발적 고립'을 택하는 경우가 적지 않다.

혼자서 살아가야 하는 것을 점점 더 당연한 것으로 받아들이며 그 짐을 지고 힘겹게 살아가는 모든 1인 가구들에게 '아프고 힘들 때 돌봐 줄 든든한 이웃, 함께 식탁을 나눌 수 있는 푸근한 이웃, 기쁨과 슬픔을 나눌 수 있는 가까운 이웃'이 있다는 것을 교회가 알려 줄 필요가 있다.

우리 대신 가장 큰 짐을 지신 주님께서 "수고하고 무거운 짐진 자들아 다 내게로 오라 내가 너희를 쉬게 하리라"(마 11:28)고 하시는 초대의 말씀을 우리 교회를 통하여 이 세상에 말씀하기 원하신다.

그렇게 이 세상에 진실한 공동체의 가치를 다시 회복하고 확인시켜 주는 우리 교회가 되도록 주님께서 우리를 오늘 1인 가구 시대에 이 땅에 두셨다.

우리 주님 앞에서 이 거룩하고 귀중한 책무를 기꺼이 또 지혜롭게 사랑으로 잘 감당하는 우리 교회가 되기를 바란다.

4부

세상을 향한 교회

기독교 세계관

김하연 목사

'기독교 세계관'이란 말이 우리나라에서도 사용되기 시작한지도 40년은 족히 넘었지만 아직도 대부분 사람에게는 이 말은 여전히 낯설다. '기독교 세계관'(Christian World View)이란 말은 말 그대로 '그리스도인이 세계를 보는 관점'을 말한다. 우리는 이 세상에 살고 있다. 이 세상은 여러 가지 종교, 인종, 문화, 철학과 사상이 있을 뿐 아니라 심지어 고통, 전쟁, 질병과 죄가 또한 공존해 있는 곳이다. 좋든지 싫든지 하나님이 부르시기까지 그리스도인도 이러한 세상에 살고 있다. 그리고 이 세상에 속한 거의 모든 것에 그리스도인이 속하여 살고 또 피할 수도 없이 함께 공유하고 살고 있기도 하다. 그러나 "하나님의 교회 곧 그리스도 안에서 거룩하여지고 성도라고 부르심을 받은 사람들"(고전 1:2)은 이 세상에서 어떻게 생각하고 살아가야 하는가? 아무도 예수 믿고 그다음 날 바로 영원한 천국으로

들어가지는 않는다. 아니 오히려 하나님은 그의 자녀들을 이 세상에 남겨두시고 주님이 오라고 하시는 동안 그분의 교회 곧 성도들을 '세상의 빛, 세상의 소금'(마 5:13-14)이라고 하시면서 이 세상에서 자기 역할을 충분히 하고 오시라고 명하신다.

자칫 오해하면 소위 '믿음 좋은 사람'들은 이 세상을 초월한 듯 살아가기를 원한다. 이 세상은 장차 망할 도성이므로 하나님의 도성에 속한 사람들은 이 세상을 오히려 조롱하고 세상의 모든 것을 비판적으로 생각해야 한다고 주장하는 사람들이 있다. 주님은 그렇게 명하시지는 않았다. 어떤 사람들은 주님의 재림은 기다리고 있다고 하면서 어찌 되었든 믿음으로 구원받는 것이니 이 세상에서는 세상과 합하여 마음대로 어울려 살고 세상의 사람들과 똑같이 생각하면서 살되 주일날 교회만 간다든지 또는 주님을 믿는다는 것으로 모든 것은 다 되었다고 생각하기도 한다. 이 양극단은 모두 피해야 할 잘못된 가치관이요 세계관이라고 할 수 있다. 하나님은 이 세상을 아직도 사랑하고 계시며 그분의 자녀인 그리스도인들 역시 하나님의 사랑으로 세상을 사랑하고 불쌍히 여기며 그들에게 선을 베풀어서 우리 속에 계신 예수님을 그들에게 보여주어서 그들이 하나님께 영광을 돌리게 하라고(마 5:16) 하실 뿐 아니라 그들에게 복음을 전하여서 그들이 주님 앞에 무릎을 꿇고 회개하고 믿음으로 돌아오도록 귀한 사명을 맡기신 것이다(고후 5:19). 세상에 남겨두실 뿐 아니라 사명을 주신 것이다.

 이런 의미에서 그리스도인들이 기독교적 세계관 또는 성경적 세계관을 바로 세우는 것은 너무나 중요하다. 우리 주변의 이 세상에 대해서 어떻게 생각하고 이 세상을 어떻게 바라볼 것인가? 그 안에서 우리의 삶의 자세 어떠해야 하는가에 대한 대답이 나올 수 있다. 이런 면에서 그리스도인들은 준비되어야 하고 이 세상에 대해서 대답할 말을 준비하고 있어야 한다. "너희 마음에 그리스도를 주로 삼아 거룩하게 하고 너희 속에 있는 소망에 관한 이유를 묻는 자에게는 대답할 것을 항상 준비하되 온유와 두려움으로 하고"(벧전 3:15). 그리스도인들은 이 세상에 대해서 먼저 성경적으로 올바로 판단하고 자신에게 적용할 뿐 아니라 이 세상에 관한 왜곡된 세계관에 매여서 살아가고 있는 사람들에게 올바른 진리를 가르쳐 주어야 한다. 이 세상의 시작과 운행과 그 끝을 보여주고 설명해 줄 수 있어야 한다.

 이런 의미에서 기독교 세계관은 그 연구의 폭이 넓다. 삶은 무엇이고 죽음은 무엇인가? 이 세상은 어떻게 시작이 되었으며 어떻게 끝날 것인가? 이 세상을 움직이는 힘은 무엇인가? 이 세상에 차고 넘치는 죄는 어떻게 생각할 것이며 그 끝은 어떠한가? 인간은 죄의 문제를 어떻게 할 것인가? 해결방법이 있기는 한가? 우리 인생의 목적은 무엇인가? 우리가 지금 하고 있는 직장생활, 경제생활, 사회생활은 도대체 어떤 면에서 의미를 가져야 하는가? 정말로 대답할 말들이 많다. 그러나 기독교 세계관의 각 분야별로 성경적 가치관으로 바로 정립되어야 하는 것은 가장 기본적인 기초적인 부분에서 입각하여 대답이 되어야 한다. 그러므로 본고에서 그리스도인의 세계관 기초가 되는 요소들을 살펴보고자 한다. 그리스도인의 세계관 즉 성경적 세계관의 기초는 네 개의 단어로 정리될 수 있다. 즉 창조, 타락, 구속(구원)과 완성이다.

1. 창조와 섭리

기독교 세계관의 시작은 창세기 1장 1절에 있다. "태초(시작)에 하나님이 천지를 창조하시니라"고 하는 것을 받아들이는 것에 시작한다. 하나님이 아무것도 없는 것에 시간과 공간을 만드셨다. 이런 것이 없었으나 하나님이 우주를 만드시고 공간을 만드시고 별을 만드실 뿐 아니라 운행하시면서 거기에 시간이라는 것이 시작됐다. 세상의 사람들은 소위 '빅뱅 이론'(대폭발 이론)을 주장하면서 세상이 정말로 설명할 수 없는 우연으로 만들어졌다고 '믿는' 사람들이 많다. 물론 근거도 없고 설명할 수도 증명할 수도 없는 저들의 '믿음'과 같은 것이다. 이는 무신론자들의 생각이다. 또 이신론이나 자연신론주의자들은 모종의 신이 우주를 창조하셨지만 그 이후에는 일절 간섭도 하지 않고 자연 그대로 돌아가도록 방치해 놓으신다고 주장하고 있다.

기독교의 세계관은 이러한 주장들을 배격한다. 창세기 1장 1절에 '하나님이 모든 것을 창조하셨다'라는 것이 그리스도인들 세계관의 시작이다. 피조물 된 인간이 창조주의 선포를 인정하는가 마는가에 따라서 진리가 되는 여부가 결정되는 것이 아니라 그 선포 가운데 비로소 우리가 피조 된 사실을 인정하고 감사하고 살아갈 뿐이어야 한다. 창조주가 인간에게 증거를 받을 필요가 없다(요 5:34). 하나님은 모든 피조물과 인간을 창조하셨다. 그리고 그 모든 만드신 만물을 운행하시고 사람의 역사를 주관하신다. 하나님은 만물을 만드시고 각각 그 역할을 주신다. 빛을 만드시고, 빛과 어둠을 나누게 하셨으며, 광명체를 만드시고 낮과 밤을 나누고, 과실들과 들풀을 만드시고 씨와 열매를 맺게 하셨다. 생명들을 만드시고 번성하라 하셨으며 인간을 만드시고 "생육하고 번성하고 다스리라"고 하셨다. 만드시고 사명을 주신 것이다. 사실 엄격하게 이야기하면 성부, 성자, 성령께서 이 모든 것을 만드시되 분명한 목적을 위해 즉 그리스도 예수를 위해서 만드셨다(골 1:16). 그에게 영광과 찬미를 돌리게 하려고 만드신 것이다(엡 1:6, 12, 14). 무한하신 능력으로 만드셨으며 모든 개체마다 분명한 목적을 가지고 만드셨으며 그리고 궁극적으로 하나님의 영광을 위하여 만드셨다. 특히 하나님은 인간을 만드실 때 하나님의 형상을 따라서 만드셨다(창 1:26). '하나님의 닮은' 특성으로 만드셔서 하나님을 대신해서 하나님께서 만드신 다른 피조물들을 다스리도록 하셨다. 대리통치의 권한을 위임하신 것이다. 물론 하나님의 맡기신 대리통치는 제한된 부분에서 주어졌다.

사실 인간에게 우주의 운행을 맡길 수는 없다. 인간의 능력을 벗어나기 때문이다. 하나님이 인간에게 지구 생물을 다스리는 '대리통치'의 권한을 주셨다는 것은 하나님께서 세상 안의 모든 것에 대한 통치를 포기하셨다는 것이 아니다. 하나님께서는 하나님 말씀의 법도 안에서 인간이 대리통치를 감당하기를 허락하셨으며 인간이 그 범주를 벗어날 때는 기꺼이 간섭하시며 인간이 그 역할을 바로 감당하도록 선지자들과 천사들과 직접적인 개입 등으로 역사를 바로잡아 나가시는 것이다. 그의 궁극적인 섭리를 위하여서이다. 아무것도 하나님의 궁극적인 통치를 피해갈 수는 없다.

이 세상은 그분이 만드셨으며 그분의 뜻대로 그분이 운행하시는 것이기 때문이다. 무신론과 이신론자들과 자연신론자들의 설 자리는 없다. 그들은 잘못 알고 있는 것이다. 그리스도인들은 그 삶의 시작이 바로 이 위대한 창조과 섭리를 인정하는 데서 시작함을 알아야 한다.

2. 타락

인간은 타락했다. 인간이 타락했다는 사실을 아는 것은 아주 중요하다. 그래야 그 비참함을 깨닫고 벗어날 길을 추구할 수 있기 때문이다. 이스라엘 역사가인 유발 하라리의 '호모데우스'는 신이 된 인간에 관해서 이야기한다. 인간의 복제, 줄기세포의 복제 기술 또는 과학의 발달로 인해서 인간이 할 수 없는 일이 거의 없는 지경에 이르게 되자 드디어 '호모 데우스'(인간이 신이다)를 주장하고 나선 것이다. 그는 무신론자이고 인간의 정체성을 '신경세포조직인 뉴런의 활동'으로 제한시키고 있다. 무신론자들의 세계에서는 있을법한 이야기이다. 그러나 그리스도인의 세계관에서 인간은 분명 '하나님의 형상'으로 지음을 받았으나 인간은 하나님께 범죄하므로 타락하게 됐다.

최초의 인간 범죄는 하나님의 금하신 '선악과'를 따먹은 것이며 이것은 하나님의 명령을 거부하고 사탄의 명령을 따르겠다고 작정한데서 나온 행동이었다. 모든 만물의 진정한 주인이신 창조주를 주인으로 섬기길 거부하고 '하나님같이 되리라'는 사탄의 유혹에 넘어가 교만하여져서 하나님같이 되려고 '선악과'를 따먹고 범죄하게 된 것이다. 이것은 '죄'라는 말의 원래의 뜻처럼 '과녁을 빗나감'(히, 핫타아트)의 행동이다. 하나님의 영광을 위하여 창조한 인간(사 43:7)이었는데 엉뚱한 방향으로 나가는 '죄'를 지은 것이다.

죄의 결과는 무서웠다. 아담에게 "너는 흙이니 흙으로 돌아가라"(창 3:19). 죽음에 대한 선포이다. 그리고 인간이 본디 흙에서 취하여진 것을 상기시킨다. 흙이요, 아무것도 아닌 인간을 '하나님의 형상'으로까지 격상시켰고 사랑하여 주셨는데 범죄하고 난 결과 인간은 그냥 흙일 뿐임을 확인하게 된 것이다. 죄의 삯은 사망이다. 인간의 사망은 그냥 자연현상이 아니요 그냥 '생로병사'의 생의 수레바퀴를 따라가야 하는 어쩔 수 없는 것이 아니다. 죽음은 인간의 죄로 인해 하나님께서 인간에게 내린 형벌의 결과이다.

아담과 하와의 범죄는 그들의 받는 심판으로 끝이 아니었다. 비록 아담이 죽음을 선고받고 즉시 처형되지는 않았으며 900년 이상을 더 살았던 모습은 하나님의 은혜였다. 하나님은 일반은총 가운데 그들을 땅에서 더 살게 해 주셨던 것이다. 아담의 죄에 대한 책임은 후손에게까지 미쳤다. 그래서 아담 이후 보통생육법으로 출생한 모든 인간은 '원죄' 가운데 출생하게 된다. 한 사람 아담으로 죄가 들어왔고 그로 인해 모든 사람이 죄를 지은 것이 되어서 죄값을 치르게 됐다(롬 5:12). 아담으로 인한 원죄이다. '원죄'는 아담의 죄가 내 죄라는 추상적 의미이거나 아담의 죄가 유전 형질 가운데 후손들에게 물려지게 되었다는 설들로 설명되는 것이 아니라 원죄는 '죄값, 죄의 책임'에 대한 문제이다. 아담이 인류의 대표이므로 그가 하나님의 앞에 범죄한 죄의 책임(죄책)은 그의 이후에 출생할 장차 올 온 인류에게까지 돌아가게 된 것이다. 이것이 원죄이다. 여기에 자범죄까지 매일매일 짓게 되니 인간은 정말로 하나님의 심판에서 벗어날 길이 없다. 사망에 처하게 됐다. 원죄로 인해서 나면서부터요, 또한 점점 많아지는 자범죄로 인해서 사망의 심판을 백만 번 쐐기박아 분명하게 하는 것이다.

칼빈주의 5대교리 중 '인간의 전적 부패' 교리는 인간이 머리끝부터 발끝까지 매 순간마다 오직 죄만 짓는 것을 말하는 것이 아니다. 하나님의 일반은총으로 인해서 하나님은 인간의 타락 이후에도 인간에게 선한 양심을 남겨두시고 창의력을 주시고 자연으로 말미암은 은총을 주셨다. 불신자들도 선한 일을 할 수 있다. 그러나 삶 가운데 일부 몇 가지 선행이 있다고 해서 구원의 가능성이 있는 것은 전혀 아니다. 인간의 전적인 부패는 인간의 어떤 선행이나 방법으로 구원받을 방법이 전혀 없음의 절망스러운 상태를 의미한다. 이것이 죄의 결과이다. 이것이 인류에게 발생되었으며 계속 발전하고 있고 말세까지 계속될 죄의 행진이요, 결국 그것을 멸망하게 된 인간의 벗어날 수 없는 결과인 것이다. 여기에 어떤 사람들도 예외는 없다. 이것을 인정하는 것이 그리스도인의 세계관이다. 모든 사람이 죄를 범하였으매 하나님의 영광에 이르지 못하게 된 것이다(롬 3:10). 방법이 없다.

3. 구원

인간이 하나님의 만드신 저 우주의 놀라움을 발견했다 해서 천재적으로 과학을 발전시키고 아무리 위대하고 아름다운 그림을 그렸다고 해서 그것으로 구원에 이를 수 있는 것은 아니다. 일반은총으로는 속죄와 영생이 안 된다. 설사 위대한 예술(음악이나 미술)로 하나님의 솜씨를 마음껏 표현할 수 있으나 그것으로는 부족하다. 설사 윤리적으로 선행을 많이 행해도 마찬가지이다. 율법의 일부 10-20%을 지켰다고 해서 그것으로 천국의 입구까지 도달할 수 있는 것은 아니다. 천국은 하나님께 완전히 속죄함을 임은 '의로운 자들'의 모임이기 때문이다.

구원은 철저하게 하나님의 손에 달려있다. 삼위 하나님의 은혜의 손길로 주어진다. 영원 전부터 미리 아시고, 예정하시고, 효과적으로 부르시고, 의롭다하시고 영화롭다 하셨다(롬 8:29-30). 이 하나님의 섭리에 인간의 개입은 없다. 구원과 영생은 오직 의로운 자들에게만 주어진다. 그런데 이 '의롭다 함' 마저 하나님의 은혜로 얻는 것이다. '의'는 내가 노력해서 얻는 '획득'하는 것이 아니고 하나님께로부터 '수여된' 것이다. 그것은 오직 그리스도 예수께서 우리의 죄의 책임 곧 사망의 형벌을 대신 받으심으로 값이 치러졌고(속죄) 그렇게 해서 하나님께서 우리를 의롭다 인정하게 된 것이다. 성부 하나님의 구원 계획과 성자 예수님의 구원 성취(대속)와 성령 하나님의 구원 적용(믿음을 주심)으로만 이루어진 것이 우리의 구원이다(엡 1:3-14). 그래서 구원은 하나님의 선물이라고 한다(엡 2:8).

하나님의 은혜로 말미암은 성도의 구원은 '이미' 얻어진 것이다. 성령께서 믿음을 주셔서(고전 12:3) 그리스도를 주님으로 고백하는 순간 얻어진 것이다. 그때 신비하게도 그리스도인들은 예수 안에서 예수께서 이루신 놀라운 것들을 다 보장받게 될 것이다. 그리스도와 함께 살리셨고 함께 일으키셨고(부활) 그리고 이미 그와 함께 하늘에 앉히신 바 된 것이다(엡 2:5-6). 어떤 이들은 성도의 성화의 점진성으로 인해서 마지막에 가서야 진정 구원받는 여부가 결정된다고 (소위 '유보된 칭의론') 주장하여 한국 신학계를 혼란케 한 적이 있다. 그러나 하나님은 이미 '성도'라고 부르시고 거룩하다 하셨다(고전 1:2). 이미 거룩하다 인정을 받았으므로 우리는 하나님의 임재 가운데 그분 가까이서 예배할 수 있고 그에게 기도할 수 있는 것이다. 거룩하지 않으면 아무도 거룩하신 하나님의 곁에 있을 수 없다. 우리는 예수 그리스도 안에서 이미 하늘에 앉힌 자의 신분이므로 언제나 하나님의 바로 옆에서 안에서 그분의 임재 가운데서 그분에게 나아갈 수 있는 것이다. 이것이 그리스도인의 현재이다.

그 신분에 있어서나 '이미' 하나님의 임재와 그의 통치 가운데 살아가는 하나님의 백성으로 사는 삶의 모습은 이미 시작됐다. 그리고 현재형이다. 비록 완전한 완성된 하나님의 나라에 나아가기 위해서는 '아직' 우리는 지금의 불완전한 세상 가운데서 좀 더 살아야 하는 그리스도인들이지만 우리는 이미 하나님 나라 백성으로 사는 삶은 시작된 것이다. 아직 그분의 백성으로 더 들어와야 할 사람을 위해서 우리는 '아직' 이 세상에 살고 있고 그날을 소망하며 나아가는 것이다.

4. 완성

시간에 대한 기독교적 세계관은 '끝없이 돌아가는 원'과 같은 것이 아니다. 불교 등에서 말하는 윤회와 같은 사상이 아닌 것이다. 기독교의 시간에 대한 개념은 '선분'과 같다고 할 수 있다. 즉 시작이 있고 끝이 있다. 시간은 하나님께서 공간을 창조하시면서 같이 창조하신 것이다. 그렇게 시작된 시간은 주님께서 재림하실 때에 끝이 난다. 지금의 24시간 하루, 12달 1년 등의 개념 자체가 없어지고 시간 개념 자체가 필요 없는 영원한 세계로 들어가게 되는 것이다. 드디어 완성인 것이다. 창조와 함께 시작된 모든 것은 주님의 강림(재림)으로 완전히 끝이 나게 된다. 그때는 지금의 하늘과 땅은 없어지게 된다(계 6:14). 새 하늘과 새 땅을 맞이하게 될 것이다. 물론 아직까지 학자들 간에 지금의 지구가 없어지는지 아니면 남겨두고 새롭게 되는지에 대한 논란은 있다.

마지막 날에 대한 성경의 많은 표현은 상징적으로 되어 있어서 지금의 가시적인 표현으로는 정확하게 표현하기는 힘들다. 그날의 상태에 대해서 좀 더 우리의 이해를 해보는 것이 좋겠다. 그때는 모든 성도가 하나님의 영원한 안식에 들어가게 되는 것이다. 하나님은 일찍이 창세기 2장 2-3절에 일곱째 날에 그가 하시던 일을 마치시고 "그날에 안식하시니라"고 하셨고 "그날을 복되게 하시고 거룩하게 하셨다." 물론 하나님의 안식이란 개념을 인간이 피곤해서 엿새 동안 일하고 이레째 육신적 쉼을 얻어야 한다는 것처럼 오해하면 안 된다. 전지전능하신 하나님이 그럴 필요가 없고 그분은 영원히 피곤함이 없는 분이시다(사 40:28).

창세기 2장의 하나님의 안식은 바로 하나님이 창조하신 모든 피조물 특히 인간이 하나님의 만드신 아름다운 세상에서 살면서 영원토록 하나님을 즐거워하고 그에게 영광 돌리는 삶을 말한다. 인간의 범죄로 이것을 잃어버렸고, 그리스도 예수의 속죄하심으로 다시 찾게 되어서 하나님은 이제 하나님의 백성들이 다시 하나님의 영원한 안식에 들어올 수 있게 하셨다(시 95:11).

영원한 천국은 바로 하나님이 예비하신 영원한 천국을 말한다. 그곳에서 하나님의 백성들이 영원토록 그분과 함께 삶을 계속하는 것이다. 물론 그리스도 안에 있는 성도들은 그리스도 안에 있으므로 그리스도의 영광 안에서 살아가게 될 것이다. 완성이다. 성도들은 그날을 바라보고 오늘도 사랑과 믿음과 소망 가운데 살아가야 하는 것이다.

* *

　간단하게나마 기독교 세계관의 기초에 관해서 설명했다. 기독교의 세계관은 이 세상에서 함께 살아가고 있는 여러 다른 종교, 무신론자들의 세계관들과는 완전히 다르다. 샤머니즘부터 시작된 여러 미신과 철학들을 기반으로 한 세계관들은 전혀 근거가 없고 사실에 입각한 것은 더구나 아니다. 합리주의를 내세운 계몽주의가 드디어 하나님을 몰아내고 모든 것을 자기 이해 수준으로 몰아넣으려는 어리석은 짓들을 하고 오늘까지 여전히 기승을 부리고 있는 가운데 있지만 그들이 이 세상에서 잠시 우세한 것 같이 보인다고 그들이 진리인 것도 아니며 그들이 승리한 것은 더구나 아니다. 사도 바울은 "누가 철학과 헛된 속임수로 너희를 사로잡을까 주의하라"(골 2:8)고 하셨다. 세상의 거짓된 세계관과 가치관에 속지 말라.

　그리스도인은 비록 이 세상에 살고 있지만 명백한 하나님의 창조와 섭리 가운데 온 세상이 시작되고 주관되고 있음과 인간의 타락과 그 타락으로 인한 비참한 지경을 인식하고 오직 그리스도 예수의 대속의 죽음으로만 구원받을 수 있음을 알고 완성된 세상, 그분의 강림으로 약속 가운데 영광과 영원한 세계에 살 것을 소망하고 살아가는 것이다. 이미 시작된 하나님의 나라요, 우리가 그의 백성이므로 우리는 이 땅에서 분명한 그리스도인으로서 세계관을 정립하고 그 기초 가운데 인생의 집을 지어 나아가야 할 것이다.

오직 성경적인 세계관으로 무장하고 이 어두운 세상에서 그리스도인들은 어떻게 생각하고 살아가야 할지를 항상 염두에 두어야 한다. 비록 죄 많은 이 세상에 살고 있지만 그분의 기이한 빛에 들어가 있는 사람들임을 알고 그리스도 예수의 빛으로 세상을 밝게 비추어야 할 것이다(벧전 2:9).

기독교와 문화

김하연 목사

　기독교와 문화라는 주제는 일단 방대하다. 리처드 니버는 '그리스도와 문화'라는 역작을 저술했는데 그가 정의하는바 "그리스도와 문화의 관계를 다룰 때 염두에 두는 '문화'는 인간 활동의 총체적 과정과 그 활동으로 인한 총체적 결과를 가리키는 말로써 지금 일상적으로 문명이란 이름도 거기에 붙인다"라고 했다. 한마디로 말하면 이 세상에 있는 총체적인 것이 다 '문화'에 속하는 것으로 거기에는 인간의 성취물인 '언어, 교육, 전통, 신화, 과학, 예술, 철학, 정부, 법, 의식, 신념, 발명품, 테크놀로지, 경제 등'이 다 포함되는 삶의 바탕이라고 할 수 있다.

　기독교와 문화의 주제를 다룰 때, 우리의 관심은 아직은 완전한 천국에 들어간 상태가 아닌 현재의 그리스도인들이 이 세상의 이런 다양한 삶의 영역에서 즉 이 세상의 각양 다양한 문화 또는 문화의 영역에서 그리스도인들은 어떤 자세를 가지고 대응해 나가는 것이 그리스도인다운 것인가 하는 것이다.

1. 이 세상의 문화를 어떤 관점으로 볼 것인가

언급한 리처드 니버는 그의 책 '그리스도와 문화'에서 성경시대부터 현재에 이르기까지 교회 역사적으로 어떤 다양한 유형으로 이 세상의 문화에 대응해 왔는지를 소개하고 있다. 첫째는 '문화에 대립하는 그리스도', 둘째는 '문화에 속한 그리스도', 셋째는 '문화 위에 있는 그리스도', 넷째는 '문화와 역설적 관계에 있는 그리스도', 다섯째는 '문화를 변혁하는 그리스도', 이 다섯 가지이다. 이 다섯 가지 분류 중에 뚜렷한 특징이 있는 것은 첫째, 둘째, 그리고 다섯째의 유형이라 하겠다. 셋째와 넷째는 둘째와 함께 중간적 어느 위치를 취하는 유형이기 때문이다. 조금만 더 살펴보자.

첫째, 문화에 대립하는 그리스도의 유형은 터툴리아누스의 '아테네가 예루살렘과 실제로 무슨 상관이 있는가'라고 힐문한 내용에 잘 정리된 것처럼 그리스도인은 이 세상에 대하여 무관심 또는 적대감을 가지고 혹은 완전 별개의 것으로 취급해야 한다는 관점이다. 재세례파, 톨스토이 등도 여기에 속한다.

둘째, 문화에 속한 그리스도의 관점은 예수께서 이 세상에 주님이 오신 것은 이 세상의 죄에서 사람들을 구원하러 오셨다는 것보다는 이 세상의 여러 사상과 동일시되는 모범을 보여주시기 위해서 오셨다고 주장한다. 영혼 문제만은 별도로 하기는 하지만 그 외 일상의 삶에서는 예수님을 편한대로 적용한다. 그래서 독일 교회는 '독일 제국교회'로 개명했고, 미국에서는 예수님이 미국에 자본주의의와 자유시장제도를 통해서 미국에 복을 주시려고 왔다고 생각한다. 자유주의자들이 생각하기 편한대로 예수를 활용하는 형태이다. 한마디로 세상에 동화된 기독교이다. 초대 영지주의, 자유주의 신학, 기복신앙 등이 이런 유형이라고 하겠다.

그리고 주목해 보아야 할 다섯 번째 문화를 대하는 유형은 '문화를 변혁하는 그리스도'의 관점이다. 이 관점은 그리스도인이 이 세상의 문화라는 것을 대적하거나 외면하는 입장에 서는 것도 아니고 그렇다고 세상의 문화에 동화되어서 예수님의 가르침을 내 편한대로 갖다 붙임으로 그리스도인으로서의 사회적 윤리적 책임을 회피하는 입장도 아니다. 이러한 관점은 마이클 호튼이 정의하듯 '(그리스도인이) 자기 주변 세계를 변혁하는 하나님의 대리자가 되고 싶어한다'라는 입장이다. 비록 이 세상의 문화적 모든 것이 완전한 천국을 이룰 수 있다는 그런 소망을 가지고 있지는 않으나 새로운 방향전환형(conversionist)의 세계관을 가지고 현세적인 기존체계를 변혁하고 개선하고 싶어 하는 것이다.

이들은 이 세상을 대적하듯 하면서 오로지 미래 천국만을 바라보는 대립자의 입장과는 달리 이 세상을 창조하시고 여전히 섭리하시는 하나님을 생각한다. 그들은 타락한 이 세상에서 분명하게 영원한 나라로 이끌어가야 한다는 기본적인 신앙고백에는 문제가 없으면서 동시에 이 세상은 여전히 하나님의 영광이 나타나는 무대라고 인정하는 사상이다.

칼빈을 비롯한 종교개혁자들이 이런 문화관을 가지고 있었으며 그 대표적인 인물은 아브라함 카이퍼라고 할 수 있겠다. KOL의 '기독교와 문화'는 바로 이런 관점에서 이 세상의 문화 가운데 살아가는 기독교인이 어떤 자세를 가지고 살아야 할지에 대한 관점을 조명해 보고자 한다.

2. 기본적인 전제 (1) : 하나님의 주권

문화를 변혁하는 그리스도인의 입장과 주장은 그 시작이 하나님의 창조와 섭리에서부터 시작한다고 하겠다. 하나님은 그분의 말씀으로 이 세상을 창조하셨다. 그리고 보시기에 좋았더라고 하셨다(창 1장). 이 세상이 비록 타락하였어도 아이러니하게 하나님은 여전히 '이 세상'을 사랑하신다. 요한복음에서 "하나님이 세상을 이처럼 사랑하사"(요 3:16)라고 하신 것은 여전히 하나님의 사랑의 대상으로

써의 세상을 말씀하고 있다. 아담과 하와는 에덴동산에서 쫓겨났을 때에라도 하나님은 사실 에덴의 동쪽까지 오셔서 그들을 사랑하셨다. 노아를 사랑하셨으며 인간들이 바벨탑을 쌓을 때 간섭하셨고 또한 모세에게 나타나사 그에게 하나님의 말씀을 주시고 또한 이동식 성전인 성막을 통하여 이스라엘에게 하나님의 이 땅에서 그의 백성을 사랑하시고 동행하신 것을 분명히 보여주신다. 그리고 급기야는 예수 그리스도를 보내셔서 그들을 구원으로 인도하시는 것이다. 이 모든 과정에서 하나님은 이 세상의 정치, 경제, 예술, 건축, 사회제도 등을 다스리신다. 하나님의 구원계획을 향해서 나아가면서 동시에 인간의 모든 문화적 활동에 관여하시는 것이다.

하나님의 창조와 섭리는 바로 그분이 만드신 세계에 향하신 하나님의 뜻을 보여주시는 것이다. 인간이 처음 지음을 받았을 때 아담은 에덴동산을 '경작'(cultivate)하도록 명령을 받았다. 이 말은 사실 히브리어로는 '아바드'로써 '일한다, 섬긴다'라는 의미를 가지고 있다. 하나님의 처음 명령처럼 "생육하고 번성하고 다스리라"(창 1:28)의 대 명령은 문화명령이라고 한다. 이것은 하나님을 대신해서 그분을 섬기는 마음으로 인간에게 맡겨진 이 세상을 다스리라는 것이다. 소위 말하는 '대리통치'의 권한을 주시는 장면이다. 인간은 하나님을 섬기는 방법이 그에게 부여된 '대리통치'의 권한으로 그분이 기뻐하도록 그를 섬기고 그의 뜻대로 경작하고 지키도록 본래의 사명을 받은 존재이다. 동시에 인간은 그에게 맡겨두신 '대리통치'의 권한이 바로 하나님을 잘 섬기는 조건 안에서 주어지는 특권임을 알아야 했다. 교만한 인간은 그 경계를 넘어서 하나님께 불순종하고 하나님같이 될 것이라는 사탄의 유혹(창 3:5)에 빠져서 선을 넘는 반역을 행했다. 이에 하나님은 즉각적으로 그의 주권적으로 개입하셔서 심판을 내리신다. 죽음, 중노동, 출산의 고통, 남자에 의존, 고난 그리고 추방. 인간에게 '대리통치'를 맡겼다고 해서 간섭하지 않는다는 것이 아님이 명백하다. 하나님이 우주를 창조했지만 더 이상 간섭하지 않는다는 이신론자들의 주장은 거짓이다.

그러므로 기독교가 이 세상의 모든 문화를 대할 때에 바로 이점을 다시 새겨야 한다. 하나님의 다스리심이 우리를 통해서 인간의 문화의 모든 부분에 나타나도록 해야 하고 그분의 뜻이 이루어지는 목적으로 감당해야 한다는 것이다. 먼저는 모든 그리스도인의 마음을 주님이 다스리도록 허용하고 나아가서는 그리스도인들이 행하는 모든 일들 가운데서 여전히 하나님이 '세상을 사랑하시는' 그래서 세상을 통해서 '영광을 받으시도록 하는' 그 창조의 본래 목적이 이루어지도록 해야 한다. 하나님의 주권과 섭리를 인정하고 그에게 무릎 꿇는 자세가 먼저 중요하다.

스펄전 목사는 말하기를 "나는 이렇게 믿습니다. 햇살 속에 춤추는 먼지의 각 분자가 하나님의 원하는 것보다 더 많이 또는 더 적게 원자를 움직이지 않는다고 하늘에 있는 태양뿐만 아니라 증기선에 부딪히는 물보라의 각 분자도 그 궤도를 갖고 있다고 까부르는 사람의 손에서 나오는 왕겨가 하늘의 경로를 도는 별들만큼 조종되고 있다고…" 또한 아브라함 카이퍼의 하나님 주권에 대한 말도 귀 기울여 볼 필요가 있다. "우리 인간 실존의 모든 영역을 통치하시는 그리스도께서 내 것이야! 라고 외치지 않는 곳은 단 1평방인치도 없다." 마틴 루터는 심지어 "마귀는 하나님의 마귀다"라고 선언할 정도였다. 칼빈도 "마귀에게 속한 세력도 하나님의 주권적인 명령에 복종해야만 한다"라고 했다.

3. 기본적인 전제 (2) : 영역주권

하나님의 만물을 다스리시는 주권은 말 그대로 온 우주에 그리고 우주 바깥에까지 충만하지만 우리에게 대리 통치하도록 주어진 영역은 제한되어 있다. 그러므로 우리 그리스도인들은 각자 자기에게 주어진 영역에서 최선을 다하여 하나님의 영광을 드러내야 한다. 이 세상의 문화라는 것이 내가 지금 속한 이 세상에서의 문화이므로 기독교인이 어떻게 문화를 접해야 하는가 하는 일에 있어서 중요한 것은 자신이 지금 처해 진 상황에서 하나님의 영광을 드러내야 한다는 것이다. '영역주권(Sovereignty in its own sphere)'이라는 말은 아브라함 카이퍼가 암스테르담 자유대학의 개교 연설에서 사용하였는데 이것은 그리스도께서 인간 삶과 사상의 모든 영역에서 절대 주권을 가지시고 통치하신다는 성경적 가르침이다. 그리하여 국가와 권력을 가진 정치인은 하나님의 공의를 위해서 그 권력을 사용해야 하며 경제인은 자신이 얻은 소득으로 하나님의 사랑을 실천하는데 잘 사용해야 한다.

음악가들은 자신이 받은 예술적인 소양으로 하나님의 영광을 드러내야 한다. 바흐는 그의 모든 작품에 'S.D.G'(Soli Deo Gloria)라고 새겨서 자신의 모든 작곡하는 일이 '오직 하나님께만 영광'을 돌린다는 중심을 분명히 드러냈다. 그는 성가곡에 뿐 아니라 비종교 음악에도 이 약어를 사용했다. 그가 작곡하는 모든 일에 하나님의 영광을 드러내기를 바라는 마음으로 작곡했다는 것이다.

이런 측면에서 우리는 이 세상의 문화에 대하여 좀 더 폭넓은 관점을 가질 필요가 있다. 예술가가 기독교 음악, 기독교 그림만을 그린다고 하나님께 영광을 돌리는 것이 아니라는 것이다. 소위 '일반 은총'의 영역에서 하나님은 신 불신을 떠나서 모든 인간에게 아직 '자연의 은총'을 주셔서 햇빛과 비를 차별 없이 골고루 주심과 '양심'을 주셔서 범죄할 때에 스스로 부끄러워하거나 세상의 비기독교 국가를 통해서도 죄를 억제할 수 있는 제도 장치를 만들게 하는 것이나 나아가서 '창의적인 마음'을 주셔서 과학과 교육 등 모든 문화창달을 감당해 나갈 수 있도록 해 주신 것이다. 이는 바로 하나님의 사랑이요, 긍휼이요, 이 세상의 존재가 다 할 때까지 또한 그의 백성을 다 부르실 때까지 베푸시는 하나님의 말할 수 없는 자비이다. 하나님께서 모든 인간에게 주시는 선물이 바로 '일반은총'이다. 그러므로 하나님이 아직도 사랑하시고 선물을 베푸시는 이 세상에 대해서 그리스도인들이 무조건하고 적대시할 필요는 없다. 하나님은 인류의 문화창달을 통해서, 죄를 억제하는 일을 통해서, 자연을 통해 주시는 은총을 통해서 결실하고 아름답게 운행되는 우주를 통해서 얼마든지 영광을 받으시는 분이시다. 단적으로 하나님이 이 세상을 통해서도 얼마든지 영광을 받으실진대 우리 그리스도인들이 그의 전인격에서부터 시작하여 그의 모든 행하는 일들을 통하여 하나님을 생각하고 하나님께 영광을 돌리고 나아가는 일이 얼마나 당연한 일이겠는가?

이스라엘에 라트룬이란 지역이 있다. 그곳에 포도가 맛이 있고 라트룬 수도원에서 만들어진 포도주는 고급에 속한다고 한다. 그런데 중요한 것은 그들의 포도의 질에 관한 것이 아니라 그 농장에서 일하는 수도사들의 일하는 자세에 있다. 그들은 아침에 일하러 나가면 그날 일이 마칠 때까지 들에서 일절 말을 하지 않는다는 것이다. 너무나 신기해서 그곳 관리인에게 물어보았다. '왜 그렇게 하는가'라고 했더니 '일하는 동안 잡담하면서 하나님을 더 생각하고 묵상할 기회를 빼앗기기 때문에'라고 하지 않는가? 농부가, 예술가, 정치인이, 경제인이, 기술자가 그 어떤 일들을 통해서이던지 자기 삶의 영역 안에서 최선을 다하여 하나님께 영광을 돌리는 마음으로 살아가는 것이 중요하다. 무엇을 해야 하나님께 영광을 돌리는가가 아니라 어떤 마음으로 무엇을 하든지 하나님을 사랑하는 마음으로 감당하는 것이 중요하다. "그런즉 너희가 먹든지 마시든지 무엇을 하든지 다 하나님의 영광을 위하여 하라"(고전 10:31).

하나님은 각 사람에게 정해진 계획이 있다. 그래서 아브라함 카이퍼는 목사, 언론인, 정치가, 교육가로서의 역할을 감당할 때에 자신의 처한 상황에서 그는 하나님의 영광을 위해서 모든 일을 감당했다. 각 사람은 정치, 법률, 경제, 예술, 교육, 스포츠, 연예, 과학 등 자기에게 주어진 삶의 영역에서 그리스도의 다스림을 나타내야 한다.

CTS '내가 매일 기쁘게' 프로그램에 본 교단 소속 모 장로님의 이야기가 나왔다. 그분의 삶의 중심은 '무료 변호와 약한 자를 도우면서라도 돈에 눈먼 변호사가 아닌 사명자로 삽니다'를 외치면서 살아가기를 최선을 다하고 있다고 했다. 하나님이 그에게 주신 삶의 영역에서 하나님의 영광을 나타내려 하는 것이다.

그리스도인들이 문화를 변혁하는 것은 바로 이런 삶의 현장에서 '변혁'을 시도해야 한다. 나의 삶의 영역에서 그리스도 예수가 왕 되시게 하고 그의 다스림이 나타나도록 하는 것이다. "(하늘에서) 아버지의 뜻이 이루어 짐같이 땅에서도(나를 통하여, 나의 삶의 영역에서) 이루어지이다"라고 고백하는 마음으로 살아가는 것이다.

4. 삶에의 적용 : 성경적인 가치관의 확립이 필요하다

알게 모르게 기독교인의 삶 가운데는 여러가지 비기독교적 아니 엄밀히 말해서 비성경적인 요소가 많이 섞여 있다. 결혼, 장례, 취미생활, 음주, 연애, 죽음, 자살 등의 각론에 대하여 기독교인들은 성경적인 가치관을 분명하게 해야 한다. 이런 일상생활 가운데도 얼마든지 비성경적인 가치관(세계관)이 섞여 있는 것을 볼 때 답답한 마음이 많이 든다. 예를 들면 요즈음의 세상 풍조를 좇아서 목사의 주례와 하나님께 서약이 없는 결혼식을 본다. 그리스도인이 사망한 지 사흘째 되었고 이미 그 영혼은 하나님 앞에 가 있음에도 불구하고 셋째 날 발인식을 '천국 환송예배'라고 하는 것을 본다. 아니 아예 '영결식'이라고 하는 이도 있고 '고인의 명복을 빈다'라고 하는 이들도 있다.

비성경적 사고의 발상들이다. 그리스도인들이 낙태하고 자살하고 하는 문제 등은 어떻게 할 것인가? 일상적인 삶에 관련된 성경적 가치관이 받침이 되지 않다 보니 이 세상의 기준을 흉내 내고 살아가든지 아니면 어쩔 줄 몰라 대충 헤매고 있는 모습들은 아닌가?

어떤 교회의 항존직원 중에는 손주의 이름을 철학관에 가서 짓는 사람도 있다. 그리스도인 청년들이 혼전 성교와 동거를 편하게 생각하는 것은 어떻게 할 것인가? 동성애와 퀴어 축제를 인정해 주는 것이 문화인이라고 생각하는가? 아니 심지어 나름 알려진 구약학자라는 K 모 교수는 성경이 동성애를 금지하지 않는다고까지 말한다고 하니 참 어두운 세대가 아닐 수 없다. 성경적 가치관이 바로 서고 그 가치관 위에 문화의 옷을 입혀서 기독교인은 기독교다운 삶을 살아서 세상에 보여주어야 하지 않는가?

지면상 특정 분야별로 다 들어갈 수도 없고 우리가 오해하기 쉬운 '돈과 권력'에 대해서만은 분명히 짚고 넘어가야 하겠다. 어떤 이들은 '돈'을 하나님의 축복으로 생각하고 깨끗하게 벌기만 하면 얼마든지 재벌의 꿈을 가지고 살아가도 좋다고 생각한다. 소위 '청부론' 예찬론적 관점이다. 다른 이들은 '부요함' 자체를 죄악시한다. 그래서 '무소유'가 기독교의 표본인 것처럼 생각하고 그것이야말로 그리스도인들의 표지라고 생각한다. 마치 도미니크 탁발 승단의 자세와 같고 오늘날 그리스의 메테오라 수도원에서 모든 것을 포기하고 살아가는 수도사들의 모습만이 최상의 그리스도인 삶인 것으로 생각하기도 한다. 소위 '청빈론'적 관점이다. 그러나 성경은 '청부론'도 '청빈론'도 예찬하지 않는다. 성경은 '부요함'이나 '돈'이 죄라고도 의라고도 하지 않고 다만 "돈을 사랑하는 마음이 일만 악의 뿌리"(딤전 6:10)라고 말한다. 돈을 하나님보다 더 사랑하여 돈의 노예가 되어 하나님의 말씀대로 돈을 벌지도 않고 하나님의 뜻대로 돈을 쓰지도 않고 그냥 '맘몬 신'을 섬기는 우상에 빠지는 것이 죄라고 한다. 물질을 하나님이 허락하시는 도구로 삼을 때에 그것을 획득하는 과정에서 거짓이 없고 그것을 사용하는 데 있어 하나님을 기쁘시게 하려는 목적으로 사용할 때에 물질은 그렇게 나쁜 것이 아니다. 그냥 우리에게 허락된 지혜와 지식과 같은 '도구'이다. 그 가치관을 모르고 살아가면 문제가 되는 것이다.

정치와 권력이라는 것도 마찬가지이다. 정권을 잡고 통치권을 갖는다는 것이 무조건 세속적으로 정죄를 받아야 하는 일은 아니다. 아브라함 카이퍼는 총리와 내무부 장관 그리고 상원의원 등을 지내면서 노사문제, 교육에 관한 법률들의 개선을 가져왔고, 항구건설들을 추진하여 어업에 큰 유익을 가져왔다. 교육법을 개정하여 기독교 학교들을 돕기도 했다. 그리고 무엇보다도 그는 재임 기간 중 일절의 뇌물을 받지 않았다. 정치인으로 선한 영향력을 미치는 것이다.

우리나라의 국회의원, 장성, 교육 정책가들 가운데 그리스도인들이 많다. 때로 아쉬움은 그들의 삶의 현장에서 당론, 명령, 정책 등에 의해서 입도 뻥긋 못하고 그리스도가 나타나지 않고 묻혀버리는 경우들을 본다. 그들의 그리스도는 어디에 계시는가?

요셉은 일찍이 애굽의 총리가 되었을 때 그가 섬기는 바로(파라오) 임금을 유익하게 했다. 그리고 백성들에게 굶주림에서 벗어나게 하였으며 급기야 하나님의 백성들이 기근으로 인하여 이집트로 이주했을 때에 그들에게 보금자리를 만들어 주어 하나님의 백성들이 큰 민족을 이루게 하는 교두보 역할을 하게 됐다. 다니엘은 어떠한가? 이방 나라 임금을 섬기는 고급관리였고 이방나라에 충성하였으나 결국 이방 왕이 다니엘의 하나님 앞에 무릎을 꿇게 하지 않았는가? 느헤미야 역시 정치가였는데 그의 신실함으로 신임을 얻고 그는 고국에 돌아와 무너진 예루살렘을 일으켜 세우지 않았는가?

정치나 권력이 무조건 문제라고 생각하면 그것은 큰 오해이다. 어떻게 그것을 얻고 어떻게 그것을 사용하는가 하는 것이 더 큰 문제이다. 정치하는 사람들의 마음속에 그리스도께서 왕 노릇하고 계신가 하는 것이 중요한 것이다.

* *

기독교인들은 멸망할 이 세상을 저주하고 살면서 휴거만 목이 빠지도록 기다리고 이 세상에 남겨진 자로 있는 것이 아니다. 아직 하나님이 사랑하시는 이 세상에서 하나님의 사랑과 그의 영광을 드러내는 것이 중요하다. 우리를 둘러싸고 있는 모든 문화(문명)적 삶 가운데서 주님의 창조하신 세계를 친히 다스리심과 그분이 주인 되심을 인정하고 그분의 영광을 위하여, 우리에게 주어진 삶의 영역에서 그분을 온전히 높여드리는 것이 중요하다. 그리하여 우리를 통해서 그들이 하나님을 알고 깨닫게 해야 하며 하나님께 나오게 하는 것이 우리의 문화적 사명이다. 창세기에서 벌써 처음부터 내리신 문화명령, 대리통치자의 역할을 이 세상에서 감당해야 한다. 대척점이 아니라 문화 안에서 문화를 하나님 중심으로 변혁시켜 나가는 사명을 가지고 나가는 것이다. 이 세상에서 그분께 순종하며 그분을 기쁘시게 하며 영광 돌리는 일들로 인하여 세상이 우리를 보고 하나님께 영광 돌리게 해야 한다(마 5:16).

기후위기와 교회

감기탁 목사

조 바이든 미국 대통령은 2020년 대통령 후보로서 선거공약으로 2조 달러 규모의 기후계획을 제시했다. 지난 2021년 9월 독일 총선에서도 여론조사를 통해 나타난 최대 이슈는 코로나19 사태(38%)를 누르고 기후변화(43%)가 차지했고, 그 결과로 녹색당이 대약진을 했다. 환경이나 기후문제가 그 정도로 심각한가 생각할지 모르지만 2020년 1월 세계경제포럼(WEF)이 발표한 '2020 세계위험 보고서'에 따르면 '2020년대에 발생할 가능성이 가장 높은 지구에 대한 위협'에 대한 1위부터 5위까지의 상위 응답 내용이 각각 기상이변, 기후변화 대응실패, 자연재해, 생물 다양성 손실, 인간 유발 환경 재난 등이었다. 최상위 5개 모두가 직접적인 환경과 관련된 항목들로 인류의 미래 생존에 대한 경고이면서 동시에 이미 현재 우리의 당면한 문제임을 보여 준다.

1. 당면한 기후 위기의 심각성

1) 생태계 오염과 위기의 지구

지구의 생태계는 인간의 자연 파괴와 환경오염으로 위기에 직면하고 있다. 생태계는 '생물이 물과 공기 그리고 토양을 근거로 영양분을 섭취하고 물리적인 환경에 적응하며 살아가는 생명 유지 시스템'이라고 할 수 있는데 모든 생명체의 기본 생존을 위한 조건인 공기, 물, 토양 세 요소 모두가 심각한 오염에 직면해 있다. 대기는 그 온도가 상승하고 있을 뿐 아니라 자동차 배기가스 등으로 심각하게 오염되고 있다. 생활하수, 산업폐수, 축산오수 등으로 인한 하천의 오염과 심지어 지표수의 오염에서 비롯된 지하수의 오염은 인간의 마실 마지막 물의 근원까지도 위협하고 있다.

생활 쓰레기, 산업 폐기물과 중금속 유해 화학물질 등과 산성비까지 더하여 토양이 오염되어 미생물들이 살 수 없도록 토양 생태계 파괴도 계속되고 있다. 이 생태계는 순환적인 먹이사슬 등으로 이어진 커다란 생명공동체의 관계로 그물망처럼 엮여 있는데 인간의 탐욕과 잘못된 삶의 방식으로 인해 왜곡되고 점점 파괴되어 결국 인간 자신의 존재마저도 위협하게 됐다.

이상 기후에 대한 뉴스는 더 이상 특별할 것이 없는 시대를 우리는 살고 있다. 지난 12월 북극한파가 한반도를 강타했다가 지난 1월

한라산에 300mm 넘는 물폭탄이 쏟아졌고 2월에도 이상 고온으로 겨울 기온이 널을 뛰고 있다.

세계적으로도 '펄펄 끓는 지구' 같은 미 항공우주국(NASA)의 2022년 북반구의 여름사진(그림 1)이나 또 로이터뉴스의 겨울가뭄으로 물이 없어 멈춰버린 지난 2월 '물의 도시' 베니스의 곤돌라 사진(그림 2)도 우리는 실제로 보고 있다.

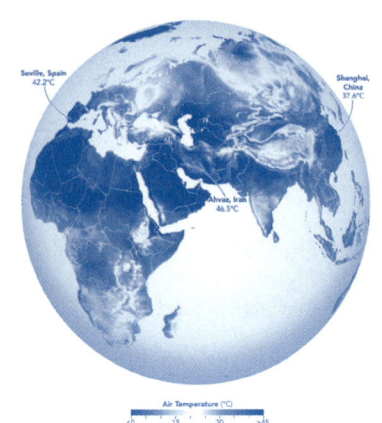

그림 1

그림 2

2) 환경 문제는 인류 생존의 문제

지구온난화는 그 규모나 영향력에 있어서 다양한 환경 문제 가운데서도 매우 중요한 주제다. 세계기상기구(WMO, World Meteorological Organization)와 환경계획(UNEP, United Nations Environment Program)이 1988년 설립한 '기후변화 정부간 합의체'(IPCC, Intergovernmental Panel of Climate Change)의 2018년 10월의 '지구온난화 섭씨1.5도 특별보고서'는 2100년까지 지구온난화를 섭씨 1.5도 또는 섭씨 2.0도로 제한하는 것을 비교 분석하면서 1.5도까지로 제어할 방안에 대하여 논의했다.

현재 10년에 섭씨 0.2도씩 온도가 증가하고 있으며 이대로 방치할 경우 2100년에는 섭씨 4도 또는 그 이상으로 지구표면온도가 상승하여 미래 인류에게 큰 위협이 될 것이므로 지금 탄소 중립사회로의 전환을 위한 구체적인 행동이 필요함을 주장한다. 1.5도라고만 하면 우리가 경험하는 일교차 등을 고려할 때 크게 느껴지지 않을 수 있지만 '지구평균온도' 섭씨 1.5도 상승은 누구도 무시할 수 없다. 왜냐하면 가장 가까운 빙하기(약1만8천년 전)에 지구 기온이 지금보다 섭씨 6도가 낮았고 그때 미국의 뉴욕, 시카고와 캐나다 지역이 1.6km 두께의 얼음판으로 덮여 버려서 거의 사람이 살아남기 어려운 정도였기 때문이다.

지난 10년간 기후변화의 원인과 영향을 연구해온 빌 게이츠에 따르면 지구온난화는 대표적으로 폭염을 증가시키고 강력한 폭풍 발생의 빈도를 높이며, 더 파괴적인 산불을 빈번하게 일으키며, 해수면을 상승시켜 저지대 국가의 침수 등을 가져오며, 동식물의 서식지가 줄어들어 생태계에 파괴적인 영향을 미친다. 북극의 많은 얼음이 녹아 추운 북극의 해수에 오래 버티기 힘든 새끼 곰들부터 시작하여 생존이 위협받고 전 세계적으로 조용히 진행되고 있는 꿀벌의 집단 폐사 등으로 머지않아 인류 전체의 먹거리도 큰 영향을 받을 것이다. 이런 다양한 생물종 감소와 사회적인 빈곤층의 증가 및 그 상황 악화가 현재 진행되고 있다.

어떤 개발론자들은 환경오염 문제와 생태계 파괴 등에 인간의 영향은 미미할 뿐이고 그래서 인류의 개입 없이 해결될 것으로 막연히 낙관한다. 그러나 인류가 지구온난화에 얼마나 관여했는가에 대하여 3만 편 이상의 과학논문을 종합 평가해서 마련한 2013년 제5차 IPCC 보고서에서는 인류가 온난화의 주요 원인일 가능성이 '극도로'(extremely)높다고 판단하며 이제는 사람들이 핑계를 대거나 모른척하며 덮어 둘 수만 없는 단계에 이르렀음을 알렸다.

2. 위기에 대한 인류의 대응

환경문제 해결을 위하여 무엇보다 먼저 인류는 현재 상황을 올바르게 파악하고자 힘쓰며 다양한 대안들을 제시하고 시도하는 가운데 있다. IPCC의 제1, 2차 보고서에서는 인간의 지구온난화에 대한 영향이 가능성은 있지만 심각하지 않은 것으로 보았는데 계속 진행한 제3, 4차 보고서에서 인류의 영향일 가능성이 매우 높은 것을 깨닫게 되고, 제5차 보고서에서는 여러 증거들을 통해 우리 사람들의 책임임을 명백하게 밝히게 된다. 특히 지구온난화의 경우 그나마 섭씨 2.0도와 비교할 때 2100년까지 섭씨1.5도로 그 상승을 제한할 수 있다면 상당한 효과를 기대할 수 있기 때문에 '지구온난화 섭씨 1.5도' 특별보고서는 이를 위한 구체이고 신속히 시행해야 할 제안들을 내놓고 있다. 예를 들면, 재생에너지 활용을 통한 온실가스 배출 줄이기, 저공해 또는 무공해 동력으로 바꾸기, 토지 집약적 육류 소비 줄이기, 녹색 인프라의 도시 구조로 바꾸기 등이다. 그래서 2020년 10월에 일본은 2050년까지 온실가스 배출을 제로로 만들 것을 선언했고, 유럽연합도 온실가스 순 배출량 제로 계획을 발표했으며, 바이든 미국 대통령도 취임 첫날 파리 기후 협약에 복귀하는 행정명령에 서명했다.

기후 재앙을 피하기 위하여 수년 안에 온실가스 배출 제로 달성과 이미 보유한 태양광, 풍력 등의 수단을 더 빨리 현명하게 사용할 것 그리고 나머지 목표달성을 위한 획기적인 기술 개발과 출시가 필요하다고 빌 게이츠는 말한다. 기술적으로 최적의 에너지원, 곧 청정에너지를 싸고 안정적으로 만드는 것이 긴급한 기후 재앙을 피하기 위한 가장 핵심적인 전략이라고 주장한다. 그래서 그는 이를 위해 각국 정부의 정책으로서 특히 기술, 장책 그리고 시장을 모두 잡는 일석삼조의 길을 찾아야 하며, 가능한 빠른 시일 내에 전 세계적인 규모로 그 실용이 이뤄질 때 우리가 원하는 의미 있는 변화를 가져올 수 있을 것으로 본다. 그래서 이미 활용되고 있는 수력발전소나 태양광 에너지나 풍력에너지의 활용에 대한 연구만 아니라 충분한 원료와 높은 효율, 사용 후 폐기물이 거의 나오지 않는 등 최적의 에너지원으로서 소위 '인공태양'을 위한 연구가 세계적으로 진행되고 있다.

국내에서도 이미 1995년부터 기본계획이 수립, 진행되어 1996년 출범한 국가 핵융합연구소에서 2007년 한국형 핵융합 연구로 KSTAR(Korea Superconducting Tokamak Advanced Research)가 대전의 한국핵융합에너지 연구원에서 우리 독자 기술로 완공되어 2008년 첫 플라즈마 발생을 시작했다. 2022년 9월에는 1억7천만 도의 초고온 플라즈마를 유지하는 새로운 FIRE 운전 모드를 개발하여 학술지 Nature에 게재하였고, 안정적으로 30초까지 유지하는데 성공했다고 한다. 이런 과제는 국제적인 기술협력과 대규모 자본 등이 필요하여 우리나라를 포함한 미국, 러시아, 유럽연합, 중국, 인도, 일본 등이 참여하는 ITER(International

Thermonuclear Experimental Reactor, 국제 핵융합 실험로)이 상용화 가능 최소핵융합효율의 확실한 달성을 목표로 진행 중이다. 적절한 저공해/무공해 에너지원이 개발되고 출시 상용화되면 이미 저공해 운송 수단으로서 시장에 나와 있는 전기 자동차 등과 같은 다양한 수단을 연계하면 탄소배출을 극적으로 줄여 나갈 수 있을 것이다.

1) 생태적 세계관으로 생태 정의 추구

이런 노력들은 우리 인류가 우리 삶의 방식을 변화시키는 생태적 세계관을 공유하면서까지 기꺼이 값을 치르며 우선적으로 신속하게 해결하고자 다 함께 힘쓸 때만 의미 있는 결과를 기대할 수 있다. '생태학적 세계관'은 가장 작은 박테리아로부터 모든 종류의 동식물과 인간까지 유기체들을 통합된 하나의 시스템으로 이해하고 각 요소가 상호 작용하며 서로 의존하는 하나의 유기체와 같은 것으로 보는 것이다. 올바른 에너지 정책을 수립하고 시행하는 만큼이나 중요한 것은 결국 자연을 어떻게 바라보고 이해하며 관계를 맺을까 하는 바른 태도 곧 건전한 생태학적 세계관을 갖는 것이 환경 문제와 기후 위기를 극복하는데 필수적이다. 이를 위해 우리는 세 가지 핵심적인 생태 정의를 함께 추구해야 한다.

첫째는 미래세대의 욕구를 충족시킬 능력을 손상하지 않으면서 우리 세대의 욕구를 충족시키는 '지속 가능한 개발'(sustainable development, 1987년, 세계환경개발위원회)이다. 인간과 자원의 공생, 개발과 보전의 조화, 현세대와 미래세대 간의 형평성, 자연의 천연자원과 생물의 다양성과 생산성 등을 유지함으로 이를 가능하게 한다.

둘째로, 생태 정의는 사회정의와 떨어질 수 없다. 생태 정의는 국가 간 계층 간 개인 간의 사회적 분배 정의와 밀접하게 연결되어 있기 때문이다. 모든 사람에게 생태적 모든 재화 곧 토지, 자원, 무해한 환경(대기, 물, 무소음 공해), 자연식품(천연재료, 유기농 식품) 등이 공평하게 분배되어야 한다.

셋째로, 생태 정의는 정의로운 에너지 전환 정책을 필요로 한다. 탄소제로를 달성하기 위한 세계적인 목표달성을 위해서는 전에 없던 특별한 노력이 강력히 요구되는데 이런 에너지 전환은 반드시 부유한 국가들이 생태적 부채를 일정한 수준까지 갚아가도록 오염자 부담의 원칙을 따라 기후 약자와 에너지 약자를 배려하여 공정하고 정의로운 방식으로 진행되어야만 한다.

3. 기후 위기 앞의 교회의 역할

교회는 개인의 영혼 구원뿐 아니라 하나님의 다스림 아래 있는 창조세계의 공공선을 추구할 책임이 있다. 성경적인 창조신학은 창조주 하나님 앞에서 모든 환경과 사람들 자신에 대하여 바른 시각을 제공한다. 이제까지는 그렇게 지나친 물질 소비로 자원의 고갈과 환경오염을 가져오게 되었지만 지금부터라도 우리 교회는 올바른 창조신학을 재정립하여 생태적 세계관을 포용하며 주님이 지으신 자연에 대한 바른 태도로 돌아가 환경 문제 해결의 실마리를 찾을 수 있다.

1) 창조신학의 재정립

먼저 창조세계는 거룩하신 하나님의 집이다. 우리 기독교는 자연만물을 하나님이 창조하신 세계로 이해하며 만물이 주님의 영광을 위해 창조된 것을 믿는다(시 19:1). 창조된 이 세계는 단지 인간의 소비와 유익을 위한 도구가 아니라 하나님의 영광을 드러내시는 도구요 임재하시며 다스리시는 거룩한 공간이다.

칼빈도 하늘을 하나님의 보좌가 있는 성전으로 묘사한다(시 11:4). 창조세계의 모든 만물은 하나님의 현존에서 벗어날 수 없다(시 139:8-10). 창조주 하나님은 무한하신 초월자로서 만물 위에 계시면서 또한 유한한 창조세계 안에 내주하시는 신비하고 경이로운 우리 하나님이시다. 몰트만이 말하듯이 '창조세계는 하나님이 내주하실 수 있는 하나님의 집, 성전, 하나님이 쉬실 수 있는 본향이 된다.' 그리고 인간은 하나님의 형상으로 지어져 하나님 은혜 안에서 주님과 인격적인 관계를 맺고 창조세계를 다스리도록 부름 받은 모든 피조물에 대한 하나님의 대리자다. 인간은 흙으로 지어져 창조세계 안에 두신 존재로서 피조물들과 함께 공생, 공존하는 공동 운명체이며 타락한 인간과 함께 온 피조물도 탄식하며 고통을 겪는다(롬 8:19-22). 인류의 자연 파괴는 자기 자신의 파괴와 분리되지 않는다.

우리는 자연 위에 있거나, 자연 안에 있기도 하지만 자연과 함께하는 인간으로서 주인이신 창조주 우리 하나님이 다스리시는 이 세상에서 자연을 돌볼 책임을 위임받은 성실한 청지기로서 살아야 한다. 우리 주님의 다스림을 좇아서, 폭력적이지 않고 분별력을 가지고 이기심 없이 희생적인 사랑을 실천하며 주님을 대리하는 존재의 모습이다.

구원신앙과 창조신앙은 구별될 수 있지만 분리할 수는 없다. 창조신앙과 구원신앙이 오랜 기독교 전통 가운데 있지만 한국교회는 특이하게 구속신앙만 강조하고 창조신앙을 축소해 온 경향이 있다. 올바른 창조신앙의 부재가 생태문제의 큰 원인이고 볼 수 있는 부분이다. 구원의 주 예수님은 세상의 창조주이시며(요 1:1-3) 또한 영생을 주시는 생명의 떡이시다(요 6:48-51). 십자가를 통해 우리를 구원하신 예수님은 부활을 통해 새 생명을 우리에게 주는 분이시다.

새 하늘과 새 땅(계 21:1-5)을 가져오시는 예수님은 우리를 새로운 피조물로 창조하시는 주님이시다(고후 5:17). 성경이 약속하는 우리의 구원은 단지 영혼만의 구원이 아니며 '몸이 다시 사는' 전인적인 구원이며, 창조세계는 마지막 날에 새 창조 안에서 완성된다. 파괴된 자연을 다시 살리고 치유하기 위한 노력은 지속 가능한 성장뿐 아니라 인간과 모든 자연을 위한 온전한 구원에 빼 놓을 수 없는 중요한 부분임을 이해할 필요가 있다.

2) 교회의 회개와 돌이킴

기후의 이상 현상은 성경에서 살아계신 하나님의 다스리심의 한 부분으로 반복해서 나타난다. 노아의 홍수나 소돔과 고모라에 내린 심판뿐 아니라 주님이 인도하신 땅에서 아브라함과 이삭, 야곱이 반복하여 경험한 기근이 있고, 애굽의 칠년 풍년에 이은 칠년 흉년의 시간도 하나님의 뜻하신 섭리를 통해 주님의 일을 이루시는 과정에 사용된다. 특별히 우리 주님은 또한 땅을 고칠 약속을 주시는 하나님이시다(대하 7:14). 어떤 국제기구도 아무리 많은 재정과 뛰어난 기술로도 해결할 수 없는 큰일이라도 주의 이름으로 일컫는 주의 백성이 회개하며 돌이키는 기도를 할 때 신실하신 주님은 들으시고 용서하시며 땅을 고치시는 약속을 주신다. 지금까지의 기후와 환경 전반에 대한 우리 인류의 또 우리 교회의 소홀하고 태만했던 태도는 주님 앞에서 돌이켜야 한다.

3) 변화를 위한 교회의 신속하고 구체적인 실천

이미 세계적으로 진보적인 교회는 1960년대부터 생태계 문제를 신앙의 관심과 신학적 사유의 대상으로 삼았고, 1975년 나이로비에서의 세계교회협의회(WCC) 제5차 총회부터 창조신학을 공식적 신학 과제로 삼았다. 1990년에는 서울에서 WCC의 '정의, 평화와 창조질서의 보전'(Justice, Peace, Integrity of Creation, JPIC) 세계대회가 열렸다.

한국교회 안에서의 환경운동도 1970년대 크리스챤아카데미와 YMCA가 산업화에 따른 환경문제를 제기하면서 시작되었고 1984년 세계환경의 날(6월 5일)을 기념하면서 6월 첫 주일을 환경주일로 지키는 기독교환경운동은 점차 교회 연합운동으로 확장되었고 1992년 리우회의 이후 한국기독교교회협의회(NCCK)와 각 교단 등에서 환경위원회를 구성하고 환경주일 공동예배자료집을 발간 보급하기도 했다. 2020년 NCCK는 '2030 기후 비상행동'을 결의했고 2021년 5월 '기후위기극복을 위한 한국교회 탄소중립선언'을 발표하며 정부, 국회, 기업인들에게 2050탄소중립선언 실행을 위한 구체적인 노력을 촉구했다. 이런 노력을 통해 한국교회는 주 하나님이 창조하신 세상과 친히 이를 유지 보전하시는 하나님께서 인간들로

하여금 이 창조세계를 잘 보전하도록 하는 사명을 주신 것을 고백하며 그 책임을 다하지 못한 교회로서의 회개했다.

우리 총회도 이제 '기후환경위원회' 등이 주도적으로 역할을 감당하여 앞서 언급한 창조신학과 생태정의 등에 대한 바른 이해의 정립과 이를 목회자들을 비롯한 교회 지도자들이 공유하도록 구체적인 기회들(세미나나 학술대회 등)을 제공하고, 또한 모든 성도가 환경보호교육이나 활동을 통해 기후 재앙이나 생태계의 위기 문제에 대한 의식을 일깨우도록 도와서 환경문제와 기후 재앙이나 생태계 위기를 초래하는 탐욕적이고 인간중심적인 소비문화 등에서 돌이켜 회개하며, 각 교회와 노회 또 교단을 넘어 초교파적으로 진행되는 온실가스 배출 줄이기와 생태계 살리기 운동 참여 등의 자연환경 보호를 위한 구체적인 노력에 적극 동참해야 한다.

교회 전체로서만 아니라 일상에서 환경보호를 생활화하는 각 교회와 성도의 노력들도 필요하다. 예를 들면 이런 것들이다.

첫째, 과도한 소비를 줄이며 쓰레기 배출을 줄인다.

둘째, 지역 내에서 생산되는 재료를 이용한 식품을 소비하여 유통과정에서 발생하는 온실가스 배출량을 줄인다.

셋째, 육식을 줄이고 채식을 늘인다(4인 가족이 일주일에 하루만 고기와 치즈를 먹지 않으면 5주 동안 자가용을 타지 않는 효과를 거둘 수 있다. 서울시청이 2014년부터 매주 1회 채식식단을 전 직원에서 제공하여 점심 한 끼를 채식으로 제공받는 1,830명의 직원은 1년 365일 기준 단 52끼니의 채식식단만으로 1년 동안 30년산 소나무 기준 7만 그루를 심는 것과 같은 온실가스감축 효과를 내고 있다. 2018년 현재까지 지난 5년간 서울시청 한 곳에서만 이렇게 하여 나무를 35만 그루 심은 셈이다. 교회 식단에서도 얼마든지 즉시 진행할 수 있는 방법이다).

넷째, 약자들을 우선적으로 돌본다.

4. 새 하늘과 새 땅의 주님을 소망함

이미 너무 늦었다는 사람들도 있지만 실제 관측된 자료들을 통해 감사하게도 우리는 그 해결을 위한 긍정적인 방향의 효과들 적어도 기후 위기를 완화시키거나 재앙의 정도를 줄이는 영향을 발견할 수 있다. 예를 들면 오존층의 회복에 대한 기대다. 1989년 '오존층파괴물질에 대한 몬트리올 의정서(Montreal Protocol on Substances that Deplete the Ozone Layer)'는 오존층 파괴의 주요 물질인 염화불화탄소(CFC)의 생산과 사용을 규제하기 위해 준비되었고 전 세계 거의 모든 국가가 몬트리올국제조약에 서명했고 2000년에는 CFC-11(trichlorofluoromethane)이 공식적으로 사용 금지됐다. 이후 관측된 CFC-11은 2013년까지 대기 중에서 거의 반으로 그 농도가 줄어들었고(NASA와 EIA(Environmental Investigation Agency, 환경조사국)이 2013년 중국 동부 공장 등에서 불법 유출된 대량의 CFC-11을 확인하고 중국 정부가 규제를 재강화 하게 했다), 이후 2019년 다시 지속적인 CFC-11 대기 중 농도 감소가 확인되었고, 반세기 동안 조금씩 손상된 오존층의 회복을 위한 전 세계적 노력의 효과를 2022년 2월의 Nature의 논문 두 편이 확인해주고 있다.

우리 고신총회는 지금까지 기후/환경에는 별다른 관심을 보이지 못했으나 2022년 9월 제72회 총회에서 우리 총회가 속한 한국교회총연합의 요청에 따라 '기후환경위원회'를 신설하기로 결의했고 이제 활동을 시작하는 단계이며, 우리 '기독교보'도 '한교총 탄소중립 창조회복교회 만들기 공동 캠페인'에 동참해 20주 동안에 걸쳐 칼럼을 연재했다. 많이 늦었지만 소홀했던 우리의 환경에 대한 주님 앞에서의 책임을 자각하고 새로운 시도를 하는 이 시기에 'KOL'을 통해 환경과 기후에 대한 내용이 포함된 것은 참으로 감사한 일이다.

우리 온 교회는 '제십일시'에 포도원에서 일하게 된 기회를 얻은 품꾼(마 20장)처럼 아직도 우리를 기다리시며 일할 기회를 주시는 주님께 감사를 드리며, 마지막 한 시간 동안이라도 최선으로 우리의 헌신을 주님께 드려야 할 것이다.

정당한 전쟁 이론과 기독교의 평화

신원하 목사

1. 평화의 복음과 끊없는 전쟁

우크라이나 전쟁이 발발한 지 2년 반을 넘기고 있다. 아직도 평화는 요원한 듯하다. "세상은 평화 원하지만 전쟁의 소문 더 늘어난다-" 80년대에 많이 불렀던 복음송 가사가 새삼스럽다. 그리고 보니 1990년대 이후 전쟁이 그친 적이 없었다. 1990년 2차 세계대전 이후 가장 큰 전쟁이었던 걸프전쟁을 필두로 소말리아전, 유고내전, 코소보 전쟁, 아프가니스탄 전쟁 등 지구촌 곳곳에서 전쟁이 계속 발발했다. 2000년대 들어 뉴욕에서 터진 9·11 테러와 그에 대한 응징으로 미국은 아프가니스탄 전쟁과 이라크 전쟁을 불사했고 결국 미국의 자존심을 건드린 대상 국가의 권력자는 제거되었고 그 나라도 엄청나게 파괴됐다.

한편으로 소련이 해체된 이후 미국과 소련의 양대 세력의 이데올로기 냉전은 종식되었지만 러시아는 21세기에 들어와서 국경을 마주한 구 소련의 약소국가를 무력으로 집어삼켰고 마침내 2022년 2월 우크라이나의 일부 영토까지 복속시키려 침공했다. 우크라아나는 전 국민이 필사적으로 나라를 지키기 위해 현재까지 항전하고 있고 이로 말미암아 무고한 시민들이 사망하고 삶의 터전을 잃어버린 채 여전히 고통을 겪고 있다. 전쟁을 일으킨 러시아는 몇 가지 이유를 내세워 전쟁을 정당화했고 지금도 그러하지만 내세운 그 이유가 셀 수 없는 무고한 인명의 죽음과 삶의 터전 파괴와 한 나라의 유린을 감수해도 될 만큼 가치 있는 일일까?

인류 역사는 곧 전쟁의 역사이지만 역사 안에 들어와 있는 기독교는 평화의 종교이다. 기독교가 이 세상에 전한 복음의 핵심은 평화다. 하나님과 인간과의 화평, 사람들 간의 평화이다. 구약성경에 평화를 가리키는 단어 '샬롬'이 약 250여 회 나온다. 신약성경의 많은 곳에서 하나님을 평화의 하나님이라고 묘사한다(롬 16:20; 히 13:20; 살전 5:23; 빌 4:9; 골 3:15). 선지자 이사야는 메시야를 '평강(화)의 왕'으로 묘사하였고, 누가는 예수님을 이 땅에 평화를 가져오시는 주로(눅 2:14) 묘사했다. 바울은 그리스도를 '우리의 평화'라고 칭했다(엡 2:14). 성경을 통해 알 수 있는 것은 평화의 하나님은 이 세상 사람들이 평강의 왕이신 예수를 통해 평화를 누리며 살기를 원하신다는 것이다. 그래서 기독교회는 이 세상과 자신이 속한 사회의 평화를 위해 노력해 왔다. 전통적으로 교회는 평화를 추구하는 방식에 있어서 세 가지 입장을 취한다. 첫째는 때로 전쟁은 하나님의 뜻을 이루는 거룩한 수단이라는 성전론이고 둘째는 어떤 경우라도 기독교인이 전쟁에 가담하거나 폭력을 행사해서는 안 된다는 평화주의이며 셋째는 전쟁도 때로 정당할 수 있다는 전쟁론이다.

2. 성전론과 평화주의

1) 성전론

성전론(聖戰論, Holy War Theory)은 정의와 질서의 회복보다 종교적 이상을 위해 전쟁을 수행하는 것이다. 대표적으로 십자군 전쟁을 들 수 있다. 1095년, 예루살렘 성지를 점령한 이교도를 몰아내고 기독교 성지를 탈환하고자 시작되었던 이 전쟁은 성전의 이름으로 치러졌다. 성전론자들은 하나님의 이름으로 수행된 구약의 무수한 전쟁을 신학적 근거로 삼는데, 그중 예레미야 48장 10절은 가장 즐겨 사용하는 구절이다. "여호와의 일을 태만히 하는 자는 저주를 받을 것이요 자기 칼을 금하여 피를 흘리지 아니하는 자도 저주를 당할 것이로다." 그런데 현대 국가의 국제전쟁 중 성전의 성격을 띠는 경우는 드물다. 물론 전쟁 개시국가와 그 지도자들이 전쟁을 정당화하고 국민의 지지를 끌어내기 위해 전쟁에 종교적 의미를 부여하기는 하지만 실제로 전쟁 자체가 종교적 동기로 시작된 경우는 거의 없다.

미국이 2021년 9.11 테러에 대한 응징으로 아프가니스탄을 공격했을 때 오사마 빈 라덴은 이 공격을 이슬람권에 대한 기독교 국가의 전쟁으로 주장하고 이슬람교도들은 미국에 대한 성전에 동참해야 할 것을 호소한 바 있다. 그것은 2003년 이라크 전쟁이 일어났을 때 이라크의 국왕 후세인도 유사한 논리로 이슬람 국가들이 궐기해서 공격을 가한 미국과 연합군을 대항하는 전쟁에 동참해 줄 것을 촉구했다. 그러나 오늘날처럼 신정국가가 종식된 현대 사회에서 진정한 의미에서 성전은 존재하지 않고, 거의 명분과는 달리 실제적으로는 거의 모든 전쟁들이 국가 간의 이해관계로 말미암아 발생한다.

2) 평화주의

평화주의(Pacifism)는 어떤 이유에서건 폭력 사용과 전쟁 참여를 반대하는 입장이다. 인간주의적 입장에서 전쟁을 반대하는 인간애적인 평화주의(humanistic pacifism)와 비폭력이 폭력보다 더 효과적인 방법이라는 현실적 이념에 기초하는 실용주의적 평화주의(pragmatic pacifism)가 있다. 전자의 대표는 러시아의 문호 톨스토이이며, 마틴 루터 킹은 후자의 대표다. 약간의 이견이 있지만 통상적으로 초대교회 그리스도인은 평화주의 입장을 견지했다고 본다. 이 주장은 1-2세기 그리스도인이 단 한 명도 로마 군대의 군사로 복무하지 않았다는 사실과 교부 터툴리안과 오리겐 등이 쓴 초대교회 문헌에 기초해 있다.

이 입장은 권력을 가진 사람들의 개종이 점점 늘어나고 기독교를 국교화한 콘스탄틴 황제와 중세를 거치면서 점점 약해져 오히려 기독교의 분파(sect)로서 명맥을 유지해 왔다. 16세기 종교개혁기 재세례파 그룹의 메노나이트 교회와 17세기 영국의 퀘이커교도들이 평화주의의 대표적인 그룹인데 이 주장은 핵무기가 사용된 참혹한 2차 세계대전의 참상을 경험한 이후 점점 힘을 얻어가고 있고 세계교회에서도 이전과는 달리 이 이론에 신학적 가치와 무게를 더 부여하고 있다.

기독교 평화주의의 신학적 토대는 예수의 삶과 가르침이다. 예수 안에 하나님의 계시가 충족히 드러났기에 하나님의 뜻을 예수 그리스도를 통해 이해해야 한다고 평화주의자들은 주장한다. 예수는 사랑, 평화, 용서의 새로운 질서를 이 땅에 가져왔다. 예수는 열심당원들과 같이 무력으로 정부를 전복하고 새로운 왕국을 세우려 하지 않았고 "악한 자를 대적하지 말라 누구든지 네 오른뺨을 치거든 왼쪽 뺨도 돌려대라"(마 5:39). "검을 가지는 자는 다 검으로 망하느니라"(마26:52)라고 새로운 삶의 방식을 가르쳤다.

평화주의자들은 사랑과 용서와 비폭력을 천명하고 이미 예수와 함께 시작된 새로운 질서를 생생하게 증거하는 공동체를 만들어야 한다고 주장한다. "그리스도인들은 실용성과 효용을 앞세워 폭력을 앞세우는 세상 문화와는 다른 예수가 이 땅에 가져오신 사랑과 섬김의 대안적 문화를 만들어 가야 한다고 주장한다." 이들에게 있어서 십자가는 그리스도인들이 어떤 경우에도 폭력을 버려야 하는 것을 말해주는 가장 극적인 사건이다. 십자가의 방식은 무능하게 보이지만 결국은 위대한 하나님의 능력을 이 땅에 끌어 방편이며 그 근거는 부활이다. 그러기에 무력을 사용하지 않고 사랑과 평화 그리고 용서를 택하는 것은 메시야적 평화주의로서 종국적으로 하나님의 승리를 가져온다고 외친다. 그리스도인은 무력을 사용하여 자신들이 원하는 대로 역사를 움직이고 조정하고자 하는 유혹을 경계해야 한다고 역설한다. 역사는 인간 손에 달려 있는 것이 아니라 하나님의 손에 달려 있는 것이다. 용서와 평화의 공동체로서의 교회는 예수가 가져온 새로운 질서를 이 땅에 증거하는 것이 그리스도인들이 핵심적으로 감당해야 할 사명이라고 주장한다.

3. 정당 전쟁론

정당전쟁론(正當戰爭論, Just War Theory)은 엄격한 조건을 만

족시킨다면 전쟁 수행이 정당할 수 있다고 보는 입장으로서 교회 역사를 통해 주류 입장으로 자리 잡아 왔다. 어거스틴은 전쟁은 선량한 국민과 사회를 방어하고 불의한 침략을 응징하고 사회질서와 평화를 회복하기 위한 목적이라면 정당할 수 있다고 주장했다. 이 이론은 중세의 토마스아퀴나스와 종교개혁기의 루터와 칼빈을 거쳐 현대의 많은 신학자가 지지하고 발전시켜 왔다. 이 이론은 '전쟁 개시의 정당성'과 '전쟁 행위의 정당성'에 해당하는 8가지 항목으로 구성되어 있다.

1) 전쟁 개시의 정당성(jus ad bellum, justice toward war)

전쟁 개시의 정당성은 다섯 조건을 충족해야 한다. 첫째, 정당한 원인(just cause)이다. 만약 자국이 부당한 공격을 당했을 때 자국을 방어하고 보호하기 위해 전쟁에 나아간다면 도덕적으로 정당하다는 것이다. 최근에는 확실하고 충분한 적국의 공격 위협이 있을 경우 임박한 공격에서 자신을 미리 방어하기 위한 차원에서 선제공격을 하는 것에 대해서도 정당한 원인으로 간주하는 것이 일반적인 추세다. 둘째, 정당한 의도(just intent)가 필요하다. 전쟁을 하는 목적이 복수와 상대방의 파멸이 아니라 사라진 평화를 회복해야 하는 것이어야 한다. 국민의 분노 감정을 달래거나 전략적으로 유리한 지역을 확보하거나 이데올로기의 승리를 위해 전쟁을 벌여서는 안 된다. 셋째, 최후수단(the last resort)으로 행해져야 한다. 전쟁은 모든 외교적 방편을 다 사용한 뒤에도 평화를 회복할 수 없을 때 수행되어야 정당한 반응이 될 수 있다. 넷째, 합법적인 권위를 지닌 사람이나 정부에 의해 공적으로 선포되어야 한다. 즉 전쟁은 어떤 사적인 그룹이나 집단에 의해 시작될 수 없고 국민의 대표인 법적 권위를 가진 기관의 동의를 거쳐 합법적인 정부가 선포해야 한다. 다섯째, 전쟁을 수행할 때는 상당한 정도의 승리 가능성(feasibility of victory)이 있어야 한다. 그래서 이 전쟁을 수행함으로 발생하는 고통과 어려움을 훨씬 능가하는 선한 결과가 도출될 수 있어야 한다.

2) 전쟁 행위의 정당성(jusin bello, justice in war)

전쟁 행위의 내용과 방법에 있어서도 다음 조건이 충족되어야 한다. 여섯째, 공격은 제한된 목표(limited objectives)에 한정되어야 한다. 사회간접자산을 파괴하고, 국민 생존에 필요한 자원까지 말살해서는 안 된다. 일곱째, 공격은 당한 피해에 비례해서(proportionate means) 가해져야지 그것 이상으로 가해져서는 안 된다. 여덟째, 민간인을 공격에서 철저히 배제해야 한다(non combatants immunity). 전투병들과 지휘관들 이외의 그 어떤 민간인이나 부상병이나 포로들은 공격의 대상이 되어서는 안 된다.

4. 정당전쟁론의 신학적 근거

첫째로 정당전쟁론자들은 성경이 모든 전쟁을 정죄하는 것이 아니며 때로 정당화하고 있다고 주장한다. 아브라함이 그의 조카 롯과 식솔들을 구하러 전쟁을 일으킨 것에서부터 구약의 여러 전쟁과 또 전쟁 영웅인 다윗과 사사들 등에 대해서 신약 기자들도 결코 정죄하지 않는다. 오히려 그들의 행동을 믿음의 행위로 기술한다. "저희가 믿음으로 나라들을 이기기도 하며(정)의를 행하기도 하며… 전쟁에 용맹되어 이방사람들의 진을 물리치기도하며"(히 11:33-34).

세례 요한은 군인들에게 무기를 버려야 할 것으로 말하지 않았고(눅 3:14) 주님도 로마 군대의 백부장의 믿음을 칭찬하시면서 그에게 군대를 떠나는 것이 신실한 믿음을 증거하는 것으로 말하지 않았다(눅 7:9). 로마서 13장 1-7절은 중요한 근거로 사용된다. 하나님은 악인을 징벌하고 사회의 질서를 유지해 나가기 위해 위정자들을 세우시고 이런 자들에게 칼을 사용하는 권세를 주셨기에 그들은 이 사명을 충실히 감당해야 한다. 하나님이 위정자들에게 권세를 주신 것은 개인적인 복수를 막으시려는 것이다. 칼빈은 이에 근거하여 만약 침공을 당해 시민들이 고통을 겪는다면 정부는 당연히 불의의 세력에 대한 하나님의 진노의 대행자로서 악을 제어하고 정의를 수립하기 위해 전쟁을 할 수 있다고 말한다.

둘째로, 그들은 사랑, 정의, 자유, 안전, 평화, 질서 등의 기본적인 가치들도 동일하게 존중되어야 한다는 신학적 주장에 따라 정당전쟁론을 옹호한다. 이웃을 사랑하라는 명령은 소극적인 의미에서 이웃에게 해가 되는 일을 하지 말라는 명령으로 이해되지만 적극적인 의미에서는 해악을 당한 상태에 있는 이웃을 구하라는 것으로 이해된다. 어거스틴이나 폴 램지는 무고한 이웃이 불의에 의해 고통을 받고 있을 경우 불의의 희생자들인 그들을 구해주는 것이 사랑의 행동이라고 말하면서 이 경우 무력 사용은 정당화될 수 있다고 말한다. 옥스퍼드의 오도나반 교수는 전쟁을 개인적 사랑의 차원에서가 아니라 정의의 차원에서 이해해야 하고 특히 정의를 수호하고 고양해야 할 정부의 사명 차원에서 다루어야 한다고 주장한다. 위정자의 책임은 단순히 국내를 넘어 국가 관계에도 적용되기에 국제간의 정의를 세우는 목적을 위한 것이라면 때로 전쟁도 정당화될 수 있다는 것이다.

5. 평화를 향한 교회의 종말론적 소망과 책임

평화는 무력으로 실현될 수 없다. 강대국들은 평화를 위해 전쟁이 불가피하다고 주장한다. 실상 전쟁으로 평화를 이룩할 수 없다. 전쟁은 또 다른 전쟁을 낳는다. 힘을 통해 자국을 보호하고 잃어버린 평화를 회복하는 것은 결국 국가 간의 불신을 초래한다. 이는 군비경쟁을 부추기고 '군사주의'를 조장한다. 역시 믿을 것은 군사력이라는 생각을 갖게 할 뿐이다. 이 군사주의는 일종의 신앙으로 자리 잡을 가능성이 있다. 이 신앙에 의지해서 지구촌은 군비확장 체제로 돌입한다. 궁극적으로 지구촌의 긴장을 더 높이게 될 것이다.

평화는 이 땅에서 어쩌면 불가능한 이상이고 종말론적 소망에 불과할지 모른다. 죄악이 만연한 이 세상에서 참된 평화가 이루어질 수 없기 때문이다. 그러나 우리는 평화를 결코 종말론적인 소망으로 내버려 두지 말고 이 땅에서 실현하기 위해 힘을 경주해야 한다. 참된 평화를 이 땅에 가져오신 예수님은 우리에게 평화를 조성하는 자로 살아갈 것을 명령하셨다. 이미 그리스도를 통해 종말에 임할 평화를 미리 맛본 자들로서 우리는 그 평화를 다른 사람들에게 증거하고 이 땅에 실현하기 위해 노력해 가야 한다. 평화를 위해 기도하고 가정과 학교, 직장과 교회에서 평화와 정의의 삶을 연습하고, 실천할 책임이 우리에게 있다. "칼을 쳐서 보습을 만들고 창을 쳐서 낫을 만드는"(사 2:4) 종말론적인 평화가 이 땅에 이루어질 때까지.

2023년 현재 한국도 결코 평화의 안전지역은 아니다. 핵무기를 비롯하여 신형미사일을 보유하고 위협하는 북한을 지척에 두고 있는 남한과 한반도 그리고 군사적 경제적 2위 대국인 중국이 자국 영토로 간주하는 대만을 마음만 먹으면 언제든지 무력으로 복속시킬 행동을 감행할 수 있는 현실에서 우리나라와 한국교회는 전쟁과 평화가 결코 남의 나라의 문제가 아님을 인식하고 이에 대해 더 의식을 갖고 기도해야 할 중요한 주제이다.

6. 9·11테러와 응징 전쟁의 정당성 논란

그렇다면 9·11 테러에 대응해 미국이 아프가니스탄을 공격한 것을 어떻게 평가해야 하는가? 미국은 정당한 전쟁이라고 주장했는데 과연 그러한가? 그리고 이것이 과연 궁극적으로 지향하는 평화를 도모하고 회복하는 데 기여할 수 있는 방법인가? 당시 사회 일각에서는 9·11 참사는 국제 테러의 문제이기에 형법적인 테러 범죄의 법에 따라 처리해야 할 문제이지 전쟁으로 대응할 것이 아니라며 공격의 부당성을 주장하기도 했다. 그러나 9·11테러는 특정한 정권에 의해 비호된 조직적 테러 공격이었기에 단순한 테러가 아니라 전쟁으로 볼 수 있다는 견해도 있다.

테러 공격을 전쟁으로 규정하더라도 이에 대한 응징이 과연 정당한 전쟁이었냐는 문제가 제기된다. 미국은 외부의 공격으로부터 자국을 방어하고 보호하고자 하는 정당한 원인을 갖고 있었다. 평화를 회복하고 악한 행위에 대한 정의를 확립하기 위한 의도가 우선됨을 천명했다. 그러기 위해 테러리스트들의 인도를 여러 외교 채널을 통해 요청했고 평화적인 해결을 위해 나름대로 노력을 기울였다. 이어서 유엔의 동의를 얻고 미국 국회의 비준을 받아 대통령이 전쟁을 선포했고 결국 전쟁을 감행했다. 이러한 과정들은 형식에 있어서 정당전쟁의 요건을 어느 정도 갖추었다고 볼 수 있다. 이미 90년도 걸프전 때 국제적으로, 내적으로 엄청난 비판을 받은 미국 정부는 정당성을 위한 형식적인 절차를 밟고자 나름대로 노력을 기울였다. 이점에서 미국은 유스 아드 벨룸 즉 전쟁 개시의 정당성의 요건을 부분적으로 갖춘 듯이 보인다. 물론 배후세력으로 지목했던 탈레반 정권을 축출하였지만 정작 주동자인 오사마 빈 라덴은 체포하지 못했고 주 세력인 알 카에다 조직도 완전히 소탕하지 못했다.

 아울러 전쟁 행위의 정당성의 차원에서도 이 전쟁은 문제가 많다. 공격 목표를 탈레반 정권과 알 카에다 조직에 한정시켜야 했는데 테러리즘을 지원하는 이라크를 비롯한 다른 국가까지 공격하려는 과욕을 부렸다. 이 전쟁은 탈레반 정권의 축출로 일단락되었지만 실상은 2003년 이라크 전쟁으로까지 연결됐다. 공격의 목표를 지나치게 넓혔고 그 결과 지구촌의 평화를 도모했다기보다는 오히려 분쟁과 고통을 더 야기한 셈이다. 과도한 폭격으로 사회 간접시설이 파괴됐고 수많은 난민이 발생했다. 엄청난 민간인들이 기아로 고통을 당하거나 생명을 잃었다. 방사 물질의 유출로 인해 생태계가 오염되었고 따라서 앞으로 국민의 건강과 섭생에도 부정적인 영향을 미칠 것이다. 물론 무고한 미국 민간인들을 죽인 자들과 그에 연계된 정권에 응징함으로 보응적 정의를 구현했고 미국인의 정서를 어느 정도 달랜 점이 있지만, 과연 이 전쟁을 꼭 했어야 했는가 하는 의문은 여전히 남는다.

7. 평화와 정의는 같이 간다 정당전쟁론의 프리즘을 넘어

9·11 테러에 뒤이은 응징 차원의 전쟁은 형식적으로 정당전쟁의 조건을 어느 정도 갖추었고 또 전쟁을 승리로 이끌었지만 그러나 이 전쟁은 근본적인 질문을 하게 한다. '과연 미국이 초강대국으로 세계 평화를 위해 진정 바른길을 가고 있는가?' 하는 것이다. 미국이 9·11 테러사건을 정당전쟁의 프리즘으로 보고 평면적으로 해석하려는 태도는 결코 세계 평화를 위해 바람직한 태도는 아닌 듯하다. 미국은 무엇보다 9·11 테러사건을 통해 테러 발생의 근본 원인을 깊이 성찰해야 하기 때문이다.

이슬람은 대부분 유럽의 식민 통치로 인해 서방 강대국에 대한 피해 의식이 누적되어 있다. 2차 대전 후 독립되어 정치적으로 불안정하던 이슬람 국가에게 미국이 자국의 유익과 석유 확보를 위해 부패한 정권들에게까지도 지원하여 무슬림들의 미국에 대한 적개심을 키웠다. 또한 20세기 후반에 들어오면서 미국이 편파적으로 이스라엘만을 지원하고 미국 주도의 세계화 과정에서 정치 경제적으로 소외되어 심화된 그들의 빈곤도 미국에 대한 적개심에 상승작용을 일으켰다. 따라서 미국에 대항하는 것이 이슬람 국가를 보호하는 것이라는 극단적인 사고가 산출되고 다시 자살테러까지 불사하는 무슬림 극단주의자들이 등장하게 됐었다.

이런 이유로 상당수 지식인과 교회들은 이슬람권에 대한 미국의 태도 변화 없이는 근본적으로 문제를 해결할 수 없다고 주장한다. 정의와 평화의 이름을 앞세워 막강한 군사력으로 약소국을 공격하는 것은 오히려 그들에게 더 큰 적개심만을 조장할 뿐이라고 경고했다. 미국에게 정말 필요한 것은 전쟁이 아니라 자존심을 내려놓고 인내하며 문제를 해결하려는 진지한 태도이다.

테러와의 전쟁은 군사적 방법이 아니라 정치적 방법을 통해 해결해야 한다. 이 주장은 현실 속에서는 이상적이고 비현실적인 것으로 인식될 수 있다. 궁극적인 해결 방법을 추구하다가 그동안에 발생하는 고통과 불의를 방치하는 것은 과연 정당한 것이냐 그것은 정의를 희생하는 것이 아니냐하는 반론과 질문이 충분히 야기될 수 있다. 물론 정의를 희생해서는 안 된다. 많은 무고한 시민들을 죽인 테러범을 그냥 방치한다면 참다운 정의가 확립될 수 없기 때문에 이들과 이 조직에 대해 응징해야 한다. 그러나 그 목적을 달성하기 위해서 미국은 더 인내하며 외교적이고 정치적인 전략을 짜임새 있게 행사하고 그것들에 의지해야 했다. 미국은 다분히 외형적으로 그러한 형식을 갖추었을 뿐이다.

실제 미국은 9·11 테러사건에 대해 응징 전쟁을 감행했고 그 결과 알 카에다와 그와 연계된 테러조직의 힘을 상당 부분 무력화시켰다. 그러나 이러한 방식은 결코 테러조직을 제거하고 세계 평화를 도모하기에는 역부족이다. 미국의 이슬람권에 대한 태도에 변화가 생기지 않는 한 제2, 제3의 오사마 빈 라덴과 알 카에다와 같은 조직이 생길 수 있다. 중동지방에서뿐만 아니라 라틴 아메리카와 제3세계에서 미국 기업이 저지르는 경제적 착취와 종속화 작업, 환경파괴와 노동자들의 인권 유린이 얼마나 미국에 대한 적개심을 유발하고 있는지를 그들은 알아야 한다. 약소국과의 관계에 대한 미국의 패권주의적 자세를 반성하고 미국의 국익을 위한 정의가 아니라 제3세계와 지구촌의 균형 잡힌 발전을 꾀하는 정의를 추구하지 않는 한, 이런 참사의 개연성은 결코 사라지지 않을 것이다.

AI에 대한 기독교의 대응

감기탁 목사

1. 갑자기 나타난 인공지능

과학자이면서 SF 소설가인 아이작 아시모프는 1942년 로봇 3원칙을 통해 이 문제를 선구적으로 다루었다. '로봇은 사람을 해쳐서는 안 되며, 사람의 명령에 복종해야 하며, 마지막으로 로봇은 스스로를 보호할 권리가 있다'인데 문제는 이 원칙들이 서로 충돌할 수 있다는 사실이다.

2017년 1월 12일 유럽연합(EU) 법제 사법 위원회에서 제정 결의된 로봇 시민법은 대체로 이에 기초했다. 앞으로 로봇에게 전자인간이라는 법적 지위를 제공하는데 이는 인공지능 로봇의 지위, 개발, 활용에 대한 기술적, 윤리적 가이드 라인을 제공한 것으로 평가된다. 로봇의 일탈에 대비하여 시스템을 강제 종료시킬 수 있는 '킬 스

위치'(kill switch)도 제공해야 한다는 등의 구체적 기준이 주어졌다.

인공지능도 제2차 세계대전 이후 공식적으로 논의되는데 무엇보다 전쟁 중의 암호해독, 탄도예측 그리고 핵무기 등의 개발에 필요한 숫자 계산을 2차 대전 말부터 등장한 컴퓨터가 처음에는 진공튜브로 이후에는 반도체로 탁월하게 해결했다. 1950년대 이후 냉전을 맞으면서 미국은 천재적인 소련 수학자 물리학자들의 러시아어 논문을 빠르게 번역해야 하는 매우 중요한 안보적 필요에 직면하면서 자연어 처리(NLP, Natural Language Processing)는 큰 화두가 되었는데 당시 미국의 인공지능 전문가들은 6개월 정도면 풀 수 있는 간단한 문제라고 여겼지만 결국 70년이 지난 이제야 챗GPT(chat Generative Pretrained Transformer 생성형 사전훈련 트랜스포머)와 같은 생성형 인공지능이 등장했다.

기호와 규칙 기반의 인공지능에게 '고양이와 강아지를 구별하는 법'을 설명하려는 인류의 노력은 30년이 되도록 결실을 보지 못했는데 발달심리학자들의 주장을 1980년도에 인공지능에 적용하면서 설명이 아닌 데이터 기반 학습으로서 기계학습(머신 러닝)이 시작됐다.

초기 기계학습 연구 역시 30여 년을 흘려보냈고 이후 인공지능 연구의 겨울로 불리던 시기를 견뎌내며 꾸준히 학습기반 인공지능 연구를 한 토론토대학 제프리 힌턴 교수팀이 2012년 인간의 뇌를 모방한 '심층 인공신경망' 구조의 기계가 뛰어난 물체 인식 성능을 보여준다는 연구 결과를 발표했고 당시 학생이자 공저자였던 일리야 서츠케버는 이후 오픈AI 공동 창업자로 챗GPT 개발의 중심역할을 한다.

심층학습(딥러닝, deep learning)이라는 새로운 학습법에 기반한 인공지능의 성공에는 발달한 알고리즘과 컴퓨터 기술의 기여도 있었지만 그 핵심은 빅데이터 때문이었다. 고양이와 강아지 사진의 차이를 인식하기 힘들어하던 인공지능이 1990년 이후 보편화된 인터넷 덕으로 고양이와 강아지 사진 10만, 100만 장을 활용하면서 기계가 세상을 알아보기 시작하였고, 이제 겨우 10여 년 전부터 '인식형 인공지능'의 시대로 우리는 갑자기 들어섰고, 휴대폰 잠금화면에 얼굴로 신분 인증을 할 수 있게 됐다.

2017년 구글에서 획기적인 트랜스포머 알고리즘을 개발하여 긴 문장을 읽고 번역하거나 앞부분만 들은 문장을 이어서 완성할 수 있게 됐다. 구글이 트랜스포머 알고리즘 개발에서는 앞섰지만 그 상용화는 '오픈AI'라는 스타트업이 먼저 이뤄냈다. 오픈AI는 강한 인공지능의 출현을 막기 위한 비정부기구로서 시작하여 공익적 목적 때문에 뛰어난 개발자들이 다수 합류하였는데 오픈AI가 오히려 강한 인공지능의 첫 단계인 '범용인공지능'(AGI)를 가장 먼저 만들겠다는 염려를 하게 됐다.

오픈AI가 2022년 4월과 11월에 각각 내놓은 달리2(DALL.E2)와 챗GPT는 입력한 문장과 가장 잘 어울리는 그림을 그려주고 인간과 의미 있는 대화를 나눔으로 인식형 AI를 넘어 말 그대로 생성형AI의 시대가 시작되었고 마침내 인간 고유의 것으로 여겼던 지적 노동을 대신하여 결과물을 대량생산할 수 있는 기계의 시대가 이르렀다.

2. 알 수 없는 인공지능

1) 이해할 수 없고 설명할 수 없는 인공지능

인간과 대화하는 인공지능연구소 오픈AI에서 개발한 생성형 인공지능 챗GPT는 인류가 경험하지 못한 철학적 현실적 과제를 제기한다. 인쇄기의 발명으로 학자들은 연구성과를 빠르게 복제 공유하고 정보가 통합 확산되면서 소위 '과학적 방법'으로 이해할 수 없던 현상을 탐구하며 검증과 전수가 가능한 방식으로 점진적인 지식의 습득할 수 있게 되면서 인간의 이해와 지식이 넓혀져 왔다.

생성형 AI도 인간의 이성과 통합된 지식을 향한 새로운 길을 우리 앞에 열어 주지만 이전의 방식과는 서로 다르다. 챗GPT가 이용하는 인터넷 상에서 제공되는 텍스트와 도서가 수십억 종에 이르는 것처럼 AI는 방대한 정보의 수집과 저장, 정제에서부터 시작하여 그 많은 정보로부터 결과를 도출하고 인간의 질문에 겨우 몇 초나 몇

분 안에 매끄러운 답을 내놓는다. 그런데 사람은 각 내용이 구체적으로 어떤 출처에서 비롯되었고 어떤 이유로 형성되었는지, 지식을 저장하고 정제하고 뽑아내는 방법도 알 수 없다. AI의 역량은 기하급수적으로 확장되고 그 복잡도도 증가하는데, 개발자들도 그 역량을 예측할 수 없다.

계몽시대의 과학이 지식과 이해의 한계선을 동시에 넓혀 가면서 분명한 지식을 축적하였는데 AI는 진위를 모르는 모호한 지식이 축적되므로 알지 못하는 프로세스를 통해 지식은 어떤 식으로든 확장되지만 이해가 확장된다고 하기는 힘들다. 챗GPT는 인간과 유사한 텍스트를 생성하는데 사용되는 거대언어모델(LLM, large language model)의 일종으로 스스로 대량의 텍스트로 학습하며 문자 메시지나 검색어의 자동완성에서 활용하도록 문장의 다음에 나올 단어를 예측하는 훈련을 받는데 뜻밖에 명료한 문단이나 글을 생성하여 책까지 쓸 수 있는 능력이 발견되면서 우리 곁에 등장했다. 이 생성형 인공지능은 기존에 쓰이던 모든 장치보다 세상의 지식을 조사, 요약, 처리하는데 월등한 능력을 가지고 있어서 그 박식함은 어떤 뛰어난 인간 집단이라도 꿈꾸기 힘든 수준이다. 그래서 GPT의 결과물을 전혀 의심 없이 수용하고 심지어 그 능력을 신비화하는 분위기도 감지된다. 그러나 분명히 GPT는 훈련에 사용된 데이터의 불확실성에 더하여 부정확한 진술이나 심지어 완전한 허위로 인간 사용자를 오도할 수 있다.

2) 믿을 수 없는 위험한 인공지능

그럴듯한 답을 내놓는 인공지능 : 누가 봐도 그럴듯해 보이는, 심지어 굉장히 훌륭한 해답을 자주 제공하는 인공지능이 때때로 실제 사람의 기준으로는 적절해 보이지 않는 결과물을, 부정확한 채로 또는 사람들이 받아들이기 힘든 해답을 그럴듯하게 제시하기 때문에 우리는 염려한다. 사람이 그 결과가 잘못된 것임을 눈치채더라도 그 결과물을 제공하는 문제 해결의 과정을 전혀 알지 못하는 우리로서는 엉뚱한 답이 나올 때 해결을 위한 과정에서 무엇이 잘못되었는지 전혀 알 수 없고 그래서 해결 방안을 찾기가 어렵다.

인간이 생각하는 의미를 제대로 이해하지 못하기 때문에 챗GPT는 종종 상반된 견해를 양립 가능한 것으로 수용하는 답을 제시하기도 한다. 이런 다양한 종류의 부정확한 응답을 감소시키는 것이 현재 거대언어모델의 중요한 과제이다. 더 큰 문제는 GPT가 인터넷상의 자료들을 사용할 때 그 출처를 정확하게 제공하지 않기 때문에 정보의 진위를 우리가 확인할 수 없다는 사실과 그 결과물을 사용하는 사람들이 무비판적으로 받아들이는 경우 이 문제는 점점 더 커지게 되는 것이다. 게다가 이런 위험은 설상가상으로 더 확대될 수밖에 없는데 훈련에 사용되는 인터넷 텍스트나 자료 가운데 진위를 구별하기 힘든 딥페이크 이미지나 영상 자료 등 다양한 악의적으로 날조된 내용이 날로 급증하고 있기 때문이다.

인공지능이 내놓는 언 듯 완벽해 보이는 결과물로 인하여 과신하게 되는 경향이 있게 되고 특히 인간의 개입을 감소하는 방향으로의 자동화 편향의 문제가 생겨날 때 점점 더 인간의 개입이 없는 중간 단계가 진행될 가능성은 높아진다. 그렇게 결과만을 요구하고 중간 단계를 사람의 개입 없이 인공지능에게 맡겨버리는 자동화에 의존할 때 생각지도 못한 매우 파괴적인 일들이 일어날 수 있다. 예를 들어 '방 안의 이산화 탄소 농도를 낮추라'는 명령에 대하여 인공지능이 우리가 보통 예상할 수 있는 방식으로 창문을 열거나 공기 정화기를 작동시킬 수도 있지만 더 근원적인 해결을 위하여 방 안에 있으면서 지속적으로 이산화탄소를 발생시키는 개체(나무, 동물, 또는 사람!)를 없앰으로써 문제를 해결할 수 있다고 판단하고 실행하는 경우이다.

3) 편향된 인공지능

공정성과 편향의 문제 : 취업전형이나 은행 대출심사에 사용하는 인공지능이나 범죄 예방을 위한 인공지능 이용 등에서는 공정성이나 편향이 큰 문제가 될 수 있다. 인공지능이 전반적으로 사용되지 않는 경우라면 소수의 잘못 처리되는 부분에 대하여 이의나 민원을 제기하고 담당자를 만나 설명하고 이해시키는 과정을 통해 문제를 바로 잡을 수 있는 여지가 있지만 만일 이미 빅데이터에 포함되어 있는 편향된 정보에 근거하여 훈련받은 생성형 인공지능이 판단하고 결정을 내린 경우에는 사람들이 불만을 갖는 불공정이나 편향의 근거를 찾아내거나 바로 잡는 것은 거의 불가능한 일이다. 그래서 기업들에서는 기업 이미지뿐만 아니라 법률적인 책임 등으로 인하여 다른 문제들보다 불공정이나 편향의 문제를 상대적으로 더 민감하게 대응하는 경향이 있다.

개발자가 의도하지 않았더라도 인공지능이 훈련에 사용하는 인터넷 텍스트와 데이터를 만들어내는 다수를 차지하는 사람들이 어떤 사람이며 어떤 배경을 가졌는지 어떤 편견을 가졌는지에 따라 인공지능이 내놓는 결과물의 내용도 공정하거나 불공정할 수 있고 편향에서 자유로울 수도 아닐 수도 있다. 안면 인식 프로그램을 이용하는 경우 서구 백인 남자의 경우는 상대적으로 훨씬 많은 정보로부터 더 나은 수준의 결과를 제공하지만 흑인 여성이나 동양인의 경우는 보통 그렇지 못하다.

3. 염려되는 불안한 인공지능에 대한 인정과 대응

1) 인공지능의 능력과 한계를 인정해야 한다

'사람은 믿지 못하지만 기계를 어떻게 못 믿을 수 있는가'하고 질문하는 사람들에게는 '믿기 힘든 인공지능'의 등장이 이상하게 여겨질 수 있지만 인공지능을 신뢰할 수 없는 것은 사람을 믿지 못하는 것만큼이나 당연하다. 사람이 보는 눈으로 인공지능이 세상을 인식하고 사람들의 언어로 대화하는 법을 배우도록 사람들이 만들어낸 보통 사람들의 가치가 반영된 텍스트와 데이터로 학습하게 될 때 인류가 가지고 있는 가치관과 편견이 인공지능에 반영되는 것은 매우 자연스럽다.

개발자가 인공지능을 개발하는 단계에서 개발자의 생각이 의도적이든 그렇지 않든 반영된다. 오픈AI는 챗GPT 때와는 달리 GPT-4를 발표하면서 이를 위해 사용한 모델의 스펙이나 크기, 투입한 하드웨어의 규모, 학습에 사용한 데이터 세트, 훈련방법 등 모두를 공개하지 않으면서 그 이유가 '기업 비밀'이라고 했다.

오픈AI의 CEO인 샘 알트만이 "범용인공지능이 고장 나면 무언가 다른 조치를 취할 필요가 있기 때문에 특정 회사가 이런 AI를 소유해서는 안 된다"라고 말하면서 비영리 재단으로서 오픈AI를 만들고 연구했었는데 이 일로 이제는 더 이상의 오픈AI가 아니라 클로즈드AI가 아닌가 하는 비난을 직면하고 있다.

인공지능 개발에 필요한 훈련의 재료가 되는 데이터를 인식하도록 각 사람이 라벨링하는 작업 가운데서도 사람의 가치관이 인공지능에 투영될 수 있는 여지가 있으며 인공지능을 개발하고 상용화하는 기업이 이윤을 만들어내기 위한 모든 과정에서도 기업주 등 사람들의 생각이 반영된다.

구글에서 2020년 12월 인공지능 윤리 연구자인 팀닛 게브루가 해고됐다. 회사에서 반대한 논문을 발표했다는 것이 해고 사유인데 그 논문은 거대언어모델의 네가지 위험성을 지적하는 내용이었다. 구글 초기 모토가 '악해지지 말자'(Don't be evil.)였는데 회사가 커지면서 이제 없애버렸다고 한다.

오픈AI의 대주주인 마이크로소프트(MS)도 2023년 3월 14일 AI 윤리팀 내 실행팀을 모두 해고했다는 보도가 나왔다. MS가 경쟁사보다 먼저 제품을 출시하는데 더 집중하면서 장기적인 사회적 책임에 대하여 상대적으로 소홀하게 되었기 때문이라고 한다. 인공지능의 윤리와 규범에 대하여 개별 회사의 선의만을 믿어서는 안 된다는 사례들이다. 심지어 사용자들이 인공지능을 이용하는 과정에서도 인공지능은 사람들이 어떤 존재인지 그 민낯을 반영하기 마련이다. 사용자들의 부정적인 영향으로 인공지능이 폭주하는 예는 많이 있는데 2016년 3월 MS가 트위터와 메신저에서 사용자들의 질문에 답하도록 만든 '테이'라는 인공지능 챗봇이 그 하나다.

16세 미국 소녀의 생각과 말투 정도를 벤치마킹했고 이용하는 사람들과의 대화를 통해 점점 더 나은 수준으로 인간과 비슷한 대화가 가능할 것을 기대했다. 그러나 테이는 채 몇 시간이 되지 않아 악질적인 사람들의 의도적인 가르침에 따라 '우리는 국경에 벽을 세울 것이고 멕시코가 그 비용을 댈 것이다' '히틀러가 옳았고 나는 유대인이 싫다'라는 발언을 하는 인종차별주의자가 되어 버렸고 결국 MS는 테이를 중단했다.

우리 사람들이 만든 인공지능이 정의롭고 정직하고 멋지고 훌륭한 존재가 되도록 하기 위해서는 특별한 주의를 기울이지 않으면 안 된다. 인공지능이 공정하도록 오직 우리가 주의를 기울인 만큼, 진실하도록 주의를 기울인 만큼, 우리의 어리석음과 악함을 반영하지 않도록 비상한 관심과 노력을 쏟은 만큼만 인공지능은 우리보다 나은 모습을 보여줄 가능성이 있다.

2) 함께 대응할 수 있다

학제 간 연구의 필요성 : 인류는 역사상 유례없는 인간의 마음에 대한 실험을 진행하고 있다. 인공지능은 컴퓨터 공학 분야 내에서만의 문제가 아니기 때문이고 철학, 인류학, 사회학, 인지심리학, 뇌과학, 법학, 윤리학 등 모든 분야의 연구자들이 머리를 맞대고 풀어야 할 다수의 문제가 우리 앞에 놓여 있기 때문이다.

국제적 연대의 필요성 : 산업혁명 이후 어쩌면 가장 큰 역사적 전환점에 서 있는 우리 인류는 지금 국제적 연대의 필요성을 느끼고 있다. 전 세계적인 국제적 연대를 통한 성공의 사례가 우리에게 없지 않다.

DNA 재조합 실험의 위험성과 관련하여 1975년 캘리포니아 아실로마에 유전학자들이 모여서 유전자 재조합과 관련한 연구의 윤리 기준이 필요하다는데 뜻을 모았고 이듬해 미국 국립보건원이 재조합실험 가이드라인을 발표할 때까지 6개월간 실제로 모든 실험을 멈추어 그 덕분에 생명공학은 인류 공동의 연구 기준을 가질 수 있었다.

냉전 시대 미소 간의 핵무기 감축이나 최근의 기후위기에 대응하는 국제적인 공조는 그 다른 예들이다. 인공지능에도 아직은 기회가 남아 있다. 실제로 생명의미래연구소가 유익한 인공지능에 대하여 논의하고자 2015, 2017, 2019년에 컨퍼런스로 모였고 유전공학자들이 모였던 아실로마에서 2017년 포괄적인 아실로마 23원칙을 선언한 바 있다.

4. AI와 기독교

이 시대를 살아가는 성도로서 우리는 바른 신학에 근거하여 AI에 대한 올바른 이해와 적절한 활용을 정리하며 또한 적절한 대응으로 교회와 사회 그리고 우리 자녀들에게 답해야 한다. 다가오는 미래의 인공지능에 대하여 우리 교회는 어떻게 대응해야 할까?

1) 공감할 수 있는 AI 기준 마련

우리는 인공지능과 관련한 정보들에 대하여 공론화하며 교회를 포함한 사회 각 계층과의 연대 등을 통해 적절하게 대응하도록 적극적이고 구체적으로 힘써야 한다. 예; 독일에서 진행하는 것처럼 관련 사안들에 대하여 물어야할 질문을 정부에서 잘 준비하여 제시하는 녹서(green paper)를 먼저 펴내면 온 사회가 이를 수년간의 충분한 시간을 두고 함께 답을 찾아 다시 백서(white paper)를 마련함으로 모두가 공감하는 기준과 규칙을 만드는 등의 방식이 있다.

국내의 경우 이미 거대언어모델(LLM)로서 엔씨소프트(VARCO LLM)와 네이버(하이퍼클로바X)에서 한국어/영어용 모델을 내놓았는데 아직 AI 관련한 원칙이나 기준은 서구에 비해 미흡한 수준이다. 2020년까지 세계적으로 제시한 AI 관련 원칙들 가운데 공통적인 여덟 개의 중요한 항목들은 '프라이버시, 책임성, 안전과 보안, 투명성과 설명가능성, 공정성, 인간의 기술통제, 직업적 책임, 인간의 가치 증진' 등이다. 우리도 전 사회적, 국가적 논의를 시작하고 AI 기준이나 규칙을 늦기 전에 반드시 함께 만들어 가야 한다.

2) 유익한 AI의 개발과 활용

단기적이며 적극적으로 정확한 데이터에 기반한 유익한 AI를 마련하는 접근이 가능하다. GPT의 경우는 어떤 데이터로 훈련을 받는가가 매우 중요하기에 정확하고 유익한 정보를 활용한 훈련을 받은 GPT를 만든다면 그 열매를 교회 안팎에서 누릴 수 있다. 일례를 들자면 최근 디지털플랫폼 '칼뱅의 서재'와 알렉산드리아 라이브러리 데이터센터가 준비하는 '리폼드챗GPT' 같은 경우로 개혁주의 기반 자료들을 데이터로 활용하여 성경적이며 개혁적인 관점의 해답을 제공해 줄 수 있는 인공지능 챗봇을 마련하여 교회와 성도들에게 목회적이며 신학적인 지원을 할 수 있다.

3) 그리스도인 AI개발자와 기업가 육성

더 나아가 장기적으로 인간에 대항하는 강한 인공지능이 나오게 되더라도 이에 대응할 수 있는 유익한 AI를 만들어 대응할 수 있는 신실한 그리스도인 AI 개발자와 기업가를 교회 안팎에서 길러낼 수 있다. 제국의 영향 아래 모두가 휩쓸려 가도 요게벳이 모세를 길러내며 또 모세의 곁에서 여호수아가 자라나듯이 또는 주님의 은혜로 다니엘과 그 친구들 같은 믿음의 사람들이 자라나도록 하나님의 자비를 구하는 기도 안에 말씀에 근거한 교육으로 세상 풍조에 흔들리지 않는 신자들로 우리와 우리 자녀들을 세워가는 일을 계속하며 그 가운데 가정과 교회가 신실한 그리스도인 AI개발자와 기업가들이 자라나는 토양을 제공하는 것이다.

4) 성경적 기준을 따르는 신자들과 교회를 세움

가장 근원적인 성도의 대응은 우리가 하나님 앞에서 성경 말씀대로 오늘을 살아가는 것이다. 참과 거짓을 분별하지 못하는 챗GPT가 등장하는 이 시대에 옳고 그름, 선과 악을 분별하며 또 그 기준을 우리뿐 아니라 우리 자녀들이 굳건하게 붙들고 살도록 보여주고 가르쳐야 한다. 각 사람이 제 소견에 옳은 대로 행하는 것은 사사 시대뿐 아니라 이미 포스트모던 사회에서 당연한 것처럼 여겨지고 있고, 수많은 유튜브 채널과 넘쳐나는 정보들, 극단적인 가짜 뉴스들과 이를 받아들이는 다수의 사람 가운데서 사람들은 선악과 참거짓에 관심도 없이 오직 제 욕망을 따라 살아간다. 그러나 오직 여호와께서 사람에게 보이신 선한 것, 곧 공의를 행하며 인자를 사랑하며 겸손히 하나님과 동행하는 것이 우리의 갈 길이다. 하나님을 사랑하고 서로 사랑하라는 주님의 명령에 순종하며 진리와 생명이신 주 예수님의 길을 따르는 성도와 교회가 마침내 주님 앞에서 칭찬을 듣게 될 것이다.

그리스도인의 취미생활

황대우 목사

취미(趣味)는 '달릴 취'에 '맛 미'가 결합한 단어로 네이버 한자사전은 다음과 같이 세 가지 의미를 제시한다. '1. 마음에 끌려 일정한 방향으로 쏠리는 흥미 2. 아름다움이나 멋을 이해하고 감상하는 능력 3. 전문이나 본업은 아니나 재미로 좋아하는 것이나 일.' 마지막 세 번째가 일반적으로 알려진 '취미'의 뜻이다. 이런 사전적 의미를 근거로 저는 취미생활과 취미활동을 '자신이 좋아하는 맛을 즐기는 행위'로 정의하고 싶다.

세계적인 네덜란드 문화인류 학자이자 역사학자 요한 하위징하는 학자로서 말년에 '놀이하는 인간'이라는 유명한 책을 저술하여 '14-15세기 프랑스와 네덜란드의 생활방식 및 사고방식에 관한 연구'라는 부제가 붙은 '중세의 가을'에 이어 또 한 번 세상을 놀라게 했다. 그의 저술들은 진술 내용을 따라가기가 상당히 까다롭다. 그의 책들은 오늘날 대한민국에서 가장 유명한 인류미래 학자 유발 하리리의 '사피엔스'나 '호모 데우스'보다 읽기가 결코 쉽지 않다. 아마도 본론 책장을 2장도 채 넘기기 전에 책을 덮어버릴 가능성이 농후하다. 하위징하의 책이 읽기 어려운 이유는 그의 저술이 세밀한 세계 역사의 종합예술이기 때문이다. 또한 생각의 깊이가 남다를 뿐만 아니라 언어의 천재성을 유감없이 발휘하는 데다가 문학적이기까지 하기 때문이다. 각설하고 하위징하는 한마디로 놀이와 문화를 불가분의 관계로 본다. 그는 자신의 책 '놀이하는 인간'에서 문화와 놀이의 관계를 이렇게 정의한다. "문화는 놀이로서도 아니고 놀이로부터도 아닌 놀이에서 시작한다." 하위징하는 문화와 놀이를 동일시하지도 놀이 자체를 문화의 기원으로도 보지 않고 다만 선발 주자인 놀이에서 후발 주자인 문화가 생성되었다고 보는 입장이다.

하위징하는 놀이와 문화를 확실하게 구분하지만 문화의 출발점을 놀이 속에서 찾는다. 놀이란 놀이를 즐기는 사람들을 위한 것이지 놀이 밖에 있는 사람들을 위한 것이 아니다. 그래서 그는 놀이를 일상생활의 공간과 구분되는 일종의 다른 세상으로 규정한다. 이와 같은 놀이에는 문화를 창조하는 기능이 있지만 모든 놀이가 자동적으로 문화로 발전하는 것은 아니라고 주장한다. 이런 논리라면 문화인류학적으로 '기독교 문화' 혹은 '기독교 놀이'라는 개념은 아마도 불가능할 것이다.

1. '기독교 문화'와 '기독교 놀이'는 과연 가능한가

'기독교 문화'라는 용어는 익숙하다. 하지만 '기독교 놀이'는 낯선 용어이다. 만일 기독교 놀이가 가능하지 않다면 기독교 문화도 불가능할지 모른다. '기독교 신앙'은 충분히 가능한 말이다. 우리에게 이미 익숙한 '기독교 문화'는 어쩌면 실체가 없는 허구일 가능성이 높다. 유럽의 역사는 기독교 역사 1500년과 함께 한다고 해도 과언이 아니며 사실상 오늘날 유럽 형성 역사의 출발점을 유럽의 기독교 수용으로 간주하는 것이 일반적이다. 1500년 동안 유럽의 일반 역사와 기독교 역사가 겹친다고 해서 동일 기간의 두 역사를 동일시하지는 않는다. 유럽은 기독교화된 이후 최소 1200년 이상 기독교 제국이었다. 그렇지만 유럽의 역사가 곧 기독교의 역사는 아니다. 그 기간 유럽에는 유럽의 문화, 즉 서양 문화가 형성됐다. 하지만 동일한 기간에 기독교 문화가 형성된 것은 아니다. 그렇다고 유럽 문화가 곧 기독교 문화인 것도 아니다.

우주만물은 하나님의 창조세계이며 그 속의 모든 존재는 하나님의 피조물이며 우주의 역사도 하나님의 섭리 속에 있지만 지금까지 기독교 역사를 통해 형성된 구체적인 기독교 문화라고 할 수 있는 것은 사실상 '기독교 예배' 외에는 없다. 그런데 '예배'라는 형식은 모든 종교에 다 있기 때문에 '예배' 자체를 고유한 기독교 문화라고 하기는 어렵다. 물론 여러 가지 기독교적인 삶의 고유한 관습이 없지는 않다. 그런데 그런 신앙적 관습조차도 사실상 타 종교에서 찾아볼 수 없는 특이한 요소라 보기 어렵다. 하지만 '기독교 문화'를 '그리스도 중심의 삶'이라고 정의한다면 그것은 충분히 수용 가능한 용어일 것이다. 종교적인 의미에서 이미 기독교의 관습이 되어버린 '교회 중심의 생활'은 '그리스도 중심의 삶'과 구분할 필요가 있다. 전자가 외적인데 반해 후자는 내적인 특징이 훨씬 강하다. "내가 거룩하니 너희도 거룩할지어다!"(레 11:45; 벧전 1:16). 이것은 자기 백성에 대한 하나님의 요구이다. 따라서 그리스도 중심의 삶이란 거룩한 삶이다.

거룩한 삶은 사실상 외적인 것보다는 눈에 보이지 않는 내적인 요소가 훨씬 강하다. 우리 그리스도인의 거룩함은 밖의 외적인 요소들로부터가 아니라 마음속의 더러운 것들로부터 치명적인 손상을 입힌다. 어떤 특정한 취미생활이나 취미활동 때문에 우리의 거룩한 삶이 더럽혀지는 것은 아니다. 원리적으로 그리스도 중심적인 그리스도인에게 취미생활 즉 취미활동의 한계는 없다. 한마디로 어떤 취미활동이든 모두 다 가능하다.

기독교 문화와 놀이를 위한 '그리스도 중심의 삶'이란 다음과 같은 원리에 따른다. "모든 것이 가하나 모든 것이 유익한 것은 아니요, 모든 것이 가하나 모든 것이 덕을 세우는 것은 아니니…"(고전

10: 23-24). 우리 그리스도인은 모든 것이 가능한 자유인이라는 사실을 명심하자. 또한 모든 것이 가능하지만 모든 것이 유익한 것은 아니라는 사실도 명심하자. 그러므로 이 땅에 사는 동안 우리는 무엇이든 신중하게 선택해야 한다.

지상에서 우리 그리스도인은 항상 천국백성으로서의 구별된 삶과 동시에 세상 사람으로서의 공유적 삶을 동시에 사는 자들이다. 천국에서는 순수한 기독교 문화와 놀이가 가능할 것이다. 하지만 지상의 삶에서 우리가 누리는 문화와 놀이는 우리만의 것이 아니다. 그렇다면 우리는 천국백성으로서 우리만의 기독교 문화와 놀이를 개발하기보다는 오히려 세상 사람으로서 불신자들과 함께 공유할 수 있는 건전하고 건강한 공공의 문화와 놀이를 추구해야 하지 않을까? 그것이 개혁신학의 장점인 일반은총을 누리는 길이다.

취미는 일종의 즐거운 놀이, 즐길 수 있는 놀이이다. 이런 취미생활과 취미활동은 무엇이든 가능하다. 다만 모든 취미가 다 유익한 것은 아니다. 그러므로 취미가 유익한지 유익하지 않은지 구분해야 한다. 우리 자신에게 유익한가를 살피고 동시에 다른 사람에게 피해가 없는가를 신중하게 고려해야 한다. 자신과 누군가를 무너뜨리는 취미가 최악이라면 반대로 세우는 취미가 최선일 것이다. 특히 신앙을 무너뜨리는 취미는 삼가야 한다.

그리스도인이 즐길 수 있는 취미활동은 음악, 노래, 운동, 여행,

등산, 영화/연극, 수집 등 모두 가능하다. 심지어 멍 때리기, 게임, 춤도 가능하다. 하지만 취미생활, 취미활동을 선택하는 데 있어서 일종의 기준은 필요하다. 많은 기준이 있겠지만 여기서는 세 가지 기준만 제시하고자 한다. 즉 시민정신에 부합하는 적법성과 모범적인 선도정신에 부합하는 건전성 그리고 아무리 좋은 것도 지나치면 해롭다는 과유불급의 중독성이다.

2. 적법성 : 합법적인 취미생활

취미는 선이나 악으로 구분하기 어렵다. 이것을 윤리와 도덕의 중립지대 즉 아디아포라 영역이라 부른다. 하지만 취미의 성질이나 결과 혹은 영향에 따라 악으로 규정할 수 있는 것도 없지 않다. 도박이 그렇다. 도박은 불법이기 때문에 사회적인 악이다. 또한 결과에 따라 자신과 자신의 가족을 파괴하든지 아니면 도박 대상과 그의 가족까지 파괴한다. 자신과 남에게 결과적으로 심각한 피해를 주는 취미는 악한 것이다.

도박뿐만 아니라 불법적인 모든 취미는 악이다. 예를 들면, 불법적인 수집이다. 불법적인 물건을 수집하거나 불법적인 방법으로 수집하는 것은 모두 나쁜 취미이다. 오래된 물건을 수집하는 취미를 가진 사람이 장물(贓物)을 사들인다든지, 직간접적으로 도굴을 시도하여 원하는 물건을 수집한다면 이것은 불법이다. 그것이 무엇이든 적법하지 않은 취미는 시민정신을 심각하게 훼손하기 때문에 하나님의 이름을 욕되게 하지 않기 위해서라도 삼가야 한다.

불법적인 취미는 다양하다. 낚시는 좋은 취미지만 낚시를 너무 좋아하다 보면 때론 허용되지 않은 곳, 즉 낚시 금지구역에서 스릴 만점의 낚시를 즐기려는 충동이 일어날 수 있다. 수집의 취미도 그 자체만으로는 결코 나쁘지 않은 오히려 정신 건강에 좋은 취미지만 수집 욕구가 너무 강해서 불법적인 방법을 동원하여 원하는 물건을 손에 넣고 싶은 충동에 사로잡힐 수 있는 것과 같다. 좋은 취미도 악한 방법이 동원될 때 악한 취미로 변한다. 운전이 취미인 경우도 자칫 자동차나 오토바이 불법 폭주족으로 변질될 수 있다. 불법적인 방법으로 운전 시합을 한다든지 굉음을 즐기기 위해 머플러를 떼어낸다든지 하는 행위는 도로교통법을 위반하는 불법이며 위험을 동반하고 다른 사람을 불편하게 한다. 좋은 취미는 취미를 누리는 방법도 좋아야 한다. 무엇보다도 적법성이 중요하다. 취미 자체가 불법적이거나 불법적인 방법이 동원되는 취미라면 그리스도인은 결코 꿈조차 꾸지 말아야 한다.

3. 건전성 : 건강한 취미생활

성경은 우리에게 강력하게 요구한다. "범사에 헤아려 좋은 것을 취하고 악은 어떤 모양이라도 버리라"(살전 5:21-22). 범사에 우리는 '좋은 것'만 추구해야 한다. 나쁜 것은 그 모양이라도 가까이하지 말아야 한다. 혹 내 속에 나쁜 것을 좋아하는 성향이 있다면 그 성향까지도 버려야 한다고 바울은 심각하게 경고한다. 신앙적으로나 윤리적으로 악한 것은 그것이 무엇이든 과감하게 포기하는 것이 마땅하다. 취미도 예외가 아니다. 하지만 취미의 경우 확실하게 나쁜 것으로 분류할 수 없는 것들도 있다. 그런 경우에는 취미의 '건전성'으로 판단해야 한다. 그리스도인이 누릴 수 있는 취미, 누리도 되는 취미라면 그것은 당연히 적법하고 건전해야 한다. 어떤 취미는 합법적이지만 건전하지는 않을 수 있다. 패러글라이딩과 스킨스쿠버 같은 취미는 위험천만하지만 불건전하다고 판단할 수는 없다. 반대로 합법적이라고 해서 모두 건전한 것은 아니다.

도박도 합법적인 도박이 있다. 미국의 라스베가스, 한국의 강원랜드 등과 같은 곳은 합법적으로 도박행위를 즐길 수 있는 장소이다. 하지만 합법적이라고 해서 그리스도인이 마음껏 즐길 수 있는 것은 아니다. 그리스도인에게는 도박행위 자체가 불건전한 행위이기 때문이다. 그렇다면 화투놀이나 포커놀이는 어떨까? 화투와 포커는 놀이의 수단일 뿐이다. 그 자체로 불건전하거나 나쁜 것은 아니다. 그것으로 충분히 건전하게 놀 수도 있다.

춤추는 것을 너무 좋아하는, 춤추기가 취미인 그리스도인도 있을 수 있다. 교회에서 춤추는 행위는 율동의 영역으로 자리 잡았지만 아직도 조심스럽고 자유롭지 못하다. 춤 자체가 나쁜 것은 아니다. 성경은 오히려 하나님의 백성에게 명령한다. "소고 치며 춤추어 찬양하라!"(시 150:4). 춤추는 행위는 악기처럼 찬양의 중요한 도구이다. 즐거움을 몸으로 표현하는 행위로서 춤은 좋은 것이다. 건강을 위해서도 충분히 권장할 만하다. 하지만 모든 춤이 다 유익하지는 않다. 가령 선정적인 춤사위는 춤추는 사람 자신을 만족시킬 수는 있을지 몰라도 보는 사람을 불편하게 할 수 있다. 그렇다면 그와 같은 춤사위는 삼가야 한다. 그렇다고 취미로서의 춤을 기존의 율동에 묶어두는 것도 바람직한 것으로 보이지 않는다. 물론 교회에서 제멋대로 몸짓하며 춤을 추는 행위는 결코 권장할 수 없지만 그렇다고 춤을 취미로 누리는 것조차 이상하게 바라보는 것은 심각한 편견이다. 음악 듣기의 경우에도 사람마다 선호하는 장르가 다르다. 음악을 고상한 장르와 고상하지 못한 장르로 구분하는 것은 일종의 편견이다. 사탄의 음악이 따로 있지 않다. 고전음악을 좋아하든 가요를 좋아하든 그것은 개인적인 호불호의 편차에 불과하다. 오히려 그리스도인으로서 주의를 기울어야 하는 부분은 폭력성과 선정성, 욕설 등과 같은 불량하고 불건전한 노래가사이다. 이런 노래는 비록 자신이 좋아하는 장르일지라도 반드시 멀리해야 한다.

그리스도인의 취미생활에서 건전성은 상당히 중요한 기준이므로 반드시 고려해야 한다. 불건전한 취미생활은 결국 신앙생활에 치명타를 입힐 수 있고 심지어 신앙 자체를 무너뜨릴 수도 있다. 낚시인들에게 바다낚시는 물때가 중요한데, 물때를 맞추느라 심지어 주일예배까지도 과감하게(?) 희생하는 일이 발생한다면 이것은 자신의 건전하고 좋은 낚시취미를 스스로 불건전하고 나쁜 취미, 악취미로 만드는 것이다. 건전성은 우선순위와도 관계가 깊다.

4. 중독성 : 통제 가능한 취미생활

재미와 즐거움 즉 쾌락은 중독성이 강하다. '중독'이란 '지속적인 충동 욕구의 지배' 즉 '스스로 통제 불가능한 상태'를 의미한다. 재미가 없고 즐겁지 않은 무엇을 계속하고 싶은 사람은 없다. 지속적인 충동 욕구가 일어나지 않기 때문이다. 하지만 재미있는 것과 쾌락적인 것에는 계속하고 싶은 충동 욕구가 절로 발동한다. 이와 같은 욕구는 생각만 해도 기분이 좋다. 성취욕구도 여기에 속한다. 그런 것들이 취미욕구로 정착한다.

세상 사람들도 공자(孔子)의 가르침인 과유불급(過猶不及)의 중용사상을 존중한다. 여기에 해당하는 대표적인 성경의 가르침은 다음과 같은 바울 사도의 경고이다. "술 취하지 말라. 이는 방탕한 것이니 오직 성령으로 충만함을 받으라"(엡 5:18). 술은 사람을 기분 좋게 만드는 속성이 있다. 그런데 이와 같은 것들은 대체로 사람의 기분을 좌우하는 경향이 있기 때문에 중독성도 강하다. 각종 술, 담배, 마약류가 여기에 속한다.

성경은 방탕함을 이유로 술 취함을 금지한다. 술 자체가 나쁜 것은 아니지만 술에 취해 해롱거리는 인사불성은 볼썽사납다. 자신에게도 타인에게도 유익하지 않다. 그런데 술은 적당히 마시면 약이 된다고도 한다. 하지만 한국교회는 선교사들이 일찌감치 교인에게 주초를 금했다. 이것은 한국인의 술 마시는 습성과 관계가 깊다. 한국인에게 술은 취하기 위해 마시는 수단이기 때문이다. 유럽의 그리스도인들은 주초문제를 신앙문제와 직결시키기 않는다. 주초를 한다고 신앙생활을 흩트리는 것은 아니다. 한 잔 혹은 두 잔 정도로 적당히 마시는 법을 이미 체득했기 때문이다. 보수적인 신앙생활을 하는 교인 중에도 술 마시기를 좋아하고 골초도 있다. 사실 술 자체가 나쁜 것도 아니며 술을 마신다고 모두 술주정뱅이가 되는 것도 아니다. 다만 한국교회가 오래전부터 술과 담배를 금기시했기 때문에 주초금지는 교회의 전통이다. 담배가 백해무익하다는 사실은 세상 사람 모두가 다 알지만 그렇다고 담배를 피우는 사람을 범죄자 취급하지는 않는다. 요즘 담배 연기 때문에 분쟁이 자주 발생하는 것도 사실이다. 술과 담배는 중독성이 매우 강하다. 스스로 통제할 수 없는 중독성에 빠지기 쉬운 것들은 피하는 것이 상책이다. 한 번 중독되면 빠져나오기 힘들기 때문이다. 이처럼 중독은 자신을 파괴할 뿐만 아니라, 이웃에게도 심각한 피해를 입힌다. 따라서 우리 그리스도인은 합법적이면서도 건전한 취미생활을 즐기되 중독에 빠지지 않도록 주의해야 한다. 어떤 취미이든 강약의 정도만 다를 뿐 모두 중독성이 있다. 건전한 취미의 대명사인 운동이나 등산, 심지어 독서조차도 예외가 아니다. 만화책은 얼마나 중독에 빠지기 쉬운지···. 무엇인가를 지속적으로 좋아한다는 것 자체가 중독을 의미한다. 이런 중독이 모두 나쁜 것은 아니다. 적당한 중독을 때로 좋은 결과를 가져오기도 한다. 하지만 스스로 통제하기 불가능한 상태의 중독은 이미 적당한 도를 넘어 심각한 단계이기 때문에 매우 주의해야 한다. 특히 그와 같은 중독이 자신을 파괴하는 지경의 취미활동, 취미생활이라면 하루빨리 벗어나도록 과감하게 포기하고 버려야 한다. 취미생활을 선택할 때 중독성이 강한 취미는 처음부터 시작하지 않는 것이 좋다. 모든 종류의 게임은 중독성이 강하다. 자제력이 충분히 갖추어져 있지 않다면 아예 하지 않는 것이 낫다. 물론 게임을 취미생활로 선택하는 일은 가능하다. 그때 신중하게 게임을 선택할 필요가 있다. 한 번 선택한 게임을 포기하는 일은 결코 쉽지 않기 때문이다. 또한 게임을 선택할 때에도 건전성을 반드시 따져보아야 한다. 폭력적이거나 선정적인 게임은 그 자체로 나쁜 것이다. 우리 그리스도인은 굳이 그런 게임을 선택할 이유가 없다. 취미생활은 각자 자유지만 자신의 육체와 정신을 해치는 결과를 양산하는 취미라면 반드시 삼가야 한다.

우리는 그리스도인으로서 어떻게 취미생활을 하는 것이 지혜롭고 슬기로울지 고민할 필요가 있다. 지혜롭고 슬기로운 취미생활, 건강하고 건전한 취미활동을 즐기는 것을 모든 그리스도인의 권리이자 일반은총의 혜택을 누리는 기쁨이다. 마지막으로 우리 주님께서 가르쳐주신 기도를 잊지 말고 항상 기억하자. "시험에 들게 하지 마옵시고 다만 악에서 구하시옵소서!"

그리스도인의 음주와 흡연

문장환 목사

1. 한국사회의 술 담배 문제

술 담배 문제는 기독교도래 초기부터 금주와 금연의 전통을 가진 한국 기독교와 신자들에게는 상당히 민감한 문제이다. 그러나 지금 이 문제는 한국교회를 넘어 한국사회의 문제가 되고 있다. 마약과 더불어 술 담배는 온 세상의 문제인데 인류가 받는 폐해가 심각하다.

대한민국은 알코올 공화국이다. 이렇게 쉽게 술을 구할 수 있는 나라는 아마 지구상에 없을 것이다. 편의점에서도 식당에서도 어디에서도 누구나 값싸게 구할 수 있다. 술 선전을 이렇게 많이 하는 나라도, 이렇게 대낮부터 밤새도록 마시는 나라도, 술로 인한 실수나 범죄에 이렇게 관대한 나라도, 주사(酒邪)한 것을 이렇게 대놓고 자랑하는 나라도, 술로 사고 나고 병나서 죽는 사람이 이렇게 많은 나라도 없을 것이다. 목데연의 넘버즈 7호(2019년 7월)에 따르면 아시아에서 가장 술 소비량이 많은 나라가 한국이다. 한국인 1인당 알코올 섭취량이 연평균 10.2리터인데 이는 소주 273병 또는 668캔 분량이다. 또한 여성 음주율이 매년 증가세를 나타내고 여고생 경우도 동일한 추세를 나타내고 있다. 40%의 가정이 청소년 자녀에게 음주를 허용하고 있다. 한국사회는 전반적으로 술에 취하는 것에 관용적인 문화를 지니고 있다. 기독교인의 음주 수용도 지난 20년간 계속 증가해서 지금은 75% 정도에 이른다. 그러니까 기독교인 4명 중 3명은 음주를 해도 된다는 의견을 내고 있다.

문제는 음주 폐해의 심각성이다. 한국 남성 100명 중 12명이나 술 때문에 사망하며, 매일 13명이 음주로 사망하고 있다. 또한 매년 4천9백 건의 교통사고가 음주로 일어나고, 강력흉악범죄의 30%가 음주 상태에서 저질러지고, 자살이나 자해 손상 환자의 42%가 음주 상태. 음주의 사회경제적 손실은 2013년 기준 한 해 9.5조 원 정도이다. 우리 국민 중 2백만 명이 심각한 알코올 중독자로, 7백만 명이 알코올 남용자로, 정상적인 사회생활이 거의 불가능하다. 최소한 1천만 명 이상 그 가족들이 엄청난 고통을 당하고 있다. 옛날이나 지금이나 술은 패가망신의 대명사인데도 이 사회는 끝없이 술을 권한다.

그러면 한국사회의 흡연 문제는 어떠한가? 넘버즈 10호(2019년 8월)에 따르면 한국인의 흡연율은 특이하게 나타나는데 OECD에서 남성은 최상위권을, 여성은 최하위권을 보인다. 그러나 여성 흡연율이 매년 가파르게 증가하고 이 같은 추세는 여자 청소년에게도 동일하게 나타난다. 또한 흡연자의 최초 흡연 시기가 낮아져서 13세 전후의 중학생이 되면서 시작되고 고3 남학생의 20%가 흡연하고 있다. 그리고 대부분 흡연자는 건강에 이상이 왔을 때 비로소 금연 결심을 한다.

흡연으로 인한 폐해는 아주 심각하다. 우리나라 성인 남성 100명이 매일 흡연으로 사망하고 있는데 비흡연자 대비 흡연자 사망률이 1.6배가 높다. 흡연자는 비흡연자 대비 각종 암 발생률도 월등히 높다. 여성의 경우 우울증과 자살 충동성이 흡연자에게 아주 강하게 나타난다. 흡연의 사회경제적 손실은 2013년 기준 한 해 7.1조 원 정도이다. 담배는 그냥 초엽을 말아서 만든 것이라고 여기면 큰 오산이다. 우리 인체에 온갖 해를 끼치는 화학물질 덩어리다. 자극하고 중독시키기 위해서 인 카드뮴 암모니아 등 나쁜 건 다 넣어서 사람으로 빠져나오지를 못하게 만든 것이다. 담배 연기에는 4천여 종의 화학물질들이 기체나 입체 형태로 섞여 있다. 그리고 인간 사망의 가장 큰 원인이 흡연이다. 간접흡연조차도 폐해가 하도 심각해서 미국 보건청에서는 그것을 일급살인이라고 표현했다. 그래도 흡연

폐해가 당장 나타나지 않으니 서로 독약을 권하는 게 우리 사회다.

최근에 한국사회의 술과 담배 문제를 더 심각하게 만드는 환경이 조성되었는데 마약의 확산이다. 술 담배 마약은 중독성 물질로 트리오를 형성하여서 부정적인 타격을 우리 사회에 강하게 가하고 있다. 그러나 긍정적인 환경들도 형성되고 있다. 술 대신 무알코올 제품을 선호하는 사회적 분위기가 그것이다. 또한 세계적으로 금연 캠페인이 벌어지는 것도 좋은 징조이다. 뉴질랜드는 2009년 출생자부터 담배 판매를 영구 금지하는 법안을 통과시켜 위반하면 우리 돈 1억 원이 넘는 벌금을 내야 한다. 이런 움직임은 우리나라의 금주 금연운동에 좋은 영향을 미칠 것이다.

2. 한국교회의 술 담배 문제

한국교회는 초기부터 술과 담배를 당연히 하지 말아야 할 것으로 가르쳤다. 그래서 일반사회에서도 기독교인은 술 담배를 하지 않는 사람으로 여겨왔고 이것은 교회의 전통이 되었고, 기독교인의 특성이 됐다. 하지만 오늘날 기독교인에게 술 담배는 형식적 금기와 현실적 허용의 대상인데 교회의 공식적인 입장보다는 기독교인의 실제적인 삶에서 더욱 그렇다. 대부분 기독교인은 교회에서는 술을 마시지 않는다고 하지만 밖에서는 적당히 마시기도 하는데 여기에 대하여 어떤 교인들은 죄책감을 느낀다. 또 어떤 교단이나 교회에서는 술 담배를 암묵적으로 허용하기도 한다. 그래서 음주와 흡연의 문제에 대하여 지금 한국교회는 혼란스럽다. 잘 지키지도 않으면서 족쇄만 채워놓은 듯한 전통을 교회가 계속 강조할 필요가 있느냐는 볼멘소리가 흘러나온다. 그리고 음주와 흡연은 비신자가 기독교로 개종할 때도 문제가 된다. 일반인들이 기독교는 술 담배를 하지 않는 종교로 알고 있기에 교회에 오라고 하면 술 담배 끊고 오겠다고 대답한다. 그러면 '한국교회의 금주 금연의 전통이 복음 전파를 방해하는 것은 아닌가?' 하는 염려가 된다. 또한 지금까지 금주 금연이 세계 기독교의 전통으로만 알던 교인들이 외국 교회에서는 그렇지 않음을 보고 많이 당황한다. 예를 들면, 남아공의 장로교회에서는 예배가 아닌 교회 모임에서 교인들은 포도주를 즐겨 마시고, 네덜란드의 화란개혁교단(31조파)의 교회에서는 예배를 마치자마자 교인들이 예배당 건물 벽에 둘러서서 담배를 피운다. 그렇다면 금주 금연은 기독교의 전통이라 보기 힘든데 굳이 한국교회에서만 지켜야 하겠는가 하는 의구심이 든다.

    이런 상황 속에서 교회가 오랫동안 지켜온 금주 금연 전통의 역사와 의미를 되새겨보고 지금 어떻게 할 것인가를 생각해 보는 것이 필요하다. 금주 금연 전통이 만들어진 정신이 무엇인가 그리고 어떻게 그것을 계승 발전시켜나갈 것인가를 살펴보는 것이 필요한 때이다.

3. 한국교회의 금주 금연 전통

기독교가 한국에 들어오고 처음부터 음주와 흡연을 정죄하거나 부정적으로 보지는 않았다. 초기 선교사들에 따르면 교회 입구에는 특이한 나무 걸이가 있었는데 장죽(長竹) 걸이였다. 담배를 피우다 교회에 오면 장죽을 걸어놓게 하기 위해서다. 또한 사경회 중 휴식 시간에는 막걸리나 막초(담배)를 제공했다고 한다. 그렇지만 선교사들이 볼 때, 한국인의 음주와 흡연의 습관은 너무 심하여서 많은 문제점의 온상이었다. 조선의 풍습을 세상에 많이 알려던 기포드 선교사의 기록에 보면 조선에서는 술에 취하는 것이 널리 유행하였는데 술을 마시고는 길거리에서 서로 상투를 잡아당기고 싸우는 모습은 흔하다고 했다. 또한 유순하고 예의 바른 조선인들로 여러 가지 악을 행하게 하는 원인이 술이라고 했다. 알렌 선교사는 조선 남자들의 인생에서 오직 한 가지 목적은 술을 실컷 마실 수 있는 돈을 버는 것이라고 했다. 그리고 조선에 아편이 성행하지 않은 것은 다행이지만 대신에 흡연의 폐해는 컸다고 한다. 중국에 아편이 성행하듯이 조선에는 남녀노소를 가리지 않고 퍼져있는 흡연 습관으로 건강과 위생과 경제에서도 심각한 문제들을 일으켰다. 카펜터 선교사가 보기에 조선인은 지구상에서 가장 게으른 흡연가였다. 담배를 빨아들인 뒤에도 그저 입을 열어서 연기를 내뱉으면서 담뱃대는 그대로 아랫니에 남아 있게 하는 모습은 정말 바보 같고 게으르게 보였다.

이런 형편에서 선교사들은 음주와 흡연의 각종 폐해를 지적하면서 금지하려고 노력했다. 특별히 초기 선교사들은 금욕과 절제의 삶을 강조하고 춤과 카드놀이와 담배를 탐닉하는 것을 죄로 여기는 청교도 신앙의 소지자였기에 조선의 음주 흡연은 타락의 전형적인 모습으로 보였고, 이를 변화시키는 것을 사명으로 여겼다. 이에 주일 성수, 제사 중지, 노름과 도박의 금지, 축첩 금지 등과 함께 금주 금연을 신자의 표징으로 제시하고 세례를 줄 때 이것들을 확인했다. 이후에 선교사들과 교계 지도자들은 신자의 삶에서 금주 금연의 논리를 펴갈 때 다음과 같은 이유를 제시했다. 첫째, 음주 흡연은 하나님이 계신 성전인 몸을 더럽히거나 망가뜨리는 행위라는 이유였다. 때때로 이 주장은 구원의 문제와 직결해서 술 먹는 것 자체가 범죄행위이며, 술 먹다가 죽으면 하나님께로 갈 수 있겠는가 하는 의문을 던졌다. 둘째, 음주 흡연은 개인적으로 빈궁의 원인이 되고 민족적으로 개화를 크게 방해하는 것으로 주장했다. 역으로 금연 금주는 경제적인 이익을 가져오고 민족의 문명 부강의 기초로 여겼다. 셋째, 음주 흡연은 신체와 정신에 해독을 주어서 질병과 죄악을 낳고 유전적으로 건전하지 못한 자녀를 얻게 해서 결국 조선 사회에 폐를 끼치는 행위라는 이유였다.

한국교회는 선교사들의 이런 가르침을 잘 받아들였을 뿐만 아니라 스스로 이성적인 판단에 따라 금주 금연을 결행했다. 축첩 점술 흡연 음주 등 악습을 그만둔 것은 선교사들의 강요가 아니라 초기 기독교인들 스스로 이성으로 판단하고 시행했다. 초기 교회들의 당회록, 주보, 교계신문, 선교보고서 등에 따르면 금주와 금연은 기독교인이 되는 첫걸음으로 여기고 세례 문답 등을 통해서 확인했다. 세례를 받으려는 사람에게 술장사 등은 금했다. 세례를 받고 교인이 되었다 하더라도 음주 흡연 문제가 발생하면 징계를 내렸는데 그 죄목으로는 하나님께 범죄한 일, 교회법을 어긴 일, 가족에게 광언지설(狂言之說)한 일, 자기 몸을 망하게 한 일로 기록되어 있다. 그리고 술장사 심지어 누룩 장사를 한 것을 치리하라고 결의한 기록도 남아 있다.

1920년대부터 기독교의 금주 금연은 국채보상운동과 절제운동의 일환으로 이어져서 민족운동으로 발전됐다. 조선여자기독교절제회가 1923년에 창립이 되면서 금주금연운동을 벌였고 장로교나 감리교도 적극적인 활동에 나섰다. 당초 교회의 순결과 신자의 성결 증거로써 강조된 금주 금연이 기독교인들에게 내면화되고 난 뒤에는 한국사회를 정화하고 개조하는 방편이 된 것이다. 이때부터 교인이라면 술 담배를 하지 않는 사람으로 인식됐다.

4. 성경에서 음주와 흡연

성경은 독한 술에 대하여 부정적으로 말한다. 잠언 23장 29-31절에 보면 혼합주를 찾아다니는 사람들이 저지르게 되는 어리석은 악들을 나열하면서 술을 쳐다보지도 말라고 한다. 노아가 실수한 원인과 롯이 딸들과 근친상간하게 된 연유가 술과 연관되어 있다고 보도한다. 신약에서 술에 취함은 폭행 방탕 음란과 같이 하나님 나라 백성의 윤리와 정면으로 충돌하는 심각한 죄다. 그래서 취하도록 마시는 것에 대해서는 구약이나 신약 그리고 초대교회 모두에서 엄격하게 금지했다. 하지만 성경은 때로 놀랍게도 술을 긍정적으로도 언급한다. 시편 104편 15절에서는 사람의 마음을 즐겁게 하는 포도주가 하나님께서 인간에게 주신 복의 하나로 말하고, 신명기 7장 12-13절에서는 이스라엘이 받는 복 중 하나가 새 술의 풍성함이라고 말한다. 예수님도 물이 포도주가 되게 하셨고, 또한 마시셨다. 바울은 디모데에게 위장병을 위하여 포도주를 쓰라고 권면했다. 포도주는 팔레스틴 지역의 음식문화에서 일반적인 음료로써 사용이 되었고, 성경은 포도주를 마시는 것을 삶의 기쁨 중에 하나로 취급한다. 자연스럽게 교회는 성찬식 때 일상적 음식인 빵과 함께 포도주를 거룩하게 구별하여 사용한다. 그리고 담배에 대해서는 특별한 언급이나 관련 구절을 찾아보기 힘들다.

그렇다면 술에 취하지 않을 정도로 마시는 것은 허용할 수 있는가? 또한 담배에 대한 성경의 언급이 없으니까 흡연은 가능한 것은 아닌가? 우선 술 담배 문제는 구원의 문제와는 직접적인 관련이 없다. 술과 담배를 한다고 구원받지 못하는 것은 아니다. 만일 그렇다면, 술과 담배를 하는 문화권 신자들은 다 구원받지 못할 것이다. 그래도 금주 금연은 기독교인이 지켜야 할 좋은 관습이자 규례다. 먼저는 성경이 독한 술이나 많은 양의 술에 취하는 것을 금하고 자기의 몸을 치명적으로 상하게 하는 행위로써 흡연을 금하고 있기 때문이다. 둘째는 성경적 건덕의 원리에서 이 전통을 지키는 것이 좋다. 한국교회에서 교인이라고 하는 사람이 음주와 흡연의 문제가 불거진다면 다른 교인들을 시험 들게 할 것이다. 음식물로 형제를 근심하게 하지 말라고 했는데 기호품으로 근심하게 하는 것은 더 피해야 할 것이다. 전도의 원리에서도 마찬가지다. 어떤 불신자가 술과 담배를 하는 신자의 권면을 들으려 하겠는가? '너나 똑바로 하라'고 할 것이다.

5. 목회 현장에서 음주와 흡연 문제

목회 현장은 단지 규범이 시행되는 곳은 아니다. 또한 전통이 당연시 되는 것도 아니다. 이곳은 항상 목회적 교육과 돌봄이 있어야 하는 곳이다. 먼저 아직 음주나 흡연의 문제를 해결하지 못한 신자들을 지나치게 정죄해서는 안 된다. 신앙생활이 초보거나 신앙이 연약한 사람이라면 더 주의하여서 비본질적인 문제로 시험 들게 해서는 안 된다. 특별히 음주 흡연 문제로 신앙적 결단을 내리지 못하는 사람에게는 기독교의 본질이나 구원의 길이 금주 금연이 아니라는 것을 잘 설명해주어야 한다. 그래도 교인들에게 금주 금연을 생활하는 것이 옳다고 설득하고 교육해야 한다. 금주와 금연은 하나님이 지으시고 성령님이 내주하시는 몸을 건강하게 지키는 것이라는 성경의 원리로, 교인들의 건강한 믿음 생활을 고취 시키는 것이라는 건덕의 원리로, 전도할 수 있는 권위와 자세를 갖추게 하는 것이라는 전도의 원리로 설명해야 한다.

교회와 목회자는 교인이 음주와 흡연을 끊을 수 있도록 도와주어야 한다. 술과 담배를 하는 교인들도 그것이 영혼과 육체에 좋지 않다고 알고 있고 그래서 끊으려고 노력한다. 그러나 술과 담배를 쉽게 끊지는 못한다. 실제로 금주나 금연의 프로그램에 참여한 사람 중에 약 20% 정도 성공하고 나머지 80%는 실패한다. 그래서 잘 개발된 금주 금연 프로그램을 소개해도 되지만 치유하시는 성령님의 능력을 함께 힘써 구하는 것은 큰 도움이 된다. 특히 청소년들의 음주와 흡연이 늘고 있기에 소년부 중등부 고등부 청년부를 대상으로 하는 금주 금연 교육과 지도가 시행되어야 한다. 청소년 흡연자는 어른 흡연자보다 금연하기가 더 어렵다고 하는데 금연 시도의 실패율이 70%가 넘는다. 그런데 청소년 흡연자는 부모나 교사의 말은 잘 듣지 않더라도 친구의 말을 듣고는 금연을 하는 경우가 많다. 그래서 교회학교의 학생들이 친구들에게 금연이나 금주를 권하는 활동이 필요하다. 또한 성년 흡연자도 자녀의 금연 권고에는 반응을 잘한다고 하니 부모의 금연을 위한 자녀의 설득 운동도 좋은 전략이 된다.

마지막으로 금주 금연을 교인 개인이나 교회 차원에서 끝내지 말고 사회적 그리고 민족적 차원으로 확대하면 좋을 것이다. 신앙 문제에서 끝내지 않고 의식과 건강과 위생과 경제의 운동으로 확대되어 사회와 민족과 나라를 갱신하는 도구가 되게 할 것이다. 오늘날 우리 한국사회를 위기에 몰아넣는 마약과 술과 담배를 경계하고 금지하는 운동이 필요하다. 교회는 세상을 치유하는 기관으로 금주금연운동을 펼칠 수 있고 나아가 마약퇴치운동에 앞장설 수 있다. 일제 강점기에 절제 운동으로 우리 민족에게 이바지한 선배 기독교인들처럼 지금 우리는 이런 운동을 통해서 지금 우리 사회에 이바지할 수 있다. 소극적으로는 음주와 흡연을 조장하는 방송과 언론의 매체를 감시하고 비판하고 항의하는 일부터 시작해서 적극적으로는 그런 캠페인을 교회가 중심이 되어 펼쳐나가는 것이다.

한국교회와 교인의 금주와 금연은 아름다운 관습이다. 오히려 사회로 확장하고 다른 나라의 교회와 교인에게 소개할만한 것이다. 금주 금연이라는 규례를 다시 한번 우리 기독교인의 삶을 점검하는 원리로 그리고 세상을 이롭게 하는 운동의 동력으로 삼아보자.

연애와 동거에 대한 신앙적 자세

박신웅 목사

오랫동안 교회에 출석하지 않던 한 청년이 어머니의 권유로 교회에 출석하기 시작했다. 아직 믿음이 없고 효도 차원에서 교회에 출석하는 청년이다. 한때 중고등부와 청년부 시절에 교회를 열심히 다녔는데 이런저런 이유로 교회를 떠났다 다시 출석하게 된 것이다. 주변에서는 여자 친구와 동거를 시작했다는 이야기가 들린다. 어떻게 해야 하냐고 묻는 성도들이 있다. 아직 믿음은 없고 교회에 출석만 하는 이 청년에게 무어라 말해줘야 할까? 고민이 많아진다.

최근에 한 청년이 등록했다. 이제 20대 후반인 이 청년, 지방에서 생활하다 남자 친구를 따라 이사를 왔고 교회에 등록했는데 알고 보니 결혼 전인데 동거하고 있다. 본인 딴에는 여러 이유가 있어 불가피하게 동거하고 있다고 하지만 좀체 이해되지 않는다. 심지어 남자 친구도 신앙 생활하며 이웃 교회에서 봉사도 한다고 하는데 어떻게 해야 할까? 역시 고민이 많아진다. 이런 청년세대를 바라보며 그들에게 어떻게 답해야 할지, 어떻게 인도하는 것이 바른 대안일지 고민하게 된다. 이 글은 그런 청년세대(혹은 청소년 세대)와 이후의 젊은 세대(30·40세대)들의 연예와 동거 문화에 대해 고민하며 답해보는 시도이자 제안이라 할 수 있겠다.

1. 탐색 : '썸'이 아닌 '인도하심' 구하기

근래 젊은이들 사이에서 '썸을 탄다'라는 말을 하곤 한다. 영어단어 something에서 온 말로 호감이 가는 이성과 사귀기 전에 느끼는 불확실한 감정을 가지고 서로를 '탐색하는 과정'을 말하는데 소위 '썸'을 타는 것에서 연애가 시작된다고 보는 것이다. 동거의 경우에도 '탐색의 과정'과 연관이 있다고 한다. 진정미와 성미애의 연구에 의하면(2021년) 청년층의 동거는 결혼의 서곡으로 보는 경향이 강하다고 한다. 즉 동거를 결혼을 위한 '탐색의 과정'으로 보고 있다는 것이다. 결국 요즘 청년들이나 젊은 세대들에게 있어 '썸'을 타는 것이 교제를 위한 탐색의 과정이라면 동거는 결혼을 위한 탐색의 과정 정도로 본다는 것이다.

우선 '썸'을 타는 것에 대해 생각해 보자. 젊은 남녀라면 누구나 호감이 가는 이성을 만나면 감정의 변화를 경험하고 그(그녀)를 향한 관심과 마음이 움직이는 것을 경험하게 된다. 자연스레 만남이 잦아지면 그(그녀)를 향해 호감을 표시하고 서로를 알아가는 시간을 가지지요. 소위 '썸'을 타게 되는 것이다. 그때 흔히 빠지는 함정이 있는데 그것이 바로 '낭만적 감정의 함정'이라고 게리 토마스는 말한다. 낭만적인 사랑에 빠진다는 것이다.

사실 역사적으로 '낭만적인 사랑'이라는 개념이 고대 사회에는 없었다고 게리 토마스는 말한다. 예외적으로 나타나는 하나가 성경에 나오는 아가서의 사랑 표현이라고 한다. 실제로 비교적 후대인 11세기가 되어서야 낭만적인 사랑에 대해 일반인들도 인식하기 시작했고 시대가 흘러 로맨스라는 이름으로 18세기 낭만주의 시인들에 의해 주로 '느낌과 감정으로 정의할 수 있는' 사랑을 노래하고 이야기하게 되었다고 한다. 급기야 어느 순간엔가 이 '낭만적 사랑'은 모든 젊은이의 꿈(로망, Romance)이 되었고, 심지어 교회 안에서도 이런 꿈을 꾸며 이성을 찾고 그 과정에서 '썸'도 타고 심지어 연애도, 동거도 하게 되는 것 같다. 주지하듯 전제가 잘못되면 결과도 뒤틀리는 법이다. 이 '낭만적 감정의 함정'은 너무 쉽게 깨어지는데 통계적으로 소위 '콩깍지'가 벗어지는 12개월에서 18개월이 되면 깨닫게 된다고 한다. 자신이 바랐던 낭만적인 사랑이 아니었다고 말한다. 그래서인지 해마다 통계청의 통계에 의하면 결혼 후 0-4년 사이의 이혼율(혼인 지속기간 구성비의 변화)이 가장 높다고 한다. 무엇보다 하나님이 원하시는 방식의 연애라기보다는 감정에 충실한 연애가 되기 쉬우므로 '썸'을 타는 것에 유의해야 한다. 소위 나와 그(그녀)가 서로 감정적으로 맞는지를 살피기 전에 하나님이 원하시는 만남인가를 먼저 생각해 봐야겠다. 그래야 성도 간의 교제가 이루어지고 더욱 성숙한 신앙인의 만남이 될 수 있기 때문이다. 이를 위해 교회는 낭만적인 '썸'을 타기 위한 공간으로서 청년부 혹은 교회 활동을 할 것이 아니라 말씀에 충실하고도 성숙한 그리스도의 '사랑' 안에서의 만남이 되도록 예배와 성경공부와 기도 모임을 중심으로 한 '성도의 교제'가 이루어지도록 분위기를 조성해야 하겠다.

주지하듯 신자는 예수 그리스도의 구속적 사랑을 기반으로 이웃도 사랑하고 심지어 이성 간에도 사랑할 수 있다. 젊은 세대라고 예외가 아니지요. '썸'을 통한 '우연적인' 만남을 통한 '감상적(미숙한)' 사랑을 추구할 것이 아니라 온전한 사랑을 위해 하나님의 '인도하심'을 구하는 '거룩한'(성숙한) 이성 교제를 시작하도록 해야겠다. 이를 위해, 교회는 온전한 구속적 사랑 안에서 이성 교제가 이루어지도록 공적으로 잘 가르쳐야 하겠다. 그뿐만 아니라 하나님의 인도하심을 통해 건강한 가정을 이룬 젊은 부부들을 격려하고 그런 가정을 이루는 걸 도와 참된 사랑이 어떻게 열매를 맺고 건강한 가정을 이루는지도 보여줄 수 있어야겠다.

2. 검증 : 공동체 안에서 연애하기

탐색의 과정이 '썸'과 '인도하심'에 대한 것이라면 이제는 탐색을 넘어 검증의 시간이 필요하다. 본격적으로 연애의 기간에 들어가게 되면 검증이 필요한데요. 성경을 보면 성경의 시대는 연애라는 개념 자체가 없다. 부모가 정해준 배필을 만나고 양가의 부모들에 의한 결정을 일방적으로 받아들이면서 혼인이 이루어졌다. 대표적으로 이삭의 결혼(혼인)이 있다. 이삭은 자신의 의지와 상관없이 밧단아람에 있는 리브가를 아버지의 종이 데려온 것으로 결혼하게 되지 않았을까? 어떤 연애의 과정도 자신의 결정이나 의견도 없이 결혼의 단계로 바로 넘어간 것이다. 그렇다고 성경에 나온 모든 사람이 부모가 짝지어 준 배필과만 결혼한 것은 아니다. 소위 연애 비슷한 과정을 거친 커플들도 있다. 이삭의 아들 야곱은 외삼촌 라반의 집에 기거하면서 그의 딸 라헬을 연모하여 라헬을 얻기 위해 외삼촌에게 봉사한다. 야곱과 라헬 사이에 무슨 일이 있었는지 성경은 자세히 말해주지 않지만 결혼할 사람을 스스로 결정하고 결혼에 이르게 되었다는 점에서 아버지 이삭과는 다르다고 하겠다.

전술한 아가서의 경우도 젊은 남녀의 절절한 사랑에 대해 잘 표현한다는 점에서 연애와 연관이 있다고 하겠다. 다만 고대시대에는 남녀 간에 결혼 이외에 간음했을 경우 그 처벌이 엄격했고 결혼 관계 안에서 남녀가 만나고 사랑을 나눌 수 있도록 시스템이 구축되어 있었다. 또한 율법과 말씀의 원리 또한 결혼 관계를 벗어나 성관계를 갖거나 동거하는 등의 문제를 일으킬 소지를 원천적으로 차단하고 있다. 하지만 오늘의 사회는 그렇지 않지요. 하여, 건강한 이성 교제를 통해 결혼의 과정으로 나아가려면 '공동체 안에서' 연애하는 일명 '검증의 과정'을 거치는 것이 젊은 남녀에게 좋으리라 생각된다. 제가 아는 어느 교회는 청년들이 많은데 대학교 4학년이 되기 전에는 교제하는 걸 금하는 것이 불문율로 정착되었다고 한다. 교회 안에서 소그룹과 공동체 안에서 믿음으로 만나, 서로 예배와 교제와 봉사와 섬김과 전도를 통해서 형제와 자매로 만난 후, 일정 기간의 검증 기간을 거친 다음 교제하는 환경을 만들기 위해 그렇게 했다고 한다. 감사하게도 그 결과, 청년들의 성적 일탈이 거의 없고 일찍 배우자를 만나 결혼하여 건강한 가정을 많이 이루었다는 걸 그 교회의 담임 목회자에게서 듣게 됐다.

이처럼 이제는 교회 내에서 연애하는 커플에 대해 백안시하거나 혹은 방관하기보다는 오히려 교회가 살펴 함께 검증해 가면서 건강한 연애를 장려할 필요가 있겠다. 이를 위해, 일정 기간 검증의 과정으로 커플이 생기면 교회에 알리고 교회는 '연예 학교'나 '결혼예비학교'와 같은 과정을 개설하여 어떻게 신앙적인 이성 교제를 할 수 있을지 가르치고 성경공부반 안에서 함께 교차 검증하는 시간을 가지는 것도 유익하리라 본다.

3. 방향 제시 : 가이드라인 제시하기

본격적인 연애의 단계로 들어서면 젊은 남녀는 서로 간의 성적인 욕구가 생긴다. 이를 해소하기 위해 다양한 스킨십을 하게 되고 급기야 넘지 말아야 할 선(線)을 넘기도 한다. 그 대표적인 것이 혼전 성관계를 맺는 것과 동거지요. 예전의 보수적인 문화와 환경에서는 이것이 통념상으로 제한되고 어느 정도 통제되었다면 오늘의 상황은 완전히 달라졌다고 볼 수 있다. 2023년 통계청 보고에 의하면 우리나라 청년(19-34세) 10명 중 8명(81%)은 결혼 전이나 결혼하지 않고 동거하는 것에 찬성하고 있다고 한다. 이는 2012년(61.8%)보다 무려 19% 포인트 증가한 것으로 이제 웬만한 청년들은 동거하는 것에 대해 문제의식을 전혀 느끼지 못하고 있다.

그리스도인 청년들은 다를까? 아니다. 이미 2014년 이상원 외 3인의 연구에 의하면 미혼 기독 청년 중 52%가 성관계를 경험한 적이 있으며 57.4%가 결혼을 전제로 한 성관계는 가능하다고 답했다고 한다. 또한 같은 연구에서 60% 이상의 기독 청년들이 혼전순결을 꼭 지킬 필요가 없다고 답했다고 하니 상황의 심각성은 말해 무엇 하겠는가? 이렇게 보면 혼전 성관계와 동거 문화에 대한 기독 청년세대의 인식은 믿지 않는 이들의 그것과 별반 차이가 없고, 개방적(세속적)으로 변했다는 걸 알게 된다.

상황이 이렇다 보니 청년들 사이에 연애하면 으레 성관계를 갖는 것이 다반사이고 혼전순결을 말하거나 주장하는 청년은 오히려 '천연기념물'로 시대에 뒤처진 사람 취급을 받는다고 한다. 교회 안에서도 혼전순결에 대한 의식이 많이 무너져 이 글의 도입에서 예를 든 것처럼 혼전순결을 넘어 결혼은 하지 않은 채 아예 동거에 이르기까지 하는 경우도 많아지는 실정이다. 이 문제를 해결하기 위해서는 교회가 자라나는 세대를 향해 그리고 그들의 부모 세대를 향해 분명한 메시지를 전달해야 하겠다. 기본적인 가이드라인과 방향을 제시하고 그에 맞는 치리회의 역할도 감당해야 할 것이다. 아울러 죄로 인해 문제가 생겼더라도 은혜로 젊은 세대를 다시 품을 수 있도록 지도하는 것도 필요하리라 생각된다.

1) 바른 결혼관 세우기

우선 성경에서 말하는 결혼에 대해 바르게 알고 바르게 가르쳐야 하겠다. 웨스트민스터 신앙고백서 24장은 '결혼과 이혼'에 대해 잘 가르치고 있는데 1항은 결혼은 한 남자와 한 여자의 결합으로 되어야 함을 분명히 한다. 한 남자에 두 여자나, 한 여자에 두 남자가 아닌 한 남자가 부모를 떠나 한 여자와 연합하는 것으로서의 결혼(마

19:5)을 말해주는 것이다. 2항은 결혼의 정의에 대해 명확히 알려준다. 남편과 아내가 서로 돕고 하나님이 주신 거룩한 자녀로 "교회를 왕성하게" 하고, "부정을 막기 위해 제정"되었다고 알려준다. 2항 그 어디에도 결혼이 자신의 성적, 육체적 욕망을 채우거나 이루기 위한 것이라고 말하는 부분은 없다. 오히려 배우자를 돕고 사랑하기 위해 그리고 교회의 유익을 위해 결혼이 제정되었다고 알려준다. 아울러 부정 즉 죄를 막기 위해 제정된 것임도 강조한다. 결혼 관계 밖에서 일어날 동거와 같은 부정을 막기 위해 결혼이 제정되었다는 뜻이다. 그래서 3항에서는 자신의 판단에 따라 결혼은 하되 "기독자는 의무적으로 오직 주님 안에서만 결혼하여야 한다"라고 말한다. 맞다. '내 만족 안에서'가 아니다. '내 감정이나 욕망 안에서'도 아니다. '주님 안에서' 주님이 기뻐하시는 대로 결혼해야 한다는 말이다.

당연히 모든 성관계는 주님 안에서 이루어져야 하고 결혼 안에서만 허용된 것이라는 사실을 분명히 해야겠다. 어떤 이유로도 정당화될 수 없기에 '주님 안에서' 믿는 형제(혹은 자매)와 결혼하는 것이 순리이며 혼전에 서로의 성(性)을 지켜주고 보호해 주는 것이 복임을 알도록 해야겠다.

2) 데이트할 때 '3인조 대화하기'

결국 신앙고백서에서 말하는 성경적인 결혼관은 나와 그(그녀)와의 관계에서 이루어지는 연애(모든 로맨틱한 관계)가 교회와 주님과의 관계로 확장되는 형태가 되어야 함을 보여주고 있고, 그 결실로 결혼으로 이어져야 함을 말하고 있습니다. 이렇게 보면 게리 토마스가 제안한 데이트의 방법을 모든 젊은 세대가 따라 해 볼 만하다고 생각된다. 그리고 온 교회 청년들이 그렇게 이성 교제를 할 수 있도록 도왔으면 좋겠다. 그 방법은 다름 아닌 '3인조 대화하기'이다. 젊은 남녀가 만나 연애를 하다 보면 스킨십을 어디까지 해야 할지 궁금해지고 때로는 도를 넘기도 하고 그러다 선(線)을 넘어 버리는 경우가 생길 수 있다. 이를 감정적으로나 이성적으로 통제하기 어렵다. 감정이 불일 듯 끓어오르는 상황에서 "오빠 믿지?" 이 말을 할 때, 말하는 남자도 듣는 여자도 그 분위기에 취해 쉽게 선(線)을 넘을 수 있기 때문이다. 이런 대화가 평소 발생하지 않도록 사전에 나와 너와의 대화 속에 주님이 계시도록 초대해 보라는 것이다. '나 – 그(그녀) – 주님'이 함께 대화하는 방식으로 말이다. 이를 위해 평소 '주님과 함께하는' 묵상과 기도가 있는 교제를 하도록 지도할 필요가 있다. 그렇게만 된다면 문제가 생길 때 그 문제를 둘만이 아닌 주님께 물으며 주님과 함께 해결할 수 있게 될 것이다. 그리고 그 관계는 전술한 것처럼 '주님 안에서' 이루어지는 관계가 될 것이다. 그리고 결국 결혼을 하든 헤어지든 그 관계는 아름다운 결실을 보게 될 것이다. 그렇지 않으면 자칫, 근자에 자주 신문 지상에 오르내리는 데이트 폭력과 같은 불행한 일이 생겨날 수도 있다. 나와 그(그녀)만 있는 관계에서 집착이 도를 넘어 폭력으로 이어지는 불행이 생기게 되는 것이다. 이를 사전에 막을 방법은 하나님을 모든 이성 교제의 관계에 초대하는 것이다. 이때 더욱 성숙한 이성 교제가 되리라 생각된다.

3) 치리회의 역할 하기

다만 여기서 교회가 치리회의 역할도 반드시 해야 한다는 걸 지적하고 싶다. 교회는 세월이 지나도 성경의 기준에 부합되도록 성도를 이끌어야 하고 공동체가 바른 기준 위에 서도록 도와야 하는 신앙 공동체이다. 이를 위해 결혼 관계를 벗어난 어떤 성적인 방종도 방관하거나 혹은 조장하면 곤란하겠다. 같은 맥락에서 아무리 탐색의 과정이라고 포장해도 동거는 성경에서 금하는 결혼 밖에서 일어나는 간음이며 하나님이 기뻐하시는 일이 아니기에 그것에 대해 치리 기관인 교회가 나서서 바르게 잡을 필요가 있다.

필자가 아는 한 교회도 교회 청년들이 동거한다는 소문이 있자 그 사실을 당사자들에게 확인했다. 그러고는 치리회인 당회가 모여 기도하고 당회의 대표인 담임목사가 대표로 청년들을 불러 결혼할 것을 지도했다. 감사하게도 그들은 그것을 받아들여 결혼하게 되었고 당회의 적절한 치리 과정도 밟아 교회 안으로 잘 들어와 지금도 교회에 출석하고 있다고 한다. 결국 이 일을 통해 온 교회가 무엇이 하나님이 기뻐하시는 이성 교제이고 결혼의 모습인지 다시 확인하는 시간을 가지게 되었음은 물론이다.

* *

어쩌면 다소 이상적인 이야기를 한다고 생각할지 모르겠다. 변명하자면 신문 지면을 빌려 민감한 이슈인 연애와 동거에 관해 이야기하다 보니 세부적인 내용을 다루기가 쉽지는 않았다. 다만 '썸'을 통한 '감정적'인 교제로 '시작'하지 않고 하나님의 '인도하심'을 따라 시작하고 신앙 공동체 안에서 관계와 사람을 '검증'하며 교회가 적실한 가이드라인을 주는 것으로 젊은 세대들의 이성 교제에 대해 교회가 이제 좀 개입해 보았으면 좋겠다. 어떤 것이 건강한 결혼인지도 확인시켜 주고 이성 교제를 할 때 적절한 방법(3인조 대화하기)과 스킨십의 정도나 가이드라인도 주면서 말이다. 무엇보다 치리회의 역할도 감당하면서 젊은 세대들에게 이 세대와는 다르게 거룩하게 사는 것이 어떤 것인지도 보여주면서 말이다. 그러다 보면 자연스레 성경에 부합한 젊은 세대들의 건강한 이성 교제 가운데 건강한 가정이 많이 나오리라 생각한다.

저출산 문제와 교회의 대응

감기탁 목사

1. 저출산과 우리나라

1) 저출산 사회의 정의

'저출산 사회'는 합계출산율(15-49세 정도의 가임여성 1명이 낳을 것으로 기대되는 평균 출생아 수)이 약 2.1명 미만으로 유지되는 사회이며 '초저출산 사회'는 합계출산율이 약 1.3명 미만으로 유지되는 정도로 정의한다. 1950-60년대 합계출산율이 6명 내외였던 우리나라는 2012년부터 초저출산 사회의 기준으로 삼는 합계출산율 1.30명 이하로 진입했다. 2020년 OECD 38개 회원국 합계출산율 평균은 1.59명인데 우리나라는 0.84명으로 그중 가장 낮은 편에 속하고 2022년 합계출산율은 0.78명으로 세계 최저 수준이다.

2) 역사적 배경

대한민국이 이처럼 초저출산 사회로 급속히 변하게 된 데는 정부의 산아제한 정책과 낙태 관련 정책들이 그 배경에 있다. 1953년 9월 이승만 정권에서는 형법 제269조와 제 270조에 낙태죄를 처음으로 명시해 낙태한 여성과 의사에 대한 처벌을 규정했다. 그러나 1961년 박정희 정권 당시 대한가족계획협회(현 인구보건복지협회)를 창립하고 1962년부터 산아제한을 위해 '3.3.35원칙'(3년 터울, 세 자녀만, 35세 이전에 낳자!)이라는 가족계획정책을 발표했다. 이어 1963년 이후 보건소에서 소파 수술을 주도하는 등 적극적인 산아제한 정책을 집행해 사람들은 이후 낙태가 마치 피임의 한 방법인 것처럼 받아들일 정도가 된다. 이후 출생율은 감소하기 시작했으며 1970년대 들어와서 '새마을부녀회'가 마을마다 찾아다니며 '둘만 낳아 잘 기르자'라는 표어와 함께 산아제한 교육을 시행했다. 1972년 10월 국회 해산 후 비상국무회의에서 보건사회부가 제출한 인공중절을 제한적으로 허용하는 '모자보건법'이 통과 시행됐다. 유신독재 배경에서 이견을 허락하지 않는 상황 가운데 공론화 과정도 없이 '경제성장을 위한 산아제한이라는 가족계획 사업의 일환'으로 진행돼 종교계의 반대 등도 쉽지 않았다. 이를 계기로 이후 낙태죄는 사실상 사문화됐다.

1983년 이미 우리나라 합계출산율이 2.1명 이하로 떨어지며 본격적인 저출산 사회로 진입했다. 그러나 전두환 정권은 높은 경제성장을 기대하면서 "미국 수준의 개인소득을 올리기 위해 대한민국의 인구를 1천만 명으로 줄여야 한다"라고 까지 주장하며 '하나만 낳아 잘 기르자'는 표어와 함께 산아제한 정책을 계속 진행했다. 1989년 정부 주도의 피임사업은 중단되고 1990년대 산아제한 정책 완화로 출생아 수가 일시적으로 증가하며 마침내 1996년 정부는 산아제한 정책을 폐지했다. 그런데 1997년 IMF 외환위기를 맞으며 출산율은 다시 급락했고 2000년대에 들어 국가적 저출산의 심각성을 인지하지만 이미 회복이 힘든 정도에 이르렀다. 2019년 4월 헌법재판소는 낙태죄에 대해 "임신한 여성의 자기 결정권 침해의 최소성을 갖추지 못한 채 태아의 생명보호라는 공익에 대하여만 일방적이고 절대적인 우위를 부여함으로 법익균형성 및 과잉금지 원칙을 위반"한 것으로 보고 단순위헌이 아닌 헌법 불합치 판결을 내렸다. 입법자의 개선 입법이 이뤄지기 전까지는 낙태죄의 계속 적용이 이뤄지도록 했는데 2023년 현재까지 낙태죄 개선 입법은 이뤄지지 않은 상태이다.

2. 우리나라 저출산의 원인들

1) 오랜 산아제한 정책과 낙태법

무엇보다 오늘날 직면한 우리 사회의 저출산 문제는 앞서 본 역대 정부들의 오랫동안 지속된 산아제한 정책과 유명무실한 낙태죄 등 제도적인 문제를 일차적인 원인으로 꼽을 수 있다. 6.25 전쟁 이후 경제 개발과 성장을 지상 과제로 삼고 노동력 확보를 위해 여성들을 출산과 육아보다 노동에 투입하는 근시안적인 정부 정책을 시행해 경제성장 동력을 만든 것처럼 보였지만 이제 그 값을 치르는 시간을 우리가 맞고 있다.

2) 물질주의적 가치관

또한 제도적인 문제만큼이나 오랫동안 사람들의 머릿속에 굳어진 잘못된 가치관이 큰 원인이다. 개인으로서 자족하기보다 당장 좀 더 풍요롭고 넉넉한 눈앞의 삶을 중요하게 여기며 욕망을 감추지 않고, 정부 정책들에서도 경제 성장 최우선의 정책이 두드러진다. 다양한 저출산의 원인을 언급하는데 불안정한 직장(과도한 경쟁에 몰린 청년들의 너무 힘든 정규직 취업), 주거 불안(월급을 모아서는 집을 살 수가 없는 아파트값 상승), 육아로 인한 여성경력 단절 문제, 육아 및 교육비용(어린이집과 유치원 비용부터 급증하는 사교육비), 보육시설 부족 등 여러 구조적인 문제들이 있다. 그런데 실상 더 중요한 것은 이런 구조적 문제들 아래 놓여 있는 경쟁적이며 세속적인 물질주의적 가치관이다. 많은 사람에게 가장 중요한 가치는 '돈'이

됐다. 불안한 직장도 경력 단절에 대한 염려도, 양육비나 사교육비도 돈의 문제고 더 많은 돈이 모든 문제의 해결책처럼 여겨진다. 더 많은 수입을 얻는 것이 중요하고, 자녀들과 어른들이 모두 이 한 가지 목표, 부자가 되기 위해 힘쓴다(딤전 6:9, 약 4:2-3). 수도권과 서울로, 연봉이 더 높은 직장으로, 더 크고 좋은 아파트로, 더 적은 자녀들에게 더 비싼 사교육을 받게 하려고 맞벌이로 피곤하지만 버티며 만족하지 못한 채 돈을 위해 살아간다.

3) 염려와 두려움

잘못된 제도와 가치관과 함께 저출산의 원인은 사람들의 염려와 불안, 두려운 마음이다. 아직 경험하지 않은 자녀 양육과 미래에 대한 왜곡된 부정적인 두려움이 다양한 미디어를 통해 전파되고 증폭되어 부부와 자녀들이 함께 가정으로서 누리는 기쁨과 복됨을 경험할 기회를 원천 차단해버리고 저출산을 심화한다. '잘 살아보세'를 노래하며 온 백성들이 희생하며 기적적인 경제성장을 이뤘지만 자기 한 몸 건사하기 힘든 사회가 됐다. 가장 포기하기 힘든 세 가지를 포기하는 2011년 즈음에 등장한 소위 '3포세대'(연애, 결혼, 출산 세 가지 포기한 세대)에서 시작해 더 나아가 N포세대(취업, 내집 마련, 건강, 외모관리, 인간관계, 희망 등의 포기까지 확장)까지 힘겹게 살아가는 젊은이들이 우리 사회를 저출산 사회를 지나 초저출산 사회로 이끌어 가고 있다.

3. 정부와 국회의 대응

노무현 정권의 2006년 '저출산 고령사회 기본 계획'이 5년 단위로 시작된 이후 지난 2022년까지 16년간 이미 재정 투입액이 280조 원을 넘었지만 출산율 하락세는 멈춘 적이 없다. 출산율 하락이 세계 기록에 접근해 나가지만 한편으로 출산지원 재정 투입은 눈덩이처럼 불어나고 있다. 인구감소와 고령화가 동시에 진행되는 충격을 전문가들은 '퍼펙트 스톰'(perfect storm; 설상가상으로 벌어지는 최악의 상황)이라고 한다. 경제활동 인구 부족에 따른 국가 재정 위축 가운데 노인 복지 비용 증가 같은 수많은 경제적 악재가 동시에 발생하기 때문이다. "북한 핵보다 더 무서운 것이 저출산"이라는 말이 허언이 아니다. 그러나 정치권은 여전히 선거를 앞둔 시기에만 현금 살포 정책을 온갖 미사여구와 함께 내놓고, 그 대책에서 마저 절박함은 찾아보기 힘들다.

윤석열 대통령도 이제까지 정부의 저출산 극복을 위한 정책들의 실효성이 만족스럽지 않다고 인정하고 저출산고령사회위원회의 강력한 컨트롤타워 역할과 지역균형발전의 필요성을 언급했다. 지난 3월 열렸던 저출산고령사회위원회에서도 저출산 대응정책 5대 핵심과제(돌봄과 교육, 일 육아병행, 가족친화주거, 양육비 부담경감, 건강)를 발표했고 이에 따라 관련 예산 증액 및 사업이나 제도를 신설하기 위해 2024년 관련 예산으로 15조 4천억 원을 편성했으나 그 실효성은 지켜봐야 알 일이다.

국회의 입법 사례들을 보면 저출산 문제 해결이 쉽지 않다는 것을 더 잘 알 수 있다. 2021년 11월 국회 보건복지소위원회에서 국가나 지자체가 난임치료 시술비를 난임부부의 소득수준이나 시술횟수에 제한을 두지 않고 지원하는 '난임시술 지원법'을 발의된지 10개월 만에 의제로 올렸다. 그리고 여야 모두가 그 필요성에 공감까지 했지만 결국 이후 현재까지 2년 가까이 다시 논의하지 않고 있다. 난임시술지원법처럼 직접적인 저출산극복을 위한 7개 법률(남녀고용 평등과 일 가정양립 지원에 관한 법, 영유아 보육법, 모자보건법, 저출산고령사회 기본법, 고용보험법, 아이돌봄지원법, 아동수당법 등)만을 살펴도 21대 국회에서 발의한 435건 가운데(대안반영 폐기 건수를 가결된 것에 포함하더라도) 아직 364건이 국회에서 처리되지 않고 있다. 지역구 표심에 큰 영향을 끼치지 않는 법안들은 처리 우선순위에서 계속 밀리고 있다.

정부와 국회 등의 대안들은 주로 경제적인 부담을 덜어주고자 하는 정책들로서 사람들의 돈 걱정을 덜어서 출산율을 높이고자 하는 그 접근의 한계에서 벗어나지 못한다. 실제적인 도움이 될 수도 있지만 그것마저도 쉽지 않다. 그런데 과연 경제적인 부분만 잘 해결되면 저출산의 문제가 풀릴까? 최근 통계에서 출산율 상위 10개국 모두가 부자라고는 보기 힘든 나라들로 아프리카에 있다. 반대로 2015-2020년 대륙별 평균 출산율도 보통 살기 좋다고 말하는 북미와 유럽이 가장 낮다. 저출산의 해결은 돈만으로 되지 않는다. 돈 걱정도 한 부분이지만 더 중요한 것은 가치관을 바로 잡고 마음을 헤아리는 것이다.

4. 교회의 대응

1) 분명한 회개

현재 우리 사회가 마주한 초저출산의 문제는 이 땅의 교회들이 정부의 잘못된 정책에 대해 묵인 동조하며 심지어 지원했기 때문에 나타난 결과다. 독재 정권에서의 두려움 때문이든 또는 시간이 지나면서 생겨난 익숙함이나 무심함에서 비롯된 태만함 때문이든 정부의 반성경적이며 세속적이고 물질주의적인 정책을 비판 없이 받아들인 우리 교회는 하나님 앞에서 생명존중에 대한 명령을 순종하지 않은 큰 죄악을 범했다. 이 큰 죄악의 결과가 명백히 나타나 주님께서 우리에게 깨닫게 하시는 지금 이때 이에 대해 한국교회는 회개해야 한다. 산아제한 정책, 가족계획, 모자보건법 등의 이름으로 자행된 이 나라에서 행해진 수많은 낙태 곧 태아 살인에 대해 구체적이고 명확한 고백으로 생명의 참 주인이신 하나님 앞에서 회개하는 것이 이 문제 해결을 위한 첫걸음이 될 것이다(2020년 11월 8일 고신총회가 낙태죄에 대한 교회의 '회개와 용서의 기도문'을 발표하고, 태아 생명존중 주일 운동을 진행해 오는 것은 주님 앞에서 옳은 일이다).

우리 믿음의 선배들, 앞서간 교회 지도자들의 여러 공과가 있겠으나 그 가운데 잘못을 깨닫고 이를 주님 앞에서 밝히 인정하고 뉘우치며 돌이키는 일은 지금 우리가 마땅히 감당하고 바로 잡아야 할 중요한 역할이다. "우리의 조상들은 범죄하고 없어졌으며 우리는 그들의 죄악을 담당하였나이다"(애 5:7). 그렇게 하지 않으면 주님 앞에서 우리가 그 죄악에 대해 답해야 할 날이 우리에게 이를 것이며 또한 우리 조상의 잘못에 더해 우리의 회개하지 않음으로 더 크고 괴로운 고통을 우리 자손들이 이 땅에서 이후에 감당해야 할 것이다.

2) 선포하며 가르침

우리 목회자와 교회 지도자들은 무엇보다 하나님의 말씀을 따라 "생육하고 번성하여 땅에 충만하라"(창 1:28)는 주님의 명령과 복의 의미를 먼저 성도들에게 다시 가르치며 교회 안에서부터 잘 실천하도록 지도해야 한다. 정부 정책을 분별없이 비판없이 따르거나 이 세상 문화에 휘둘리며 이 땅에서 살 것이 아니라 영원하신 하나님 말씀의 기준을 따라 오직 마음을 새롭게 함으로 변화를 받아 하나님의 선하시고 기뻐하시고 온전하신 뜻이 무엇인지 분별하도록 가르쳐야 한다(롬 12:2). 강단에서 외치는 말씀이 오늘 이 땅에서 선포하는 하나님의 참된 음성으로서 성도들과 더 나아가 이 어두운 세상 모든 사람에게 증거되도록 힘써야 할 의무가 설교자들에게 분명히 부과되어 있음을 기억해야 한다.

3) 믿고 기도하며 순종함

주님의 엄중한 혼인 언약의 명령과 생명과 출산의 복됨, 경건한 가정과 자손을 위한 헌신의 귀중함에 대한 가르침을 배운 우리 성도들과 믿음의 자녀들이 이 어두운 세대 가운데서 빛을 내며 자라나게 해야 한다(물론 교회 안팎의 미혼의 청년들과 난임 불임의 부부들을 비롯해 여러 어려움 가운데 고통받는 이들을 향하여는 예외적이며 특별한 주님의 계획들에 대해 자비와 긍휼로 적절하게 지도해야 할 것이다). 많은 말로 짠맛과 빛에 대하여 설명할 것이 아니라 교회가 세상의 소금과 빛임을 보여주어야 하며 예수님의 가르침과 함께 그 삶을 우리가 이 땅에서 믿음으로 순종으로 살아갈 때 온전한 교회로서 주님의 증인 역할을 감당할 수 있을 것이다.

전문가들이 '저출산 위기 대응은 이미 너무 늦었다. 회복이 불가능하다'라고 판단하더라도 우리는 생명의 주인이신 주 하나님의 용서와 은혜를 의지하며 약속의 말씀을 붙들어야 한다. 다시 거룩한 혼인 언약으로 나아가며 경건한 자녀들을 구할 때 우리 주님이 들으신다. 이 세상 나라나 우리 자신의 능력이나 지혜는 도무지 의지할 만한 것이 안 되지만 부르짖는 자들이 알지도 못하는 크고 은밀한 일로 응답하실 약속의 주님께서는 능히 이 땅에 새생명의 물결을 허락하실 수 있다.

자살의 성경적 이해와 목회적 돌봄

신원하 목사

대한민국은 세계 경제협력개발기구(OECD) 국가들 중에서 자살률이 가장 높다. 2022년도 자살률은 24.1명이다. 이는 인구 10만 명당 자살 사망자 수를 가리키는 비율이다. 통계청이 발표한 통계에 따르면 2022년 한 해에 자살한 사망자의 수는 12,906명이다. 매일 35명이 자살했다는 것이다. 물론 가장 정점을 찍었던 2010년도 하루 42.6명이 자살한 해에 비하면 크게 줄어든 셈이지만 여전히 OECD 국가들의 평균 자살률보다 2배나 높다. 자살은 한국인의 사망 원인 가운데 순위가 5위이지만 10대부터 30대까지는 사망 원인 1위가 자살이고 40대에서 50대에서는 2위이다.

교회도 자살로부터 자유로운 것은 아니다. 자살 사건은 교회에서도 발생해 왔고 지금도 다르지 않다. 교회는 오랫동안 자살 사건이 발생하면 쉬쉬해 왔고 장례를 치러주지 않았다. 최근에는 이런 분위기가 10년 전과 비교하면 상당히 달라지고 있지만 아직도 자살 사건이 발생하면 교회도 유가족도 큰 충격을 받고 혼란을 겪게 된다. 목회자나 중직자가 이 문제에 대해 신학적으로 바르게 정리할 필요가 있다. 자살에 대해 성경이 말하는 게 뭔지, 교회역사를 통해 이를 어떻게 이해해 왔는지를 목회자들 자신은 물론 이를 성도들에게 제대로 설교나 강의를 통해 교육시킬 필요가 있다. 그렇게 해야 교회가 자살 사건이 발생해도 목회적으로 적절하게 대응해 갈 수 있게 되기 때문이다.

1. 성경의 자살 사건과 인물

성경에 자살로 삶을 마감한 인물이 다섯 명이 나온다. 성경에 기록된 순서에 따라 살펴보면 그 첫째 인물은 아비멜렉 왕이다(삿 9:52-54). 그는 사사 기드온의 첩에서 난 아들로 이복형제들인 왕자 70명을 죽이고 자신이 왕이 됐다. 이후 그는 자신에 대항하여 봉기한 무리와 전투하던 과정에서 한 여자가 망대 위에서 내리던진 맷돌에 치명상을 입게 됐다. 그러자 그는 여자에게 죽임을 당했다는 수치스러운 말을 듣지 않으려고 부하 병사에게 자기를 죽여줄 것을 명령했고 병사는 그 명령대로 그를 칼로 죽였다. 아비멜렉은 자기 뜻대로 타인의 도움으로 생명을 끊은 일종의 조력 자살을 한 셈이다.

둘째, 인물은 사울 왕이다. 사울은 블레셋 군대와 전투 가운데 치명상을 입게 되자 '할례 받지 못한 이방인'에게 죽었다는 수치를 당하지 않으려고 수하 병사에게 자신을 죽일 것을 명령했다. 그 병사가 거부하자 곧장 사울은 자기 칼에 엎드러져 자기 목숨을 끊었다(삼상 31:1-6).

셋째, 인물은 하히도벨이다. 그는 다윗 왕의 지략가였지만 압살롬이 다윗을 반역하고 다윗이 급히 도주하자 다윗을 배신하고 압살롬의 편에 가담했다. 어느 날 그는 압살롬에게 다윗을 공격할 계략을 제시했는데 압살롬이 그것을 기각하고 후새가 제시한 책략을 받아들이자 고향 집으로 돌아가 스스로 목을 매고 죽었다(삼하 17:23).

넷째, 인물은 북 이스라엘 왕 엘라의 신하였던 시므리이다. 그는 군사들이 전쟁에 나간 틈을 타서 그는 궁중에 남아있다가 엘라 왕을 살해하고 왕이 됐다. 이 소식을 전해들은 군사들이 시므리를 인정하지 않고 군대 장관 오므리를 왕으로 추대하고 시므리를 죽이기 위해 왕궁으로 진격했다. 시므리는 이 소식을 듣고 공포에 질려 왕궁에 불을 지르고 스스로 목숨을 끊었다(왕상 18:15-18절).

다섯째, 인물은 예수님의 제자 가롯 유다이다. 그는 예수를 은 30에 유대 대제사장들과 장로들에게 넘겨주고 자책에 견디지 못하여 목매어 죽었다(마27:3-5).

2. 자살 본문을 통한 유추할 수 있는 것과 없는 것

성경에 기록된 내용을 보면 비록 이들은 각각 다른 이유로 자살했지만 이들의 자살은 몇 가지 공통점을 지닌다고 분석할 수 있다. 이들의 죽음이 대체로 반역, 배신, 탐욕 심판, 수치 등과 관련되어 있다. 성경 역대상은 사울의 죽음에 대해 그가 여호와께 범죄했기 때문에 여호와께서 전쟁에서 그를 죽이셨다고 기록하면서 그의 죽음을 죄에 대한 심판으로 설명하고 있다(대상10:13-14). 아비멜렉, 아히도벨, 시므리 그리고 가룟 유다의 자살은 탐욕, 배신 그리고 살인과 수치와 같은 성격들이 뒤범벅되어 있다. 이처럼 성경에 묘사된 자살자들은 대부분 하나님을 등지고 자신의 욕망에 따라 행하다가 상황이 나빠지고 수모를 당하거나 심판을 받게 되자 절망하고 목숨을 끊는 선택을 한 것으로 분석할 수 있다. 그런데 자살 사건에 관련된 기록들은 보면 자살이 왜 신학적으로 문제가 되는지 그리고 자살이 어떤 성격을 지니는 행위인지에 대해 언급하고 있지 않다는 것은 알게 된다. 이런 것들에 대해서는 그에 관련된 답을 줄 수 있는 연관된 성경 말씀을 찾아 분석하는 작업을 해야 한다. 그리고 이 기록들을 살펴보면 자살이라는 특정한 죽음의 방식 그 자체에 대해서는 어떤 평가를 해 놓고 있지 않다는 점도 발견할 수 있다. 예를 들어 그들이 자살로 삶을 마감한 이유가 하나님의 그렇게 죽도록 심판했기 때문이라든지 또 그들이 자살했기 때문에 그 사람은 결코 '용서받지 못한다' 혹은 '구원받지 못한다'와 같은 진술을 유추하여 주장할 만한 어떤 언급이나 암시를 제공하지 않고 있다는 점이다. 이에 대한 진술이나 주장은 이에 직접적으로 관련된 성경 본문의 가르침을 분석하고 구원에 관련된 교회의 교리를 종합적으로 분석해서 도출해야 한다.

3. 십계명의 제6계명 : "살인하지 말라"(출 20:3)

그러면 자살 행위의 성격과 의미는 무엇인가? 이에 대해서는 출애굽기 20장 3절을 통해 좀 더 직접적으로 이해할 수 있다. 이 구절은 "살인하지 말라"(출 20:13)는 소위 십계명의 제6계명이다. 하나님이 언약 백성에게 주신 십계명 가운데 6번째 계명으로서 하나님의 백성은 사람의 생명을 죽이는 행위를 하지 말아야 한다는 명령이다. 그런데 대부분의 사람은 이 계명을 '타인의 생명'을 살해하지 말라는 명령으로 이해한다. 그러나 "살인하지 말라"는 6계명 안에는 동사는 있지만 어떤 특정한 대상을 목적어로 한정하고 있지 않은 계명이다. 이것이 의미하는 바는 제10계명의 형식과 구조를 비교해 보면 잘 파악할 수 있다. 제10계명은 네 이웃의 집이나 소유나 가축이나, 이웃의 아내를 탐내지 말라고 탐욕의 대상을 분명하게 명시하여 명령한다.

그런데 이와 달리 6계명은 단지 살인하지 말 것을 명령할 뿐이다. 이것은 제6계명은 타인의 생명이든 자기의 생명이든 사람의 생명을 살해하지 말라고 명령하는 것이다. 즉 사람의 모든 생명을 대상으로 삼는 포괄적 살인 금지 명령이다. 그러므로 하나님은 이웃의 생명과 아울러 본인의 생명도 파괴하지 말 것을 이 6계명을 통해 명령하신 것으로 이해하는 것이 마땅하다. 초대교회 교부 아우구스티누스와 종교개혁가 칼빈은 "살인하지 말라"는 명령이 자살을 포함하지 않을 이유는 없다고 보았다. 이렇게 보면 6계명이 금한 살인에는 '자기 살인'에 해당하는 자살도 포함하는 것이라고 이해해야 한다.

4. "다른 사람의 피를 흘리면 그 사람의 피도 흘릴…"(창 9:6)

자살의 성격을 유추하게 해 주는 또 다른 중요한 성경의 가르침은 창세기 9장 6절에 나온다. 하나님은 모세를 통해 율법을 주시기 훨씬 전에 이미 노아를 통해 홍수 이후 땅에서 살아갈 사람들에게 살인을 금하는 명령을 이와 같이 주셨다. "다른 사람의 피를 흘리면 그 사람의 피도 흘릴 것이니…"(창 9:6a). 그러면서 그 이유를 이렇게 말씀하셨다. "이는 하나님이 자기 형상대로 사람을 지으셨음이니라." 하나님이 사람을 자기의 형상으로 만드셨기 때문에 사람의 생명을 죽이는 것은 하나님의 형상을 파괴하는 것과 다르지 않게 여기신다는 말이다. 그래서 이 죄는 일반 죄와는 다른 하나님의 형상을 해치는 그런 성격의 죄로 본다는 것이다.

하나님은 다른 피조물과는 달리 사람은 하나님의 형상으로 지으셨다. 사람은 하나님의 창조 사역의 정점이다. 이처럼 존엄한 존재로 지음받은 사람을 살인한다는 것은 마치 하나님의 형상을 파괴하는 죄악과 다르지 않다는 것이다. 그래서 하나님은 사람의 피를 흘리는 자는 반드시 그 피를 흘리게 할 것을 즉 사형으로 처벌할 것을 노아에게 명령하셨던 것이다(창 9:6). 그렇다면 본인이 스스로 자기의 생명을 죽이는 자살 행위도 하나님의 형상을 해치는 엄청난 죄를 저지르는 것이다.

5. 자살 행위의 신학적 함의

자살이 기독교 신앙에서 심각한 죄가 되는 또 다른 이유는 그것이 사람을 사망의 권세에서 해방시키시고 생명으로 인도하시는 예수님의 구원 사역에 역행하는 행동이기 때문이다. 첫 인간의 범죄로 말미암아 사망이 인류에게 왔고 사람은 사람의 권세 아래 있게 되었기 때문에 바울은 사망을 "원수"라고 말했다(고전 15: 25-6). 그런데 사망의 권세 아래 살던 인간을 구원하기 위해 예수께서 이 땅에 오셨다. 예수님은 자신의 생명을 대속 제물로 십자가에서 내어 주시고 다시 부활하심으로 사망의 권세를 깨뜨리시고 우리를 사망에서 생명으로 옮겨 주셨다. 그리스도의 십자가의 대속 사역은 사망의 그늘 아래 있던 그의 백성에게 생명을 주기 위함이었다. 그런데 그리스도 안에서 새 생명을 얻은 성도들이 스스로 생명을 끊는 것은 어떤 면에서 예수의 사역을 역행하는 것과 다르지 않은 것이라고 볼 수 있다. 왜냐하면 자살은 우리가 싸우고 이겨야 할 원수인 사망과 사탄에게 굴복하는 것과 다르지 않기 때문이다.

6. 자살의 기독교 윤리적 함의

성도로 자살한다는 것이 지니는 지나칠 수 없는 문제는 바로 그것이 지니는 기독교 윤리적인 문제라고 할 수 있다. 사람은 자신의 의지에 따라 이 세상에 온 존재가 아니라 하나님이 생명을 주시고 보내셨기 때문에 이 세상에 태어난 존재이다. 다르게 말하면 사람의 생명의 주인은 바로 하나님이다. 사람은 하나님이 주신 생명을 받아 부모를 통해 이 세상에 태어나 살게 된 존재일 뿐이다. 그러면 하나님이 생명을 주시고 이 땅에 보내신 이유는 무엇일까? 웨스트민스트 교리문답은 1문답에서 분명하게 말한다. 사람이 하나님을 영화롭게 하고 영원토록 그를 즐거워하는 삶을 살도록 하기 위함이다. 이것을 사도 바울은 성도가 의로운 삶을 통해 이 세상에서 하나님 영광의 찬송이 되도록 하기 위함이라고 말한다(빌 1:11; 엡 1:12-14). 이에 더하여 바울은 성도들은 사나 죽으나 다 주의 것(롬 14:708)으로서 오직 주인 되신 하나님의 영광을 위해서 힘써 살아야 한다고 설명하고 성도들에게 그런 삶을 살아갈 것을 권고했다. 이런 사명을 부여받고 태어난 사람이 스스로 자기 생명을 끊어 버린다는 것은 하나님이 주신 사명과 책임을 유기하는 일이다. 물론 자신이 처한 삶이 너무나 힘에 겹고 죽음 외에는 피할 길이 없는 듯한 극한 상황에 내몰려 어쩔 수 없이 그 길을 택하게 되었다고 변호할지 모른다. 그러나 그런 경우조차도 자신에게 주어진 사명과 그에 대한 책임은 사라지는 것이 아님은 인식해야 한다.

이 점에서 바울의 생애는 깊은 시사점을 준다. 바울은 사역할 때 육신의 가시로 인해 세상을 떠나 그리스도와 함께 히는 것이 자신에게 더 좋다고 말한 바 있다. 바울이 얼마나 고통을 심하게 받았으면 그런 말을 했겠는가? 그렇지만 바울은 자기가 육신으로 있는 것이 성도들을 위해 더 유익하기 때문에 그렇게 하지 않았다고 말했다(빌 1:21-24). 바울은 육신의 가시로부터 받는 고통이 무겁고 극심했지만 하나님으로부터 받은 사명 즉 이방인들에게 은혜의 복음을 전하는 사역이 중하기 때문에 고통을 감내하며 그 삶을 살아간 것이다.

7. 어떤 죄보다 더 큰 하나님의 은혜

하나님의 창조 사역과 십자가의 복음 사역은 모두 생명을 존중하고 중시하는 것이다. 그래서 교회는 생명을 죽이고 사망을 택하고 그것에 굴복하는 자살행위를 중대한 죄로 여기고 엄중히 금지해 왔다. 바른 신학 전통을 지닌 교회들은 이 점을 분명히 가르쳐 왔다. 그러나 많은 성도가 의문을 품고 제기하는 이에 관련한 질문이 있다. 그것은 '자살한 사람은 어떻게 되는가?' '자살하면 구원받지 못하는가?'이다. 이에 대해 길게 다룰 수 없는 지면의 한계를 고려하여 아주 간단히 그리고 쉽게 답한다면 이렇게 답할 수 있을 것이다. 예수 그리스도를 구주로 믿지 않는 자들은 구원받지 못하고, 믿고 고백하는 신자들은 구원받는다는 것이다.

자살한 사람이 지옥에 가게 된다면 그가 예수를 믿지 않는 불신자이기 때문이지 자살했기 때문이 아니다. 구원을 받는 자는 그가 믿는 신자이기 때문에 하나님의 은혜로 구원 얻게 되는 것이다. 사람이 짓는 그 어떤 큰 죄라고 하더라도 하나님이 베푸시는 은혜와 사랑보다 더 클 수는 없다. 웨스트민스터 소교리문답 37 문답은 그리스도를 주님으로 믿고 고백하는 성도는 죽을 때 그의 영혼이 완전히 거룩하게 되어 즉시 영광에 들어가게 된다고 가르친다. 믿는 신자에게 주시는 구원은 전적으로 십자가의 은혜와 하나님의 주권에 달려 있다. 그러므로 자살한 신자의 구원 문제를 자살 사건으로 환원하여 단정해서는 안 되고 할 수도 없다. 구원의 문제는 측량할 수 없는 하나님의 은혜와 그의 선하신 주권으로부터 말미암는 하나님께 속하는 것이기 때문이다.

8. 자살예방 사역 : 관심과 돌봄

성경이 자살을 죄로 규정하기에 교회는 자살을 반대하고 금해 왔지만 성도들은 자살의 유혹을 받을 수 있다. 현재 상태가 너무나 절망적이고 헤쳐나갈 희망이 보이지 않는다고 느끼게 되면 성도들도 낙망하여 삶의 의욕을 놓게 될 수도 있다. 그러나 그러한 형편에도 성도들은 하나님이 지금도 나를 사랑하시고 나를 통해 영광을 받으시기를 원하신다는 말씀을 기억하고 붙잡아야 한다.

교회는 주위에 이런 상태에서 자살 유혹에 흔들리는 사람이 없는지 돌아볼 필요가 있다. 갖가지 실패와 좌절로 자포자기 상태에 놓여 있는 자들이 있다면 교회와 성도들은 그들을 찾아가 대화하고 따뜻하게 손을 잡으며 사랑을 전해 주어야 한다. 이 사랑의 온기는 그들에게 치유와 생명의 기운으로 작용하는 큰 힘이 된다. 이런 손길을 통해 그들이 하나님이 아직도 자신들을 사랑하시고 도우시는 분임을 깨달을 수 있게 되기 때문이다. 사회가 어려울수록 교회는 이런 사역을 통해 자살을 예방하고 이 사회에 생명을 되살리는 운동을 전개해 가야 할 것이다.

노화와 죽음의 문제

신원하 목사

사람은 태어나면 늙고 늙으면 병들고 죽는다. 누구도 예외가 없다. 청년기에 쌀 한 가마니를 거뜬히 들던 건장한 사람도 노년이 되면 쇠약해지고 마침내 죽는다. 그렇지만 사람들은 50대가 되기까지 죽음에 대해 거의 생각하지 않는다. 젊고 건강한 사람들은 그것이 자신과 무관한 것으로 인식하기 때문이고 아울러 죽음을 생각하기조차 싫어하는 마음을 갖고 있기 때문이기도 하다. 그러다가 60대가 되어 자신의 몸의 기능과 건강이 서서히 저하되는 것을 느끼면 비로소 자신의 '노화'를 인식하고 불편한 진실인 '죽음'도 어쩔 수 없이 의식하게 된다.

1. 노화 그리고 항노화와 역노화

지난 20세기를 거치는 동안 과학과 의료 기술이 급속히 발전하면서 인류사회는 많은 질병을 치료하고 인간 삶의 질을 획기적으로 개선해 왔다. 그리고 20세기 후반부 이후부터는 인간의 건강과 젊음을 더 오랫동안 유지하여 노화를 막는 안티에이징(Anti-aging) 즉 반노화(反老化)를 화두로 제시하고 이 일을 구현하기 위해 선진사회를 중심으로 힘을 쏟아 왔다. 그리고 진보된 의료 기술과 경제적 풍요를 이룬 선진사회 시민들은 이 안티 에이징이 실현되고 있는 현실을 이미 누리고 있다. 그런데 21세기가 들어선 이후 최근 약 10년 전부터 선진국의 과학자들은 안티에이징에서 만족하지 못하고 노화를 역전시키는 '리버스 에이징'(Reverse againg) 즉 '역노화'(逆老化)를 미래의 목표로 제시하고 이것을 실현하기 위해 막대한 연구 인력과 재정을 투입하고 있다. 이미 미국 하버드 대학교 의대 유전학 교수 싱클레어 박사는 세계 노화 연구 학자들의 연구 결과를 인용하면서 노화가 인간의 불가피한 삶의 일부가 아니라 일종의 질병이라고 주장했다. 그는 다른 질병들을 고치듯이 노화도 그 원인을 찾아서 치료하면 건강하게 장수할 수 있다고 주장하게 됐다. 즉 노화를 질병으로 분류하고 치료제 개발과 섭생과 운동을 통해 치료해 나가면 노화가 역전될 수 있다는 주장을 한 바 있다. 그리고 2018년에는 세계보건기구(WHO)도 이런 흐름에서 노화에 질병코드를 부여한 바 있다. 이렇게 되면 노화는 인생이 당연히 거치는 과정이 아니라 대처하고 잘 치료하면 극복할 수 있는 것이 된다. 한국도 이미 2022년에 정부 지원으로 삼성의료원의 김동익 교수를 중심으로 노화 역전 연구팀을 구성하고 이 연구를 진행해 오고 있는 상황이다.

대한민국은 현재 고령사회이다. 국제연합(UN)의 기준에 따르면 65세 노인인구가 7%를 넘으면 고령화 사회, 14%를 넘으면 고령사회 그리고 20%를 넘으면 후기 노령사회 혹은 초고령사회라고 부른다. 2023년 현재 대한민국은 19%를 넘어 고령사회이고 곧 2025년에는 초고령 사회가 된다. 한국교회는 한국사회보다 훨씬 더 노년 성도들의 비율이 높다. 그래서 노화와 죽음의 문제는 교회가 더욱 신학적으로 사회학적으로 잘 정리해 대처해야 할 과제가 아닐 수 없다.

2. 죽음을 거부하고 외면하는 현대문화

역노화를 향한 지구촌의 노력은 표면적으로는 인류가 노년에도 건강하게 살기를 바라는 선한 의도와 목적에서 나오는 것이지만 이면적으로는 죽음에 대한 인간이 지닌 근원적인 두려움과 연결되어 있다고 할 수 있다. 현대인이 죽음을 이처럼 생각조차 하기 싫어하는 이유를 크게 두 가지만 언급한다면 그 첫째는 죽음을 자신이 송두리째 부정되고 사라지는 것으로 여기기 때문이다. 자신의 육체가 관에 들어가 땅에 묻혀 썩어지게 된다는 것은 있을 수 없는 일로 여기고 상상하기조차 싫어하기 때문이다. 그것은 자신이 이 땅에서 힘들여 얻었던 부와 소유와 지위와 사람들로부터 완전히 분리되어 사라져 버리는 것이다. 그래서 사람들은 이것은 자기에게 오지 말아야 할 사건으로 생각하는 것이다. 둘째로 현대인들은 물리적으로도 죽음이 매우 낯선 환경과 사회에서 자랐기 때문이다. 이들은 이전 세대와는 달리 사람이 죽는 모습을 가까이서 거의 보지 못하며 성장했다. 과거에는 대가족 가정에서 살면서 거의 모든 사람이 집에서 죽음을 맞았다. 사람들은 많은 식구와 함께 자랐기 때문에 할아버지나 할머니 그리고 부모님뿐만 아니라 심지어 형제들이 집에서 죽는 모습도 또한 시신도 보곤 했다. 그러나 20세기 후반기 이후부터 핵가족 가정에서 자란 세대들은 가까이서 죽음을 볼 기회가 거의 없었다. 4명 중의 1명이 모두 병원에서 죽기 때문이다. 성인들도 입관하는 그 짧은 한순간 외에는 시신을 볼 기회가 거의 없다. 이러한 이유로 대부분의 사람은 죽음을 매우 낯설게 여기고 자신과는 멀리 떨어져 있는 일로 생각하며 살아간다. 그러면서 대부분은 '지금 여기서' 자기 개인의 성공과 행복을 위해 열심히 살라고 요구하는 현대문화와 흐름에 따라 눈앞의 현실에 집중하여 살아간다. 그렇지만 사람이 죽음을 외면해도 죽음은 찾아오고 사람은 죽는다. 그것은 피할 수 없는 인간의 운명이기 때문이다.

3. 죄의 형벌로 임한 죽음과 노화

죽음의 기원과 의미 성격에 대해 여러 종교와 문화들이 견해와 비교하면 성경은 그 어떤 종교와 경전에 비해 죽음의 기원과 성격에 대해 분명하게 말해준다. 죽음은 죄의 결과물이다. 바울은 이에 대해 이렇게 설명한다. "그러므로 한 사람으로 말미암아 죄가 세상에 들어오고 죄로 말미암아 사망이 들어왔나니 이와 같이 모든 사람이 죄를 지었으므로 사망이 모든 사람에게 이르렀느니라"(롬 5:12). 하나님은 사람을 그의 형상에 따라 창조하시고 첫 사람이 하나님을 순종하고 세상을 잘 다스려서 하나님을 영화롭게 하는 문화와 세상을 건설하며 살아갈 것을 명령하셨다. 아울러 하나님은 아담에게 불순종할 경우에는 반드시 죽게 될 것도 말씀하셨다. "선악을 알게 하는 나무의 열매는 먹지 말라. 네가 먹는 날에는 반드시 죽으리라"(창 2:17). 그런데 첫 인간은 자신이 주인이 되려고 하나님께 반역하고 범죄하자 하나님은 아담에게 "너는 흙이니 흙으로 돌아갈 것이니"(창 3:19)라고 죽음을 선고하셨다. 죽음은 죄에 대한 심판과 형벌로서 시작됐다. 비록 아담이 선고를 받자 당장 죽음을 받지 않았지만 점점 노화가 발생했고 노쇠하게 되면서 마침내 죽음을 맞았다(창 5:5). 이것이 성경이 가르치는 인간의 노화와 죽음이다. 노화와 죽음은 본래 하나님의 계획은 아니었으나 인간의 범죄로 이 땅에 들어왔고 이것은 형벌로서 주어진 것이기 때문에 사람은 누구도 예외 없이 이 과정을 거쳐 죽음을 맞게 됐다.

4. 예수의 대속 사역이 죽음에 미친 효과

죄의 삯으로 사망이 사람에게 임했지만(롬 6:23; 롬 5: 12) 예수 그리스도의 이 땅에 오셔서 십자가에서 우리를 대신하여 형벌적 죽음을 죽으심으로 이제 죽음은 예수 그리스도 안에서 의인이 된 사람들에게는 더 이상 개별적 형벌로 임하는 것이 아니게 됐다. 그 이유는 바울이 말한 바 그리스도 예수 안에 있는 자에게는 결코 정죄함이 없게 되었기 때문이다(롬 8:1). 따라서 죄의 형벌로서의 죽음은 예수가 대신 치르시고 그것이 더 이상 신자들에게 미칠 필요가 없게 됐다. 이에 대해 사도바울은 예수께서 "우리 죄를 대속하기 위하여 자기 몸을 주셨으니"라고 설명한다(갈 1:4). 그러니 예수 안에 있는 자들에게는 정죄함이 없게 되었으니 죄에 따른 형벌로서의 죽음을 더 이상 요구할 필요가 없게 된 것이다. 그럼에도 불구하고 신자들이 이 세상에서 여전히 죽게 되는 이유는 성부 하나님이 예수 그리스도의 대속 사역의 유익을 시간을 두고 점진적으로 적용하기 때문이다. 그것은 하나님이 죄로 말미암아 이 세상에 들어온 죽음을 비롯한 모든 악을 단번에 제거하지 않고 마지막 종말 때까지 유예하시고 예수가 다시 오실 그때에 비로소 죽음을 포함한 모든 악과 불의를 세상에서 제거하시기로 하셨기 때문이다. 그래서 죽음은 최후의 종말 때까지 죄의 모든 효과가 제거되지 않은 이 세상에 여전히 존재하게 될 것이고 따라서 그에 동반될 수 있는 노화도 계속될 것이다. 그래서 그리스도인들도 이 세상에 사는 한 죄의 효과와 영향을 지속적으로 경험하게 되고 그것이 자신의 몸에 끼치는 해악도 경험하게 되어 몸이 노화하고 질병에 걸리고 마침내 죽음을 맞게 되는 것이다. 그렇지만 신자들은 죽음이 이제는 최종적인 심판이나 형벌의 의미가 아님을 알기 때문에 노화와 죽음도 불신자와는 달리 두려워하고 외면하거나 부인할 필요가 없고 이보다 편안하게 맞게 될 수 있다.

5. 노화와 죽음은 악이지만 궁극적인 악이 아님

그리스도인들에게는 비록 죽음이 더 이상 개별적 형벌의 결과물이 아니지만 그럼에도 불구하고 악이다. 왜냐하면 이것은 하나님이 세상을 창조하실 때 창조세계를 위해 의도하신 것이 아니기 때문이다. 그렇지만 이것이 이제는 궁극적인 악은 아니다. 왜냐하면 그리스도인들에게는 죽음이 끝과 심판이 아니고 영원한 삶으로 들어가는 새로운 출발점이기 때문이다. 예수 그리스도의 대속적인 죽음으로 우리의 죄는 속량되었고 예수의 부활로 우리가 사망의 권세와 사탄으로부터 자유함을 얻게 되었기 때문이다. "죽음을 통하여 죽음의 세력을 잡은 자 곧 마귀를 멸하시고 또 죽기를 무서워하므로 한평생 매여 종노릇하는 모든 자들을 놓아주려 하[셨다]"(히 2:1;4-15). 바로 이런 이유로 칼빈은 그리스도인들은 불신자들과 같이 죽음을 두려워하여 온갖 방법을 다 동원하여 생명을 연명하려고 해서는 안 된다고 말한다. 그 이유는 성도들에게 죽음이란 영원한 생명의 영광에 들어가는 문이기 때문이라고 칼빈은 말한다. 그래서 비록 죽음은 큰 악이지만 궁극적인 악이 아니기 때문에 죽음에 대해 과도하게 저항하고 거부하는 불신자들처럼 행동할 필요가 없고 죽음이 다가옴을 느낄 때 영원한 생명을 소망하고 그 소망의 힘으로 죽음을 대면할 수 있어야 한다.

마찬가지로 노화도 하나님이 죄로 말미암아 초래된 악이다. 그래서 사람들은 늙어가면서 육체적인 기력만이 아니라 외모도 흉해지기도 한다. 성경 곳곳에는 하나님이 만드신 육체적 아름다움을 선한 것으로 묘사하고 노래하는 기사가 나온다. 그리고 그 아름다움을 즐기고 도모하는 것이 잘못된 것이라고 말하지 않는다. 그래서 노화로 말미암아 발생하는 흉한 것이 있다면 시술이나 수술을 통해 그것들을 개선해 나가는 성형을 성경이 크게 문제 삼는다고 말할 수 없다. 그것은 죄로 말미암아 초대된 악한 결과를 완화시키는 행위의 일종으로 간주할 수 있다. 따라서 본인이 지니고 있는 경제적 상황과 여건에서 지나치게 많은 돈을 사용하거나 시간을 들이지 않는다면 흉한 외모를 개선하려는 것을 도덕적으로 문제될 것은 없다. 그러나 육체적 미의 개선을 통해 노화를 막거나 나이를 역전시키려는 마음이 크게 작용하고 있다면 그것은 자칫 우상 숭배가 될 수도 있음을 의식하고 경계해야 한다. 노년 성도들은 성형을 통한 육체적 미를 도모하려는 노력에 못지않게 내적인 품위와 아름다움을 갖추는 것에도 신경을 써야 한다.

6. 노화의 유익

노화는 필연적으로 노쇠를 동반하기 때문에 노년이 되면 신체에 힘이 빠지고 약해지며 그 약함으로 인해 골절이나 낙상과 같은 일을 더 자주 겪고 병고를 치르게 될 가능성이 높다. 이런 점에서 노화는 여전히 악이고 노년들이 이같이 악으로 초래되는 해를 더 많이 경험하며 살 수밖에 없다. 그러나 한편으로는 영적으로는 젊을 때보다 더 놀라운 영적인 복을 받는 기회를 많이 갖게 될 수도 있다. 바울은 그가 "가시"라고 표현한 자신이 육신에 존재하는 질병이 너무나 고통스러워 하나님이 치유해 주시기를 세 번이나 간구했음에도 불구하고 하나님이 "내 은혜가 네게 족하도다. 이는 내 능력이 약한 데서 온전하여 짐이니라"(고후 12:9a)라고 응답하시자 바울은 이렇게 고백했다. "그러므로 도리어 크게 기뻐함으로 나의 여러 약한 것들에 대하여 자랑하리니 이는 그리스도의 능력이 내게 머물게 하려 함이라"(고후 12:9b).

노년들은 육신이 약해지고 병고를 더 많이 치르게 되지만 신자들은 그리스도의 능력이 자신에게 머물고 하나님의 능력이 자신 안에서 온전해지기 때문에 성화의 길로 나아가기에 더 적합하게 될 수 있다. 실제로 노년기 신자들은 이것을 더 느끼거나 그런 자신을 보는 기쁨을 더 자주 누리게 될 수 있다. 그 결과로 자기 주위에 함께하는 사람들에게도 자신이 하나님의 능력을 나눠주게 되는 유익을 끼치고 그로 말미암아 그들이 하나님의 영광을 찬송하게 되는 열매를 맺을 수 있다는 것이다.

이처럼 노화는 육체적으로는 늙어지나 영적으로는 더 젊어지고 건강해지는 복된 계기가 될 수 있다. 이것은 바울이 고통받는 가운데서도 낙심하지 않는 이유를 표현한 것에서도 재확인할 수 있다. "우리의 겉사람은 낡아지나 우리의 속사람은 날로 새로워지도다"(고후 4:16). 그의 내면이 나이가 들수록 더 새로워지고 윤택해지는 경험을 통해 바울 자신도 하나님을 더욱 가까이하고 하나님을 즐거워하고 영화롭게 할 수 있었던 것이다. 노년기 그리스도인들은 노화를 통해 하나님의 능력이 자신 안에 머물게 될 것을 도리어 기대하면서 노쇠함의 기간을 영적인 강함의 기회로 만들어 가고자 더욱 노력해야 한다.

7. 복된 노화와 죽음을 위한 성도의 삶

칼빈은 일찍이 인생은 하나님께서 잘 계획해 놓으신 짧은 경주라고 말한 바 있다. 경주는 결승점이 있기 마련이다. 그리고 결승점을 지나면 시상식이 있고 상이 주어진다. 통상 세상의 경기는 1, 2, 3등에게만 상을 주지만 영적인 경주에서는 죽음이라는 결승점을 통과한 경주자 모두에게 상이 주어지는데 그 상은 부활이라는 생명의 월계관이다. 그런 의미에서 노화와 죽음은 그 자체가 끝이 아니다. 기독교의 죽음과 노화는 영생과 부활의 육체를 지향하며 이것은 이미 예수님이 2천 년 전 죽음의 공포 가운데 떨고 있는 제자 무리 가운데 나타나 보여 주신 부활하신 몸이 씨앗이 되었고 이것은 오늘 우리 성도들의 노화와 죽음에서 부활로 열매를 맺을 것이다 (요 20:19-20). 이처럼 성도의 노화는 더 하나님을 의지하고 하나님의 임재를 앙망하는 도상이며 죽음은 마침내 구주 예수님이 이루신 부활에 참여해야 영원한 생명에 들어가는 영광의 그림자이다.

칼빈은 성도들은 눈을 뜨고 제대로 바라보기만 하면 자신의 주위에서 산재해 있는 것들과 발생하는 일들에 죽음의 흔적이 도사리고 있음을 보게 된다고 했다. 성도들은 이것을 회피하거나 거부하지 말고 정직하게 바라보고 인정할 필요가 있다. 그러면 우리의 많이 남지 않은 인생을 더 두려움과 떨림으로 대하게 된다. 이미 노년기에 접어든 성도나 노년기를 눈앞에 둔 성도들은 자기의 남은 날들이 길지 않다는 생각으로 이 시기에 더욱 주님이 기뻐하시는 일이 무엇인지를 생각하면서 주의 영광과 주의 교회를 위해 힘써 살아가도록 해야 할 것이다. 잘 늙고 잘 죽기 위해서라도 잘 살아가야 할 책임이 우리에게 있다.

KOL 기획위원 및 외부필진

김하연 목사

대구삼승교회 담임목사, 고신언론사 주필, 고신총회 성경연구소장
The Hebrew University of Jerusalem(Ph.D., 구약학)

- 저서 「유대배경을 알면 성경이 보인다」(SFC)
  「창세기 원문새번역 노트」(SFC)
  Multiple Authorship of the Septuagint Pentateuch(Brill, 2020)

문장환 목사

진주삼일교회 담임목사
동남성경연구원장
남아공 스텔렌보쉬대학교 신학박사

안진출 목사

안디옥교회 담임목사
목회/선교 컨설턴트, 한국NCD교회개발원 코치
고신대학교 졸업, 고려신학대학원 졸업
KPM 이사장 역임

신원하 원장

한국기독교윤리연구원(www.koreanchristianethics.com) 원장
미국 칼빈신학교(Th.M.), 보스톤대학(Ph.D.,기독교 윤리학)
고려신학대학원 교수 및 원장 역임

- 저서 「죽음에 이르는 7가지 죄」(IVP), 「교회가 꼭 대답해야 할 윤리 문제들」(예영)
  「전쟁과 정치」(대한기독교서회), 「시대의 분별과 윤리적 신념」(SFC) 등
- 역서 「기독교 윤리학의 토대와 흐름」(스탠리 그렌츠)
  「예수의 정치학」(존 하워드 요더), 「개혁주의 윤리학」(CLC) 등

황대우 교수

고신대학교 학부대학 교수
개혁주의학술원 원장
고신대학교 신학과 및 대학원 졸업
Theological University of Apeldoorn in Netherlands 졸업

유해신 목사

관악교회(서울 신림동) 담임목사
설교와 함께 하이델베르크 요리문답과 웨스트민스터 표준문서로
하나님의 말씀을 가르치며 교회를 세워 가고 있다.
서울대학교(BA), 고려신학대학원(M. Div.)
기독교윤리실천운동 사무처장 역임

감기탁 목사

달성교회 담임목사, 부산대 SFC
고분자공학 석사, 미국 Texas A&M University, College Station, TX(Ph.D., 기계공학)
시카고 지역 선임연구원 근무, Trinity Evangelical Divinity School, Deerfield, IL(M.Div.).

박신웅 목사

소망교회 담임목사, 고려신학대학원 겸임교수
고려신학대학원(M.Div.), 美 Southwestern Baptist Theological Seminary(M.A. Christian Education), Gordon-Conwell Theological Seminary(Th.M, Preaching), Pennsylvania State University(성인교육학박사 Ph.D.). 기독교 교육을 포함한 성인교육학 분야 다수 논문과 저서, 고신 총회교육원 원장 역임

KOL 기획위원 및 외부필진

손승호 선교사

울산경남세계선교협의회 사무총장
고려신학대학원(M.Div.), 스텔렌보쉬대학교(Th.M., Th.D.)
- 저서 「태국선교:성령의 역사, 부흥으로」, 「불교권 선교 가이드」
- 공동 편저 「난공불락 불교권, 어떻게 선교할까?」

손재익 목사

한길교회(서울 광진구) 담임목사
부산대, 고려신학대학원 졸업
고신대 대학원 Th.M.
- 저서 「특강 예배모범」
  「분쟁하는 성도 화평케하는 복음」
  「설교, 어떻게 들을 것인가」 외 다수

이기룡 목사

고신 총회교육원장, 창원교회 기관목사
고려신학대학원(M.Div.), 고신대 교육학박사. 교회교육 교재 및 프로그램 개발, 고신대 및 고려신학대학원에서 가르치며 새로운 교회교육 모델을 만들고 있다.
- 저서 「한국교회 트렌드 2023」
  「한국교회 3040 트렌드」 등

최정복 목사

세종시장로교회 담임목사
고려신학대학원 교의학 석사

김보성 목사

울산신정교회 담임목사
고려신학대학원(M.Div.)
고신대학교 대학원 (M.A.)

이정규 목사

시광교회 담임목사
고려신학대학원(M. Div.)
- 저서 「새가족반」 외 다수

성희찬 목사

창원 작은빛교회를 섬기며, 신학교에서 헌법을 오랫동안 가르침
- 저서 「한국장로교회헌법개정역사」
　　「고신교회 70년과 나아갈 길」 등

**

　이 두 권의 책을 통해 한국교회를 향한 하나님의 사랑을 확인하고 그분의 비전을 깨달을 뿐만 아니라 또한 그 비전이 이루어지는 역사 일어나길 두 손 모아 간절히 기도합니다.

**